회독플래너

ero! 따라만 해도 5회독 가능!

권 구분	PART	CHAPTER	1회독	2회독	3회독	4회독	5회독
문법과 어문규정	현대 문법	언어와 국어	1	1	1	1	1
		음운론	2-4	2-4	2-3		
		형태론	5-8	5-8	4-5	2	
		통사론	9-12	9-12	6-8	3	2
		의미론과 화용론	13	13	9		
	어문 규정	한글 맞춤법	14-17	14-17	10-11	4	3
		문장 부호	18	18	12		
		표준어 사정 원칙	19-22	19-22	13-14	5	4
		표준 발음법	23-24	23-24	15	6	5
		로마자 표기법과 외래어 표기법	25	25	16	7	
	고전 문법	국어사	26	26	17	8	6
		훈민정음과 고전 문법	27-28	27-28	18	9	
		주요 고전문 분석	29	29	19	10	
	언어 예절과 바른 표현	언어 예절	30	30	20	11	7
		바른 표현	31	31	21	12	
비문학	이론 비문학	작문	32	32	22	13	8
		화법	33				
		논증과 오류	34				
	독해 비문학	주제 찾기 유형	35	33	23		
		내용 일치/불일치 유형	36				
		밑줄/괄호 유형	37				
문학	문학 기본 이론	문학의 이해	38	34	24	14	9
		한국 문학의 이해					
	현대 문학의 이해	한국 현대 문학의 흐름	39-40	35			
		현대 시	41	36	25	15	10
		현대 소설	42				
		희곡, 시나리오, 수필	43				
	고전 문학의 이해	한국 문학과 고대의 문학	44	37	26	16	11
		상고 시대의 문학					
		고려 시대의 문학	45				
		조선 시대의 문학	46				
	주요 문학 작품	현대 시	47-50	38-41	27-29	17	12
		현대 소설	51-54	42-45	30-31	18	13
		현대 희곡과 수필	55	46	32		
		고전 운문	56-59	47-49	33-34	19	14
		고전 산문	60	50	35	20	
어휘와 관용표현	순우리말		틈틈이!	틈틈이!	틈틈이!	틈틈이!	틈틈이!
	관용 표현		틈틈이!	틈틈이!	틈틈이!	틈틈이!	틈틈이!
	한자와 한자어		틈틈이!	틈틈이!	틈틈이!	틈틈이!	틈틈이!
			60일 완성	**50일 완성**	**35일 완성**	**20일 완성**	**14일 완성**

* 전 영역에 대한 회독플래너입니다.
* 일부 영역만 학습 시, 해당 일자를 참고하여 플래너를 활용하세요.

자르는 선

직접 체크하는

회독플래너

본문의 회독체크표를 한눈에!

권 구분	PART	CHAPTER	1회독	2회독	3회독	4회독	5회독
문법과 어문규정	현대 문법	언어와 국어					
		음운론					
		형태론					
		통사론					
		의미론과 화용론					
	어문 규정	한글 맞춤법					
		문장 부호					
		표준어 사정 원칙					
		표준 발음법					
		로마자 표기법과 외래어 표기법					
	고전 문법	국어사					
		훈민정음과 고전 문법					
		주요 고전문 분석					
	언어 예절과 바른 표현	언어 예절					
		바른 표현					
비문학	이론 비문학	작문					
		화법					
		논증과 오류					
	독해 비문학	주제 찾기 유형					
		내용 일치/불일치 유형					
		밑줄/괄호 유형					
문학	문학 기본 이론	문학의 이해					
		한국 문학의 이해					
	현대 문학의 이해	한국 현대 문학의 흐름					
		현대 시					
		현대 소설					
		희곡, 시나리오, 수필					
	고전 문학의 이해	한국 문학과 고대의 문학					
		상고 시대의 문학					
		고려 시대의 문학					
		조선 시대의 문학					
	주요 문학 작품	현대 시					
		현대 소설					
		현대 희곡과 수필					
		고전 운문					
		고전 산문					
어휘와 관용표현	순우리말						
	관용 표현						
	한자와 한자어						
			___일 완성	___일 완성	___일 완성	___일 완성	___일 완성

* 전 영역에 대한 회독플래너입니다.
* 일부 영역만 학습 시, 해당 일자를 참고하여 플래너를 활용하세요.

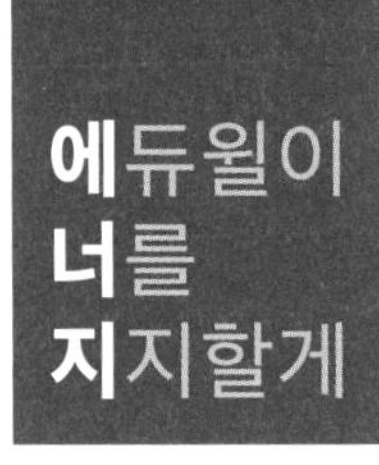

ENERGY

세상을 움직이려면

먼저 나 자신을 움직여야 한다.

– 소크라테스(Socrates)

기출OX 문제풀이 APP

에듀윌 합격앱 접속하기

QR코드
스캔하기

또는

에듀윌 합격앱
다운받기

기출OX 퀴즈 무료로 이용하기

하단 딱풀 메뉴에서 기출OX 선택 ▶ 과목과 PART 선택 ▶ 퀴즈 풀기

• 틀린 문제는 기출오답노트(기출OX)에서 다시 확인할 수 있습니다.

교재 구매 인증하기

• 무료체험 후 7일이 지나면 교재 구매 인증을 해야 합니다(최초 1회 인증 필요).
• 교재 구매 인증화면에서 정답을 입력하면 기간 제한 없이 기출OX 퀴즈를 무료로 이용할 수 있습니다(정답은 교재에서 찾을 수 있음).

※ 에듀윌 합격앱 어플에서 회원 가입 후 이용하실 수 있는 서비스입니다.
※ 스마트폰에서만 이용 가능하며, 일부 단말기에서는 서비스가 지원되지 않을 수 있습니다.
※ 해당 서비스는 추후 다른 서비스로 변경될 수 있습니다.

2023

에듀윌 7·9급공무원

기본서

국어 | 어휘와 관용표현

기출분석의 모든 것

최근 5개년 출제 문항 수

2022~2018 9급
국가직, 지방직, 서울시
기준

권 구분	PART	CHAPTER	2022	2021		2020		2019			2018			합계
			국9	국9	지/서9	국9	지/서9	국9	지9	서9	국9	지9	서9	
문법과 어문 규정	현대 문법	언어와 국어		1						1				2
		음운론						1	1		1		2	5
		형태론		1				1		1			3	6
		통사론				2	1			1				4
		의미론과 화용론	1	1			1	1	2	1	1	1		9
	어문 규정	한글 맞춤법	3	1	1	1	3		2	4	1	3	2	21
		문장 부호												0
		표준어 사정 원칙			1								1	2
		표준 발음법								1				1
		국어의 로마자/외래어 표기법								2	1			3
	고전 문법	국어사												0
		훈민정음과 고전 문법								1	1	1		3
		주요 고전문 분석												0
	언어 예절과 바른 표현	언어예절												0
		바른 표현	1	1		2			1			1	1	7
비문학	이론 비문학	작문		2	1	1	2	2	1		3		1	13
		화법	1	2	1	2	1	3	2			2		14
		논증과 오류									1			1
	독해 비문학	주제 찾기 유형				2	2		2		1			7
		내용 일치/불일치 유형	4	3	3	3	1	3	3		3	4	2	29
		밑줄/괄호 유형	1	1	3	1	1	2		1				10
		기타	3	1	3		1					2		10
문학	기본 이론	문학의 이해						1	1				1	3
	현대 문학의 이해	한국 현대 문학의 흐름											2	2
	고전 문학의 이해	한국 문학과 고대의 문학												0
	주요 문학 작품	현대 시	1	1	1		1	1		3	1	1		10
		현대 소설	1		1	2	1	1	1	1	1	1	1	11
		현대 희곡과 수필		1	2			1						4
		고전 운문	1	2		1		2	1	2	1	2	1	13
		고전 산문	1		1		3	1	1		2	1		10
어휘와 관용 표현	순우리말	문학 작품 속 순 우리말												0
		사람 관련 순우리말												0
		자연 관련 순우리말												0
		기타 순우리말			1									1
		단어의 의미 관계												0
	관용 표현	주요 관용구			1									1
		신체 관련 관용구												0
		주요 속담								1			1	2
	한자와 한자어	한자와 한문법												0
		주요 한자												0
		두 글자 주요 한자어	1	1		2			1		1	1	1	8
		주의해야 할 한자와 한자어					1				1			2
		주요 사자성어	1	1		1	1		1				1	6
문항수 합계			20	20	20	20	20	20	20	20	20	20	20	220

최근 5개년 출제 개념

2022~2018 9급
국가직, 지방직, 서울시 기준

권 구분	PART	CHAPTER	출제 개념
문법과 어문규정	현대 문법	언어와 국어	언어와 사고, 고유어, 한자어, 외래어, 귀화어, 비어, 국어의 형태적 특성, 언어의 자의성과 사회성, 순화어
		음운론	음운 변동, 자음과 모음
		형태론	용언의 불규칙 활용, 품사, 접두사, 대명사, 용언의 기본형, 보조사(는, 만, 대로, 조차), 조사(에서), 본용언과 보조 용언, 합성어와 파생어, 통사적 합성어와 비통사적 합성어, 접미사
		통사론	안긴문장의 성분, 주체 높임, 객체 높임, 상대 높임, 주동문과 사동문
		의미론과 화용론	지시 표현, 의미의 확대와 축소, 어휘의 의미 관계, 반의 관계[부상(扶桑)-함지(咸池)], 반의어(분분하다-합치하다, 겸손-오만, 결미-모두, 살다-죽다, 높다-낮다, 늙다-젊다, 뜨겁다-차갑다), 다의어와 동음이의어(싸다, 짚다, 타다), 유의어(잡다), 동일한 주어 찾기, '살다'의 의미
	어문 규정	한글 맞춤법	사이시옷 규정, 란-난, 량-양, 썩이다-썩히다, 가름-갈음, 부문-부분, 구별-구분, 로서-로써, 웬일, 며칠, 박이다, 으레, 한밤중, 잘할뿐더러, 두 시간 만에, 안된다, 도외시하다, 대리전으로밖에는, 내키는 대로, 회복될지, 으로부터, 십여 년 전, 정한 대로, 재조정하여야, 추진력마저, 나하고, 활용될 수밖에, 공부깨나, 가는 김에, 창밖, 우단 천, 30년 동안, 낫다, 이어서, '데'와 '대', 쳐주다, 먹어 버렸다, 부쳐 주었다, 젊어 보인다, 입원시켰다, 부부간, 아무것, 집채만 한, 믿을 만한, 미닫이, 졸음, 익히, 육손이, 집집이, 곰배팔이, 끄트머리, 바가지, 이파리
		문장 부호	
		표준어 사정 원칙	콧방울, 눈초리, 귓밥, 장딴지, 퍼레서, 똬리, 머리말, 잠가야, 버젓이, 깨단하다, 뒤져내다, 허구하다, 개발새발, 이쁘다, 덩쿨, 마실, 치켜세우다, 사글세, 설거지, 수캉아지, 주책, 두루뭉술하다, 허드레
		표준 발음법	디귿이[디그시], 홑이불[혼니불]
		국어의 로마자/외래어 표기법	국어의 로마자 표기법: 음절 사이 붙임표(-), 학여울[항녀울]-Hangnyeoul / 외래어 표기법: 플래시, 슈림프, 프레젠테이션, 뉴턴, 배지, 앙코르, 콘테스트, 난센스, 소파, 소시지, 슈퍼마켓, 보디로션, 팸플릿, 도트
	고전 문법	국어사	
		훈민정음과 고전 문법	조사, 어미, 접사, 훈민정음의 28 자모, 초성 17자
		주요 고전문 분석	
	언어 예절과 바른 표현	언어 예절	
		바른 표현	바른 단어 사용, 문장 성분의 호응, 바른 조사 사용
비문학	이론 비문학	작문	전개 방식(유추, 대조, 분석, 예시, 대조, 정의, 묘사), 통일성, 자료의 활용, 개요, 고쳐쓰기, 두괄식 문단, 미괄식 문단
		화법	공감적 듣기, 대담, 대화, 대화의 원리, 토의, 토론, 인터뷰
		논증과 오류	우연의 오류, 애매어의 오류, 결합의 오류, 분해의 오류, 대중에 호소하는 오류, 무지에 호소하는 오류, 권위에 호소하는 오류, 연민에 호소하는 오류, 논증 구조
	독해 비문학	주제 찾기 유형	필자가 궁극적으로 강조하는 내용으로 옳은 것은, 제목으로 가장 적절한 것은, 칸트의 입장과 부합하는 것은, 중심 내용으로 가장 적절한 것은, 글쓴이의 생각을 적절히 추론한 것은
		내용 일치/불일치 유형	글에 대한 이해로 적절하지 않은 것은, 글쓴이의 견해에 부합하는 것은, 하버마스의 주장에 부합하는 사례로 가장 적절한 것은, 추론한 내용으로 적절하지 않은 것은, 설명으로 적절하지 않은 것은, 부합하지 않는 것은, 추론할 수 있는 내용으로 적절하지 않은 것은, 부합하는 것은, 필자의 견해로 볼 수 없는 것은, 알 수 있는 내용이 아닌 것은,
		밑줄/괄호 유형	다음 문장이 들어가기에 가장 적절한 곳을 ㉠~㉣에서 고르면, (가)~(라)에 들어갈 말로 가장 적절한 것은, 다음 문장이 들어가기에 가장 적절한 곳은, 다음 글에서 〈보기〉가 들어가기에 가장 적절한 것은, 다음 글의 괄호 안에 들어갈 문장으로 적절한 것은
		기타	문단 순서 배열, 문장 순서 배열, 조건에 맞는 글, 예시 찾기
문학	문학 기본 이론	문학의 이해/한국 문학의 이해	골계미, 풍자, 해학, 작품 감상의 관점
	현대 문학의 이해	한국 현대 문학의 흐름	6·25 전쟁과 관련된 소설 작품, 1960년대 한국 문학의 특징, 시사(詩史)의 전개와 순서, 동일한 시대적 배경의 시, 서울 배경의 소설 작품
	고전 문학의 이해	한국 문학과 고대의 문학	
	주요 문학 작품	현대 시	신동엽의 「봄은」·「이야기하는 쟁기꾼의 대지」·「누가 하늘을 보았다 하는가」, 조병화의 「나무의 철학」, 조지훈의 「봉황수」, 함민복의 「그 샘」, 박목월의 「나그네」·「청노루」, 이육사의 「절정」, 곽재구의 「사평역에서」
		현대 소설	이태준의 「패강랭」, 김정한의 「산거족」, 강신재의 「젊은 느티나무」, 조세희의 「난쟁이가 쏘아 올린 작은 공」, 양귀자의 「비 오는 날이면 가리봉동에 가야 한다」, 오정희의 「중국인 거리」, 황순원의 「목넘이 마을의 개」, 이호철의 「닳아지는 살들」, 김승옥의 「서울, 1964년 겨울」·「무진기행」, 김유정의 「봄·봄」, 염상섭의 「삼대」
		현대 희곡과 수필	이상의 「권태」, 김훈의 「수박」, 이강백의 「느낌, 극락 같은」·「파수꾼」
		고전 운문	고려 가요: 작자 미상의 「동동」 / 악장: 정인지, 권제, 안지 등의 「용비어천가」 / 한시: 이달의 「제총요」, 허난설헌의 「사시사」 / 가사: 박인로의 「누항사」 / 시조: 유응부의 「간밤에 부던 ᄇᆞ람에~」, 이항복의 「철령 노픈 봉에~」, 계랑의 「이화우 흣�리 제~」, 조식의 「삼동의 뵈옷 닙고~」, 박인로의 「반중 조홍감이~」, 황진이의 「동짓ᄃᆞᆯ 기나긴 밤을~」, 성혼의 「말 업슨 청산이오~」, 이현보의 「농암에 올라보니~」, 길재의 「오백년 도읍지를~」, 이황의 「도산십이곡」, 윤선도의 「초연곡」, 권섭의 「하하 허허 ᄒᆞᆫ들~」, 정철의 「내 마음 베어 내어~」, 정철의 「훈민가」, 김상헌의 「가노라 삼각산아~」
		고전 산문	신화: 「주몽 신화」 / 가전체 문학: 이첨의 「저생전」, 임춘의 「공방전」 / 고전 소설: 김만중의 「구운몽」·「사씨남정기」, 작자 미상의 「춘향전」 / 민속극: 작자 미상의 「봉산 탈춤」
어휘와 관용표현	순우리말		반나절, 달포, 그끄저께, 해거리, 해미, 안갚음, 볼썽, 상고대, 쌈, 제, 거리, 굼적대다, 비나리 치다, 가리사니
	관용 표현		속담, 관용구
	한자와 한자어		사자성어, 두 글자 한자어, 한자의 훈과 음

CONTENTS

이 책의 차례

PART Ⅲ
한자와 한자어

PART

I

순우리말

5개년 챕터별 출제비중 & 출제개념

챕터	출제비중	출제개념
CHAPTER 01 문학 작품 속 순우리말	0%	–
CHAPTER 02 사람 관련 순우리말	0%	–
CHAPTER 03 자연 관련 순우리말	0%	–
CHAPTER 04 기타 순우리말	100%	반나절, 달포, 그끄저께, 해거리, 해미, 안갚음, 볼썽, 상고대, 쌈, 제, 거리, 굼적대다, 비나리 치다, 가리사니
CHAPTER 05 단어의 의미 관계	0%	–

1%

※최근 5개년(국, 지, 서) 출제비중

학습목표

CHAPTER 01 문학 작품 속 순우리말	❶ 예문과 함께 의미를 정확하게 파악하기 ❷ 주요 어휘 외우기
CHAPTER 02 사람 관련 순우리말	❶ 예문과 함께 의미를 정확하게 파악하기 ❷ 주요 어휘 외우기
CHAPTER 03 자연 관련 순우리말	❶ 예문과 함께 의미를 정확하게 파악하기 ❷ 주요 어휘 외우기
CHAPTER 04 기타 순우리말	❶ 예문과 함께 의미를 정확하게 파악하기 ❷ 주요 어휘 외우기
CHAPTER 05 단어의 의미 관계	❶ 다의어와 동음이의어 공부하기

CHAPTER

01 문학 작품 속 순우리말

□ 1회독 월 일
□ 2회독 월 일
□ 3회독 월 일
□ 4회독 월 일
□ 5회독 월 일

ㄱ

가납사니 쓸데없는 말을 지껄이기 좋아하는 수다스러운 사람. 말다툼을 잘하는 사람

예 가납사니 같은 도시 사람들은 제멋대로 그럴싸한 소문을 퍼뜨리며……. – 김정한, 「모래톱 이야기」

가누다 기운이나 정신, 숨결 따위를 가다듬어 차리다.

예 그는 떨려 오는 주먹을 가누지 못해 양회 바닥을 힘껏 내리쳤다. – 문순태, 「타오르는 강」

가늠 목표에 맞고 안 맞음을 헤아려 봄. 또는 사물을 어림잡아 헤아림

예 그의 가늠대로 난초네 주막이 불에 타고 있는 것을 보자 다리에 힘이 쫙 빠졌다. – 문순태, 「타오르는 강」

가댁질 아이들이 서로 잡으려고 쫓고, 이리저리 피해 달아나며 뛰노는 장난

예 아이들은 물가에서 물장구와 가댁질로 시간 가는 줄 모른다.

가로거치다 앞에서 거치적거려 방해가 되다.

예 그 군사가 눈을 부둥켜 쥐려다가 댓가지가 손에 가로거치니 입을 악물고 댓가지를 뽑아 버렸다. – 홍명희, 「임꺽정」

가로딴죽 씨름이나 태권도 따위에서, 발로 상대편의 다리를 옆으로 쳐서 쓰러뜨리는 동작

예 일시에 달려들어 놀부 놈의 덜미를 잡아내어 가로딴죽을 치니, 놀부 거꾸로 서서 "애고애고 초란 형님, 이것이 웬일이오. 아무 일이든지 말씀만 하면 분부대로 하오리다." – 「흥부전」

가름하다 쪼개거나 나누어 따로따로 되게 하다. 승부나 등수 따위를 정하다.

예 이번 경기는 선수들의 투지가 승패를 가름했다고 해도 과언이 아니다.

가멸다 재산이나 자원 따위가 넉넉하고 많다.

예 이 나라로 하여금 굳센 나라가 되게 하고, 이 백성으로 하여금 가멸 백성이 되게 하고……. – 김동인, 「운현궁의 봄」

가뭇없다 보이던 것이 전혀 보이지 않아 찾을 곳이 감감하다. 눈에 띄지 않게 감쪽같다.

예 가뭇없는 집터에서 수난녀는 눈물을 짰다. 빈 서까래, 옹기그릇 하나 안 남기고 깡그리 떠내려간 것이다. – 오유권, 「대지의 학대」

가풀막 몹시 가파르게 비탈진 곳

예 동북쪽 자드락길로 오 리쯤 가면 봉화산에서 뻗어 내린 한 줄기 맥이 가풀막을 이루는 까치 고개가 있었다. – 김원일, 「불의 제전」

각다귀 각다귓과의 곤충을 통틀어 이르는 말. 남의 것을 뜯어먹고 사는 사람을 비유적으로 이르는 말

예 춥춥스럽게 날아드는 파리 떼도 장난꾼 각다귀들도 귀찮다. – 이효석, 「메밀꽃 필 무렵」

각다분하다 일을 해 나가기가 매우 고되고 힘들다.

예 우선 당장은 각다분하겠지만 일을 당한 마당에는 역시 고향이 나을 터이었다. – 채만식, 「민족의 죄인」

갈걍갈걍하다 얼굴이 파리하고 몸이 여윈 듯하나 단단하고 굳센 기상이 있다.

예 얼굴이 갈걍갈걍하고 어수룩한 맛은 한 푼어치도 없어 보이는 중년 여인이……. – 이희승, 「벙어리 냉가슴」

갈마들다 서로 번갈아들다.

예 번개와 우레가 연방 갈마들며 볶아치니 주성 안은 그야말로 아수라장 속처럼 눈 귀가 먹먹했다. – 현기영, 「변방에 우짖는 새」

갈망 어떤 일을 감당하여 수습하고 처리함

예 영어를 한답시고 혓바닥을 제대로 꼬부랑거리면 사회에 나가서도 제 한 몸 갈망은 해낼 수 있지 않겠느냐 하는 엉뚱한 배짱도 키워 가지고 있었다. – 박태순, 「어느 사학도의 젊은 시절」

갈매 짙은 초록색

예 잇다홍 무명 적삼에 갈매 무명 치마를 입었는데 매무새까지도 얌전하다. – 홍명희, 「임꺽정」

갈무리 물건 따위를 잘 정리하거나 간수함. 일을 처리하여 마무리함

예 겨울 동안 갈무리를 했던 잡곡과 푸나물을 팔려 무싯날에도 읍내로 나왔던 인근 마을 아낙네들이 함지박과 바구니를 이고 들고……. – 김원일, 「불의 제전」

갈음하다 다른 것으로 바꾸어 대신하다.

예 여러분과 여러분 가정에 행운이 가득하기를 기원하는 것으로 치사를 갈음합니다.

감때사납다 사람이 억세고 사납다. 사물이 험하고 거칠다.

예 제가 아무리 감때사납기로서니 남의 집으로까지 쳐들어와서 시비를 걸진 못하겠지. – 정연희, 「소리가 짖는 둥지」

감빨리다 감칠맛이 나게 입맛이 당기다. 이익을 얻으려는 욕심이 생기다.
예 그는 감빨린 듯이 밥상에 있는 음식을 죄다 먹어 치웠다.

강파르다 몸이 야위고 파리하다.
예 검은 동자가 반나마 가릴 정도로 작게 찢어진 눈. 살이라곤 붙어 있지 않은 강파른 얼굴에 주걱처럼 안으로 휘어든 턱. 성깔 사나움과 독기가 한데 어울려 있는 생김이었다. – 조정래, 「태백산맥」

갠소롬하다 (뜬 눈이) 좁고 가느다랗다.
예 여자는 실눈을 갠소롬하게 뜨고 눈웃음을 지으며 붙임성 있게 말했다.

거멀 두 물건의 사이를 벌어지지 못하게 연결하는 일
예 진철이는 거멀로 판자 두 개를 이었다.

겅성드뭇하다 많은 수효가 듬성듬성 흩어져 있다.
예 읍내는 이 고을 아문을 비롯하여 부자들의 기와집들이 겅성드뭇하게 깔려 있다. – 이기영, 「봄」

게걸거리다 상스러운 말로 소리를 지르며 불평스럽게 자꾸 떠들다. ≒ 게걸대다.
예 "이 주리를 틀 자식" 하고 씨근벌떡하더니 안대청에서 뭐라고 주책없이 게걸거리며 발을 구르며 이렇게 집 안을 떠엎는다. – 김유정, 「두꺼비」

게목 듣기 싫은 목소리
예 등을 넘어서자 "이녀언 이년", 모친의 게목 지르는 소리가 들린다.
– 채만식, 「쑥국새」

겨끔내기 서로 번갈아 하기
예 두 사람이 겨끔내기로 내게 질문을 퍼부었다.

곁다리 부수적인 것. 당사자가 아닌 주변의 사람
예 그 방은 원래 가게에 세든 사람이 쓰도록 달아낸 곁다리 살림방이다.

고래실 바닥이 깊고 물길이 좋아 기름진 논 ≒ 고래실논
예 사과밭 외에 논이 고래실 상답으로 사천 평가량이나 되는 것이 있었다.
– 채만식, 「낙조」

고리삭다 젊은이다운 활발한 기상이 없고 하는 짓이 늙은이 같다.
예 그는 사날 밤이나 눈을 안 붙이고 성화를 하는 바람에 농사에 고리삭은 그의 얼굴은 더욱 해쓱하였다. – 김유정, 「소낙비」

고샅 시골 마을의 좁은 골목길. 또는 골목 사이. 좁은 골짜기의 사이. '사타구니'를 비유적으로 이르는 말
예 마을 고샅으로 접어드는 길

곤댓짓 뽐내어 우쭐거리며 하는 고갯짓
예 보잘것없는 놈이 양반입네 하고 곤댓짓이 이만저만이 아니다.

골막하다 담긴 것이 가득 차지 아니하고 조금 모자란 듯하다.
예 뜨거운 죽을 그릇에 담을 때에는 넘지 않도록 골막하게 담아라.

곰삭다 옷 따위가 오래되어서 올이 삭고 질이 약해지다. 젓갈 따위가 오래되어서 푹 삭다. 풀, 나뭇가지 따위가 썩거나 오래되어 푸슬푸슬해지다. 두 사람의 사이가 스스럼없이 가까워지다.
예 곰삭아 너덜너덜해진 옷

공칙하다 일이 공교롭게 잘못된 상태에 있다.
예 "저의 형편이 공칙하게 되었습니다. 얼마든지 지금 주셔야겠습니다." 하고 애걸하듯이 말을 하였다. – 한용운, 「흑풍」

괴괴하다 쓸쓸한 느낌이 들 정도로 아주 고요하다.
예 괴괴한 정적

괴다 (예스러운 표현으로) 특별히 귀여워하고 사랑하다.
예 임금이 모름지기 먼저 그 조짐을 살피어 난이 생기지 않도록 해야 할 것이니, 적서의 구분이 분명하고 괴는 궁녀에게 빠지지 않았다면 어찌 이런 일이 생겼습니까? – 「번역 중종실록」

구순하다 서로 사귀거나 지내는 데 사이가 좋아 화목하다.
예 새사람 들어와서 모처럼 구순해진 집안에 평지풍파 일으키지 말게.
– 박완서, 「미망」

구실 예전에, 온갖 세납을 통틀어 이르던 말
예 백성들은 나무뿌리와 껍질을 캐고 벗겨 먹는 가긍한 형편이면서도, 이 구실을 못 바치고는 견디지 못하게 되는 까닭에…….
– 박종화, 「금삼의 피」

구접스럽다 하는 짓이 너절하고 더러운 데가 있다.
예 구접스럽게 굴다.

궁싯거리다 잠이 오지 아니하여 누워서 몸을 이리저리 뒤척거리다. 어찌 할 바를 몰라 이리저리 머뭇거리다.
예 궁싯거리며 잠을 이루지 못하다.

그악스럽다 보기에 사납고 모진 데가 있다.
예 여자들의 욕질하는 소리와 질러 대는 비명 소리와 그악스럽게 악담 퍼붓는 소리가 가끔씩 들려왔다. – 한승원, 「해일」

긋다 비가 잠시 그치다. 비를 잠시 피하여 그치기를 기다리다.
예 비가 긋는 것도 잠깐, 곧이어 빗줄기가 다시 쏟아지기 시작했다.

기장 옷의 길이 ≒ 옷기장
예 외투의 기장이 너무 길다.

길눈 한 번 가 본 길을 잘 익혀 두어 기억하는 눈썰미
예 길눈을 익히다.

깔보다 얕잡아 보다.
예 우리는 저 늙은이들을 깔보지 않습니다. – 최인훈, 「구운몽」

깜냥 스스로 일을 헤아림. 또는 헤아릴 수 있는 능력
예 그는 자기의 깜냥을 잘 알고 있었다. – 이기영, 「봄」

깨단하다 오랫동안 생각해 내지 못하던 일 따위를 어떠한 실마리로 말미암아 깨닫거나 분명히 알다.
예 사업에 실패했던 원인을 이제야 깨단하게 되다니.

꼭뒤 뒤통수의 한가운데. 활의 도고지가 붙은 뒤
예 여인들은 머리를 … 꼭뒤에서 서너 번 틀어 쪽을 찌고 비녀를 꽂고, 늙으나 젊으나 꽃을 꽂았다. – 한무숙, 「만남」

꾀바르다 어려운 일이나 난처한 경우를 잘 피하거나 약게 처리하는 꾀가 많다.
㉠ 나는 그가 못 미치는 동안에 꾀바르게 혼자 떨어져 어느덧 다리의 거의 복판까지 걸어가 섰다. – 이효석,「성화」

꿰미 물건을 꿰는 데 쓰는 끈이나 꼬챙이 따위. 또는 거기에 무엇을 꿴 것.
㉠ 종술은 달을 볼 적마다 왜 같은 꿰미에 꿰어진 듯이 저절로 부월이가 떠오르는지 도무지 그 이유를 알 수가 없었다. – 윤흥길,「완장」

끌끌하다 마음이 맑고 바르고 깨끗하다.
㉠ 그의 끌끌하고 점잖은 풍모는 재상이라도 따를 수 없었다.

끌밋하다 모양이나 차림새 따위가 매우 깨끗하고 훤칠하다. 손끝이 여물다.
㉠ 산 입구의 커다란 소나무들은 그 끌밋하고 싱싱한 맵시를 자랑하고 있다.

ㄴ

나부대다 얌전히 있지 못하고 철없이 가볍게 촐랑거리다.
㉠ 둑을 기어오르듯 날고 있던 흰 나비 한 마리가 보리 위로 옮겨 가서 몹시 나부댄다. – 박경리,「시장과 전장」

나이배기 겉보기보다 나이가 많은 사람을 낮잡아 이르는 말
㉠ 그는 사춘기의 학생으로 보였지만 사실은 군대까지 다녀온 나이배기였다.

난달 길이 여러 갈래로 통한 곳. 고누에서, 나들이고누가 되는 말밭
㉠ 난달이었던 별채 주변을 사랑채 담장과 잇달아 담을 쌓았던 그 담장 옆에……. – 박경리,「토지」

남우세스럽다 남에게 놀림과 비웃음을 받을 듯하다.
㉠ 처녀가 애를 배도 할 말이 있다지만 소문이 남우세스러워 바깥출입을 어찌할꼬?

너나들이 서로 너니 나니 하고 부르며 허물없이 말을 건넴. 또는 그런 사이
㉠ 익삼 씨는 벼르고 별렀던 으름장을 놓았다. 지서장하고 너나들이로 지내는 처지임을 은근히 과시하는 소리였다. – 윤흥길,「완장」

너울가지 남과 잘 사귀는 솜씨. 붙임성이나 포용성 따위를 이른다.
㉠ 김오봉이도 자기 집에 드는 손님한테는 살갑기가 무작스러운 대로 너울가지가 있어 그게 미더워 그런지 다른 술집보다 술손이 더 꾀어 셈속이 꽤 쏠쏠했다. – 송기숙,「녹두 장군」

노가리 경지 전면에 여기저기 흩어지게 씨를 뿌리는 일
㉠ 김 씨가 볍씨를 노가리하면서 콧노래를 불렀다.

노느매기 여러 몫으로 갈라 나누는 일. 또는 그렇게 나누어진 몫
㉠ 송편 보따리를 끌러 두 집이 공평하게 노느매기를 하면서, 작은숙부 내외가 큰숙모의 노고와 솜씨를 찬양하는 소리를 들어야 했다.
– 박완서,「그 많던 싱아는 누가 다 먹었을까」

노량으로 어정어정 놀면서 느릿느릿
㉠ 땅에 웅숭거리고 시적시적 노량으로 땅만 판다.
– 김유정,「금 따는 콩밭」

노루목 노루가 자주 다니는 길목. 넓은 들에서 다른 곳으로 이어지는 좁은 지역
㉠ 노루목에 덫을 놓다.

논다니 웃음과 몸을 파는 여자를 속되게 이르는 말
㉠ 웅보는 방울이에게 어떤 연유로 색줏집의 논다니 신세가 되었느냐고 묻지를 않았다. – 문순태,「타오르는 강」

놉 하루하루 품삯과 음식을 받고 일을 하는 품팔이 일꾼. 또는 그 일꾼을 부리는 일
㉠ 어르신, 이 땅은 몇 명만 놉을 사면 금세 농토화시킬 수 있는 땅 아닙니까. – 조정래,「태백산맥」

뇌꼴스럽다 보기에 아니꼽고 얄미우며 못마땅한 데가 있다.
㉠ 함부로 나대는 그가 몹시 뇌꼴스럽다.

눈쌈 '눈싸움'의 준말
㉠ 눈쌈을 벌이다.

눈썰미 한두 번 본 것을 곧 그대로 해내는 재주
㉠ 동환이는 … 장사에는 도무지 눈썰미가 없어 부친의 눈 밖에 난 자식이었다. – 박완서,「미망」

느껍다 어떤 느낌이 마음에 북받쳐서 벅차다.
㉠ 나는 그의 마음 씀씀이가 느꺼워 가슴이 뭉클해졌다.

능갈치다 교묘하게 잘 둘러대다. 교묘하게 잘 둘러대는 재주가 있다. 아주 능청스럽다.
㉠ 주인이 짐짓 놀라는 척하며 능갈치는 소리가 들려 왔다.
– 현기영,「변방에 우짖는 새」

ㄷ

다따가 난데없이 갑자기
㉠ 제 궁리에 잠겨 있던 판에 다따가 먼 곳에서 찾아온 동무의 자태는 퍽도 신선한 인상을 주었다. – 이효석,「해바라기」

다문다문 시간적으로 잦지 아니하고 좀 드문 모양. 공간적으로 배지 아니하고 사이가 좀 드문 모양
㉠ 서울 사는 아들도 어쩌다 한 번씩 다문다문 집을 찾아왔다.

다지르다 다짐을 받기 위하여 다지다.
㉠ 그는 친구에게 비밀을 지키기로 한 약속을 계속 다질렀다.

단출하다 식구나 구성원이 많지 않아서 홀가분하다.
㉠ 단출한 살림에 먹을 사람도 없는 것이라 찹쌀 두 되를 쪘는데 아직도 두어 그릇이 남아 있었다. – 오유권,「대지의 학대」

달구치다 무엇을 알아내거나 어떤 일을 재촉하려고 꼼짝 못하게 몰아치다.
㉠ 생사람을 달구치다.

당차다 나이나 몸집에 비하여 마음가짐이나 하는 짓이 야무지다.
㉠ 성품이 서글서글한 대신 당차지 못한 달래는 태임이의 돌연한 발악에 놀라고 당황하여 순순히 진상을 털어놓았다. – 박완서,「미망」

대궁 먹다가 그릇에 남긴 밥
예 먹던 대궁을 주워 모아 짠지 쪽하고 갖다 주니 감지덕지 받는다.
– 김유정, 「산골 나그네」

대근하다 견디기가 어지간히 힘들고 만만하지 않다.
예 둔덕은 험하고 입을 벌리기도 대근하여 이야기는 한동안 끊겼다.
– 이효석, 「메밀꽃 필 무렵」

대수로이 중요하게 여길 만한 정도로
예 대수로이 여기지 않다.

데면데면하다 사람을 대하는 태도가 친밀감이 없이 예사롭다.
예 그들의 시선은 서로 전혀 모르는 사이처럼 데면데면하다.

도르리 여러 사람이 음식을 차례로 돌려 가며 내어 함께 먹음. 또는 그런 일
예 국수 도르리

동뜨다 다른 것들보다 훨씬 뛰어나다.
예 그는 동뜬 힘을 가진 장사다.

동티 건드려서는 안 될 것을 공연히 건드려서 스스로 걱정이나 해를 입음. 또는 그 걱정이나 피해를 비유적으로 이르는 말
예 늙은 불여우가 짖고 다니면 반드시 동티가 나고야 만다니깨!
– 이무영, 「농민」

되알지다 힘주는 맛이나 억짓손이 몹시 세다.
예 되알지게 닦달을 하다.

되우 아주 몹시. = 되게
예 되우 앓다.

두루치기 한 가지 물건을 여기저기 두루 씀. 또는 그런 물건. 두루 미치거나 두루 해당함. 한 사람이 여러 방면에 능통함. 또는 그런 사람
예 경운기 한 대를 동네 사람들이 두루치기로 몰고 다녔다.

두억시니 모질고 사나운 귀신의 하나
예 겉은 순한 양 같으나 속은 두억시니 같다.

둔덕 가운데가 솟아서 불룩하게 언덕이 진 곳
예 둔덕에 올라서다.

둔치 물가의 언덕. 강, 호수 따위의 물이 있는 곳의 가장자리
예 빠른 걸음으로 귀목나무들이 늘어선 둔치를 넘어 마을로 접어들었다.
– 문순태, 「타오르는 강」

뒨장질 사람이나 짐승, 물건 따위를 뒤져내는 일을 낮잡아 이르는 말
예 도화와 도화의 집사람을 한옆에 몰아 놓고 뒨장질을 시작하여 온 집 안을 샅샅이 뒤졌으나 장물을 잡아낼 것이 별로 없었다.
– 홍명희, 「임꺽정」

드레지다 사람의 됨됨이가 가볍지 않고 점잖아서 무게가 있다. 물건의 무게가 가볍지 아니하다.
예 서태석인가 하는 사람은 보통 똑똑한 사람이 아니라던데, 얼핏 보아도 허우대부터가 드레져 보입디다. – 송기숙, 「암태도」

드새다 길을 가다가 집이나 쉴 만한 곳에 들어가 밤을 지내다.
예 밤이면 아무 집으로나 찾아들어 사정을 호소하고 하룻밤씩 드새었다.
– 유주현, 「대한 제국」

든손 일을 시작한 김. 서슴지 않고 얼른 하는 동작
예 이런 일은 든손으로 해치울 수 있다.

뗏장 흙이 붙어 있는 상태로 뿌리째 떠낸 잔디의 조각
예 뗏장을 떼어 내고 나면 그대로 밭 구실을 해낼 수 있을 만큼 좋은 입지 조건을 갖추고 있었다. – 조정래, 「태백산맥」

뜨문뜨문 시간적으로 잦지 않고 드문 모양. 공간적으로 배지 않고 사이가 드문 모양
예 공사 관저에 모여 있던 일본인들은 육군 중장 미우라 고로가 뜨문뜨문 지껄이고 있는 말 속에 숨겨진 뜻을 어렵지 않게 가려낼 수 있었다.
– 유주현, 「대한 제국」

뜨악하다 마음이 선뜻 내키지 않아 꺼림칙하고 싫다.
예 주막 여주인은 별로 탐탁스럽지가 않다는 듯 뜨악한 얼굴로 천 서방 부녀를 가볍게 흘려 보았다. – 문순태, 「타오르는 강」

뜯적뜯적하다 자꾸 손톱이나 칼끝 따위로 뜯거나 진집을 내다. 괜히 트집을 잡아 자꾸 짓궂게 건드리다.
예 무릎의 상처를 계속 뜯적뜯적하더니 결국은 덧나게 하였다.

ㅁ

마뜩하다 제법 마음에 들 만하다.
예 이성신 교장은 김형수의 전학 서류를 갖춰 결재를 맡으러 들어가자 몹시 마뜩지 않은 인상으로 트집을 잡았다. – 전상국, 「음지의 눈」

말미 일정한 직업이나 일 따위에 매인 사람이 다른 일로 말미암아 얻는 겨를
예 말미가 나다.

맛문하다 몹시 지친 상태에 있다.
예 수많은 식솔들을 거두느라 바쁜 나날에 시달려 온 맛문한 가장의 얼굴이랄까. – 이영치, 「흐린 날 황야에서」

맨숭맨숭 몸에 털이 있어야 할 곳에 털이 없어 반반한 모양. 산 따위에 나무나 풀이 우거지지 아니하여 반반한 모양. 술을 마시고도 취하지 아니하여 정신이 말짱한 모양. 일거리가 없거나 아무것도 생기는 것이 없어 심심하고 멋쩍은 모양
예 수염을 깎고 맨숭맨숭 깔끔해진 턱을 쓰다듬었다.

맵짜다 바람 따위가 매섭게 사납다.
예 빳빳하게 풀 먹인 하얀 모시 아래로, 겨울 아침의 맵짠 바람을 안은 머리카락이 구름처럼 날린다. – 최인훈, 「구운몽」

모르쇠 아는 것이나 모르는 것이나 다 모른다고 잡아떼는 것
예 나장이 노밤이를 꾸짖은 뒤 다시 늙은이더러 이 말 저 말 더 물어보았으나 늙은이는 모두 모르쇠로 방패막이하였다. – 홍명희, 「임꺽정」

모지락스럽다 보기에 억세고 모질다.
예 고향을 생각하면, 마음이 모지락스러운 팔봉이였지만 갑자기 목울대가 후끈거리면서 울컥 울음이 솟구치려고 하였다. – 문순태, 「타오르는 강」

몰강스럽다 인정이 없이 억세며 성질이 악착같고 모질다.
예 그 독살스러운 사람들이 소작료를 그렇게 몰강스럽게 긁어 간단 말이야. – 한승원, 「해일」

몸가축 몸을 매만지고 다듬음
예 노리끼리한 한산 생모시를 맵짜게 다듬어서 어울리게 입은 몸가축 역시 범상치가 않았다. – 김주영, 「객주」

몽따다 알고 있으면서 일부러 모르는 체하다.
예 그는 사실을 알면서도 몽따고 되물었다.

무람없다 예의를 지키지 않으며 삼가고 조심하는 것이 없다.
예 제 행동이 다소 버릇없고 무람없더라도 용서하십시오.

무릎맞춤 두 사람의 말이 서로 어긋날 때, 제삼자를 앞에 두고 전에 한 말을 되풀이하여 옳고 그름을 따짐
예 이 일은 무릎맞춤을 해 보아야 진상이 밝혀지겠다.

무서리 늦가을에 처음 내리는 묽은 서리
예 여름이 극성스럽게 덥더니 추위도 그럴 징조인지 예년보다 무서리가 일찍 내리었다. – 이태준, 「복덕방」

물꼬 논에 물이 넘어 들어오거나 나가게 하기 위하여 만든 좁은 통로
예 물꼬를 막다.

물마루 바다와 하늘이 맞닿은 것처럼 보이는 수평선의 두두룩한 부분
예 창룡호는 멀리 거친 파도로 울퉁불퉁한 물마루를 넘느라고 몹시 곤두박질치고 있었다. – 현기영, 「변방에 우짖는 새」

물색없이 말이나 행동이 형편이나 조리에 맞는 데가 없이
예 글쎄 그런 것을 나 혼자서만 건성 김칫국을 마시듯이 물색없이 좋아하다니! – 채만식, 「탁류」

뭇방치기 주책없이 함부로 남의 일에 간섭함. 또는 그런 무리
예 영감은 박복영과 서태석을 괜히 남의 일을 버르집어 쓸데없이 구듭 치고 나서는 뭇방치기로 몰고 있었다. – 한무숙, 「돌」

미립 경험을 통하여 얻은 묘한 이치나 요령
예 그가 다른 사물에는 어두운 대신 노동을 하는 데는 미립이 환하였다. – 이기영, 「봄」

미쁘다 믿음성이 있다.
예 여기저기 눈치를 살피는 모습이 도무지 미쁘게 보이지 않는다.

ㅂ

바장거리다 부질없이 짧은 거리를 자꾸 오락가락 거닐다.
예 병아리 떼가 어미 닭을 쫓아 담장 밑을 바장거린다.

바투 두 대상이나 물체의 사이가 썩 가깝게
예 그는 농구화의 코끝을 적실 듯이 찰랑대는 물가에 바투 붙어 섰다. – 윤흥길, 「완장」

반색 매우 반가워함. 또는 그런 기색
예 할머니는 놀러 온 외손자를 반색을 하며 안았다.

반죽 뻔뻔스럽거나 비위가 좋아 주어진 상황에 잘 적응하는 성미
예 성깔깨나 부리게들 생겼었다. 그러나 그만한 외양이라고 해서 기가 질릴 반죽이 아닌지라……. – 김주영, 「객주」

받자 남이 괴로움을 끼치거나 여러 가지 요구를 하여도 너그럽게 잘 받아 줌
예 어미가 받자를 해 주니까 자식은 더 양양한다. – 이기영, 「소부」

밤마실 밤에 이웃이나 집 가까운 곳에 놀러 가는 일
예 달이 무척 밝은데 그는 초저녁부터 자기가 심심해서 오래간만에 밤마실을 간 것이다. – 이기영, 「신개지」

방짜 품질이 좋은 놋쇠를 녹여 부은 다음 다시 두드려 만든 그릇
예 툇마루엔 장중하게 번들대는 방짜 놋대야가……. – 박완서, 「미망」

밭다 시간이나 공간이 다붙어 몹시 가깝다. 길이가 매우 짧다. 음식을 가려 먹는 것이 심하거나 먹는 양이 적다.
예 천장이 밭다.

배돌다 한데 어울리지 아니하고 조금 동떨어져서 행동하다.
예 모두 배돌기만 하니 모임이 잘될 리가 없다.

버겁다 물건이나 세력 따위가 다루기에 힘에 겹거나 거북하다.
예 짐이 무거워 혼자 들기에 버겁다.

버르집다 파서 헤치거나 크게 벌려 놓다. 숨겨진 일을 밖으로 들추어내다. 작은 일을 크게 부풀려 떠벌리다.
예 아이는 호미로 흙을 버르집어 놓았다.

버성기다 벌어져서 틈이 있다. 두 사람의 사이가 탐탁하지 아니하다. 분위기 따위가 어색하거나 거북하다.
예 버성긴 발뒤꿈치에서 피가 나온다.

버커리 늙고 병들거나 또는 고생살이로 쭈그러진 여자를 속되게 이르는 말
예 곱던 사람이 홀로 아이들 뒤치다꺼리하느라 버커리가 되었다.

번둥질 하는 일도 없이 뻔뻔하게 놀기만 하는 짓
예 아비 되는 작자가 새벽부터 숟가락을 빨며 번둥질을 하는 거였다.

벌충 손실이나 모자라는 것을 보태어 채움.
예 유경이는 며칠 논 것을 벌충하려고 밤낮으로 일해야 했다.

보유스름하다 선명하지 않고 약간 보얗다.
예 전등 불빛까지 졸린 듯 보유스름하게 비쳤다.

본데없다 보고 배운 것이 없다. 또는 행동이 예의범절에 어긋나는 데가 있다.
예 어디서 배운 버릇이냐, 본데없는 놈 같으니라고.

봉죽 일을 꾸려 나가는 사람을 곁에서 거들어 도와줌
예 모내기하는 옆집의 봉죽을 들고 나니 하루해가 다 갔다.

부라사라 매우 부산하고 급하게 서두르는 모양
예 어머니는 아들이 파출소에 있다는 말을 듣고 부라사라 파출소로 달려가셨다.

부아 노엽거나 분한 마음
예 부아가 나다.

북새 많은 사람이 야단스럽게 부산을 떨며 법석이는 일
예 모두가 제정신이 아닌 그 북새 속에서도 끝까지 냉정을 잃지 않은 사람은 애오라지 외할머니 혼자뿐이었다. – 윤흥길, 「장마」

불거지다 물체의 거죽으로 둥글게 툭 비어져 나오다. 어떤 사물이나 현상이 두드러지게 커지거나 갑자기 생겨나다.
예 해어진 양말 밖으로 발가락이 불거지다.

불뚝하다 무뚝뚝한 성미로 갑자기 성을 내다.
예 갑자기 불뚝하는 심사가 일어났다.

빌미 재앙이나 탈 따위가 생기는 원인
예 빌미가 되다.

빙충맞다 똘똘하지 못하고 어리석으며 수줍음을 타는 데가 있다.
예 젊은 사람이 지나치게 살이 쪘고 더구나 성격마저 우울하고 빙충맞은 것이었다. – 홍성원, 「육이오」

뻐끔하다 큰 구멍이나 틈 따위가 깊고 뚜렷하게 나 있다. 문 따위가 조금 많이 열려 있다.
예 그들은 서로 어깨를 밀다시피하여 뻐끔하게 뚫어진 동굴 속을 들여다보았다. – 김동리, 「사반의 십자가」

ㅅ

사달 사고나 탈
예 일이 꺼림칙하게 되어 가더니만 결국 사달이 났다.

사리 음력 보름과 그믐 무렵에 밀물이 가장 높은 때
예 이 늦은 사리 때의 밀물은 여느 사리 때의 그것보다 훨씬 세차고 또 많이 밀려들었다. – 한승원, 「해일」

삭신 몸의 근육과 뼈마디
예 삭신이 쑤시다.

산소리 어려운 가운데서도 속은 살아서 남에게 굽히지 않으려고 하는 말
예 아버지는 궁핍하게 살면서도 남 앞에서 늘 산소리하며 당당한 모습을 잃지 않으려 하였다.

살천스럽다 쌀쌀하고 매섭다.
예 그렇게 살천스러우니까 주변에 사람이 없지.

살피 땅과 땅 사이의 경계선을 간단히 나타낸 표
예 말뚝으로 살피를 대신해 놓았다.

상기다 물건의 사이가 조금 뜨다. 반복되는 횟수나 도수(度數)가 조금 뜨다. 관계가 깊지 않고 조금 서먹하다.
예 상기게 짠 광주리

새롱거리다 경솔하고 방정맞게 까불며 자꾸 지껄이다.
예 정신없게 새롱거리지 말고 좀 가만히 있어라.

새살거리다 샐샐 웃으면서 재미있게 자꾸 지껄이다.
예 손녀딸이 새살거리는 소리에 절로 웃음이 나온다.

새치름하다 쌀쌀맞게 시치미를 떼는 태도가 있다. 짐짓 쌀쌀한 기색을 꾸미다.
예 원 양이라고 불린 최 사장의 짝이 새치름한 표정으로 이렇게 대꾸했다.
– 윤흥길, 「완장」

생뚱맞다 하는 행동이나 말이 상황에 맞지 아니하고 매우 엉뚱하다.
예 맞선 보는 자리에서 일부러 생뚱맞은 얘기를 해서 신부 될 여자를 골탕 먹이는 일 말이에요. – 최일남, 「숙부는 늑대」

선걸음 이미 내디뎌 걷고 있는 그대로의 걸음
예 손님 모시고 그 집 가르쳐 주고 오너라. 선걸음에 와야 한다.
– 박경리, 「토지」

설핏하다 사이가 촘촘하지 않고 듬성듬성하다.
예 천막에서 떨어지는 추녀 물이 닿는 자리에 잡초가 설핏하게 자랐다.
– 한수산, 「부초」

소담하다 생김새가 탐스럽다. 음식이 풍족하여 먹음직하다.
예 과일이 소담하게 담겨 있다.

속절없다 단념할 수밖에 달리 어찌할 도리가 없다.
예 잃어버린 물건을 다시 찾겠다는 생각은 속절없는 것이다.

속종 마음속에 품은 소견
예 그의 속종에 의하면 인제는 수일이도 장가를 보낼 때가 된 것이다.
– 김사량, 「낙조」

손방 아주 할 줄 모르는 솜씨
예 세상 이치는 모를 것이 없지만 실제에 있어서는 매사에 아주 손방이다.

솟구다 몸 따위를 빠르고 세게 날듯이 높이 솟게 하다.
예 산이라야 모두 올망졸망, 어깨를 한번 기껏 솟구고 오만을 피워 보려고 하는 것은 하나도 없다. – 이양하, 「이양하 수필선」

숫눈 눈이 와서 쌓인 상태 그대로의 깨끗한 눈
예 숫눈을 밟다.

숫접다 순박하고 진실하다.
예 나이도 먹을 만큼 먹고 더구나 중학교 선생님인데 어쩌면 저렇게 숫저울까.

슬겁다 집이나 세간 따위가 겉으로 보기보다는 속이 꽤 너르다. 마음씨가 너그럽고 미덥다.
예 마음 씀씀이가 슬겁다.

시금털털하다 맛이나 냄새 따위가 조금 시면서도 떫다. '시금떨떨하다'보다 거센 느낌을 준다. 어떤 일이나 말이 실망스럽고 못마땅하다.
예 시금털털하면서도 달큰한 찔레의 순을 생각하면서…….
– 한승원, 「해일」

시나브로 모르는 사이에 조금씩 조금씩
예 바람은 불지 않았으나 낙엽이 시나브로 날려 발밑에 쌓이고 있었다.
– 김용성, 「도둑 일기」

시난고난 병이 심하지는 않으면서 오래 앓는 모양
예 할머니가 평생을 시난고난 앓아서 어머니의 고생이 말이 아니었다.

시름없다 근심과 걱정으로 맥이 없다. 아무 생각이 없다.
예 그는 주춤하더니 다시 돌아누우면서 시름없는 투로 말했다.
– 최인훈, 「회색인」

신소리 상대편의 말을 슬쩍 받아 엉뚱한 말로 재치 있게 넘기는 말
예 신소리에 물렸는지 실컷 웃고 떠들던 아낙네들도 이젠 얌전해졌다.
— 윤흥길, 「묵시의 바다」

심드렁하다 마음에 탐탁하지 아니하여서 관심이 거의 없다.
예 심드렁하게 말하다.

싸개통 여러 사람이 둘러싸고 다투며 승강이를 하는 상황
예 싸개통에 걸려 혼이 나다.

쏘개질 있는 일 없는 일을 얽어서 일러바치는 짓
예 저 녀석이 나에 대해서 뭐라고 쏘개질을 했기에 그녀가 나를 자꾸 피하는지 모르겠다.

ㅇ

아귀다툼 각자 자기의 욕심을 채우고자 서로 헐뜯고 기를 쓰며 다투는 일
예 다시 택시 합승을 위해 아귀다툼을 벌이는 극장 앞에까지 왔다.
— 이동하, 「도시의 늪」

아금받다 아무지고 다부지다. 무슨 기회든지 재빠르게 붙잡아 이용하는 소질이 있다.
예 제 딴엔 심지를 아금받게 다잡아 먹고 있었습니다만 되레 덕담을 듣고 보니 갈피를 잡지 못하겠습니다. — 김주영, 「객주」

아퀴 일을 마무르는 끝매듭. 일이나 정황 따위가 빈틈없이 들어맞음을 이르는 말
예 태임이의 추상같은 추궁에 아퀴가 맞게 꾸며 댈 수 있을 만큼 입분이는 간교한 위인이 못 되었다. — 박완서, 「미망」

알겨먹다 남의 재물 따위를 좀스러운 말과 행위로 꾀어 빼앗아 가지다.
예 동네 사람들에게 땅을 비싸게 팔아 주겠다며 사례비를 알겨먹은 사기꾼이 경찰에 붙잡혔다.

알심 은근히 동정하는 마음. 보기보다 야무진 힘
예 영식이란 위인도 그렇게 알심 있는 사나이는 아닌 듯싶었다.
— 한설야, 「탑」

암상 남을 시기하고 샘을 잘 내는 마음. 또는 그런 행동
예 웃는 얼굴은 사랑스러우나 성이 나서 빼쭉할 때는 눈은 암상이 닥지닥지한 계집이라. — 이인직, 「모란봉」

암팡지다 몸은 작아도 힘차고 다부지다.
예 꼬마는 엄마가 하는 말에 암팡지게 대꾸를 했다.

앙살 엄살을 피우며 버티고 겨루는 짓
예 앙살을 부리다.

앙세다 몸은 약하여 보여도 힘이 세고 다부지다.
예 여동생은 다 빤 바지를 앙세게 쥐어짰다.

애꿎이 아무런 잘못 없이 억울하게
예 아무리 분한 일이 있어도 애꿎이 제 입술만 깨물었답니다.
— 현진건, 「적도」

애먼 일의 결과가 다른 데로 돌아가 억울하게 느껴지는. 일의 결과가 다른 데로 돌아가 엉뚱하게 느껴지는
예 애먼 사람에게 누명을 씌우다.

애오라지 '겨우'를 강조하여 이르는 말
예 주머니엔 애오라지 동전 두 닢뿐이다.

애옥살이 가난해서 쪼들려 애를 써 가며 사는 살림살이
예 애옥살이 시골 살림, 몸보신에는 만만한 것이 닭뿐이어서 씨암탉을 손대기로 작정했다. — 송기숙, 「암태도」

애잔하다 몹시 가냘프고 약하다. 애처롭고 애틋하다.
예 창백한 꽃들은 애잔하게 고개를 쳐들며 혹은 옆게 스치는 바람에 흔들리고……. — 박경리, 「토지」

앵돌아지다 노여워서 토라지다. 홱 틀려 돌아가다. 날씨가 끄물끄물해지다.
예 말바우 어미는 앵돌아진 표정으로 법당 앞 댓돌 아래 쪼그리고 앉아 있었다. — 문순태, 「타오르는 강」

야살스럽다 보기에 얄망궂고 되바라진 데가 있다.
예 야살스러운 수다쟁이

약비나다 정도가 너무 지나쳐서 진저리가 날 만큼 싫증이 나다.
예 소를 통째로 잡아다가 각을 떠서 딴 부대하고 나누긴 했지만 한 이틀 약비나게 고기로만 배를 불린 적도 있다고 했다.
— 박완서, 「그 많던 싱아는 누가 다 먹었을까」

약약하다 싫증이 나서 귀찮고 괴롭다.
예 산 중턱을 채 오기 전에 황천왕동이의 아내가 다리는 아파서 한 걸음 떼어 놓기가 약약한데 산꼭대기는 눈에 보이지도 아니하여…….
— 홍명희, 「임꺽정」

어기뚱거리다 키가 큰 사람이 몸을 좌우로 둔하게 움직이며 느리게 걷다.
예 사또는 꽥 소릴 지르며 어기뚱거리는 걸음으로 별당 쪽으로 사라져 버렸다. — 문순태, 「타오르는 강」

어룽거리다 뚜렷하지 아니하고 흐리게 어른거리다.
예 쏟아지는 비 때문에 시야가 어룽거려 운전하기가 어렵다.

어웅하다 굴이나 구멍 따위가 쑥 우므러져 들어가 있다.
예 몰이꾼들에게 쫓긴 토끼는 어웅하게 뚫린 굴속으로 몸을 숨겼다.

어줍다 말이나 행동이 익숙지 않아 서투르고 어설프다.
예 아이들은 어줍은 몸짓으로 절을 했다.

어중이떠중이 여러 방면에서 모인, 탐탁하지 못한 사람들을 낮잡아 이르는 말
예 민족이라고 하니까 핏줄만을 중시해서 어중이떠중이 다 싸잡아서 말하는 민족인 줄 압니까? — 조정래, 「태백산맥」

억실억실하다 얼굴 모양이나 생김새가 선이 굵고 시원시원하다.
예 억실억실하게 생긴 장골

얼렁거리다 남의 비위를 맞추거나 환심을 사려고 더럽게 자꾸 아첨을 떨다.
예 그는 언제나 높은 사람에게 얼렁거렸다.

얼쭝거리다 남의 비위를 맞추려고 아주 가까이 붙어서 그럴듯한 말을 하며 계속 아첨하다.
예 그는 얼쭝거리는 데에는 선수다.

엇먹다 사리에 맞지 않는 말과 행동으로 비꼬다.
예 그는 항상 엇먹는 태도로 사람을 대하기 때문에 주변에 친구가 없다.

엉너리 남의 환심을 사기 위하여 어벌쩡하게 서두르는 짓
예 그들은 대치 중인 전경들한테도 접근해 엉너리를 쏟아 냈다.

에끼다 서로 주고받을 물건이나 일 따위를 비겨 없애다.
예 이번에 생일 선물은 서로 안 주고 안 받는 걸로 에끼자.

에멜무지로 단단하게 묶지 아니한 모양. 결과를 바라지 아니하고 헛일하는 셈 치고 시험 삼아 하는 모양
예 잔뜩 오갈이 든 물가의 개구리들이 가만가만 에멜무지로 맞추던 어설픈 울음소리를 뚝 그쳤다. – 윤흥길, 「완장」

에움길 굽은 길. 또는 에워서 돌아가는 길
예 그들은 주로 마을 들머리 길을 잡지 않았고 들길이나 야산을 넘는 에움길로 우회를 하다가도……. – 김원일, 「불의 제전」

에워가다 바른길로 가지 아니하고 둘러 가다. 장부 따위의 쓸데없는 부분을 지워 나가다.
예 길이 너무 엉망이어서 우리는 다른 길로 에워갔다.

여의다 부모나 사랑하는 사람이 죽어서 이별하다. 딸을 시집보내다. 멀리 떠나보내다.
예 그는 일찍이 부모를 여의고 고아로 자랐다.

열없다 좀 겸연쩍고 부끄럽다.
예 나는 내 실수가 열없어서 얼굴이 붉어졌다.

오금 무릎의 구부러지는 오목한 안쪽 부분
예 오금을 펴다.

오롯하다 모자람이 없이 온전하다.
예 부모님의 오롯한 사랑

오지다 마음에 흡족하게 흐뭇하다. 허술한 구석이 없이 알차다.
예 그 일은 내게 얼마나 오지고 통쾌한 일인지 모른다.

오지랖 웃옷이나 윗도리에 입는 겉옷의 앞자락
예 오지랖을 여미다.

올되다 나이에 비하여 발육이 빠르거나 철이 빨리 들다.
예 요즈음 아이들은 예전 아이들보다 훨씬 올되는 것 같다.

옴나위 꼼짝할 만큼의 작은 움직임
예 행사를 마치고 한꺼번에 밀려 나오는 사람들 때문에 나는 옴나위를 못 하고 가만히 서 있어야 했다.

옹골지다 실속이 있게 속이 꽉 차 있다.
예 돈 버는 재미가 옹골지다.

우두망찰하다 정신이 얼떨떨하여 어찌할 바를 모르다.
예 엄마는 그런 상태에서 느끼는 어떤 위기의식과 이웃으로부터의 따돌림으로 늘 우두망찰한 표정을 짓고 있을 뿐, 이래라저래라 자기 의견을 말하지 않았다. – 박완서, 「그 많던 싱아는 누가 다 먹었을까」

우둥우둥 여러 사람이 바쁘게 드나들거나 서성거리는 모양
예 옥섬의 새된 소리에 수청방에서 청지기들이 우둥우둥 나오고 상노들이 하나씩 둘씩 튀어나왔다. – 박종화, 「전야」

울력 여러 사람이 힘을 합하여 일함. 또는 그런 힘
예 울력을 믿고 함부로 덤비다.

웅숭그리다 춥거나 두려워 몸을 궁상맞게 몹시 웅그리다.
예 내가 대문을 열자 몸을 잔뜩 웅숭그린 채 떨고 있는 노인네의 모습이 드러났다. – 송기원, 「월문리에서」

을씨년스럽다 보기에 날씨나 분위기 따위가 몹시 스산하고 쓸쓸한 데가 있다. 보기에 살림이 매우 가난한 데가 있다.
예 새벽 가을바람은 한층 을씨년스럽다.

이러구러 이럭저럭 일이 진행되는 모양. 이럭저럭 시간이 흐르는 모양
예 이러구러 그들은 다리를 건너고 산을 넘어, 큰 나무가 있는 마을 어귀에 이르렀다.

ㅈ

자분자분 성질이나 태도가 부드럽고 조용하며 찬찬한 모양
예 자분자분 이야기하다.

잘코사니 고소하게 여겨지는 일. 미운 사람의 불행을 고소하게 여길 때에 나는 소리
예 아무도 잘코사니라고, 개 패듯이 더 두들기라고 부추기지는 않았다.
– 윤흥길, 「묵시의 바다」

재우치다 빨리 몰아치거나 재촉하다.
예 주막으로 웅보를 찾아온 손팔만은 코가 열댓 자나 빠져 있는 웅보의 등을 툭툭 치며 재우쳐 말했다. – 문순태, 「타오르는 강」

저어하다 염려하거나 두려워하다.
예 그는 남의 귀를 저어하기는커녕 오히려 다들 들으란 듯이 큰 목소리로 말했다.

저지레 일이나 물건에 문제가 생기게 만들어 그르치는 일
예 녀석은 그 나이에 으레 그렇듯이 온갖 저지레를 다 치고 다녔다.

적이 꽤 어지간한 정도로
예 별 큰일도 아니구나 싶어 적이 가슴이 가라앉았다. – 박용구, 「산울림」

조리복소니 원래 크던 물건이 졸아들거나 깎여서 볼품이 없게 된 것
예 금년도 지종(地種)을 하여 놓았으나, 예년에 없는 가뭄으로 모두 조리복소니가 되어 자라지를 못하고 있다. – 이희승, 「먹추의 말참견」

조쌀하다 늙었어도 얼굴이 깨끗하고 맵시 있다.
예 옆집 할아버지는 연세가 지긋하심에도 불구하고 조쌀하셨다.

주접 여러 가지 이유로 생물체가 제대로 자라지 못하고 쇠하여지는 일. 또는 그런 상태. 옷차림이나 몸치레가 초라하고 너절한 것
예 아기는 잘도 자랍니다. 주접 한 번 끼는 법 없이 돋아나는 풀싹처럼 무럭무럭 잘도 자랍니다. – 김유정, 「두포전」

지레 어떤 일이 일어나기 전 또는 어떤 기회나 때가 무르익기 전에 미리
예 어딘가 좀 지레 시치미를 떼고 있는 게 분명해 보이는 목소리로 엉뚱하게 의뭉을 떨어 대고 있었다. – 이청준, 「서편제」

지질하다 보잘것없고 변변하지 못하다.
예 선불리 도망질을 치다가 붙들리는 날이면 지질한 목숨이나마 보전 못할 테니까…. – 홍명희, 「임꺽정」

지청구 까닭 없이 남을 탓하고 원망함.
예 위로는 상전들의 타박과 지청구를 다 받아 삭이고…….
– 문순태, 「타오르는 강」

진솔 옷이나 버선 따위가 한 번도 빨지 않은 새 것 그대로인 것
예 새로 맞춰서 처음으로 입고 나선 듯 새물내가 자르르한 진솔이었으나 두 사람의 차림은 여간 어색하지 않았다. – 송기숙, 「녹두 장군」

질탕하다 신이 나서 정도가 지나치도록 흥겹다.
예 대불이는 그 돈으로 박봉필 영감을 요릿집에 모시고 가서 질탕하게 술을 마셔 댔다. – 문순태, 「타오르는 강」

짐짓 마음으로는 그렇지 않으나 일부러 그렇게. 아닌게 아니라 정말로
예 짐짓 모른 체하다.

ㅊ

채변 남이 무엇을 줄 때에 사양함.
예 너무 채변 말고 받아 두오.

채치다 일을 재촉하여 다그치다.
예 그는 조급하고 갑갑해서 못 견디겠다는 듯이 인부들을 채쳤다.

추렴 모임이나 놀이 또는 잔치 따위의 비용으로 여럿이 각각 얼마씩의 돈을 내어 거둠.
예 주인의 수하에 있던 사람들이 저희 모일 처소가 없다고 추렴들을 내서 이 집을 사 놓고 나더러 들랍디다. – 홍명희, 「임꺽정」

칠칠하다 나무, 풀, 머리털 따위가 잘 자라서 알차고 길다. 주접이 들지 아니하고 깨끗하고 단정하다. 성질이나 일 처리가 반듯하고 야무지다.
예 숲은 세월이 흐를수록 칠칠하고 무성해졌다.

ㅌ

터분하다 날씨나 기분 따위가 시원하지 아니하고 매우 답답하고 따분하다.
예 일주일 넘는 장맛비 때문에 온 집 안이 터분하다.

터수 살림살이의 형편이나 정도. 서로 사귀는 사이
예 우리 터수가 남 유달리 친한 터이지만, 이 친한 것을 아주 대대로 비끄러매어 봄이 어떠하오. – 현진건, 「무영탑」

틀거지 듬직하고 위엄이 있는 겉모양
예 정판쇠는 허우대며 틀거지가 그럴듯했다. 저런 패거리 한 패쯤 거느릴 만하다 싶었다. – 송기숙, 「녹두 장군」

ㅍ

파리하다 몸이 마르고 낯빛이나 살색이 핏기가 전혀 없다.
예 파리하게 시든 병약한 청년이 불안한 눈동자로 나를 관찰하고 있었다.
– 김원일, 「도요새에 관한 명상」

펀둥거리다 아무 일도 하지 아니하고 뻔뻔스럽게 놀기만 하다.
예 젊은 사람이 무슨 일이든 해야지 펀둥거리기만 해서야 되겠니?

포달 암상이 나서 악을 쓰고 함부로 욕을 하며 대드는 일
예 조석에 밥만 좀 질든지 하면, 숟갈을 집어 내던지고 포달을 부리었고……. – 이희승, 「벙어리 냉가슴」

푹하다 겨울 날씨가 퍽 따뜻하다.
예 겨울답지 않게 푹한 날씨

푼푼하다 모자람이 없이 넉넉하다. 옹졸하지 아니하고 시원스러우며 너그럽다.
예 먹을 것이 푼푼하다.

풀소 여름에 생풀만 먹고 사는 소
예 그늘에 누운 풀소가 되새김질을 하고 있다.

피새 알랑거리며 늘어놓는 말
예 동호네의 땅을 부치는 작인 집 여자들은 추옥이에게 잘 뵈려고 연방 이렇게 피새를 올리고 섰다. – 이기영, 「진통기」

ㅎ

하늬바람 서쪽에서 부는 바람

예 그리 세지 않은 하늬바람에 흔들리는 나뭇가지에서 가끔 눈가루가 날고 멀리서 찌르찌르 꿩 우는 소리가 들려와서 더욱 산중의 고적을 실감할 수 있었다. – 선우휘, 「사도행전」

하릴없다 달리 어떻게 할 도리가 없다. 조금도 틀림이 없다.

예 하릴없는 처지가 되다.

함초롬하다 젖거나 서려 있는 모습이 가지런하고 차분하다.

예 비에 젖은 그녀의 모습이 함초롬하다.

핫바지 솜을 두어 지은 바지. 시골 사람 또는 무식하고 어리석은 사람을 낮잡아 이르는 말

예 희치희치 낡고 땟국이 꾀죄죄한 핫바지에 중대님을 매고…….
– 문순태, 「타오르는 강」

해거름 해가 서쪽으로 넘어가는 일. 또는 그런 때

예 해거름에 가겠다.

해찰 일에는 마음을 두지 아니하고 쓸데없이 다른 짓을 함

예 조선어 시간에 아이들이 해찰을 부리거나, 또는 열심치 않는 아이가 있든지 한다 치면……. – 채만식, 「소년은 자란다」

허우대 겉으로 드러난 체격. 주로 크거나 보기 좋은 체격을 이른다.

예 태남이는 허우대 값도 못하고 얼굴이 벌게졌고….

허출하다 허기가 지고 출출하다.

예 그렇지 않아도 허출한 김에 한잔 생각이 간절했던 그들은 사양하지 않고 술 바가지를 돌려 가며 목을 축였다. – 문순태, 「타오르는 강」

헤살 일을 짓궂게 훼방함. 또는 그런 짓

예 헤살을 놓다.

헤식다 맺고 끊는 데가 없이 싱겁다.

예 학생 시절부터 사람이 좀 헤식어서 걸핏하면 놀림감이 되곤 하던 그가 어쩐지 갑자기 좋아졌다. – 이범선, 「피해자」

홑으로 세기 쉬운 적은 수효로

예 사람의 외양만으로 홑으로 보아서는 안 된다.

후리다 휘몰아 채거나 쫓다.

예 밥상 위의 파리를 후리며 날려 보냈다.

휘움하다 조금 휘어져 있다.

예 휘움한 버들눈썹

휘지다 무엇에 시달려 기운이 빠지고 쇠하여지다.

예 곱고 어여쁜 순화궁의 자색은 허약한 젊은 상감의 옥체를 더욱더 휘지게 했을 뿐, 기다리던 왕자는 역시 탄생하지 못했다. – 박종화, 「전야」

희읍스름하다 산뜻하지 못하게 조금 희다.

예 달빛이 희읍스름하게 비친다.

CHAPTER

02 사람 관련 순우리말

- [ ] 1회독 월 일
- [ ] 2회독 월 일
- [ ] 3회독 월 일
- [ ] 4회독 월 일
- [ ] 5회독 월 일

1 사람 관련 순우리말

가납사니 쓸데없는 말을 지껄이기 좋아하는 수다스러운 사람. 말다툼을 잘하는 사람

예 그 가납사니 같은 녀석은 또 남의 일에 참견을 했다.

가르친사위 창조성이 없이 무엇이든지 남이 가르치는 대로만 하는 사람을 낮잡아 이르는 말

예 강쇠는 여태까지 동네 사람들뿐만 아니라 자기 아내한테도 무슨 일이나 가르친사위로 그저 시키는 대로만 고분고분했었으나, 이번에는 그것이 아니었다. – 송기숙, 「녹두 장군」

개차반 언행이 몹시 더러운 사람을 속되게 이르는 말

예 그는 성질이 개차반이어서 모두 가까이하기를 꺼린다.

고삭부리 음식을 많이 먹지 못하는 사람. 몸이 약하여서 늘 병치레를 하는 사람

예 고삭부리로 태어나서 힘든 일은 하기 어려웠다.

군계집 결혼한 남자가 아내 외에 비도덕적으로 관계를 맺고 있는 여자

예 아내가 아프다는 핑계로 군계집을 만들었다.

나(이)배기 겉보기보다 나이가 많은 사람을 낮잡아 이르는 말

예 그는 생각보다 나이배기였다.

노라리 건달처럼 건들건들 놀며 세월만 허비하는 짓. 또는 그런 사람을 속되게 이르는 말

예 이러한 빈약한 문화를 가지고 조선 사람은 남보다 더 노라리 생활을 한다고 하던 한 선생의 말이 생각났다. – 이광수, 「흙」

늦깎이 나이가 들어서 승려가 된 사람. 나이가 많이 들어서 어떤 일을 시작한 사람

예 늦깎이로 시작한 연기 생활이었던 만큼 그 길이 순탄치 않았다.

대갈마치 온갖 어려운 일을 겪어 아주 야무진 사람을 비유적으로 이르는 말

예 십 년이나 두드려 먹은 목탁처럼 빤질빤질하게 닳아서 대갈마치가 다 된 서울 청년……. – 심훈, 「영원의 미소」

되깎이 승려이었던 이가 환속하였다가 다시 승려가 되는 일

예 그는 처음이 아니라 되깎이였다.

두루춘풍 누구에게나 좋게 대하는 일. 또는 그런 사람을 비유적으로 이르는 말

예 그 사람은 원래 두루춘풍이라 미움받을 일이 없다.

두루치기 한 사람이 여러 방면에 능통함. 또는 그러한 사람

예 그는 농사, 운동, 집안 살림 등 못하는 것 없는 두루치기다.

마수걸이 맨 처음으로 물건을 파는 일. 또는 거기서 얻은 소득

예 오후 한 시가 넘도록 마수걸이도 못 했다.

마수손님 맨 처음으로 물건을 산 손님

예 그가 이 가게의 마수손님이었다.

맞잡이 서로 힘이 비슷한 두 사람. ≒맞들이

예 결승에서는 맞잡이끼리 붙어서 승부가 잘 나지 않았다.

무지렁이 아무것도 모르는 어리석은 사람. 헐었거나 무지러져서 못 쓰게 된 물건

예 그의 눈에는 내가 세상 물정도 모르는 무지렁이로 보이는 모양이다.

바닥쇠 그 지방에 오래전부터 사는 사람을 낮잡아 이르는 말. ≒본토박이, 터줏대감

예 그는 서울의 바닥쇠라 모르는 게 없었다.

바사기 사물에 어두워 아는 것이 없고 똑똑하지 못한 사람을 놀림조로 이르는 말

예 실상은 눈도 없고 요량도 없는 바사기임을 도리어 불쌍하게도 생각하였을 것입니다. – 최남선, 「금강 예찬」

반거들충이 무엇을 배우다가 중도에 그만두어 다 이루지 못한 사람

예 농사꾼도 아니고 그렇다고 왈칵 한량도 아닌 반거충이 건달로 지내는 시권이 혼자만 남아 있는 집 안은 고즈넉했다. – 윤흥길, 「완장」

불목하니 절에서 밥을 짓고 물을 긷는 일을 맡아서 하는 사람

예 머리를 깎은 지 삼 년 후에는 나무를 해다가 승방에 군불을 지피고, 스님들의 공양을 짓는 불목하니가 되었다. – 문순태, 「피아골」

사시랑이 가늘고 약한 물건이나 사람. 간사한 사람

예 가뜩이나 사시랑이인 육신이 더 형편 무인지경이 돼 버렸어. – 김성동, 「만다라」

새줄랑이 소견 없이 방정맞고 경솔한 사람

예 강쇠네는 입이 재고 무슨 일에나 오지랖이 넓었지만 무작정 덤벙거리고만 다니는 새줄랑이는 아니었다. – 송기숙, 「녹두 장군」

샌님 얌전하고 고루한 사람을 놀림조로 이르는 말
예 술만 취하지 않으면 샌님 중에도 그런 골샌님이 없을 지경인데…….
– 최인호, 「지구인」

샛서방 남편이 있는 여자가 남편 몰래 관계하는 남자
예 지아비가 교도소에서 징역살이하는 동안에 샛서방을 보아 단봇짐을 싸 버린……. – 윤흥길, 「완장」

서울까투리 수줍음이 없고 숫기가 많은 사람을 비유적으로 이르는 말
예 서울까투리라 그런지 당당했다.

솔봉이 나이가 어리고 촌스러운 티를 벗지 못한 사람
예 그는 아직 솔봉이 모습을 벗어나지 못했다.

슬기주머니 남다른 재능을 지닌 사람을 비유적으로 이르는 말
예 그와 같은 슬기주머니에게 이만 일을 처리할 꾀가 없을 리 없었다.

시앗 남편의 첩
예 시앗을 보다.

앵두장수 잘못을 저지르고 어디론지 자취를 감춘 사람
예 그는 앵두장수다 보니 고향으로 돌아오기 어려웠다.

오그랑이 마음씨가 바르지 못한 사람. 안쪽으로 오목하게 들어가거나 주름이 잡힌 물건
예 그는 선한 인상과는 다르게 의외로 오그랑이였다.

올깎이 나이가 어려서 승려가 된 사람
예 그 스님은 어려서 이 절에 들어온 올깎이이었다지요.

윤똑똑이 자기만 혼자 잘나고 영악한 체하는 사람을 낮잡아 이르는 말
예 심지어 일부 윤똑똑이는 오늘의 경제 위기를 남북 화해 정책 탓으로 몰아붙이기도 한다.

자린고비 다라울 정도로 인색한 사람을 낮잡아 이르는 말 ≒고바우, 노랑이, 깍쟁이, 꼼바리 등
예 노인인데 부동산이 수월찮게 많나 봅디다. 있는 놈이 자린고비 노릇은 더 한다니까. – 한수산, 「부초」

재주아치 재주가 많은 사람. '재주꾼'을 낮잡아 이르는 말
예 그는 생각보다 재주아치다.

찌그렁이 남에게 무턱대고 억지로 떼를 쓰는 짓. 또는 그런 사람
예 찌그렁이를 부리다.

차돌 야무진 사람을 빗대는 말
예 그는 겉은 그렇게 물러 보여도 알고 보면 속은 차돌이다.

천둥벌거숭이 철없이 함부로 날뛰거나 어떤 일에 앞뒤 생각 없이 나서는 사람
예 하룻강아지 범 무서운 줄 모른다더니, 어디서 또 이런 천둥벌거숭이들이 뛰어들지? – 송기숙, 「녹두 장군」

촐랑이 자꾸 방정맞게 까부는 사람
예 심부름꾼이 인도하여 들어온 사람은 얼굴이 가무잡잡한 사람인데 걸음걸이며 몸 가지는 품이 보기에 벌써 촐랑이다. – 홍명희, 「임꺽정」

2 성격 관련 순우리말

가살스럽다 말씨나 행동이 되바라지고 얄미운 데가 있다.
예 가살스러운 웃음

갈붙이다 남을 헐뜯어 사이가 벌어지게 하다.
예 그는 둘 사이를 갈붙였다.

거방지다 몸집이 크다. 하는 짓이 점잖고 무게가 있다. 매우 푸지다.
예 덩치 큰 사내가 거방지게 사람들을 착 훑어보자 소란스러웠던 장내는 물을 끼얹은 듯 조용해졌다.

결곡하다 얼굴 생김새나 마음씨가 깨끗하고 여무져서 빈틈이 없다.
예 그는 말투가 결곡하다.

곰바지런하다(꼼바지런하다) 일하는 것이 시원시원하지는 못하나 꼼꼼하고 바지런하다.
예 몸집은 작달막하지만 곰바지런한 며느리

곰살갑다 성질이 보기보다 상냥하고 부드럽다.
예 곰살가운 성품

곰살궂다 태도나 성질이 부드럽고 친절하다. 꼼꼼하고 자세하다.
예 곰살궂게 굴다.

공변되다 행동이나 일 처리가 사사롭거나 한쪽으로 치우치지 아니하고 공평하다.
예 공변되고 밝고 청렴하고 부지런하면 이는 선치수령이요…….
– 홍명희, 「임꺽정」

그악하다(그악스럽다) 사납고 모질다. 장난 따위가 지나치게 심하다. 끈질기고 억척스럽다.
예 마님의 그악한 며느리 길들이기도 세상 물정을 몰라서 저런다 싶으면 이해가 되기도 했다. – 박완서, 「미망」

꼼바르다 마음이 좁고 지나치게 인색하다.
예 그는 꼼바른 성격 때문에 인기가 없다.

남세스럽다 남에게 놀림과 비웃음을 받을 듯하다. ≒남우세스럽다, 우세스럽다
예 그동안 집안에 남세스러운 춘사가 겹치고 하여 손님을 들이기가 어려웠습니다.

너볏하다 몸가짐이나 행동이 번듯하고 의젓하다.
예 너볏한 태도

넘나다 하는 짓이나 말이 분수에 넘치다. 넘어서 지나다니다.
예 아무것도 모르면서 넘나게 나랏일에 참견을 한다.

늡늡하다 성격이 너그럽고 활달하다.
예 김 장자 아들의 늡늡한 인물과 문장이 출중한 것을 보고 이 정승이 어째서 그대로 백두로야 늙히겠나. – 이기영, 「봄」

다라지다 여간한 일에 겁내지 않을 만큼 사람됨이 야무지다.
예 그렇게 경을 치고도 다시 달려드는 것을 보니 그도 보통 다라진 사람이 아니야.

더덜더덜하다 분명하지 아니한 목소리로 말을 자꾸 더듬다.
예 그는 놀라서인지 자꾸 더덜더덜하였다.

더덜뭇하다 결단성이나 다잡는 힘이 부족하다.
예 그는 더덜뭇하여 맺고 끊는 맛이 없다.

던적스럽다 하는 짓이 보기에 매우 치사하고 더러운 데가 있다.
예 그의 행동은 던적스러워서 괜히 꺼려진다.

도섭스럽다 주책없이 능청맞고 수선스럽게 변덕을 부리는 태도가 있다.
예 도망질할 사람이 하직, 작별이 다 무언가? 도섭스러운 소리 하지 말게.
– 홍명희, 「임꺽정」

돈바르다 성미가 너그럽지 못하고 까다롭다.
예 그는 돈바른 성격으로 친구가 없다.

되바라지다 어린 나이에 어수룩한 데가 없고 얄밉도록 지나치게 똑똑하다.
예 아직 삼십도 안 됐을 텐데? 젊은 놈이 어지간히 되바라졌군.
– 박경리, 「토지」

두남두다 잘못을 두둔하다. 애착을 가지고 돌보다.
예 자식을 무작정 두남두다 보면 버릇이 나빠진다.

뒤넘스럽다 주제넘게 행동하여 건방진 데가 있다.
예 그는 선배들 앞에서도 뒤넘스럽게 행동했다.

드레*지다 사람의 됨됨이가 가볍지 않고 점잖아서 무게가 있다.
(*드레: 인격적으로 점잖은 무게)
예 그는 철없는 또래 친구들과 달리 몸가짐이 매우 드레져 보였다.

듣직하다(듬직하다) 사람됨이 경솔하지 않고 무게가 있다. 물건이 제법 번듯하고 그럴듯하다.
예 듣직한 행동

망상스럽다 요망하고 깜찍한 데가 있다.
예 그는 망상스럽지만 귀여운 데가 있다.

문문하다 무르고 부드럽다. 어려움 없이 쉽게 다루거나 대할 만하다.
예 이 집에서 가장 문문해 보인다는 셈인지 선재에게 곧잘 농을 걸기도 하였다. – 이호철, 「닳아지는 살들」

바자위다 성질이 너그러운 맛이 없다.
예 형수가 워낙 집안 살림을 꼼꼼하고 바자위게 꾸리기 때문에 무얼 사 달라고 말하기가 어렵다.

버르집다 작은 일을 크게 부풀려 떠벌리다.
예 삼류 언론은 대단치도 않은 일을 버르집는 나쁜 습성이 있다.

본데없다 보고 배운 것이 없다. 또는 행동이 예의범절에 벗어나는 데가 있다.
예 어디서 배운 버릇이냐. 본데없는 놈 같으니라고.

사근사근하다 생김새나 성품이 상냥하고 시원스럽다.
예 그는 성격이 사근사근한 편이어서 처음 보는 사람에게 호감을 가지게 한다.

사박스럽다 성질이 보기에 독살스럽고 야멸친 데가 있다.
예 아내는 남편을 사박스럽게 몰아붙였다.

살천스럽다 쌀쌀하고 매섭다.
예 그렇게 살천스러우니까 주변에 사람이 없지.

새살스럽다 성질이 차분하지 못하고 가벼워 말이나 행동이 실없고 부산한 데가 있다.
예 그의 새살스러운 행동에 조금 정신이 없었다.

성마르다 성질이 급하고 참을성이 없다.
예 그는 생각보다 성마른 성격이다.

시망스럽다 몹시 짓궂은 데가 있다.
예 그는 말을 시망스럽게 해 다른 사람을 당황스럽게 한다.

안차다 겁이 없고 야무지다.
예 그 애는 어른이 뭐라 해도 워낙 안차서 기도 안 죽는다.

암상스럽다 보기에 남을 시기하고 샘을 잘 내는 데가 있다.
예 병이 골수에 박힌 며느리를 엄동설한에 친정으로 내치면서 솜바지 좀 껴입은 걸 다 도끼눈을 뜨고 바라볼 게 뭐람. 암상스러운 늙은이 같으니라고. – 박완서, 「미망」

암팡스럽다 몸은 작아도 야무지고 다부진 면이 있다.
예 그 아이는 체구는 작지만 꽤 암팡스러워 보인다.

영절스럽다 아주 그럴듯하다.
예 주사야몽으로 하도 장군이 적을 깨칠 궁리를 노심초사하고 있으니 이렇게 꿈이 영절스럽게 꾸어진 것이었다. – 박종화, 「임진왜란」

웅숭깊다 생각이나 뜻이 크고 넓다. 사물이 되바라지지 아니하고 깊숙하다.
예 홍 거사는 웅보를 종놈치고는 어딘지 웅숭깊은 데가 있다고 생각했는지 그날부터 밤을 이용하여 글을 가르쳐 주겠다고 하였다.
– 문순태, 「타오르는 강」

음전*하다 말이나 행동이 곱고 우아하다. 또는 얌전하고 점잖다.
(*음전: 얌전하고 점잖음)
예 음전한 아가씨

의뭉스럽다 겉으로 어리석은 것 같으나 속은 엉큼한 데가 있다.
예 그녀의 평소 언행이 의뭉스러워 일을 믿고 맡길 수가 없다.

이물스럽다 성질이 음험하여 속을 헤아리기에 어려움이 있다.
예 이물스러운 노파

이악하다 이익을 위하여 지나치게 아득바득하는 태도가 있다.
예 그는 장사꾼처럼 이악하지도 간사하지도 못했다.

자발없다 행동이 가볍고 참을성이 없다.
예 다른 사람들 앞에서도 그렇게 촐랑대다가는 자발없다고 남들이 우습게 볼 거야.

잔질다 마음이 약하고 하는 짓이 잘다.
예 잔진 사람이 많아 일이 빨리 진행되기는 어려웠다.

종작없다 말이나 태도가 똑똑하지 못해 종잡을 수가 없다.

예 다시 생각하면 그이가 첩을 얻었다는 것도 종작없는 소리인지 모르리라. – 현진건, 「무영탑」

주책 일정하게 자리 잡힌 주장이나 판단력. 일정한 줏대가 없이 되는대로 하는 짓

예 나이가 들면서 주책이 없어져 쉽게 다른 사람의 말에 귀를 기울이게 됐다.

주책없다 일정한 줏대가 없이 이랬다저랬다 하여 몹시 실없다.

예 누가 그런 주책없는 소리를 하더냐?

찬찬하다 성질이나 솜씨, 행동 따위가 꼼꼼하고 차분하다.

예 그는 성격이 참 찬찬하다.

투미하다 어리석고 둔하다.

예 그는 남들이 말을 붙여 보아도 돌미륵같이 투미해서 답답하기 짝이 없다.

툽상스럽다 말이나 행동 따위가 투박하고 상스러운 데가 있다.

예 사십 안팎의 툽상스러운 주막 안주인 얼굴을 훔쳐보았다.

– 문순태, 「피아골」

틀수하다 성질이 너그럽고 침착하다.

예 그는 성격이 아버지를 닮아 틀수하다.

포달지다 악을 쓰며 함부로 대드는 품이 몹시 사납다.

예 그는 포달진 성격으로 유명했다.

푸접스럽다 보기에 붙임성이 없이 쌀쌀한 데가 있다.

예 사람들은 그가 처자를 거느려 보지 않아서 그렇게 푸접스럽다고 쑤군거렸다.

호도깝스럽다 말이나 행동이 조급하고 경망스러운 데가 있다.

예 그는 나이에 비해 호도깝스러운 성격이었다.

희떱다 실속은 없어도 마음이 넓고 손이 크다. 말이나 행동이 분에 넘치며 버릇이 없다.

예 제 살림에 맵고 짜다가도 없는 사람 사정 봐줄라 치면 희떱게 굴 줄도 알았다. – 박완서, 「미망」

CHAPTER

03 자연 관련 순우리말

- [ ] 1 회 독 월 일
- [ ] 2 회 독 월 일
- [ ] 3 회 독 월 일
- [ ] 4 회 독 월 일
- [ ] 5 회 독 월 일

1 동물의 새끼 관련 순우리말

가사리 돌고기의 새끼

간자미 가오리의 새끼

개호주 범의 새끼

고도리 고등어의 새끼

굼벵이 매미, 풍뎅이와 같은 딱정벌레목의 애벌레. 누에와 비슷하나 몸이 짧고 뚱뚱하다.

귀다래기 귀가 작은 소

금승말 그해에 태어난 말

꺼병이 꿩의 어린 새끼(= 꿩병아리)

껄떼기 농어의 새끼

노가리 명태의 새끼

능소니 곰의 새끼

동부레기 뿔이 날 만한 나이의 송아지

동어 숭어의 새끼

마래미 방어의 새끼

며루 각다귀의 애벌레. 땅속에 살며 벼의 뿌리를 잘라 먹는 해충

모롱이 웅어의 새끼, 숭어의 새끼

모쟁이 숭어의 새끼

무녀리 한 태에 낳은 여러 마리의 새끼 가운데 가장 먼저 나온 새끼

발강이 잉어의 새끼

발탄강아지 걸음을 걷기 시작한 강아지

부룩소 작은 수소

설치 괴도라치의 새끼

솜병아리 알에서 갓 깬 병아리

송치 암소 배 속에 든 새끼

쌀강아지 털이 짧고 부드러운 강아지

애돝 한 살이 된 돼지

어스럭송아지 크기가 중간 정도 될 만큼 자란 큰 송아지(= 어석소, 어석송아지)

엇부루기 아직 큰 소가 되지 못한 수송아지

초고리 작은 매

태성 이마가 흰 말

팽팽이 열목어의 어린 새끼

풀치 갈치의 새끼

하릅송아지 나이가 한 살 된 송아지

학배기 잠자리의 애벌레

햇돝 당해에 나서 자란 돼지

2 바람 관련 순우리말

가맛바람 가마를 타고 가면서 쐬는 바람

가수알바람 서풍의 뱃사람 말(≒갈바람)

갈마바람 서남풍의 뱃사람 말

갈바람 서풍의 뱃사람 말

강쇠바람 첫가을에 부는 동풍

갯바람 바다에서 육지로 부는 바람

건들바람 초가을에 선들선들 부는 바람

고추바람 살을 에는 듯 매섭게 부는 차가운 바람

꽁무니바람 뒤쪽에서 부는 바람

꽃샘바람 이른 봄, 꽃이 필 무렵에 부는 쌀쌀한 바람

높새바람 '동북풍'을 달리 이르는 말

된바람 북풍의 뱃사람 말(≒덴바람)

마파람 남풍의 뱃사람 말

산들바람 시원하고 가볍게 부는 바람

살바람 좁은 틈으로 새어 들어오는 찬 바람. 초봄에 부는 찬 바람

샛바람 동풍의 뱃사람 말

하늬바람 서쪽에서 부는 바람. 주로 농촌이나 어촌에서 이르는 말(≒서풍)

CHAPTER

04 기타 순우리말

☐ 1 회 독 월 일
☐ 2 회 독 월 일
☐ 3 회 독 월 일
☐ 4 회 독 월 일
☐ 5 회 독 월 일

1 기타 순우리말

가랑눈 조금씩 잘게 내리는 눈
예 올겨울에는 가랑눈만 몇 번 내렸을 뿐 아직까지 눈다운 눈은 한 번도 오지 않았다.

가리사니 사물을 판단할 만한 지각
예 가리사니가 서다.

가위 무서운 내용의 꿈. 또는 꿈에 나타나는 무서운 것
예 아이가 가위에 눌리는지 식은땀을 흘리며 잔다.

가위손 그릇이나 냄비 따위의 손잡이
예 냄비가 너무 뜨거워 맨손으로 가위손을 잡았다간 데기 십상이다.

개부심 장마로 큰물이 난 뒤, 한동안 쉬었다가 다시 퍼붓는 비
예 개부심 때문에 홍수가 났다.

건들장마 초가을에 비가 오다가 금방 개고 또 비가 오다가 다시 개고 하는 장마
예 그 무렵 석이는 건들장마가 지나는 짬짬이 병도와 어울려 다니며 술을 마셨다.

결찌 이러저러하게 연분이 닿는 먼 친척
예 우리들이 황해 감사의 결찌가 아니라면 평산 부사가 초면에 벗을 하자겠나. – 홍명희, 「임꺽정」

굼적대다 몸이 둔하고 느리게 자꾸 움직이다.
예 아무리 아파도 몸을 굼적대야지 안 그러면 못 일어나.

궂은비 날이 어두침침하게 흐리면서 오랫동안 내리는 비
예 저녁 하늘에는 인생의 모든 비극을 걷어 간 듯 구름이 걷히고 세차게 부는 바람은 궂은비를 휘몰아 쫓았다. – 심훈, 「영원의 미소」

귀잠 아주 깊이 든 잠
예 영훈이는 귀잠이 들어서인지 아무리 깨우려고 해도 좀처럼 일어나지 못했다.

그믐치 음력 그믐께에 내리는 비나 눈
예 달도 없는 섣달그믐 밤, 창밖에는 그믐치가 쌓이고 있다.

길눈 한 길이 될 만큼 많이 쌓인 눈
예 길눈 때문에 학교에 가지 못했다.

남상거리다 좀 얄밉게 자꾸 넘어다보다.
예 그의 물건을 남상거리는 사람이 많았다.

는개 안개비보다는 조금 굵고 이슬비보다는 가는 비
예 골짜기마다 는개가 수액처럼 피어오르고 그나마 산꼭대기에 구름이 감겨 있어……. – 문순태, 「타오르는 강」

단비 꼭 필요한 때 알맞게 내리는 비
예 오랜 가뭄 끝에 단비가 내렸다.

더넘(이) 넘겨 맡은 걱정거리
예 자식을 둔 사람은 더넘이가 많다.

도둑눈 밤사이에 사람들이 모르게 내린 눈
예 아침에 눈을 뜨니 푸짐한 도둑눈이 와 있었다.

된서리 늦가을에 아주 되게 내리는 서리
예 된서리가 내리다.

둥개다 일을 감당하지 못하고 쩔쩔매다.
예 그 정도 일을 가지고 종일 둥갠다.

등글기 다른 사람의 그림이나 다른 데에 쓰던 그림을 그대로 본뜨는 일
예 그 작품은 진품이 아닌 등글기였다.

마른눈 비가 섞이지 않고 내리는 눈
예 어젯밤 내린 눈은 마른눈이어서 그대로 땅에 쌓여 있었다.

매지구름 비를 머금은 검은 조각구름
예 갑자기 매지구름이 일더니 삽시간에 주위가 어두워지고 굵은 빗방울이 후드득후드득 떨어지기 시작한다.

맨드리 옷을 입고 매만진 맵시
예 맨드리가 있다.

먼지잼 비가 겨우 먼지나 날리지 않을 정도로 조금 옴
예 비가 먼지잼으로 겨우 몇 방울 내리다 말았다.

모꼬지 놀이나 잔치 또는 그 밖의 일로 여러 사람이 모이는 일
예 혼인날에도 다른 제자보다 오히려 더 일찍이 와서 모든 일을 총찰하였고 모꼬지 자리에서도 가장 기쁜 듯이 술을 마시고 춤을 추고 즐기었다. – 현진건, 「무영탑」

목비 모낼 무렵에 한목 오는 비
예 비가 안 와 걱정이었는데 목비가 이렇게 때맞추어 오다니 참 다행이다.

몽니 받고자 하는 대우를 받지 못할 때 내는 심술
예 몽니를 부리다.

무지 무더기로 쌓여 있는 더미
예 자갈 무지

물안개 강이나 호수, 바다 따위에서 피어오르는 안개
예 물안개가 끼다.

바자 대, 갈대, 수수깡, 싸리 따위로 발처럼 엮은 물건
예 아지랑이가 가물가물 타기 시작하면 그들은 양지쪽에 앉아 수숫대로 바자를 엮으며 어린것들에게 가지가지 학 이야기를 들려주는 것이었다.
– 이범선, 「학마을 사람들」

벌력 하늘이나 신령이 인간의 죄악을 징계하기 위하여 내리는 벌
예 갑자기 산사태가 나다니, 산신께서 벌력을 내리신 모양이다.

볕뉘 다른 사람으로부터 받는 보살핌이나 보호. 작은 틈을 통하여 잠시 비치는 햇볕
예 조상의 볕뉘

볼 신발이나 구두의 옆면과 옆면 사이의 간격
예 구두가 볼이 좁아서 발이 아프다.

사북 부채의 아랫머리나 가위다리의 교차된 곳에 박아 돌쩌귀처럼 쓰이는 물건. 가장 중요한 부분을 비유적으로 이르는 말
예 부채 사북

살별 가스 상태의 빛나는 긴 꼬리를 끌고 태양을 초점으로 포물선이나 타원 궤도를 그리며 운행하는 천체
예 집으로 돌아가려고 댓돌에 나서서 우연히 하늘을 우러러보니 이마 꼭 맞은편 하늘에는 경오년 살별이 꼬리를 길게 뻗치고 있다.
– 김동인, 「대수양」

살터 살아 나갈 밑바탕이 되는 터전
예 이곳에 우리의 살터를 마련하자.

삽삽하다 태도나 마음씨 따위가 매우 부드럽고 사근사근하다.
예 청년의 삽삽한 태도에 마음이 누그러졌다.

삿갓구름 외딴 산봉우리의 꼭대기 부근에 둘러져 있는 갓 모양의 구름
예 삿갓구름은 파란 하늘을 서서히 잿빛으로 물들였다.

상고대 나무나 풀에 내려 눈처럼 된 서리
예 길가의 낙엽에는 서리가 내려 있고 나뭇가지에도 상고대가 허옇게 피어 있었다. – 송기숙, 「녹두 장군」

서덜 생선의 살을 발라내고 난 나머지의 뼈, 대가리, 껍질 등을 가리키는 말로, 주로 회를 뜨고 남은 것들이다.
예 이제 먹을 만한 것은 다 먹고 남은 건 서덜뿐이다.

숨탄것 숨을 받은 것이라는 뜻으로, 여러 가지 동물을 통틀어 이르는 말
예 숨탄것들은 다 감정이 있다.

악수 물을 퍼붓듯이 세게 내리는 비
예 악수로 퍼붓는 비

알짬 여럿 가운데에 가장 중요한 내용
예 대소가 여러 집 세간의 알짬을 뽑아내서 짐들을 만들게 하는데…….
– 홍명희, 「임꺽정」

애동대동하다 매우 앳되고 젊다.
예 풋사과처럼 애동대동한 사람

억수 물을 퍼붓듯이 세차게 내리는 비
예 억수가 퍼붓다.

여우비 볕이 나 있는 날 잠깐 오다가 그치는 비
예 여우비가 온 끝이라 개울가의 풀들이나 물빛이 더욱 뚜렷하였다.

오사바사하다 굳은 주견 없이 마음이 부드럽고 사근사근하다.
예 계집이 어찌 오사바사하고 수완이 반지라운지……. – 윤흥길, 「완장」

온새미 가르거나 쪼개지 않은 생긴 그대로의 상태
예 정이품 송은 온새미로 고상하고 장엄하다.

외오돌다 (무엇이) 혼자만 다른 것과 반대로 돌아서 있다.
예 골목에서 우리 집은 외오돌아 있기 때문에 찾기 쉬울 거야.

웃비 아직 우기(雨氣)는 있으나 좍좍 내리다가 그친 비
예 웃비가 걷힌 뒤라서 해가 한층 더 반짝인다.

유체스럽다 젠체하고 진중한 체하여 말이나 행실 따위가 온화한 데가 없다.
예 그는 말투가 직선적인 편이긴 하지만 유체스러운 사람은 아니다.

이슬비 아주 가늘게 내리는 비. 는개보다 굵고 가랑비보다는 가늘다.
예 이슬비를 맞다.

이아치다 자연의 힘이 미치어 손해를 입다.
예 속돌 밑으로 스며 흐르는 샘 소리와 바람에 이아친 나무 모양이 낱낱이 백두산의 특색을 가장 선명케 발보여 있다. – 최남선, 「백두산 근참기」

자국눈 겨우 발자국이 날 정도로 적게 내린 눈
예 아침에 일어나니 자국눈이 내려 있었다.

작달비 장대비. 장대처럼 굵고 거세게 좍좍 내리는 비
예 조금씩 뿌리던 비가 점차 굵고 거센 작달비로 변하였다.

주저리 너저분한 물건이 어지럽게 매달리거나 한데 묶여 있는 것
예 배추 주저리

진눈깨비 비가 섞여 내리는 눈
예 눈보라가 잦아들더니 진눈깨비가 추적거린다.

집알이 새로 집을 지었거나 이사한 집에 집 구경 겸 인사로 찾아보는 일
예 집알이를 오다.

째마리 사람이나 물건 가운데서 가장 못된 찌꺼기
예 좋은 사과는 다 팔고 째마리만 남았다.

채찍비 채찍을 내리치듯이 굵고 세차게 쏟아져 내리는 비
예 우산도 없이 채찍비를 고스란히 맞았다.

해미 바다 위에 낀 아주 짙은 안개
예 포구에는 이른 아침부터 해미가 껴서 부둣가 앞은 한 치 앞도 보이지 않았다.

햇귀 사방으로 뻗친 햇살. 해가 처음 솟을 때의 빛
예 오후가 되자 햇귀가 산자락에까지 뻗쳤다.

흔전만전 돈이나 물건 따위를 조금도 아끼지 아니하고 함부로 쓰는 듯한 모양
예 돈을 흔전만전 쓰다.

후무리다 남의 물건을 슬그머니 훔쳐 가지다.
예 그는 노름빚을 갚기 위해 아내가 잠든 사이에 집에 있는 돈과 패물을 모두 후무려 나왔다.

흘레 동물들의 짝짓기. 교미
예 장독대가 있는 담벼락 밑에서 도둑고양이들이 흘레를 하고 있었다.

2 단위를 나타내는 말(순우리말과 한자어)

가리 ① 곡식이나 장작 따위의 더미를 세는 단위. 한 가리는 20단
② 삼을 널어 말리려고 몇 꼭지씩 한데 묶은 것을 세는 단위

갈이 논밭 넓이의 단위. 소 한 마리가 하루에 갈 만한 넓이로, 지방마다 다르지만 약 2,000평 정도이다.

갓 굴비, 비웃(청어) 따위나 고비, 고사리 따위를 묶어 세는 단위. 한 갓은 굴비·비웃 따위 열 마리, 또는 고비·고사리 따위 열 모숨을 한 줄로 엮은 것을 이른다.

강다리 쪼갠 장작을 묶어 세는 단위. 한 강다리는 쪼갠 장작 백 개비를 이른다.

개(個/箇/介) 낱으로 된 물건을 세는 단위

거리 ① 오이나 가지 따위를 묶어 세는 단위. 한 거리는 오이나 가지 오십 개를 이른다.
② 탈놀음, 꼭두각시놀음, 굿 따위에서 장(場)을 세는 단위
③ 음악, 연극 따위에서 단락, 과장, 마당을 이르는 말

고리 소주를 사발에 담은 것을 묶어 세는 단위. 한 고리는 소주 열 사발을 이른다.

고팽이 새끼, 줄 따위를 사리어 놓은 돌림을 세는 단위

그루 ① 식물, 특히 나무를 세는 단위 = 주(株)
② 한 해에 같은 땅에 농사짓는 횟수를 세는 단위

근(斤) 무게의 단위. 한 근은 고기나 한약재의 무게를 잴 때는 600그램에 해당하고, 과일이나 채소 따위의 무게를 잴 때는 한 관의 10분의 1로 375그램에 해당한다.

길 길이의 단위. 한 길은 여덟 자 또는 열 자 정도의 길이로, 약 2.4미터 또는 3미터에 해당한다.

꾸러미 ① 꾸리어 싼 물건을 세는 단위
② 달걀 10개를 묶어 세는 단위

끼 밥을 먹는 횟수를 세는 단위 = 끼니

냥(兩) ① 예전에, 엽전을 세던 단위. 한 냥은 한 돈의 열 배이다.
② 무게의 단위. 귀금속이나 한약재 따위의 무게를 잴 때 쓴다. 한 냥은 귀금속의 무게를 잴 때는 한 돈의 열 배이고, 한약재의 무게를 잴 때는 한 근의 16분의 1로 37.5그램에 해당한다.

님 바느질에 쓰는 토막 친 실을 세는 단위

닢 납작한 물건을 세는 단위. 흔히 돈이나 가마니, 멍석 따위를 셀 때 쓴다.

단 짚, 땔나무, 채소 따위의 묶음을 세는 단위

단보(段步) 땅 넓이의 단위. 1단보는 300평

담불 벼를 백 섬씩 묶어 세는 단위

대(臺) 차나 기계, 악기 따위를 세는 단위

돈 ① 무게의 단위. 귀금속이나 한약재 따위의 무게를 잴 때 쓴다. 한 돈은 한 냥의 10분의 1, 한 푼의 열 배로 3.75그램에 해당한다.
② 예전에, 엽전을 세던 단위. 한 돈은 한 냥의 10분의 1이고 한 푼의 열 배이다.

되 부피의 단위. 곡식, 가루, 액체 따위의 부피를 잴 때 쓴다. 한 되는 한 말의 10분의 1, 한 홉의 열 배로 약 1.8리터에 해당한다. = 승(升)

두름 ① 조기 따위의 물고기를 짚으로 한 줄에 열 마리씩 두 줄로 엮은 것을 세는 단위 = 급(級)
② 고사리 따위의 산나물을 열 모숨 정도로 엮은 것을 세는 단위 = 급

땀 실을 꿴 바늘로 한 번 뜬 자국을 세는 단위

리(里) 거리의 단위. 1리는 약 0.393km에 해당한다.

리(釐/厘) ① 비율을 나타내는 단위. 1리는 전체 수량의 1,000분의 1로 1푼의 10분의 1이다.
② 길이의 단위. 1리는 1푼의 10분의 1로 0.3mm에 해당한다.
③ 무게의 단위. 주로 귀금속 따위의 무게를 잴 때 쓴다. 1리는 1푼의 10분의 1로 0.0375그램에 해당한다.

마리 짐승이나 물고기, 벌레 따위를 세는 단위 = 수(首)

마장 거리의 단위. 오 리나 십 리가 못 되는 거리

마지기 논밭 넓이의 단위. 한 마지기는 볍씨 한 말의 모 또는 씨앗을 심을 만한 넓이로, 지방마다 다르나 논은 약 150~300평, 밭은 약 100평 정도이다. = 두락(斗落)

말 부피의 단위. 곡식, 액체, 가루 따위의 부피를 잴 때 쓴다. 한 말은 한 되의 열 배로 약 18리터에 해당한다. = 두(斗)

명(名) 사람을 세는 단위

모 두부, 묵을 세는 단위

모금 액체나 기체를 입 안에 한 번 머금는 분량을 세는 단위

문(文) ① 길이의 단위. 신발의 크기를 잴 때 쓴다. 1문은 약 2.4cm에 해당한다.
② 조선 시대에, 상평통보를 세던 단위
③ 조선 시대의 화폐 단위. 1문은 1푼에 해당한다.

문(門) 포나 기관총 따위를 세는 단위

뭇 ① 짚, 장작, 채소 따위의 작은 묶음을 세는 단위 = 속(束)
② 볏단을 세는 단위
③ 생선을 묶어 세는 단위. 한 뭇은 생선 열 마리를 이른다. = 속
④ 미역을 묶어 세는 단위. 한 뭇은 미역 열 장을 이른다.
⑤ 세금을 계산할 때 쓰던, 논밭 넓이의 단위. 한 뭇은 한 줌의 열 배로, 그 넓이는 시대에 따라 달랐다. = 속

바람 길이의 단위. 한 바람은 실이나 새끼 따위 한 발 정도의 길이이다.

바리 마소의 등에 잔뜩 실은 짐을 세는 단위

바퀴 어떤 둘레를 빙 돌아서 제자리까지 돌아오는 횟수를 세는 단위

발 길이의 단위. 두 팔을 양옆으로 펴서 벌렸을 때 한쪽 손끝에서 다른 쪽 손끝까지의 길이

번(番) ① 일의 차례를 나타내는 말
② 일의 횟수를 세는 단위
③ 어떤 범주에 속한 사람이나 사물의 차례를 나타내는 단위

벌 ① 옷을 세는 단위
② 옷이나 그릇 따위가 두 개 또는 여러 개 모여 갖추는 덩어리를 세는 단위

병 사냥에서, 매를 세는 단위

병(甁) 수량을 나타내는 말 뒤에 쓰여, 액체나 가루 따위를 병에 담아 그 분량을 세는 단위

분 높이는 사람을 세는 단위

분(分) ① 한 시간의 60분의 1이 되는 동안을 세는 단위
② 각도의 단위. 1분은 1도의 60분의 1이다.
③ 위도나 경도를 나타내는 단위. 1분은 1도의 60분의 1이다.

뼘 길이의 단위. 엄지손가락과 다른 손가락의 사이를 한껏 벌린 길이

사람 사람(인간)의 수를 세는 단위

사리 수량을 나타내는 말 뒤에 쓰여, 국수, 새끼, 실 따위의 뭉치를 세는 단위

사발(沙鉢) 수량을 나타내는 말 뒤에 쓰여, 국이나 밥을 그릇에 담아 그 분량을 세는 단위

살 나이를 세는 단위

상(床) 수량을 나타내는 말 뒤에 쓰여, 소반과 같은 가구에 음식을 그득하게 차린 것을 세는 단위

섬 부피의 단위. 곡식, 가루, 액체 따위의 부피를 잴 때 쓴다. 한 섬은 한 말의 열 배로 약 180리터에 해당한다. = 석(石), 점(苫)

세뚜리 새우젓 따위를 나눌 때 한 독에 든 것을 세 몫으로 나누는 일. 또는 그렇게 나눈 분량

손 한 손에 잡을 만한 분량을 세는 단위. 조기, 고등어, 배추 따위 한 손은 큰 것과 작은 것을 합한 것을 이르고, 미나리나 파 따위 한 손은 한 줌 분량을 이른다.

술 밥 따위의 음식물을 숟가락으로 떠 그 분량을 세는 단위

쌈 ① 바늘을 묶어 세는 단위. 한 쌈은 바늘 스물네 개를 이른다.
② 옷감, 피혁 따위를 알맞은 분량으로 싸 놓은 덩이를 세는 단위
③ 금의 무게를 나타내는 단위. 한 쌈은 금 백 냥쭝이다.

우리 기와를 세는 단위. 한 우리는 기와 2천 장이다.

자 길이의 단위. 한 자는 약 30.3cm에 해당한다.

자루 수량을 나타내는 말 뒤에 쓰여, 물건을 주머니에 담아 그 분량을 세는 단위

자밤 나물이나 양념 따위를 손가락을 모아서 그 끝으로 집을 만한 분량을 세는 단위

잔(盞) 수량을 나타내는 말 뒤에 쓰여, 음료나 술을 그릇에 담아 그 분량을 세는 단위

장(張) ① 종이나 유리 따위의 얇고 넓적한 물건을 세는 단위
② 활, 쇠뇌, 금슬(琴瑟)을 세는 단위
③ 얇은 구름의 덩이를 세는 단위

접 채소나 과일 따위를 묶어 세는 단위. 한 접은 채소나 과일 백 개를 이른다.

제(劑) 한약의 분량을 나타내는 단위. 탕약 20첩

죽 ① 옷, 그릇 따위의 열 벌을 묶어 이르는 말
② 수량을 나타내는 말 뒤에 쓰여, 옷이나 그릇 따위의 열 벌을 묶어 세는 단위

줌 수량을 나타내는 말 뒤에 쓰여, 한 손으로 쥘 만한 분량을 세는 단위

짐 논밭 넓이의 단위. 세금을 계산할 때 썼다. 1짐은 1뭇의 열 배, 1동의 10분의 1로, 그 넓이는 시대에 따라 달랐다. = 부(負), 복(卜)

쪽 ① 쪼개진 물건의 부분을 세는 단위
② (수량을 나타내는 말 뒤에 쓰여) 책이나 장부 따위의 면을 세는 단위

채 ① 집을 세는 단위
② 큰 기구, 기물, 가구 따위를 세는 단위
③ 이불을 세는 단위
④ 가공하지 아니한 인삼을 묶어 세는 단위. 한 채는 인삼 100근이다.

척(隻) 배를 세는 단위

첩 반상기 한 벌에 갖추어진 쟁첩을 세는 단위

첩(貼) 봉지에 싼 약의 뭉치를 세는 단위

축 오징어를 묶어 세는 단위. 한 축은 오징어 스무 마리를 이른다.

축(軸) ① 책력을 묶어 세는 단위. 한 축은 책력 스무 권을 이른다.
② 종이를 세는 단위. 한 축은 한지는 열 권, 두루마리는 하나를 이른다.

치 길이의 단위. 한 치는 한 자의 10분의 1 또는 약 3.03cm에 해당한다.

칸 집의 칸살의 수효를 세는 단위

켤레 신, 양말, 버선, 방망이 따위의 짝이 되는 두 개를 한 벌로 세는 단위 = 족(足)

쾌 ① 북어를 묶어 세는 단위. 한 쾌는 북어 스무 마리를 이른다.
② 예전에 엽전을 묶어 세던 단위. 한 쾌는 엽전 열 냥을 이른다. = 관(貫)

타래 사리어 뭉쳐 놓은 실이나 노끈 따위의 뭉치를 세는 단위

톨 밤이나 곡식의 낟알을 세는 단위

톳 김을 묶어 세는 단위. 한 톳은 김 100장을 이른다. = 속(束)

통(桶) 수량을 나타내는 말 뒤에 쓰여, 물건을 통에 담아 그 분량을 세는 단위

통(通) 편지나 서류, 전화 따위를 세는 단위

판 승부를 겨루는 일을 세는 단위

판(板) 수량을 나타내는 말 뒤에 쓰여, 달걀을 묶어 세는 단위. 한 판은 달걀 삼십 개를 이른다.

포기 수량을 나타내는 말 뒤에 쓰여, 뿌리를 단위로 한 초목의 낱개를 세는 단위

푼 길이의 단위. 한 치의 10분의 1 또는 약 0.3cm에 해당한다.

3 나이를 나타내는 말(순우리말과 한자어)

10세 – 충년(沖年) 열 살 안팎의 어린 나이. 충(沖)은 어리다는 뜻. 유충(幼沖)이란 대개 유치원에서 초등학교 저학년 정도의 나이를 말한다.

15세 – 지학(志學) 공자(孔子)가 15세에 학문(學文)에 뜻을 두었다는 데서 유래하였다.

16세 – 과년(瓜年) 과(瓜)자를 파자(破字)하면 '八八'이 되므로 여자 나이 16세를 나타낸다. 특별히 16세를 강조한 것은 옛날에는 이때가 결혼 정년기였기 때문이다.

20세 – 약관(弱冠) 스무 살을 달리 이르는 말. 요즘은 없어졌지만 옛날에는 원복(元服, 어른 되는 성례 때 쓰던 관)식을 행했다고 한다. 《예기(禮記)》 〈곡례편(曲禮編)〉에 "二十日弱하니, 冠이라" 하여 "20세는 약(弱)이라 해서 갓을 쓴다"라는 뜻인데, 그 의미는 갓을 쓰는 어른이 되었지만 아직은 약하다는 뜻이다.

20세 전후 – 방년(芳年) 꽃다울 방(芳), 나이 년(年)으로 20세 전후의 왕성한 여성을 뜻한다. 20세 안팎의 젊은 여자의 나이는 묘령(妙齡)이라고도 한다.

30세 – 이립(而立) 공자(孔子)가 30세에 자립(自立)했다고 말한 데서 유래하였다.

32세 – 이모(二毛) 흰 머리털이 나기 시작하는 나이라는 뜻이다.

40세 – 불혹(不惑) 공자(孔子)가 40세에 모든 것에 미혹(迷惑)되지 않았다는 데서 유래하였다.

48세 – 상년(桑年) 상(桑)의 속자(俗字)인 '桒'를 파자(破字)하면 '十' 자 4개와 '八' 자가 되기 때문에 48세를 나타낸다.

50세 – 지명(知命) 공자(孔子)가 50세에 천명(天命, 인생의 의미)을 알았다는 뜻으로, 지천명(知天命)을 줄인 말이다. 반백(半百), 명년(命年)이라고도 한다.

60세 – 이순(耳順) 공자(孔子)가 60세가 되어 어떤 내용에 대해서도 순화시켜 받아들였다는 데서 유래하였다.

61세 – 환갑(還甲) 회갑(回甲), 환력(還歷)이라고도 한다. 태어난 해의 간지(干支)로 돌아간다는 의미이다.

62세 – 진갑(進甲, 陳甲) 우리나라에서 환갑 다음 해의 생일날, 말 그대로 1년을 더 나아간다[進]는 뜻이다.

70세 – 고희(古稀) 두보(杜甫)의 시 '곡강(曲江)'의 구절 "人生七十古來稀(사람이 태어나 70세가 되기는 예로부터 드물었다)"에서 유래하였다.

70세 – 종심(從心) 공자(孔子)가 70세에 마음먹은 대로 행동해도 법도에 어긋나지 않았다는 데서 유래하였다. '從心所欲不踰矩(종심소욕불유구)'의 준말이다. 또 달리 희수(稀壽), 희년(稀年), 희경(稀慶), 희연(稀宴)으로도 표현한다.

71세 – 망팔(望八) 팔십 살을 바라본다는 뜻이다.

77세 – 희수(喜壽) 희(喜) 자를 초서(草書)로 쓸 때 '七十七'처럼 쓰는 데서 왔다.

80세 – 산수(傘壽), 팔질(八秩, 八耋) 산(傘) 자의 약자(略字)가 팔(八)을 위에 쓰고 십(十)을 밑에 쓰는 것에서 유래하였다.

81세 – 망구(望九) 구십 살을 바라본다는 의미로, 81세에서 90세까지 장수(長壽)를 기원하는 말이다. '할망구'의 어원이 '망구'이다.

81세 – 반수(半壽) 반(半) 자를 파자(破字)하면 '八十一'이 되는 데서 왔다.

88세 – 미수(米壽) 미(米) 자를 파자(破字)하면 '八十八'이다. 혹은 농부가 모를 심어 추수를 할 때까지 88번의 손질이 필요하다는 데서 여든여덟 살을 표현한다.

90세 – 동리(凍梨) 언(凍) 배(梨)라는 뜻으로, 90세가 되면 얼굴에 반점이 생겨 언 배의 껍질 같다는 말이다.

90세 – 졸수(卒壽) 졸(卒)의 속자(俗字)가 아홉 구(九) 자 밑에 열 십(十) 자를 쓰는 데서 유래하였다.

91세 – 망백(望百) 백 살을 바라본다는 의미이다.

99세 – 백수(白壽) 백(百)에서 일(一)을 빼면 백(白) 자가 되므로 99세를 나타낸다.

100세 – 상수(上數), 기이(期頤) 최상의 수명이라는 뜻에서 상수라고 하며, 사람의 수명을 상, 중, 하로 나누어 볼 때 최상의 수명이라는 뜻이다.

108세 – 차수(茶壽) '茶' 자를 풀어 보면 열 십 자가 두 개이니, 20이고 아래는 '八'+'十'+'八'이니까 모두 합하면 108세가 된다.

천수(天壽) 타고난 수명. 병 없이 늙어서 죽음을 맞이하면 하늘이 내려 준 나이를 다 살았다는 뜻으로 천수라 한다.

CHAPTER

05 단어의 의미 관계(다의어와 동음이의어)

□ 1 회독 월 일
□ 2 회독 월 일
□ 3 회독 월 일
□ 4 회독 월 일
□ 5 회독 월 일

ㄱ

가다1 (동사)

동사

Ⅰ. 「…에/에게, …으로, …을」

① 한곳에서 다른 곳으로 장소를 이동하다.

예 산에 가다.

② 수레, 배, 자동차, 비행기 따위가 운행하거나 다니다.

예 유럽으로 바로 가는 직항로가 뚫렸다.

③ 지금 있는 곳에서 어떠한 목적을 가지고 다른 곳으로 옮기다.

예 밥을 먹으러 식당에 가다.

④ 직업이나 학업, 복무 따위로 해서 다른 곳으로 옮기다.

예 군대에 가다.

Ⅱ. 「…에/에게, …으로」

① 직책이나 자리를 옮기다.

예 그는 얄밉게도 부장 대우를 받는 조건으로 경쟁 회사에 갔다.

② 물건이나 권리 따위가 누구에게 옮겨지다.

예 책상 위에 있던 돈이 어디에 갔지?

③ 관심이나 눈길 따위가 쏠리다.

예 날이 더우니까 사소한 일에도 신경이 간다.

④ 말이나 소식 따위가 알려지거나 전하여지다.

예 장사꾼들 사이에 시비가 오고 가는지 소란스러웠다.

⑤ ('손해' 따위의 명사와 함께 쓰여) 그러한 상태가 생기거나 일어나다.

예 자기에게 손해 가는 장사를 누가 하겠어?

Ⅲ. 「…에, …을」

일정한 목적을 가진 모임에 참석하기 위하여 이동하다.

예 내일 시사회에 갈 거니?

Ⅳ. 「…으로」

① 어떤 상태나 상황을 향하여 나아가다.

예 복지 국가로 가는 길은 아직 멀고 험하다.

② 한쪽으로 흘러가다.

예 회의가 엉뚱한 쪽으로 간다.

③ 동력원으로 하여 작동하다.

예 이 차는 전기로만 간다.

④ 물체가 한쪽으로 기울어지다.

예 액자가 왼쪽으로 좀 간 것 같다.

Ⅴ. 「…에」

① 금, 줄, 주름살, 흠집 따위가 생기다.

예 옷에 주름이 가다.

② ('무리', '축' 따위의 말과 함께 쓰여) 건강에 해가 되다.

예 몸에 무리가 가는 운동은 삼가시오.

③ 일정한 시간이 되거나 일정한 곳에 이르다.

예 검사 결과는 내일에 가서야 나온대.

④ 일정한 대상에 미치어 작용하다.

예 고장 난 기계에 그의 손이 가면 멀쩡해진다.

⑤ ('손', '품' 따위와 함께 쓰여) 어떤 일을 하는 데 수고가 많이 들다.

예 조그만 조각품에는 손이 많이 간다.

Ⅵ.

① 어떤 대상이 다른 곳으로 이동하여 사라지다.

예 나는 조금 있다가 갈 거야.

② ('시간' 따위와 함께 쓰여) 지나거나 흐르다.

예 좋은 시절도 다 갔다.

③ 기계 따위가 제대로 작동하다.

예 싸구려 시계가 잘 간다.

④ 외부의 충격이나 영향으로 정신을 제대로 차리지 못하는 혼미한 상태가 되다.

예 그는 상대 선수의 주먹을 한 방 맞고 완전히 갔다.

⑤ 전기 따위가 꺼지거나 통하지 않다.

예 전깃불이 가서 들어오지 않는다.

⑥ (완곡하게) 사람이 죽다.

예 젊은 나이에 간 친구

Ⅶ. 「…이」

① 어떤 일에 대하여 납득이나 이해, 짐작 따위가 되다.

예 바뀐 세상이 실감이 가니?

② ('…이'나 '…에' 대신에 '중간 정도', '최고' 따위와 같은 부사어가 쓰이기도 한다) 가치나 값, 순위 따위를 나타내는 말과 결합하여 어떤 대상을 기준으로 해서 어느 정도까지 이르다.

예 이 집이 보기에는 초라해도 5억 원이 간다.

③ ('물', '맛' 따위의 말과 함께 쓰여) 원래의 상태를 잃고 상하거나 변질되다.

예 생선이 물이 갔다.

④ ('때', '얼룩' 따위의 말과 함께 쓰여) 때나 얼룩이 잘 빠지다.

예 이 비누는 때가 잘 간다.

Ⅷ. 「…을」

① 어떤 경로를 통하여 움직이다.

예 길을 가다.

Ⅸ. 「…에/에게 …을, …으로 …을」

① 어떤 일을 하기 위하여 다른 곳으로 이동하다.

예 가족들과 함께 동물원에 구경을 갔다.

② 노름이나 내기에서 얼마의 액수를 판돈으로 걸다.

예 한 판에 10만 원을 갔다.

Ⅹ.「(…을)」(기간을 나타내는 '며칠' 따위와 함께 쓰여)
어떤 현상이나 상태가 유지되다.
예 작심삼일이라고 며칠이나 가겠니?
보조 동사
(주로 동사 뒤에서 '-어 가다' 구성으로 쓰여) 말하는 이, 또는 말하는 이가 정하는 어떤 기준점에서 멀어지면서 앞말이 뜻하는 행동이나 상태가 계속 진행됨을 나타내는 말
예 책을 다 읽어 간다.

가다2 (부사)
'가다가(어떤 일을 계속하는 동안에 어쩌다가 이따금)'의 준말

걸다1 (형용사)
① 흙이나 거름 따위가 기름지고 양분이 많다.
예 밭이 걸다.
② 액체 따위가 내용물이 많고 진하다.
예 국물이 걸다.
③ 음식 따위가 가짓수가 많고 푸짐하다.
예 술상이 걸다.
④ 말씨나 솜씨가 거리낌이 없고 푸지다.
예 말이 걸다.
⑤ ('-게'의 꼴로 쓰여) 푸짐하고 배부르다.
예 잔칫집에 가서 걸게 먹고 왔다.

걸다2 (동사)
Ⅰ.「…에 …을」
① 벽이나 못 따위에 어떤 물체를 떨어지지 않도록 매달아 올려놓다.
예 벽에 그림을 걸다.
② 자물쇠, 문고리를 채우거나 빗장을 지르다.
예 정문에 자물쇠를 걸다.
③ 솥이나 냄비 따위를 이용할 수 있도록 준비하여 놓다.
예 아궁이에 냄비를 걸다.
④ 기계 따위가 작동하도록 준비하여 놓다.
예 물레에 솜을 걸다.
⑤ 어느 단체에 속한다고 이름을 내세우다.
예 문단에 이름을 걸어 놓은 작가는 많지만 작품 활동을 하는 작가는 그렇게 많지 않다.
⑥ 기계 장치가 작동되도록 하다.
예 차에 시동을 걸다.
⑦ 다른 사람이나 문제 따위가 관련이 있음을 주장하다.
예 그는 자신의 잘못이 드러나자 자기 일에 다른 사람을 걸고 나왔다.
Ⅱ.「…에/에게 …을」
① 돈 따위를 계약이나 내기의 담보로 삼다.
예 노름에 돈을 걸다.
② 의논이나 토의의 대상으로 삼다.
예 그는 부당 해고라고 회사에 소송을 걸었다.
③ 어떤 상태에 빠지도록 하다.
예 마술사는 비둘기에게 마술을 걸어 개구리가 되게 만들었다.
④ 앞으로의 일에 대한 희망 따위를 품거나 기대하다.
예 아들에게 기대를 걸다.
⑤ 목숨, 명예 따위를 담보로 삼거나 희생할 각오를 하다.
예 그에게 운명을 걸다.
⑥ 다른 사람을 향해 먼저 어떤 행동을 하다.
예 여자에게 말을 걸다.
⑦ 전화를 하다.
예 회사에 전화를 걸다.
⑧ 긴급하게 명령하거나 요청하다.
예 소대원들에게 비상을 걸었다.
⑨ 다리나 발 또는 도구 따위를 이용하여 상대편을 넘어뜨리려는 동작을 하다.
예 그는 지나가는 친구에게 발을 걸어 넘어뜨렸다.

길1 (명사)
① 사람이나 동물 또는 자동차 따위가 지나갈 수 있게 땅 위에 낸 일정한 너비의 공간
예 한적한 길
② 물 위나 공중에서 일정하게 다니는 곳
예 배가 다니는 길
③ 걷거나 탈것을 타고 어느 곳으로 가는 노정(路程)
예 천 리나 되는 길
④ 시간의 흐름에 따라 개인의 삶이나 사회적·역사적 발전 따위가 전개되는 과정
예 이제까지 살아온 고단한 길
⑤ 사람이 삶을 살아가거나 사회가 발전해 가는 데에 지향하는 방향, 지침, 목적이나 전문 분야
예 배움의 길
⑥ 어떤 자격이나 신분으로서 주어진 도리나 임무
예 어머니의 길
⑦ (주로 '-는/을 길' 구성으로 쓰여) 방법이나 수단
예 그를 설득하는 길
⑧ (주로 '-는 길로' 구성으로 쓰여) 어떤 행동이 끝나자마자 즉시
예 경찰에서 풀려나는 길로 그 애를 따라 서울로 갔다.
⑨ ('-는 길에', '-는 길이다' 구성으로 쓰여) 어떠한 일을 하는 도중이나 기회
예 그는 학교에서 돌아오는 길에 물장난을 하였다.
⑩ (일부 명사 뒤에 붙어) '과정', '도중', '중간'의 뜻을 나타내는 말
예 그는 어제 산책길에서 그녀를 만났다.

길2 (명사)
① 물건에 손질을 잘하여 생기는 윤기
예 그 집 장독은 길이 잘 나 있다.
② 짐승 따위를 잘 가르쳐서 부리기 좋게 된 버릇
예 길이 잘 든 말
③ 어떤 일에 익숙하게 된 솜씨
예 농촌 생활에 제법 길이 들었다.

ㄴ

나가다 (동사)
동사
Ⅰ.「…에, …으로」
① 일정한 지역이나 공간의 범위와 관련하여 그 안에서 밖으로 이동하다.
예 조용히 있고 싶으니 모두 마당에 나가서 놀아라.
② 앞쪽으로 움직이다.
예 그 소년은 당당하게 앞에 놓인 연단에 나가 자기가 하고 싶은 이야기를 하기 시작했다.

③ 생산되거나 만들어져 사회에 퍼지다.
예 새 제품이 시장에 나간 후의 시장 조사는 필수적이다.
④ 말이나 사실, 소문 따위가 널리 알려지다.
예 광고가 방송에 나가다.
⑤ 사회적인 활동을 시작하다.
예 그는 이번에 새로 문단에 나가게 되었다.
Ⅱ. 「…에, …을」
① 일정한 직장이나 일터에 다니다.
예 자네 요즘은 어느 회사에 나가나?
② 모임에 참여하거나, 운동 경기에 출전하거나, 선거 따위에 입후보하다.
예 전쟁에 나간 군인
Ⅲ. 「…에서, …을」
일정한 지역이나 공간에서 벗어나거나 집이나 직장 따위를 떠나다.
예 그는 점심에 도서관에서 나간 후에 아직 돌아오지 않았다.
Ⅳ. 「…으로, -게」('…으로'나 '-게' 대신에 '…대로' 따위 부사어나 '-이/히' 부사가 쓰이기도 한다)
어떤 행동이나 태도를 취하다.
예 그는 일을 하는 데 있어 너무 소극적인 태도로 나가기 때문에 일의 추진력이 부족하다.
Ⅴ. 「…이」('…이' 대신에 '-이/히', '얼마나' 따위의 부사가 쓰이기도 한다)
① 값이나 무게 따위가 어느 정도에 이르다.
예 이 그림은 값이 무려 3천만 원이나 나간다.
② 월급이나 비용 따위가 지급되거나 지출되다.
예 인건비가 한 달에 천만 원이 나가게 되면서 회사의 경영이 어려워졌다.
Ⅵ.
① 옷이나 신, 양말 따위가 해지거나 찢어지다.
예 축구를 했더니 구두가 다 나갔다.
② 사고나 충격으로 사물 따위가 부서지거나 신체의 일부를 다치다.
예 접촉 사고로 자동차 범퍼가 나갔다.
③ 의식이나 정신이 없어지다.
예 그 친구 정신이 나갔더군.
④ 감기 따위의 병이 낫다.
예 한번 든 감기가 겨우내 나가지 않아 고생을 했다.
⑤ 팔거나 세를 주려고 내놓은 집이나 방이 계약이 이루어지다.
예 그 상가는 위치가 좋아서 잘 나간다.
⑥ 전기 공급이 끊어지거나 전깃불이 꺼지다.
예 고장이 났는지 형광등이 자꾸 들어왔다 나갔다 한다.
⑦ (주로 '잘', '안' 따위의 부사와 함께 쓰여) 대패 따위의 날이 달린 물건이 잘 먹거나 들다.
예 대패가 잘 나간다.
⑧ (주로 '잘, 많이, 안' 따위의 부사와 함께 쓰여) 물건이 잘 팔리거나 유행하다.
예 김 사장! 잘 나가는 스웨터로 몇 벌 뽑아 봐.
Ⅶ. 「…을」
① 어떤 일을 하러 가다.
예 산책을 나가다.
② 살던 집이나 방을 비우고 이사를 하다.
예 옆방에 세를 들었던 사람이 어제 이사를 나갔다.
③ ('…을' 대신에 '…까지', '…부터' 따위가 쓰이기도 한다) 일의 과정이 어느 정도 진행되다.
예 공사는 이미 반 이상을 나간 상태이다.

보조 동사
(동사 뒤에서 '-어 나가다' 구성으로 쓰여) 앞말이 뜻하는 행동을 계속 진행함을 나타내는 말
예 그는 붓을 들고 단숨에 글을 써 나가기 시작했다.

나누다 (동사)
Ⅰ. 「…을 …으로」
① 하나를 둘 이상으로 가르다.
예 이 사과를 세 조각으로 나누자.
② 여러 가지가 섞인 것을 구분하여 분류하다.
예 나는 이 물건들을 불량품과 정품으로 나누는 작업을 한다.
③ 『수학』 나눗셈을 하다.
예 20을 5로 나누면 4가 된다.
Ⅱ. 「…을 …에/에게」 몫을 분배하다.
예 이익금을 모두에게 공정하게 나누어야 불만이 생기지 않는다.
Ⅲ. 「(…과) …을」('…과'가 나타나지 않을 때는 여럿임을 뜻하는 말이 주어로 온다)
① 음식 따위를 함께 먹거나 갈라 먹다.
예 나는 그녀와 술을 한잔 나누면서 여러 가지 이야기를 했다.
② 말이나 이야기, 인사 따위를 주고받다.
예 고향 친구와 이야기를 나누는 일은 언제나 즐겁다.
③ 즐거움이나 고통, 고생 따위를 함께하다.
예 나는 언제나 아내와 모든 어려움을 나누고 살리라고 다짐하였다.
④ 같은 핏줄을 타고나다.
예 나는 그와 피를 나눈 형제이다.

나다1 (동사)
Ⅰ. 「…에」
① 신체 표면이나 땅 위에 솟아나다.
예 여드름이 나다.
② 길, 통로, 창문 따위가 생기다.
예 우리 마을에 길이 났다.
③ 어떤 사물에 구멍, 자국 따위의 형체 변화가 생기거나 작용에 이상이 일어나다.
예 양말에 구멍이 나다.
④ 신문, 잡지 따위에 어떤 내용이 실리다.
예 기사가 신문에 나다.
Ⅱ. 「…에, …에서」
① 홍수, 장마 따위의 자연재해가 일어나다.
예 남부 지방에 홍수가 나서 많은 수재민이 생겼다.
② 농산물이나 광물 따위가 산출되다.
예 이 지역에는 금이 난다.
③ 어떤 현상이나 사건이 일어나다.
예 축대가 무너져 온 동네에 난리가 났다.
④ 인물이 배출되다.
예 어머니는 우리 집에 천재가 났다면서 좋아하셨다.
Ⅲ. 「…에/에게」
① 이름이나 소문 따위가 알려지다.
예 신문에 합격자 발표가 나다.
② 문제 따위가 출제되다.
예 시험에 무슨 문제가 날지 모르겠다.
③ 흥미, 짜증, 용기 따위의 감정이 일어나다.
예 겁이 나다.

④ 구하던 대상이 나타나다.
예 중소기업에 취직 자리가 나서 연락을 해 보았다.
Ⅳ. 「…에서/에게서」
① 돈, 물건 따위가 생기다.
예 이 돈 어디에서 났니?
② 생명체가 태어나다.
예 나는 부산에서 나서 서울에서 자랐다.
③ 소리, 냄새 따위가 밖으로 드러나다.
예 청국장에서는 구수한 냄새가 난다.
④ 신체에서 땀, 피, 눈물 따위의 액체 성분이 흐르다.
예 손에서 피가 나다.
Ⅴ. 「…이」
① ('…이' 성분은 조사가 붙지 않은 단독형으로 쓰인다) 어떤 나이에 이르다.
예 두 살 난 아기
② 병 따위가 발생하다.
예 탈이 나다.
③ 생각, 기억 따위가 일다.
예 그는 그제야 멋진 생각이 났는지 무릎을 쳤다.
④ 시간적 여유가 생기다.
예 나는 내일이면 시간이 난다.
⑤ 기풍, 멋 따위가 더 나아지다.
예 그는 스카프를 매고 나서 한결 멋이 났다.
⑥ 어떤 작용에 따른 효과, 결과 따위의 현상이 이루어져 나타나다.
예 결론이 나다.
⑦ 속도, 열, 빛 따위의 속성이 드러나다.
예 그의 그림은 볼수록 더욱 빛이 났다.
⑧ 맛이 생기다.
예 조미료를 잘 써야 음식이 더욱 맛이 난다.
Ⅵ.
① 햇빛 따위가 나타나다.
예 햇빛이 나면 경기를 계속 진행할 것이다.
② 사람 됨됨이나 생김새가 뛰어나다.
예 모든 면에서 볼 때 그는 틀림없이 난 인물이다.
③ 밖으로 나오거나 나가다.
예 든 자리는 몰라도 난 자리는 표가 난다.
Ⅶ. 「…을」
① 철이나 기간을 보내다.
예 겨울을 나다.
② 살림, 세간 따위를 따로 차리다.
예 부모와 따로 세간을 나면 아무래도 생활비가 많이 든다.
보조 동사
① (동사 뒤에서 '-어 나다' 구성으로 쓰여) 앞말이 뜻하는 행동을 끝내어 이루었음을 나타내는 말
예 겪어 나다.
② (동사 뒤에서 '-고 나다' 구성으로 쓰여) 앞말이 뜻하는 행동이 끝났음을 나타내는 말
예 아이들이 모두 집에 돌아가고 나니 마음이 허전했다.

남다 (동사)
Ⅰ.
① 다 쓰지 않거나 정해진 수준에 이르지 않아 나머지가 있게 되다.
예 먹다 남은 밥
② 들인 밑천이나 제 값어치보다 얻는 것이 많다. 또는 이익을 보다.
예 장사는 이익이 남아야 한다.
③ 나눗셈에서, 나누어떨어지지 않고 나머지가 얼마 있게 되다.
예 5를 2로 나누면 1이 남는다.
Ⅱ. 「…에」 다른 사람과 함께 떠나지 않고 있던 그대로 있다.
예 회의장에 끝까지 남아 있는 사람
Ⅲ. 「…에/에게」
① 잊히지 않거나 뒤에까지 전하다.
예 기억에 남다.
② 어떤 상황의 결과로 생긴 사물이나 상태 따위가 다른 사람이나 장소에 있다.
예 사업을 실패한 형에게는 이제 빚만 남았다.

놓다 (동사)
Ⅰ. 「…을」
① 손으로 무엇을 쥐거나 잡거나 누르고 있는 상태에서 손을 펴거나 힘을 빼서 잡고 있던 물건이 손 밖으로 빠져나가게 하다.
예 잡고 있던 멱살을 놓다.
② 계속해 오던 일을 그만두고 하지 아니하다.
예 건강이 좋지 않아 일을 놓고 있다.
③ 걱정이나 근심, 긴장 따위를 잊거나 풀어 없애다.
예 한시름 놓다.
④ 노름이나 내기에서 돈을 걸다.
예 돈 놓고 돈 먹기
⑤ ('…을 놓고' 구성으로 쓰여) 논의의 대상으로 삼다.
예 동문회에서 학교 이전 문제를 놓고 의견이 분분했다.
⑥ 수판이나 산가지 따위를 이용하여 셈을 하다.
⑦ 빨리 가도록 힘을 더하다.
예 동구 밖으로 줄달음을 놓다.
⑧ (주로 '병', '병줄'과 함께 쓰여) 병에서 벗어나 몸이 회복되다.
예 할아버지께서 심기를 편하게 가지시고 마음을 비우셔야 하루라도 빨리 병줄을 놓게 됩니다.
Ⅱ. 「…에 …을」
① 잡거나 쥐고 있던 물체를 일정한 곳에 두다.
예 책상 위에 책을 놓다.
② 일정한 곳에 기계나 장치, 구조물 따위를 설치하다.
예 개울에 다리를 놓다.
③ 짐승이나 물고기를 잡기 위하여 일정한 곳에 무엇을 장치하다.
예 산에 덫을 놓다.
④ 무늬나 수를 새기다.
예 장롱에 자개를 놓다.
⑤ 불을 지르거나 피우다.
예 아궁이에 불을 놓다.
⑥ 옷이나 이불, 방석 따위를 꾸밀 때 속에 솜이나 털과 같은 내용물을 넣다.
예 이불에 솜을 놓다.
⑦ 주되는 음식에 다른 것을 섞어 한 음식으로 만들다.
예 고명을 놓아 찐 떡
⑧ 심어서 가꾸거나 키우다.
예 시루에 콩나물을 놓아 먹는다.
⑨ 수에 수를 보태다.
예 하나에 둘을 놓으면 셋이 된다.
⑩ 어떤 목적을 위하여 사람이나 짐승을 내보내다.
예 경찰은 들판에 개를 놓아 범인을 추적했다.

Ⅲ. 「…에/에게 …을」
① 치료를 위하여 주사나 침을 찌르다.
예 팔에 예방 주사를 놓다.
② 상대에게 어떤 행동을 하다.
예 도둑놈에게 몰매를 놓다.
③ 집이나 돈, 쌀 따위를 세나 이자를 받고 빌려주다.
예 신혼부부에게 전세를 놓다.
④ 값을 셈하여 매기다.
예 과일이 곯아서 시내 상인에게 좋은 값을 놓기가 어렵겠다.
⑤ 장기나 바둑에서 돌이나 말을 두다.
예 아버지와 바둑을 둘 때 두 점을 놓고 둬도 질 때가 많다.
⑥ 총이나 대포를 쏘다.
예 순사들이 상가에 총을 놓아 수십 명이 다치고 죽었다고 한다.
⑦ 어떠한 내용을 편지 따위를 통하여 알리다.
예 고향에 편지를 놓다.
⑧ ('말을 놓다' 구성으로 쓰여) ('…과'가 나타나지 않을 때는 여럿임을 뜻하는 말이 주어로 온다) 말을 존대하지 않고 맞상대하거나 낮춰서 말하다.
예 그는 만나자마자 나에게 대뜸 말을 놓으면서 건방을 떨었다.
Ⅳ. 「…을 …으로」
① 기계 장치를 조작하여 원하는 상태가 되게 하다.
예 자동차를 120km로 놓고 달렸다.
보조 동사
① (동사 뒤에서 '-어 놓다' 구성으로 쓰여) 앞말이 뜻하는 행동을 끝내고 그 결과를 유지함을 나타내는 말
예 더우니 문을 열어 놓아라.
② (형용사나 '이다' 뒤에서 '-어 놓다' 구성으로 쓰여) 앞말이 뜻하는 상태의 지속을 강조하는 말. 주로 뒷말의 내용에 대한 이유나 원인을 말할 때 쓰인다.
예 그녀는 말투가 워낙 거칠어 놓아서 그렇지 감성은 착한 사람이다.

눈1 (명사)
① 빛의 자극을 받아 물체를 볼 수 있는 감각 기관. 척추동물의 경우 안구·시각 신경 따위로 되어 있어, 외계에서 들어온 빛은 각막·눈동자·수정체를 지나 유리체를 거쳐 망막에 이르는데, 그 사이에 굴광체(屈光體)에 의하여 굴절되어 망막에 상을 맺는다. ≒목자3(目子)
예 눈이 맑다.
② = 시력1(視力)(물체의 존재나 형상을 인식하는 눈의 능력)
예 눈이 좋다.
③ 사물을 보고 판단하는 힘
예 그는 보는 눈이 정확하다.
④ ('눈으로' 꼴로 쓰여) 무엇을 보는 표정이나 태도
예 동경의 눈으로 바라보다.
⑤ 사람들의 눈길
예 다른 사람의 눈을 의식하다.
⑥ 태풍에서, 중심을 이루는 부분 ≒목9(目)

눈2 (명사)
= 눈금[자·저울·온도계 따위에 표시하여 길이·양(量)·도수(度數) 따위를 나타내는 금]

눈3 (명사)
① 그물 따위에서 코와 코를 이어 이룬 구멍
② 당혜(唐鞋), 운혜(雲鞋) 따위에서 코와 뒤울의 꾸밈새
③ 바둑판에서 가로줄과 세로줄이 만나는 점

눈4[눈ː] (명사)
대기 중의 수증기가 찬 기운을 만나 얼어서 땅 위로 떨어지는 얼음의 결정체
예 눈이 내리다.

눈5 (명사)
『식물』 새로 막 터져 돋아나려는 초목의 싹. 꽃눈, 잎눈 따위이다.
예 눈이 트다.

ㄷ

대다1 (동사)
동사
Ⅰ. 「…에」 정해진 시간에 닿거나 맞추다.
예 기차 시간에 대도록 서두르자.
Ⅱ. 「…에/에게」(주로 '대고' 꼴로 쓰여) 어떤 것을 목표로 삼거나 향하다.
예 하늘에 대고 하소연을 했다.
Ⅲ. 「…에/에게 …을」
① 무엇을 어디에 닿게 하다.
예 수화기를 귀에 대다.
② 어떤 도구나 물건을 써서 일을 하다.
예 그림에 붓을 대다.
③ 차, 배 따위의 탈것을 멈추어 서게 하다.
예 항구에 배를 대다.
④ 돈이나 물건 따위를 마련하여 주다.
예 그는 그동안 남몰래 가난한 이웃에게 양식을 대 왔다.
⑤ 무엇을 덧대거나 뒤에 받치다.
예 공책에 책받침을 대고 쓰다.
⑥ 어떤 것을 목표로 하여 총, 호스 따위를 겨냥하다.
예 그는 차마 같은 동포에게 총부리를 댈 수가 없었다.
⑦ 노름, 내기 따위에서 돈이나 물건을 걸다.
예 그들은 한 판에 천 원씩을 대고 노름을 시작하였다.
⑧ 사람을 구해서 소개해 주다.
예 아들에게 변호사를 대다.
⑨ 어떤 곳에 물을 끌어 들이다.
예 논에 물을 대다.
⑩ ('…과'가 나타나지 않을 때는 여럿임을 뜻하는 말이 주어로 온다) 잇닿게 하거나 관계를 맺다.
예 고객에게 전화를 대어 주다.
⑪ ('…과'가 나타나지 않을 때는 여럿임을 뜻하는 말이 주어로 온다) 다른 사람과 신체의 일부분을 닿게 하다.
예 그녀는 자신의 애인에게 어깨를 대고 편안하게 앉아 있었다.
⑫ ('…과'가 나타나지 않을 때는 여럿임을 뜻하는 말이 주어나 목적어로 온다) (흔히 '대, 대면' 꼴로 쓰이거나 '-어 보다' 구성으로 쓰여) 서로 견주어 비교하다.
예 그의 솜씨에 내 실력을 댈 수는 없다고 생각한다.
Ⅳ. 「…에/에게 …을, …에/에게 -ㄴ지를, …에/에게 -고」
① 이유나 구실을 들어 보이다.
예 어머니에게 구실을 대다.
② 어떤 사실을 드러내어 말하다.
예 경찰에게 알리바이를 대다.

보조 동사
(동사 뒤에서 '-어 대다' 구성으로 쓰여) 앞말이 뜻하는 행동을 반복하거나 그 행동의 정도가 심함을 나타내는 말
예 음식을 먹어 대다.

되다1 (동사)
Ⅰ. 「…이」
① 새로운 신분이나 지위를 가지다.
예 커서 의사가 되고 싶다.
② 다른 것으로 바뀌거나 변하다.
예 얼음이 물이 되다.
③ 어떤 때나 시기, 상태에 이르다.
예 시집갈 나이가 다 된 과년한 딸
④ 일정한 수량에 차거나 이르다.
예 이 안에 찬성하는 사람이 50명이 되었다.
⑤ 어떤 대상의 수량, 요금 따위가 얼마이거나 장소가 어디이다.
예 요금이 만 원이 되겠습니다.
⑥ 사람으로서의 품격과 덕을 갖추다.
예 그는 제대로 된 사람이다.
⑦ 어떠한 심리적 상태에 놓이다.
예 마음속으로 무척 걱정이 되었다.
⑧ ('…과'가 나타나지 않을 때는 여럿임을 뜻하는 말이 주어로 온다) 어떤 사람과 어떤 관계를 맺고 있다.
예 이 사람은 제 아우가 됩니다.
Ⅱ. 「…으로」
① 어떤 재료나 성분으로 이루어지다.
예 나무로 된 책상
② 어떤 형태나 구조로 이루어지다.
예 타원형으로 된 탁자
③ 문서나 서류에 어떤 사람이나 조직의 이름이 쓰이다.
예 전 시민의 이름으로 된 청원서
Ⅲ. 「-게」('-게' 대신에 '잘, 적당히, 원하는 대로' 따위의 부사나 부사어가 사용되기도 한다)
① 어떤 사물이나 현상이 생겨나거나 만들어지다.
예 밥이 맛있게 되다.
② 일이 잘 이루어지다.
예 일이 깔끔하게 되다.
③ 작물 따위가 잘 자라다.
예 곡식이 알차게 되다.
④ 어떤 사물이 제 기능을 다 하거나 수명이 다하다.
예 기계가 못 쓰게 되다.
Ⅳ. 「-게」
① 어떤 상황이나 사태에 이르다.
예 오늘부터 여러분에게 한국어를 가르치게 되었어요.
② 운명으로 결정되거나 규칙, 절차 따위로 정해지다.
예 그 사람은 필연적으로 그 여자를 만나게 되어 있었다.
Ⅴ.
① ('-어야' 다음에 쓰여) 어떤 일이 이루어져야 하다.
예 이 일은 반드시 이달 안으로 끝내야 됩니다.
② (용언의 '-면' 꼴 다음에 쓰여) 괜찮거나 바람직하다.
예 어찌됐든 나는 집에만 가면 된다.
③ ('-어서' 다음에 쓰여) 어떤 일이 허락될 수 없음을 나타낸다.
예 형인 네가 동생에게 그렇게 해서 되겠니?
④ ('-어도' 다음에 쓰여) 어떤 일이 가능하거나 허락될 수 있음을 나타낸다.
예 이제 너는 가도 된다.
Ⅵ. 「…에게 …이」
① (주로 피동의 뜻을 갖는 명사와 함께 쓰여) 누구에게 어떤 일을 당하다.
예 저 아이는 그 사람에게 양육이 되었다.
② 어떤 특별한 뜻을 가지는 상태에 놓이다.
예 그런 행동은 우리에게 해가 된다.

되다2 (동사)
「…을 …으로」 말, 되, 홉 따위로 가루, 곡식, 액체 따위의 분량을 헤아리다.
예 쌀을 되로 되다.

되다3 (동사)
「…을」 논밭을 다시 갈다.

들다1 (동사)
동사
Ⅰ. 「…에, …으로」
① 밖에서 속이나 안으로 향해 가거나 오거나 하다.
예 사랑에 들다.
② 빛, 볕, 물 따위가 안으로 들어오다.
예 이 방에는 볕이 잘 든다.
③ 방이나 집 따위에 있거나 거처를 정해 머무르게 되다.
예 어제 호텔에 든 손님
④ 길을 택하여 가거나 오다.
예 컴컴한 골목길에 들고부터는 그녀의 발걸음이 빨라졌다.
⑤ 수면을 취하기 위한 장소에 가거나 오다.
예 이불 속에 들다.
Ⅱ. 「…에」
① 어떤 일에 돈, 시간, 노력, 물자 따위가 쓰이다.
예 잔치 음식에는 품이 많이 든다.
② 물감, 색깔, 물기, 소금기가 스미거나 배다.
예 설악산에 단풍이 들다.
③ 어떤 범위나 기준, 또는 일정한 기간 안에 속하거나 포함되다.
예 반에서 5등 안에 들다.
④ 안에 담기거나 그 일부를 이루다.
예 빵 속에 든 단팥
⑤ 어떤 처지에 놓이다.
예 학문의 경지에 든 대학자
⑥ ('눈', '마음' 따위의 뒤에 쓰여) 어떤 물건이나 사람이 좋게 받아들여지다.
예 마음에 드는 신랑감
⑦ 어떤 일이나 기상 현상이 일어나다.
예 남부 지방에 가뭄이 들다.
⑧ [주로 '…(에) 들어, 들자' 꼴로 쓰여] 어떠한 시기가 되다.
예 4월에 들어서만 이익금이 두 배로 늘었다.
Ⅲ. 「…에, …을」
① 어떤 조직체에 가입하여 구성원이 되다.
예 노조에 들다.
② 적금이나 보험 따위의 거래를 시작하다.
예 보험에 들다.
Ⅳ.
① 어떤 때, 철이 되거나 돌아오다.
예 가을이 들면서 각종 문화 행사가 많이 열리고 있다.

Ⅴ. 「…이」
① 잠이 생기어 몸과 의식에 작용하다.
예 나는 기차에서 잠깐 풋잠이 들었다.
② 나이가 많아지다.
예 아이는 나이가 들수록 병치레가 잦아졌다.
③ 과일, 음식의 맛 따위가 익어서 알맞게 되다.
예 김치가 맛이 들다.
④ 몸에 병이나 증상이 생기다.
예 가축이 병이 들어 걱정이 크다.
⑤ 의식이 회복되거나 어떤 생각이나 느낌이 일다.
예 그는 자꾸 잡념이 들어서 괴롭다고 한다.
⑥ 버릇이나 습관이 몸에 배다.
예 그 아이는 거짓말을 하는 나쁜 버릇이 들었다.
⑦ 아이나 새끼를 가지다.
예 며느리가 아이가 들어서 거동이 불편하다.
⑧ 식물의 뿌리나 열매가 속이 단단한 상태가 되다.
예 무가 속이 들다.
Ⅵ. 「…을」 남을 위하여 어떤 일을 하다.
예 아버님의 시중을 들다.
Ⅶ. 「…에 …을」 돈을 내고 셋집을 얻어 살다.
예 선배 집에 월세를 들어 살고 있다.
보조 동사
① [동사 뒤에서 '-려(고) 들다', '-기로 들다', '-자고 들다' 구성으로 쓰여] 앞말이 뜻하는 행동을 애써서 적극적으로 하려고 함을 나타내는 말
예 그는 얘기도 듣기 전에 신경질부터 내려고 든다.
② (동사 뒤에서 '-고 들다' 구성으로 쓰여) 앞말이 뜻하는 행동을 거칠고 다그치듯이 함을 나타내는 말
예 별거 아닌 것 갖고 너무 따지고 들지 마라.

들다2 (동사)
① 비나 눈이 그치고 날이 좋아지다.
예 날이 들면 떠납시다.
② 흐르던 땀이 그치다.
예 땀이 들다.

들다3 (동사)
날이 날카로워 물건이 잘 베어지다.
예 칼이 잘 들다.

들다4 (동사)
Ⅰ. 「…을 …에」 손에 가지다.
예 꽃을 손에 든 신부
Ⅱ. 「…을」
① 아래에 있는 것을 위로 올리다.
예 역기를 번쩍 든 역도 선수
② 설명하거나 증명하기 위하여 사실을 가져다 대다.
예 보기를 들다.
③ '먹다[2](1. 음식 따위를 입을 통하여 배 속에 들여보내다)'의 높임말
예 아침을 들다.

떼다1 (동사)
Ⅰ. 「…에서 …을」
① 붙어 있거나 잇닿은 것을 떨어지게 하다.
예 벽에서 벽보를 떼다.
② 전체에서 한 부분을 덜어 내다.
예 월급에서 식대를 떼다.
Ⅱ. 「…에서/에게서 …을」
① 어떤 것에서 마음이 돌아서다.
예 아이한테서 정을 떼기가 너무 어렵다.
② 눈여겨 지켜보던 것을 그만두다.
예 잠시도 아이에게서 눈을 떼지 않고 돌보았다.
③ 장사를 하려고 한꺼번에 많은 물건을 사다.
예 그녀는 남대문 시장에서 물건을 도매로 떼다가 소매로 판다.
Ⅲ. 「…을」
① 함께 있던 것을 홀로 남기다.
예 친구를 떼고 혼자 오다.
② 봉한 것을 뜯어서 열다.
예 편지 봉투를 떼어 보다.
③ 걸음을 옮기어 놓다.
예 발걸음을 떼다.
④ 말문을 열다.
예 서두를 떼다.
⑤ 부탁이나 요구 따위를 거절하다.
예 나는 그의 부탁을 과감하게 떼어 버렸다.
⑥ 버릇이나 병 따위를 고치다.
예 볼거리를 떼다.
⑦ 아기를 유산시키다.
예 생활이 어려워 아이를 떼는 경우도 있다.
⑧ 배우던 것을 끝내다.
예 수학을 떼다.
⑨ 성장의 초기 단계로서 일상적으로 하던 일을 그치다.
예 젖을 떼다.
⑩ 수표나 어음, 증명서 따위의 문서를 만들어 주거나 받다.
예 수표를 떼다.
⑪ 권리를 없애거나 직위를 그만두게 하다.
예 관직을 떼다.
⑫ 화투로 점 따위를 치다.
예 하도 심심해서 화투나 떼고 있던 참이다.

떼다2 (동사)
「…을」 남에게서 빌려 온 돈 따위를 돌려주지 않다.
예 벼룩의 간을 내먹지 미아 엄마의 돈을 뗀단 말이야.

뜨다1 (동사)
Ⅰ. 「…에, …으로」 물속이나 지면 따위에서 가라앉거나 내려앉지 않고 물 위나 공중에 있거나 위쪽으로 솟아오르다.
예 종이배가 물에 뜨다.
Ⅱ.
① 착 달라붙지 않아 틈이 생기다.
예 풀칠이 잘못되어 도배지가 떴다.
② (비유적으로) 차분하지 못하고 어수선하게 들떠 가라앉지 않게 되다.
예 교실 분위기가 다소 붕 떠 있는 것처럼 보였다.
③ 연줄이 끊어져 연이 제멋대로 날아가다.
④ 빌려준 것을 돌려받지 못하다.
예 그 돈 이미 뜬 거야. 받을 생각 하지 마.
⑤ (속되게) 두려운 인물이 어떤 장소에 모습을 나타내다.
예 경찰이 떴다. 도망가자.
⑥ (속되게) 인기를 얻게 되고 유명해지다.
예 그 가수의 앨범이 뒤늦게 뜨기 시작했다.

뜨다2 (동사)
① 물기 있는 물체가 제 훈김으로 썩기 시작하다.
예 퇴비가 뜨다.
② 누룩이나 메주 따위가 발효하다.
예 어두운 방에 들어서니 곰팡이 뜨는 냄새가 났다.
③ 병 따위로 얼굴빛이 누르고 살갗이 부은 것처럼 되다.
예 부황이 들어 뜬 얼굴

뜨다3 (동사)
Ⅰ. 「…에서, …을」 다른 곳으로 가기 위하여 있던 곳에서 다른 곳으로 떠나다.
예 고향에서 뜨다.
Ⅱ. 「…을」 (속되게) 몰래 달아나다.
예 그녀는 밤중에 몰래 이 마을을 떴다.

뜨다4 (동사)
Ⅰ. 「…에서 …을」
① 큰 것에서 일부를 떼어 내다.
예 우리는 저쪽 산 밑에서 떼를 떴다.
② 물속에 있는 것을 건져 내다.
예 양어장에서 그물로 물고기를 떴다.
③ 어떤 곳에 담겨 있는 물건을 퍼내거나 덜어 내다.
예 어머니는 간장 항아리에서 간장을 뜨고 계셨다.
Ⅱ. 「…을」
① 수저 따위로 음식을 조금 먹다.
예 먼 길 가는데 아무리 바빠도 한술 뜨고 가거라.
② 고기 따위를 얇게 저미다.
예 생선회를 뜨다.
③ 종이나 김 따위를 틀에 펴서 낱장으로 만들어 내다.
예 한지는 틀로 하나씩 떠서 말린다.
④ 피륙에서 옷감이 될 만큼 끊어 내다.
예 혼숫감으로 옷감을 떠 왔다.

뜨다5 (동사)
「…을」
① 감았던 눈을 벌리다.
예 그는 잠이 깨어 눈을 떴다.
② 처음으로 청각을 느끼다.
③ 무엇을 들으려고 청각의 신경을 긴장시키다.
예 바스락거리는 소리에 귀를 번쩍 떴다.

뜨다6 (동사)
Ⅰ. 「…을」
① 실 따위로 코를 얽어서 무엇을 만들다.
예 털실로 장갑을 떠서 선물하였다.
② 한 땀 한 땀 바느질하다.
예 옷의 단을 뜨다.
Ⅱ. 「…에 …을」 살갗에 먹실을 꿰어 그림, 글자 따위를 그려 넣거나 자취를 내다.
예 그들은 의형제의 표시로 팔에 같은 글씨를 떴다.

뜨다7 (동사)
Ⅰ. 「…을」
① 무거운 물건을 위로 들어 올리다.
예 큰 바윗돌을 목도로 뜨다.
② 『체육』 씨름에서, 상대편을 번쩍 들어 올리다.

뜨다8 (동사)
Ⅰ. 「…을」
① 새겨진 글씨나 무늬 따위를 드러나게 하다.
예 탁본을 뜨다.
② 도면, 모형, 지형(紙型), 연판(鉛版) 따위를 만들다.
예 조판이 끝나면 지형을 떠서, 거기에 납을 부어 연판을 뜬다.
③ 녹화하거나 녹화물을 복사하다.
예 매니저는 데모 테이프를 떠서 방송국에 뿌렸다.

뜨다9 (동사)
「…을」 상대편의 속마음을 알아보려고 어떤 말이나 행동을 넌지시 걸어 보다.
예 상대편의 속마음을 슬쩍 뜨다.

ㅁ

마음 (명사)
① 사람이 본래부터 지닌 성격이나 품성
예 마음이 좋다.
② 사람이 다른 사람이나 사물에 대하여 감정이나 의지, 생각 따위를 느끼거나 일으키는 작용이나 태도
예 몸은 멀리 있어 마음으로나마 입학을 축하한다.
③ 사람의 생각, 감정, 기억 따위가 생기거나 자리 잡는 공간이나 위치
예 안 좋은 일을 마음에 담아 두면 병이 된다.
④ 사람이 어떤 일에 대하여 가지는 관심
예 마음을 떠보다.
⑤ 사람이 사물의 옳고 그름이나 좋고 나쁨을 판단하는 심리나 심성의 바탕
예 네 마음에 드는 사람을 골라 결혼해라.
⑥ 이성이나 타인에 대한 사랑이나 호의(好意)의 감정
예 너 저 사람에게 마음이 있는 모양이로구나.
⑦ 사람이 어떤 일을 생각하는 힘
예 마음을 집중해서 공부해라.

마르다 (동사)
① 물기가 다 날아가서 없어지다.
예 날씨가 맑아 빨래가 잘 마른다.
② 입이나 목구멍에 물기가 적어져 갈증이 나다.
예 뜨거운 태양 아래서 달리기를 했더니 목이 몹시 마른다.
③ 살이 빠져 야위다.
예 공부를 하느라 몸이 많이 말랐다.
④ 강이나 우물 따위의 물이 줄어 없어지다.
예 가뭄에도 이 우물은 마르지 않는다.
⑤ 돈이나 물건 따위가 다 쓰여 없어지다.
예 전투 수당 외에는 따로 돈이 나올 구멍이 없어 보이는데도 그의 주머니 속은 마르지 않았다.
⑥ 감정이나 열정 따위가 없어지다.
예 애정이 마르다.

말1 (명사)
① 사람의 생각이나 느낌 따위를 표현하고 전달하는 데 쓰는 음성 기호. 곧 사람의 생각이나 느낌 따위를 목구멍을 통하여 조직적으로 나타내는 소리를 가리킨다. ≒어사[11](語辭)
예 말을 배우다.

② 음성 기호로 생각이나 느낌을 표현하고 전달하는 행위. 또는 그런 결과물 ≒소리[1]
예 고운 말과 바른 말
③ 일정한 주제나 줄거리를 가진 이야기
예 말을 건네다.
④ 단어, 구, 문장 따위를 통틀어 이르는 말
예 적절한 말을 찾다.
⑤ 소문이나 풍문 따위를 이르는 말
예 말이 퍼지다.
⑥ ('-으라는/-다는 말이다' 구성으로 쓰여) 다시 강조하거나 확인하는 뜻을 나타내는 말
예 나보고 이런 것을 먹으란 말이냐?
⑦ ('-으니/-기에 말이지' 구성으로 쓰여) '망정이지'의 뜻을 나타내는 말
예 집에서 조금 일찍 나왔으니 말이지 하마터면 차를 놓칠 뻔했다.
⑧ ('-을 말이면', '-을 말로는', '-을 말로야' 구성으로 쓰여) '-을 것 같으면'의 뜻을 나타내는 말
예 자네가 장가들 말이면 내게 미리 귀띔을 했어야지.
⑨ ['-어(아)야 말이지' 구성으로 쓰여] 어떤 행위가 잘 이루어지지 않음을 탄식하는 말
예 차를 사고 싶은데 돈이 있어야 말이지.
⑩ (주로 '말이냐', '말이야' 꼴로 명사 뒤에 쓰여) 앞에서 언급한 사실을 강조하여 말하는 뜻을 나타내는 말
예 돈이라니, 며칠 전에 네가 내게 준 돈 말이냐?
⑪ (주로 '말이야', '말이죠', '말이지', '말인데' 꼴로 쓰여) 어감을 고르게 할 때 쓰는 군말. 상대편의 주의를 끌거나 말을 다짐하는 뜻을 나타낸다.
예 그런데 말이야.

말2 (명사)
톱질을 하거나 먹줄을 그을 때 밑에 받치는 나무

말3 (명사)
명사
곡식, 액체, 가루 따위의 분량을 되는 데 쓰는 그릇. 열 되가 들어가게 나무나 쇠붙이를 이용하여 원기둥 모양으로 만든다.
의존 명사
부피의 단위. 곡식, 액체, 가루 따위의 부피를 잴 때 쓴다. 한 말은 한 되의 열 배로 약 18리터에 해당한다.
예 쌀 두 말

말4 (명사)
「동물」 말과의 포유류

맞다1 (동사)
Ⅰ.
① 문제에 대한 답이 틀리지 아니하다.
예 네 답이 맞다.
② 말, 육감, 사실 따위가 틀림이 없다.
예 엄마는 항상 맞는 말씀만 하신다.
③ (앞 사람의 말에 동의하는 데 쓰여) '그렇다' 또는 '옳다'의 뜻을 나타내는 말
예 다시 생각해 보니 네 말이 맞다.
Ⅱ. 「…이」
① 어떤 대상이 누구의 소유임이 틀림이 없다.
예 이것도 네 것이 맞니?
② 어떤 대상의 내용, 정체 따위의 무엇임이 틀림이 없다.
예 우리 집 전화번호가 방금 말씀하신 번호가 맞습니다.
Ⅲ. 「…에/에게」
① 어떤 대상의 맛, 온도, 습도 따위가 적당하다.
예 음식 맛이 내 입에 맞는다.
② 크기, 규격 따위가 다른 것의 크기, 규격 따위와 어울리다.
예 반지가 내 손가락에 꼭 맞는다.
Ⅳ. 「(…과)」('…과'가 나타나지 않을 때는 여럿임을 뜻하는 말이 주어로 온다)
① 어떤 행동, 의견, 상황 따위가 다른 것과 서로 어긋나지 아니하고 같거나 어울리다.
예 만일 내 동작이 다른 사람들과 맞지 않으면 관중이 웃을 것이다.
② 모습, 분위기, 취향 따위가 다른 것에 잘 어울리다.
예 그것은 나의 분위기와는 절대로 맞지 않는다.

맞다2 (동사)
Ⅰ. 「…을」
① 오는 사람이나 물건을 예의로 받아들이다.
예 현관에서 방문객을 맞다.
② 적이나 어떤 세력에 대항하다.
③ 시간이 흐름에 따라 오는 어떤 때를 대하다.
예 새해를 맞다.
④ 자연 현상에 따라 내리는 눈, 비 따위의 닿음을 받다.
예 눈을 맞다.
⑤ 점수를 받다.
예 만점을 맞다.
Ⅱ. 「…에게 …을」 어떤 좋지 아니한 일을 당하다.
예 선생님께 야단을 맞다.
Ⅲ. 「…을 …으로」 가족의 일원으로 예를 갖추어 데려오다.
예 그는 친구의 여동생을 아내로 맞았다.

머리1 (명사)
① 사람이나 동물의 목 위의 부분. 눈, 코, 입 따위가 있는 얼굴을 포함하며 머리털이 있는 부분을 이른다. 뇌와 중추 신경 따위가 들어 있다.
예 머리를 긁다.
② 생각하고 판단하는 능력
예 머리가 나쁘다.
③ = 머리털(머리에 난 털)
예 머리가 길다.
④ 한자에서 글자의 윗부분에 있는 부수. '家', '花'에서 '宀', '++' 따위이다.
⑤ 단체의 우두머리
예 그는 우리 모임의 머리 노릇을 하고 있다.
⑥ 사물의 앞이나 위를 비유적으로 이르는 말
예 장도리 머리 부분
⑦ 일의 시작이나 처음을 비유적으로 이르는 말
예 머리도 끝도 없이 일이 뒤죽박죽이 되었다.
⑧ 어떤 때가 시작될 무렵을 비유적으로 이르는 말
예 해 질 머리
⑨ 한쪽 옆이나 가장자리
예 한 머리에서는 장구를 치고 또 한 머리에서는 징을 두드려 대고 있었다.
⑩ 일의 한 차례나 한 판을 비유적으로 이르는 말
예 한 머리 태풍이 지나고 햇빛이 비쳤다.
⑪ 「음악」 음표의 희거나 검은 둥근 부분

ㅂ

바람1 (명사)

명사

① 기압의 변화 또는 사람이나 기계에 의하여 일어나는 공기의 움직임

예 바람이 불다.

② 공이나 튜브 따위와 같이 속이 빈 곳에 넣는 공기

예 축구공에 바람을 가득 넣다.

③ 몰래 다른 이성과 관계를 가짐

예 이웃집 남자와 바람이 나다.

④ 사회적으로 일어나는 일시적인 유행이나 분위기 또는 사상적인 경향

예 자유화 바람

⑤ 작은 일을 불려서 크게 말하는 일

예 바람이 센 친구의 말이라 쉽게 믿어지지 않는다.

⑥ 남의 비난의 목표가 되거나 어떤 힘의 영향을 잘 받아 불안정한 일

예 바람을 잘 타는 자리

⑦ 남을 부추기거나 얼을 빼는 일

예 동생은 공부하는 형에게 나가 놀자며 바람을 집어넣는다.

⑧ 들뜬 마음이나 일어난 생각을 비유적으로 이르는 말

예 그 아이는 뱃속에 바람이 잔뜩 들었다.

⑨ (주로 '바람같이', '바람처럼' 꼴로 쓰여) 매우 빠름을 이르는 말

예 바람처럼 나타나다.

의존 명사

① 무슨 일에 더불어 일어나는 기세

예 술 바람에 할 말을 다 했다.

② ('-는 바람에' 구성으로 쓰여) 뒷말의 근거나 원인을 나타내는 말

예 급히 먹는 바람에 체했다.

③ (주로 의복을 나타내는 명사 뒤에서 '바람으로' 꼴로 쓰여) 그 옷차림의 뜻을 나타내는 말. 주로 몸에 차려야 할 것을 차리지 않고 나서는 차림을 이를 때 쓴다.

예 잠옷 바람으로 뛰어나가다.

바람2 (명사)

어떤 일이 이루어지기를 기다리는 간절한 마음

예 우리의 간절한 바람은 그가 무사히 돌아오는 것이다.

바람3 (의존 명사)

길이의 단위. 한 바람은 실이나 새끼 따위 한 발 정도의 길이이다.

예 실 두 바람

발1 (명사)

① 사람이나 동물의 다리 맨 끝부분

예 발을 디디다.

② 가구 따위의 밑을 받쳐 균형을 잡고 있는, 짧게 도드라진 부분

예 장롱의 발

③ '걸음'을 비유적으로 이르는 말

예 발이 재다.

④ 한시(漢詩)의 시구 끝에 다는 운자(韻字)

예 발을 달다.

⑤ 한자의 아랫부분을 이루는 부수를 통틀어 이르는 말

⑥ (수량을 나타내는 말 뒤에 쓰여) 걸음을 세는 단위

예 한 발

발2 (명사)

나무 나이테의 굵기

예 나이테의 발이 일정한 것을 보니 이 나무는 사철 잘 자라는 편인 듯하다.

발3[발ː] (명사)

가늘고 긴 대를 줄로 엮거나, 줄 따위를 여러 개 나란히 늘어뜨려 만든 물건. 주로 무엇을 가리는 데 쓴다.

예 발을 내리다.

발4[발ː] (명사)

새로 생긴 나쁜 버릇이나 관례

예 그러다가는 무슨 일을 하려면 뇌물을 바쳐야 하는 발이 생길까 겁난다.

발5[발ː] (명사)

실이나 국수 따위의 가늘고 긴 물체의 가락

예 국수의 발이 가늘다.

보다1 (동사)

동사

Ⅰ.「…을」

① 눈으로 대상의 존재나 형태적 특징을 알다.

예 잡지에서 난생처음 보는 단어를 발견하였다.

② 눈으로 대상을 즐기거나 감상하다.

예 영화를 보다.

③ 책이나 신문 따위를 읽다.

예 신문을 보다.

④ 대상의 내용이나 상태를 알기 위하여 살피다.

예 시계를 보다.

⑤ 일정한 목적 아래 만나다.

예 맞선을 보다.

⑥ 맡아서 보살피거나 지키다.

예 그녀는 아이를 봐 줄 사람을 구하였다.

⑦ 상대편의 형편 따위를 헤아리다.

예 너를 보아 내가 참아야지.

⑧ 점 따위로 운수를 알아보다.

예 사주를 보다.

⑨ ('시험'을 뜻하는 목적어와 함께 쓰여) 자신의 실력이 나타나도록 치르다.

예 시험 잘 봤니?

⑩ 어떤 일을 맡아 하다.

예 사무를 보다.

⑪ 어떤 결과나 관계를 맺기에 이르다.

예 끝장을 보다.

⑫ 음식상이나 잠자리 따위를 채비하다.

예 어머니는 술상을 보느라 바쁘시다.

⑬ (완곡한 표현으로) 대소변을 누다.

예 대변을 보다.

⑭ 어떤 관계의 사람을 얻거나 맞다.

예 며느리를 보다.

⑮ 부도덕한 이성 관계를 갖다.

예 시앗을 보다.

⑯ 어떤 일을 당하거나 겪거나 얻어 가지다.

예 이익을 보다.

⑰ 의사가 환자를 진찰하다.

예 원장님은 오전에만 환자를 보십니다.

⑱ 신문, 잡지 따위를 구독하다.

예 보던 신문을 끊고 다른 신문으로 바꾸다.

⑲ 음식 맛이나 간을 알기 위하여 시험 삼아 조금 먹다.
예 찌개 맛 좀 봐 주세요.
⑳ 남의 결점 따위를 들추어 말하다.
예 다른 사람의 흉을 보다.
㉑ 남의 결점이나 약점 따위를 발견하다.
예 남의 단점을 보기는 쉬우나 자기의 단점을 보기는 어렵다.
㉒ 기회, 때, 시기 따위를 살피다.
예 기회를 봐서 부모님께 말씀드리는 게 좋겠다.
㉓ 땅, 집, 물건 따위를 사기 위하여 살피다.
예 집을 보러 다니다.
㉔ ('장' 또는 '시장'과 같은 목적어와 함께 쓰여) 물건을 팔거나 사다.
예 시장을 보다.
㉕ (주로 '보고' 꼴로 쓰여) 고려의 대상이나 판단의 기초로 삼다.
예 너를 보고 하는 말이 아니야.
㉖ (주로 '보고' 꼴로 쓰여) 무엇을 바라거나 의지하다.
예 사람을 보고 결혼해야지 재산을 보고 결혼해서야 되겠니?
Ⅱ. 「(…과), …을」('…과'가 나타나지 않을 때는 여럿임을 뜻하는 말이 주어로 온다) 사람을 만나다.
예 학교를 졸업한 이후에 어제 처음으로 그녀와 서로 보게 되었다.
Ⅲ. 「…을 …으로, …을 -게, …을 -고, …으로, -고」('…으로'나 '-게' 대신에 평가를 뜻하는 다른 부사어가 쓰이기도 한다) 대상을 평가하다.
예 어쩐지 그의 행동을 실수로 보아 줄 수가 없었다.
보조 동사
① (동사 뒤에서 '-어 보다' 구성으로 쓰여) 어떤 행동을 시험 삼아 함을 나타내는 말
예 먹어 보다.
② (동사 뒤에서 '-어 보다' 구성으로 쓰여) 어떤 일을 경험함을 나타내는 말
예 이런 일을 당해 보지 않은 사람은 내 심정을 모른다.
③ (동사 뒤에서 '-고 보니', '-고 보면' 구성으로 쓰여) 앞말이 뜻하는 행동을 하고 난 후에 뒷말이 뜻하는 사실을 새로 깨닫게 되거나, 뒷말이 뜻하는 상태로 됨을 나타내는 말
④ [동사 뒤에서 '-다(가) 보니', '-다(가) 보면' 구성으로 쓰여] 앞말이 뜻하는 행동을 하는 과정에서 뒷말이 뜻하는 사실을 새로 깨닫게 되거나, 뒷말이 뜻하는 상태로 됨을 나타내는 말
보조 형용사
① (동사나 형용사, '이다' 뒤에서 '-은가/는가/나 보다' 구성으로 쓰여) 앞말이 뜻하는 행동이나 상태를 추측하거나 어렴풋이 인식하고 있음을 나타내는 말
예 열차가 도착했나 보다.
② (동사 뒤에서 '-을까 보다' 구성으로 쓰여) 앞말이 뜻하는 행동을 할 의도를 가지고 있음을 나타내는 말
예 외국으로 떠나 버릴까 보다.
③ (동사나 형용사, '이다' 뒤에서 '-을까 봐', '-을까 봐서' 구성으로 쓰여) 앞말이 뜻하는 상황이 될 것 같아 걱정하거나 두려워함을 나타내는 말
예 야단맞을까 봐 얘기도 못 꺼냈어.
④ (형용사나 '이다' 뒤에서 '-다 보니', '-고 보니' 구성으로 쓰여) 앞말이 뜻하는 상태가 뒷말의 이유나 원인이 됨을 나타내는 말
예 돌이 워낙 무겁다 보니 혼자서 들 수가 없었다.

보다2 (부사)
어떤 수준에 비하여 한층 더
예 보다 높게

ㅅ

생각1 (명사)
① 사물을 헤아리고 판단하는 작용 ≒의려[3](意慮) · 지려[1](志慮)
예 올바른 생각
② 어떤 사람이나 일 따위에 대한 기억
예 고향 생각이 난다.
③ 어떤 일을 하고 싶어 하거나 관심을 가짐. 또는 그런 일
예 우리 수영장 갈 건데 너도 생각이 있으면 같이 가자.
④ 어떤 일을 하려고 마음을 먹음. 또는 그런 마음
예 이번에 그녀에게 청혼할 생각이다.
⑤ 앞으로 일어날 일에 대하여 상상해 봄. 또는 그런 상상
⑥ 어떤 일에 대한 의견이나 느낌을 가짐. 또는 그 의견이나 느낌
예 쓸쓸한 생각
⑦ 어떤 사람이나 일에 대하여 성의를 보이거나 정성을 기울임. 또는 그런 일
예 우리 아들 생각도 좀 해 주게.
⑧ 사리를 분별함. 또는 그런 일
예 그는 생각이 깊다.

서다1 (동사)
Ⅰ.
① 사람이나 동물이 발을 땅에 대고 다리를 쭉 뻗으며 몸을 곧게 하다.
예 차렷 자세로 서다.
② 처져 있던 것이 똑바로 위를 향하여 곧게 되다.
예 토끼의 귀가 쫑긋 서다.
③ 계획, 결심, 자신감 따위가 마음속에 이루어지다.
예 결심이 서다.
④ 무딘 것이 날카롭게 되다.
예 칼날이 시퍼렇게 서다.
⑤ 질서나 체계, 규율 따위가 올바르게 있게 되거나 짜이다.
예 교통질서가 서다.
⑥ 아이가 배 속에 생기다.
예 아이가 서는지 입덧이 심하다.
⑦ 줄이나 주름 따위가 두드러지게 생기다.
예 바지 주름이 서다.
⑧ 물품을 생산하는 기계 따위가 작동이 멈추다.
예 갑자기 기계가 선 이유는 정비 불량이었다.
⑨ 남자의 성기가 발기되다.
Ⅱ. 「…에」
① 부피를 가진 어떤 물체가 땅 위에 수직의 상태로 있게 되다.
예 광장 중앙에 선 동상
② 나라나 기관 따위가 처음으로 이루어지다.
예 산골에도 학교가 서다.
③ 어떤 곳에서 다른 곳으로 가던 대상이 어느 한 곳에서 멈추다.
예 작은 시침바늘은 12시에 서 있었다.
④ 사람이 어떤 위치나 처지에 있게 되거나 놓이다.
예 반대 입장에 서다.
⑤ 장이나 씨름판 따위가 열리다.
예 이곳에는 오일장이 선다.
⑥ 어떤 모양이나 현상이 이루어져 나타나다.
예 멍울이 서다.

Ⅲ. 「…에/에게」 체면 따위가 바로 유지되다.
예 그는 직장을 잃고 나서 가족에게 위신이 서지 않아서 괴로웠다.
Ⅳ. 「…을」
① 어떤 역할을 맡아서 하다.
예 들러리를 서다.
② 줄을 짓다.
예 4열 종대로 줄을 서다.

세다1 (동사)
① 머리카락이나 수염 따위의 털이 희어지다.
예 머리가 허옇게 세다.
② 얼굴의 핏기가 없어지다.

세다2 (동사)
「…을」 사물의 수효를 헤아리거나 꼽다.
예 돈을 세다.

세다3 (형용사)
① 힘이 많다.
예 기운이 세다.
② 행동하거나 밀고 나가는 기세 따위가 강하다.
예 고집이 세다.
③ 물, 불, 바람 따위의 기세가 크거나 빠르다.
예 물살이 세다.
④ 능력이나 수준 따위의 정도가 높거나 심하다.
예 술이 세다.
⑤ 사물의 감촉이 딱딱하고 뻣뻣하다.
⑥ 운수나 터 따위가 나쁘다.
예 팔자가 세다.
⑦ 물에 광물질 따위가 많이 섞여 있다.
예 물이 세어서 빨래를 해도 때가 잘 지지 않는다.

속1 (명사)
① 거죽이나 껍질로 싸인 물체의 안쪽 부분
예 수박 속
② 일정하게 둘러싸인 것의 안쪽으로 들어간 부분
예 이불 속
③ 사람의 몸에서 배의 안 또는 위장
예 속이 거북하다.
④ 사람이나 사물을 대하는 자세나 태도
예 속이 넓다.
⑤ 품고 있는 마음이나 생각 ≒내리[3]
예 속이 검다.
⑥ 어떤 현상이나 상황, 일의 안이나 가운데
예 드라마 속에서나 가능한 이야기
⑦ 감추어진 일의 내용
예 겉으로는 화려하게 보이지만 속을 들여다보면 힘들고 괴로운 일이 많다.
⑧ 사리를 분별할 수 있는 힘이나 정신. 또는 줏대 있게 행동하는 태도
예 속도 없냐? 남에게 이용만 당하게.
⑨ 『식물』 식물 줄기의 중심부에 있는, 관다발에 싸인 조직

싸다1 (동사)
Ⅰ. 「…을 …에, …을 …으로」 물건을 안에 넣고 보이지 않게 씌워 가리거나 둘러 말다.
예 선물을 예쁜 포장지에 싸다.
Ⅱ. 「…을」
① 어떤 물체의 주위를 가리거나 막다.
예 분수를 싸고 둘러선 사람들
② 어떤 물건을 다른 곳으로 옮기기 좋게 상자나 가방 따위에 넣거나 종이나 천, 끈 따위를 이용해서 꾸리다.
예 도시락을 싸다.

싸다2 (동사)
「…을」
① 주로 어린아이가 똥이나 오줌을 참지 못하고 누다.
예 아이가 잠을 자다가 이불에 오줌을 쌌다.
② (속되게) 똥이나 오줌을 누다.

싸다3 (동사)
「…을」 불씨를 꾸러미 속에 넣어 불 지를 자리에 놓다.

싸다4 (형용사)
① 걸음이 재빠르다.
예 걸음이 싸다.
② (입을 주어로 하여) 들은 말 따위를 진중하게 간직하지 아니하고 잘 떠벌리다.
예 입이 싸다.
③ 불기운이 세다.
예 싼 불에 국을 끓이다.
④ 성질이 곧고 굳세다.
⑤ 비탈진 정도가 급하다.

싸다5 (형용사)
① 물건값이나 사람 또는 물건을 쓰는 데 드는 비용이 보통보다 낮다.
예 물건을 싸게 팔다.
② ['-어(도)'와 함께 쓰여] 저지른 일 따위에 비추어서 받는 벌이 마땅하거나 오히려 적다.
예 지은 죄로 보면 그는 맞아 죽어도 싸다.

쓰다1 (동사)
Ⅰ. 「…에 …을」
① 붓, 펜, 연필과 같이 선을 그을 수 있는 도구로 종이 따위에 획을 그어서 일정한 글자의 모양이 이루어지게 하다.
예 연습장에 붓글씨를 쓰다.
② 머릿속의 생각을 종이 혹은 이와 유사한 대상 따위에 글로 나타내다.
예 그는 조그마한 수첩에 일기를 써 왔다.
Ⅱ. 「…을」
① 원서, 계약서 등과 같은 서류 따위를 작성하거나 일정한 양식을 갖춘 글을 쓰는 작업을 하다.
예 그는 지금 계약서를 쓰고 있다.
② 머릿속에 떠오른 곡을 일정한 기호로 악보 위에 나타내다.
예 그는 노래도 부르고 곡도 쓰는 가수 겸 작곡자이다.

쓰다2 (동사)
Ⅰ. 「…에 …을」
① 모자 따위를 머리에 얹어 덮다.
예 모자를 쓰다.
② 얼굴에 어떤 물건을 걸거나 덮어쓰다.
예 얼굴에 마스크를 쓰다.
③ 먼지나 가루 따위를 몸이나 물체 따위에 덮은 상태가 되다.
예 광부들이 온몸에 석탄가루를 까맣게 쓰고 일을 한다.

Ⅱ. 「…을」
① 우산이나 양산 따위를 머리 위에 펴 들다.
예 밖에 비가 오니 우산을 쓰고 가거라.
② 사람이 죄나 누명 따위를 가지거나 입게 되다.
예 그는 억울하게 누명을 썼다.

쓰다3 (동사)

Ⅰ. 「…에 …을」
① 어떤 일을 하는 데에 재료나 도구, 수단을 이용하다.
예 빨래하는 데에 합성 세제를 많이 쓴다고 빨래가 깨끗하게 되는 것은 아니다.
② 사람에게 어떤 일을 하게 하다.
예 하수도 공사에 인부를 쓴다.
Ⅱ. 「…에/에게 …을」
① (흔히, '한턱', '턱' 따위와 함께 쓰여) 다른 사람에게 베풀거나 내다.
예 그는 취직 기념으로 친구들에게 한턱을 썼다.
② 어떤 일에 마음이나 관심을 기울이다.
예 나 정말 괜찮으니까 그 일에 신경 쓰지 마.
③ 합당치 못한 일을 강하게 요구하다.
예 공적인 일을 추진하는 데에는 억지를 쓰면 안 된다.
④ 어떤 일을 하는 데 시간이나 돈을 들이다.
예 오늘 아이들에게 너무 많은 돈을 썼다.
⑤ ('-려고' 대신에 '-기 위하여'가 쓰이기도 한다) 힘이나 노력 따위를 들이다.
예 이상하게도 그는 오늘 상대 선수에게 너무 힘을 쓰지 못했다.
Ⅲ. 「…을」
① 몸의 일부분을 제대로 놀리거나 움직이다.
예 강한 볼을 던지려면 어깨도 강해야 하지만 허리를 잘 써야 한다.
② 어떤 건물이나 장소를 일정 기간 사용하거나 임시로 다른 일을 하는 곳으로 이용하다.
예 아랫방을 쓰는 사람이 방세를 내지 않는다.
③ 어떤 말이나 언어를 사용하다.
예 그는 시골에서 온 지 얼마 안 되었는데도 서울말을 유창하게 쓴다.
Ⅳ. ('-아서/-면 쓰-' 구성으로 쓰여) (주로 반어적인 표현에 쓰여)
도리에 맞는 바른 상태가 되다.
예 어른에게 대들면 쓰나?

쓰다4 (동사)

「…에 …을, …을 …으로」 시체를 묻고 무덤을 만들다.
예 공원묘지에 묘를 쓰다.

쓰다5 (동사)

「…을」 장기나 윷놀이 따위에서 말을 규정대로 옮겨 놓다.
예 윷놀이는 말을 잘 쓰는 것이 제일 중요하다.

쓰다6 (형용사)

Ⅰ.
① 혀로 느끼는 맛이 한약이나 소태, 씀바귀의 맛과 같다.
예 쓴 약
② 달갑지 않고 싫거나 괴롭다.
예 여러 번 실패를 경험했지만 언제나 그 맛은 썼다.
Ⅱ. 「…이」 몸이 좋지 않아서 입맛이 없다.
예 며칠을 앓았더니 입맛이 써서 맛있는 게 없다.

ㅇ

안다 (동사)

「…을」
① 두 팔을 벌려 가슴 쪽으로 끌어당기거나 그렇게 하여 품 안에 있게 하다.
예 아기를 품에 안다.
② 두 팔로 자신의 가슴, 머리, 배, 무릎 따위를 꼭 잡다.
예 배를 안고 웃다.
③ 바람이나 비, 눈, 햇빛 따위를 정면으로 받다.
예 눈을 안고 달리다.
④ 손해나 빚 또는 책임을 맡다.
예 손해를 안다.
⑤ 새가 알을 까기 위하여 가슴이나 배 부분으로 알을 덮고 있다.
예 닭이 알을 안고 있다.
⑥ 생각이나 감정 따위를 마음속에 가지다.
예 비밀을 안고 살다.
⑦ 담이나 산 따위를 곧바로 앞에 맞대다.
예 벽을 안고 눕다.
⑧ 잠자리를 같이하다.

오르다 (동사)

Ⅰ. 「…에, …을」 사람이나 동물 따위가 아래에서 위쪽으로 움직여 가다.
예 산에 오르다.
Ⅱ. 「…에」
① 지위나 신분 따위를 얻게 되다.
예 왕위에 오르다.
② 탈것에 타다.
예 기차에 오른 것은 한밤중이 되어서였다.
③ 어떤 정도에 달하다.
예 사업이 비로소 정상 궤도에 올랐다.
④ 길을 떠나다.
예 다 잊어버리고 여행길에나 오르지 그래.
⑤ 뭍에서 육지로 옮다.
예 뭍에 오른 물고기 신세란 바로 그를 두고 하는 말이었다.
⑥ 몸 따위에 살이 많아지다.
예 얼굴에 살이 오르니 귀여워 보인다.
⑦ 식탁, 도마 따위에 놓이다.
예 모처럼 저녁상에 갈비가 올랐다.
⑧ 남의 이야깃거리가 되다.
예 구설에 오르다.
⑨ 기록에 적히다.
예 호적에 오르다.
Ⅲ.
① 값이나 수치, 온도, 성적 따위가 이전보다 많아지거나 높아지다.
예 등록금이 오르다.
② 기운이나 세력이 왕성하여지다.
예 삽시간에 불길이 올라 옆집까지 옮겨붙었다.
③ 실적이나 능률 따위가 높아지다.
예 판매 실적이 오르도록 연구해 봅시다.
④ 어떤 감정이나 기운이 퍼지다.
예 부아가 치밀어 오르다.
⑤ 병균이나 독 따위가 옮다.
예 옴이 오르면 가려워 온몸을 긁게 된다.

⑥ 귀신 같은 것이 들리다.
예 무당들도 신이 올라야만 작두춤을 출 수 있다고 한다.
⑦ 때가 거죽에 묻다.
예 그 사람 옷소매는 언제나 때가 올라 있다.
⑧ 물질이나 물체 따위가 위쪽으로 움직이다.
예 불길이 오르다.

옮기다 (동사)
Ⅰ.「…을 …으로」
① 어떤 곳에서 다른 곳으로 자리를 바꾸게 하다. '옮다'의 사동사
예 환자를 병원으로 옮기다.
② 정해져 있던 자리, 소속 따위를 다른 것으로 바꾸다.
예 그는 전공을 법학에서 정치학으로 옮겼다.
③ 발걸음을 한 걸음 한 걸음 떼어 놓다.
예 발걸음을 집 쪽으로 옮기다.
④ 관심이나 시선 따위를 하나의 대상에서 다른 대상으로 돌리다.
⑤ 어떠한 사실을 표현법을 바꾸어 나타내다.
예 느낌을 글로 옮기다.
⑥ 한 나라의 말이나 글을 다른 나라의 말이나 글로 바꾸다.
예 소월의 시를 영어로 옮기다.
⑦ 어떠한 일을 다음 단계로 진행시키다.
예 오랜 구상을 행동으로 옮겨야 할 때가 되었다.
⑧ 한 곳에 자라던 식물을 다른 곳에다 심다.
예 척박한 화단의 관상수를 살기 좋은 텃밭으로 옮겼다.
Ⅱ.「…을 …에/에게, …을 …으로」
① 불길이나 소문 따위가 한 곳에서 다른 곳으로 번져 가게 하다. '옮다'의 사동사
예 남의 말을 함부로 이곳저곳에 옮기지 마라.
② 사상이나 버릇 따위를 받아들이게 하다. '옮다'의 사동사
예 그는 선생님의 정신을 다른 데에 옮기려고 끊임없이 노력하고 있다.
③ 병 따위를 다른 이에게 전염시키다. '옮다'의 사동사
예 주위 사람들에게 감기를 옮긴 것이 조금 미안하였다.

이르다1 (동사)
「…에」
① 어떤 장소나 시간에 닿다.
예 목적지에 이르다.
② 어떤 정도나 범위에 미치다.
예 결론에 이르다.

이르다2 (동사)
Ⅰ.
① 무엇이라고 말하다.
예 나는 아이들에게 내가 알고 있는 것을 모두 일러 주었다.
② = 타이르다(잘 깨닫도록 일의 이치를 밝혀 말해 주다).
예 안 가겠다고 떼를 쓰는 아이를 일러서 겨우 병원에 데리고 갔다.
③ 미리 알려 주다.
예 친구에게 약속 시간을 일러 주었다.
④ 어떤 사람의 잘못을 윗사람에게 말하여 알게 하다.
예 친구의 잘못을 선생님에게 다 이르다가는 친구를 잃을지도 모른다.
Ⅱ.「…을 -고」어떤 대상을 무엇이라고 이름 붙이거나 가리켜 말하다.
예 이를 도루묵이라 이른다.
Ⅲ.(주로 '이르기를'이나 '이르되' 꼴로 쓰여) 책이나 속담 따위에 예부터 말하여지다.
예 옛말에 이르기를 부자는 망해도 삼 년은 간다고 했다.

이르다3 (형용사)
「…보다, -기에」대중이나 기준을 잡은 때보다 앞서거나 빠르다.
예 그는 여느 때보다 이르게 학교에 도착했다.

일다1 (동사)
① 없던 현상이 생기다.
예 파문이 일다.
② 희미하거나 약하던 것이 왕성하여지다.
예 불꽃같이 일다.
③ 겉으로 부풀거나 위로 솟아오르다.
예 보풀이 일다.

일다2 (동사)
「…을」
① 곡식이나 사금 따위를 그릇에 담아 물을 붓고 이리저리 흔들어서 쓸 것과 못 쓸 것을 가려내다.
예 그녀는 조리로 쌀을 일어 밥을 지었다.
② 곡식 따위를 키나 체에 올려놓고 흔들거나 까불러서 쓸 것과 못 쓸 것을 가려내다.
예 어머니는 종일 키로 참깨를 일고 계셨다.

일어나다 (동사)
Ⅰ.「…에서」누웠다가 앉거나 앉았다가 서다.
예 자리에서 일어나다.
Ⅱ.
① 잠에서 깨어나다.
예 아침 일찍 일어나다.
② 어떤 일이 생기다.
예 싸움이 일어나다.
③ 어떤 마음이 생기다.
예 욕심이 일어나다.
④ 약하거나 희미하던 것이 성하여지다.
예 집안이 일어나다.
⑤ 몸과 마음을 모아 나서다.
예 학생들이 학생회 문제를 들고 일어났다.
⑥ 위로 솟거나 부풀어 오르다.
예 뽀얗게 일어나는 물보라
⑦ 자연이나 인간 따위에게 어떤 현상이 발생하다.
예 산불이 일어나다.
⑧ 소리가 나다.
예 기쁨으로 환호성이 일어나다.
⑨ 종교나 사조 따위가 발생하다.
예 불교가 일어나다.
⑩ 병을 앓다가 낫다.

입 (명사)
① 입술에서 후두(喉頭)까지의 부분. 음식이나 먹이를 섭취하며, 소리를 내는 기관이다.
예 입이 크다.
② = 입술(1. 포유류의 입 가장자리 위아래에 도도록이 붙어 있는 얇고 부드러운 살)
예 입이 빨갛다.

③ 음식을 먹는 사람의 수효
예 입을 덜다.
④ 사람이 하는 말을 비유적으로 이르는 말
예 입이 걸다.
⑤ (수량을 나타내는 말 뒤에 쓰여) 한 번에 먹을 만한 음식물의 분량을 세는 단위
예 한 입만 먹어 보자.

ㅈ

재다1 (동사)
「…에게」 잘난 척하며 으스대거나 뽐내다.
예 그는 좀 잘했다 싶으면 주위 사람들에게 너무 재서 탈이다.

재다2 (동사)
「…을, -ㄴ지를」
① 자, 저울 따위의 계기를 이용하여 길이, 너비, 높이, 깊이, 무게, 온도, 속도 따위의 정도를 알아보다.
예 길이를 재다.
② 여러모로 따져 보고 헤아리다.
예 일을 너무 재다가는 아무것도 못 한다.

재다3 (동사)
「…을 …에」
① 물건을 차곡차곡 포개어 쌓아 두다. ≒쟁이다
예 어머니는 철 지난 옷들을 옷장에 차곡차곡 재어 놓았다.
② 고기 따위의 음식을 양념하여 그릇에 차곡차곡 담아 두다. ≒쟁이다
예 쇠고기를 양념에 재어 놓았다.

ㅊ

차리다 (동사)
「…을」
① 음식 따위를 장만하여 먹을 수 있게 상 위에 벌이다.
예 저녁을 차리다.
② 기운이나 정신 따위를 가다듬어 되찾다.
예 기운을 차리다.
③ 마땅히 해야 할 도리, 법식 따위를 갖추다.
예 예의를 차리다.
④ 어떤 조짐을 보고 짐작하여 알다.
예 낌새를 차리다.
⑤ 해야 할 일을 준비하거나 그 일의 방법을 찾다.
예 이제 그만 떠날 준비를 차려라.
⑥ 살림, 가게 따위를 벌이다.
예 신방을 차리다.
⑦ 자기의 이익을 따져 챙기다.
예 제 욕심만 차리다.

찾다 (동사)
Ⅰ. 「…을, …에서/에게서 …을」
① 현재 주변에 없는 것을 얻거나 사람을 만나려고 여기저기를 뒤지거나 살피다. 또는 그것을 얻거나 그 사람을 만나다.
예 길을 잃은 아이가 지금 가족을 찾고 있습니다.
② 모르는 것을 알아내고 밝혀내려고 애쓰다. 또는 그것을 알아내고 밝혀 내다.
예 시민 단체들은 민족의 뿌리를 찾는 운동을 전개하고 있다.
③ 모르는 것을 알아내기 위하여 책 따위를 뒤지거나 컴퓨터를 검색하다.
예 모르는 단어는 사전에서 찾아라.
Ⅱ. 「…에서/에게서 …을」 잃거나 빼앗기거나 맡기거나 빌려주었던 것을 돌려받아 가지게 되다.
예 은행에서 저금했던 돈을 찾았다.
Ⅲ. 「…을」
① 어떤 사람을 만나거나 어떤 곳을 보러 그와 관련된 장소로 옮겨 가다.
예 오랜만에 벗을 찾다.
② 어떤 것을 구하다.
예 어떤 손님들은 일부러 국산품을 찾는다.
③ 어떤 사람이나 기관 따위에 도움을 요청하다.
예 감기로 병원을 찾는 환자가 부쩍 늘었다.
④ 원상태를 회복하다.
예 제정신을 찾다.
⑤ 자신감, 명예, 긍지 따위를 회복하다.
예 잃어버린 명예를 다시 찾기란 쉽지 않다.

ㅌ

타다1 (동사)
① 불씨나 높은 열로 불이 붙어 번지거나 불꽃이 일어나다.
예 담배가 타다.
② 피부가 햇볕을 오래 쬐어 검은색으로 변하다.
예 땡볕에 얼굴이 새까맣게 탔다.
③ 뜨거운 열을 받아 검은색으로 변할 정도로 지나치게 익다.
예 고기가 타다.
④ 마음이 몹시 달다.
예 속이 타다.
⑤ 물기가 없어 바싹 마르다.
예 긴장이 되어 입술이 바짝바짝 탄다.

타다2 (동사)
동사
Ⅰ. 「…에, …을」 탈것이나 짐승의 등 따위에 몸을 얹다.
예 비행기에 타다.
Ⅱ. 「…을」
① 도로, 줄, 산, 나무, 바위 따위를 밟고 오르거나 그것을 따라 지나가다.
예 원숭이는 나무를 잘 탄다.
② 어떤 조건이나 시간, 기회 등을 이용하다.
예 아이들은 야밤을 타 닭서리를 했다.
③ 바람이나 물결, 전파 따위에 실려 퍼지다.
예 연이 바람을 타고 하늘로 올라간다.
④ 바닥이 미끄러운 곳에서 어떤 기구를 이용하여 달리다.
예 스케이트를 처음 탈 때는 엉덩방아를 찧게 마련이다.
⑤ 그네나 시소 따위의 놀이 기구에 몸을 싣고 앞뒤로, 위아래로 또는 원을 그리며 움직이다.
예 그네를 타다.
⑥ 의거하는 계통, 질서나 선을 밟다.
예 연줄을 타다.

타다3 (동사)

「…에 …을」 다량의 액체에 소량의 액체나 가루 따위를 넣어 섞다.

예 커피를 타다.

ㅍ

펴다 (동사)

Ⅰ. 「…을」

① 접히거나 개킨 것을 젖히어 벌리다.

예 날개를 펴다.

② 구김이나 주름 따위를 없애어 반반하게 하다.

예 얼굴의 주름살을 펴다.

③ 굽은 것을 곧게 하다. 또는 움츠리거나 구부리거나 오므라든 것을 벌리다.

예 주먹을 펴다.

④ 생각, 감정, 기세 따위를 얽매임 없이 자유롭게 표현하거나 주장하다.

예 꿈을 펴다.

Ⅱ. 「…에 …을」

① 넓게 늘어놓거나 골고루 헤쳐 놓다.

예 마당에 돗자리를 펴다.

② 어떤 것을 널리 공포하여 실시하거나 베풀다.

예 전국에 계엄령을 펴다.

③ 세력이나 작전, 정책 따위를 벌이거나 그 범위를 넓히다.

예 그 지역에 세력을 펴다.

풀다 (동사)

Ⅰ. 「…을」

① 묶이거나 감기거나 얽히거나 합쳐진 것 따위를 그렇지 아니한 상태로 되게 하다.

예 보따리를 풀다.

② 생각이나 이야기 따위를 말하다.

예 생각을 풀어 나가다.

③ 일어난 감정 따위를 누그러뜨리다.

예 노여움을 풀다.

④ 마음에 맺혀 있는 것을 해결하여 없애거나 품고 있는 것을 이루다.

예 소원을 풀다.

⑤ 모르거나 복잡한 문제 따위를 알아내거나 해결하다.

예 궁금증을 풀다.

⑥ 금지되거나 제한된 것을 할 수 있도록 터놓다.

예 구금을 풀다.

⑦ 가축이나 사람 따위를 우리나 틀에 가두지 아니하다.

예 미국에서는 원칙적으로 개는 풀어서 기르지 못하게 되어 있다.

⑧ 피로나 독기 따위를 없어지게 하다.

예 노독을 풀다.

⑨ 사람을 동원하다.

예 수색을 하기 위하여 병졸을 풀다.

⑩ 콧물을 밖으로 나오게 하다.

예 코를 풀다.

⑪ 꿈, 이름, 점괘 따위를 판단하여 내다.

예 꿈을 풀어 주다.

⑫ 어려운 것을 알기 쉽게 바꾸다.

예 어려운 말은 알아들을 수 있게 풀어서 이야기하겠습니다.

⑬ 긴장된 상태를 부드럽게 하다.

예 경계심을 풀다.

Ⅱ. 「…에 …을」

① 액체에 다른 액체나 가루 따위를 섞다.

예 팔팔 끓는 물에 된장을 풀다.

② 생땅이나 밭을 논으로 만들다.

예 개펄에 논을 풀다.

ㅎ

험하다 (형용사)

① 땅의 형세가 발을 디디기 어려울 만큼 사납고 가파르다.

예 험한 골짜기

② 생김새나 나타난 모양이 보기 싫게 험상스럽다.

예 험한 얼굴

③ 어떠한 상태나 움직이는 형세가 위태롭다.

예 날씨가 험하다.

④ 말이나 행동 따위가 막되다.

예 말투가 험하다.

⑤ 먹거나 입는 것 따위가 거칠고 너절하다.

예 험한 음식

⑥ 일 따위가 거칠고 힘에 겹다.

예 험한 농사일

⑦ 매우 비참하다.

예 험한 꼴을 당하다.

흐르다1 (동사)

Ⅰ.

① 시간이나 세월이 지나가다.

예 오랜 시간이 흐르다.

② 걸치거나 두른 것이 미끄러지거나 처지다.

예 달리기를 하는데 고무줄이 끊어져서 체육복 바지가 흘러 버렸다.

Ⅱ. 「…으로」

① 액체 따위가 낮은 곳으로 내려가거나 넘쳐서 떨어지다.

예 물은 높은 데서 낮은 데로 흐른다.

② 어떤 한 방향으로 치우쳐 쏠리다.

예 외곬으로만 흐르는 성격

Ⅲ. 「…에」

① 공중이나 물 위에 떠서 미끄러지듯이 움직이다.

예 하늘에 흐르는 구름

② 기운이나 상태 따위가 겉으로 드러나다.

예 옷차림에 촌티가 흐르다.

③ 윤기, 광택 따위가 번지르르하게 나다.

예 잎사귀에 윤기가 흐르다.

④ 빛, 소리, 향기 따위가 부드럽게 퍼지다.

예 밤하늘에 흐르는 달빛

⑤ 피, 땀, 눈물 따위가 몸 밖으로 넘쳐서 떨어지다.

예 온몸에 땀이 흐르다.

⑥ 전기나 가스 따위가 선이나 관을 통하여 지나가다.

예 이 전신주에는 고압 전류가 흘러 매우 위험하다.

Ⅳ. 「…에서」 새어서 빠지거나 떨어지다.

예 장독에서 간장이 흐르다.

Ⅴ. 「…에, …을」 물줄기, 피 따위와 같은 액체 성분이 어떤 장소를 통과하여 지나가다.

예 이 평야에 흐르는 강물은 이 지역 주민들의 어머니와 같은 존재이다.

I 순우리말

교수님 코멘트▶ 이 영역에서는 다양한 고유어가 출제된다. 먼저 기출된 어휘를 중심으로 외우고 나머지 단어들로 외연을 확대해 나가야 한다.

01

2014 서울시 9급

제시된 단어의 뜻풀이가 바르지 않은 것은?

① 궁도련님: 부유한 집에서 자라나 세상의 어려운 일을 잘 모르는 사람
② 윤똑똑이: 사리에 어둡고, 아는 것이 없는 사람
③ 책상물림: 책상 앞에 앉아 글공부만 하여 세상일을 잘 모르는 사람
④ 두루치기: 한 사람이 여러 방면에 능통함. 또는 그런 사람
⑤ 대갈마치: 온갖 어려운 일을 겪어서 아주 야무진 사람

02

2015 지방직 9급

밑줄 친 단어의 뜻풀이로 바르지 않은 것은?

① 나이도 먹을 만큼 먹었는데 어쩌면 저렇게 숫저울까?
　– 숫접다: 순박하고 진실하다.
② 그녀는 그가 떠날까 저어하였다.
　– 저어하다: 염려하거나 두려워하다.
③ 나는 곰살궂게 이모의 팔다리를 주물렀다.
　– 곰살궂다: 일이나 행동이 적당하다.
④ 아이들이 놀이방에서 새살거렸다.
　– 새살거리다: 샐샐 웃으면서 재미있게 자꾸 지껄이다.

03

2015 서울시 9급

다음 제시된 단어 중 뜻풀이가 옳지 않은 것은?

① 여봐란듯이: 우쭐대고 자랑하듯이
② 가뭇없이: 보이던 것이 전혀 보이지 않아 찾을 곳이 감감하게
③ 오롯이: 모자람 없이 온전하게
④ 대수로이: 그다지 훌륭하지 아니하게

04

2017 지방직 9급

밑줄 친 말이 표준어인 것은?

① 큰 죄를 짓고도 그는 뉘연히 대중 앞에 나섰다.
② 아주머니는 부엌에서 갖가지 양념을 뒤어내고 있었다.
③ 사업에 실패했던 원인을 이제야 깨단하게 되었다.
④ 그 사람은 허구헌 날 팔자 한탄만 한다.

05

2017 지방직 9급

밑줄 친 말의 뜻이 옳지 않은 것은?

때는 한창 바쁠 추수 때이다. 농군치고 송이 ㉠ 파적 나올 놈은 생겨나도 않았으리라. 하나 그는 꼭 해야만 할 일이 없었다. 싶으면 하고 말면 말고 그저 그뿐. 그러함에는 먹을 것이 더러 있느냐면 있기는커녕 부쳐 먹을 농토조차 없는, 계집도 없고 자식도 없고, 방은 있대야 남의 곁방이요 잠은 ㉡ 새우잠이요. 하지만 오늘 아침만 해도 한 친구가 찾아와서 벼를 털 텐데 일 좀 와 해 달라는 걸 마다하였다. 몇 푼 바람에 그까짓 걸 누가 하느냐보다는 송이가 좋았다. 왜냐면 이 땅 삼천리강산에 늘여 놓인 곡식이 말짱 뉘 것이람. 먼저 먹는 놈이 임자 아니냐. 먹다 걸릴 만치 그토록 양식을 쌓아두고 일이다 무슨 ㉢ 난장 맞을 일이람. 걸리지 않도록 먹을 궁리나 할 게지. 하기는 그도 한 세 번이나 걸려서 구메밥으로 ㉣ 사관을 틀었다마는 결국 제 밥상 위에 올라앉은 제 몫도 자칫하면 먹다 걸리긴 매일반…….

– 김유정, 「만무방」 –

① ㉠: 심심풀이
② ㉡: 안잠
③ ㉢: 몰매
④ ㉣: 양쪽 팔꿈치와 무릎 관절

정답&해설

01 ② 순우리말

② 윤똑똑이: 자기만 혼자 잘나고 영악한 체하는 사람을 낮잡아 이르는 말이다.

02 ③ 순우리말

③ 곰살궂다: '태도나 성질이 부드럽고 친절하다' 또는 '꼼꼼하고 자세하다'

03 ④ 순우리말

④ 대수로이: '중요하게 여길 만한 정도로'의 의미이며, 일반적으로 '대수로이 여기지 않다'의 형태로 쓰인다.

04 ③ 순우리말

③ 깨단하다: 오랫동안 생각해 내지 못하던 일 따위를 어떠한 실마리로 말미암아 깨닫거나 분명히 알다.

|오답해설| ① '버젓이'가 표준어이다. '버젓이'는 '남의 시선을 의식하여 조심하거나 굽히는 데가 없이 또는 남의 축에 빠지지 않을 정도로 번듯하게'의 의미를 가진다.
② '뒤져내다'가 표준어이다. '뒤져내다'는 '샅샅이 뒤져서 들춰내거나 찾아내다'의 의미를 가진다.
④ 표준어 '허구하다'의 활용형인 '허구한'으로 써야 한다. '허구하다'는 '날, 세월 따위가 매우 오래다.'의 의미를 가진다.

05 ② 순우리말

② • 새우잠: 새우처럼 등을 구부리고 자는 잠으로, 주로 모로 누워 불편하게 자는 잠
• 안잠: 여자가 남의 집에서 먹고 자며 그 집의 일을 도와주는 일. 또는 그런 여자를 의미하는 말

|오답해설| ① 파적: 심심풀이. 심심함을 잊고 시간을 보내기 위하여 어떤 일을 함. 또는 그런 일
③ 난장: 몰매. 여러 사람이 한꺼번에 덤비어 때리는 매
④ 사관: 양쪽의 팔꿈치와 무릎 관절을 통틀어 이르는 말

|정답| 01 ② 02 ③ 03 ④ 04 ③ 05 ②

06

2016 서울시 9급

다음 중 고유어의 뜻풀이가 옳지 않은 것은?

① 노느매기: 물건을 여러 몫으로 나누는 일
② 비나리치다: 갑자기 내린 비를 피하려고 허둥대다.
③ 가리사니: 사물을 판단할 수 있는 지각이나 실마리
④ 던적스럽다: 하는 짓이 보기에 매우 치사하고 더러운 데가 있다.

07

2017 지방직 9급

괄호에 들어갈 숫자의 합은?

> • 쌈: 바늘 (　　)개를 묶어 세는 단위
> • 제(劑): 한약의 분량을 나타내는 단위. 한 제는 탕약(湯藥) (　　)첩
> • 거리: 한 거리는 오이나 가지 (　　)개

① 80　　② 82
③ 90　　④ 94

08

2014 지방직 7급

다음 물품의 총 개수는?

> • 조기 두 두름　• 북어 세 쾌　• 마늘 두 접

① 170개　　② 200개
③ 280개　　④ 300개

09

2013 지방직 9급

밑줄 친 말의 뜻은?

> 고슴도치도 제 새끼 털은 고와 보인다는 것처럼 이건 아이가 무슨 저지레를 치기라도 하면 그게 무슨 장한 일이나 되는 것처럼 끌어안았다.

① 일이나 물건에 문제가 생기게 하여 그르치는 일
② 일이나 물건에 문제가 자주 일어나는 일
③ 일이나 물건에 문제를 일으키는 것을 단속하는 일
④ 일이나 물건에 문제가 있을 때 잘 수습하는 일

10

2014 서울시 7급

다음의 문장에서 밑줄 친 단어의 의미로 가장 적당한 것은?

> 다음 날 반찬이 열다섯 가지쯤 되는 여관의 아침상을 받자 두 번째 받는 상인데도 허구한 날 약비나게 그것만 먹었던 것처럼 울컥 비위에 거슬려 왔다.

① 너무 지나쳐서 진저리가 날 만큼 싫증이 나게
② 마음에 아무 느낌이 없이 예사스럽게
③ 몹시 먹고 싶었던 듯하게
④ 늘상 먹어 왔던 듯하게
⑤ 정신없게

11

2016 국가직 9급

밑줄 친 어휘의 뜻풀이가 옳지 않은 것은?

① 해미 때문에 한 치 앞도 보이지 않았다.
 – 해미: 바다 위에 낀 짙은 안개
② 이제는 안갚음할 때가 되었다.
 – 안갚음: 남에게 해를 받은 만큼 저도 그에게 해를 다시 줌
③ 그 울타리는 오랫동안 살피지 않아 영 볼썽이 아니었다.
 – 볼썽: 남에게 보이는 체면이나 태도
④ 상고대가 있는 풍경을 만났다.
 – 상고대: 나무나 풀에 내려 눈처럼 된 서리

정답&해설

06 ② 순우리말

② 비나리치다: '아첨을 해 가며 환심을 사다'라는 의미이다. 현재 「표준국어대사전」에 올라와 있지는 않지만, '비나리'의 의미가 '남의 환심을 사려고 아첨함'이므로 '비나리치다'의 의미를 유추해 볼 수 있다.

07 ④ 순우리말

④ • 쌈: 바늘을 묶어 세는 단위로, 한 쌈은 바늘 24개이다.
• 제(劑): 한약의 분량을 나타내는 단위로, 한 제는 탕약(湯藥) 20첩이다.
• 거리: 오이나 가지 따위를 묶어 세는 단위로, 한 거리는 오이나 가지 50개이다.
따라서 '24 + 20 + 50 = 94'이다.

08 ④ 순우리말

④ • 두름: '조기 따위의 물고기를 짚으로 한 줄에 열 마리씩 두 줄로 엮은 것을 세는 단위'이다. 따라서 '두 두름'은 40마리이다.
• 쾌: '북어를 묶어 세는 단위'로, 한 쾌는 북어 스무 마리를 이른다. 따라서 '세 쾌'는 60마리이다.
• 접: '채소나 과일 따위를 묶어 세는 단위'로, 한 접은 채소나 과일 백 개를 이른다. 따라서 '두 접'이면 200개이다.
따라서 '40 + 60 + 200 = 300'이다.

09 ① 순우리말

① 저지레: 일이나 물건에 문제가 생기게 만들어 그르치는 일

10 ① 순우리말

① 약비나다: 정도가 너무 지나쳐서 진저리가 날 만큼 싫증이 나다.

11 ② 순우리말

② • 앙갚음: 남이 저에게 해를 준 대로 저도 그에게 해를 줌
• 안갚음: 자식이 커서 부모를 봉양하는 일

| 정답 | 06 ② 07 ④ 08 ④ 09 ① 10 ① 11 ②

12
2013 국가직 7급

밑줄 친 어휘의 뜻풀이로 바르지 못한 것은?

① 그는 잠시 궁싯거리다가 면접관을 향해 꾸벅 인사를 했다.
 - 궁싯거리다: 어찌할 바를 몰라 이리저리 머뭇거리다.
② 오랑캐꽃은 소복소복 무리를 지어 가며 다문다문 피었다.
 - 다문다문: 공간적으로 배지 아니하고 사이가 좀 드문 모양
③ 이 동네 사람들, 이 늙은이 주검 위에 뗏장 한 장씩은 덮어 주러 올 것이다.
 - 뗏장: 장례 때 사용하는 삼베 조각
④ 팔십 전을 손에 쥔 김 첨지의 마음은 푼푼하였다.
 - 푼푼하다: 모자람이 없이 넉넉하다.

13
2017 국가직 9급

밑줄 친 말의 사전적 의미로 가장 적절한 것은?

> 아이들이야 학교 가는 시간을 빼고는 내내 밖에서만 노는데, 놀아도 여간 시망스럽게 놀지 않았다.
>
> - 최일남, 「노새 두 마리」 중에서 -

① 몹시 짓궂은 데가 있다.
② 생기 있고 힘차며 시원스럽다.
③ 어수선하여 질서나 통일성이 없다.
④ 보기에 태도나 행동이 가벼운 데가 있다.

14
2017 서울시 9급

다음 중 단어의 뜻풀이가 옳지 않은 것은?

① 가닐대다 - 벌레가 기어가는 것처럼 살갗에 간지럽고 자릿한 느낌이 자꾸 들다.
② 굼적대다 - 느리고 폭이 넓게 자꾸 물결치다.
③ 꼬약대다 - 음식 따위를 한꺼번에 입에 많이 넣고 잇따라 조금씩 씹다.
④ 끌끌대다 - 마음에 마땅찮아 혀를 차는 소리를 자꾸 내다.

15

2013 지방직 7급

밑줄 친 부분이 의미상 문맥에 자연스럽지 않은 것은?

① 새우젓은 곰삭아야 제맛이 난다.
② 주인이 놀라는 척하며 능갈치는 소리가 들려 왔다.
③ 돈이 없어서 막걸리도 푼푼이 못 마신다.
④ 중요한 물건을 잃어버렸으니 꾸중을 들어도 하릴없는 일이다.

정답&해설

12 ③ 순우리말

③ 뗏장: 흙이 붙어 있는 상태로 뿌리째 떠낸 잔디의 조각
|오답해설| ① 궁싯거리다: 잠이 오지 아니하여 누워서 몸을 이리저리 뒤척거리다. 어찌할 바를 몰라 이리저리 머뭇거리다.
② 다문다문: 시간적으로 잦지 아니하고 좀 드문 모양, 공간적으로 배지 아니하고 사이가 좀 드문 모양
④ 푼푼하다: 모자람이 없이 넉넉하다. 옹졸하지 아니하고 시원스러우며 너그럽다.

13 ① 순우리말

① 시망스럽다: '몹시 짓궂은 데가 있음'을 나타내는 말이다.
|오답해설| ②~④는 각각 다음 어휘의 사전적 의미이다.
② 활발하다, ③ 산만하다, ④ 잔망스럽다

14 ② 순우리말

② • 굼적대다: '몸이 둔하고 느리게 자꾸 움직이다' 또는 '몸을 둔하고 느리게 자꾸 움직이다'
• 금실대다: 느리고 폭이 넓게 자꾸 물결치다.

15 ③ 순우리말

③ 문맥상 '푼푼히'가 자연스럽다.
• 푼푼이: 한 푼씩 한 푼씩
• 푼푼히: 모자람이 없이 넉넉하게
|오답해설| ① 곰삭다: 옷 따위가 오래되어서 올이 삭고 질이 약해지다. 젓갈 따위가 오래되어서 푹 삭다. 풀이나 나뭇가지 따위가 썩거나 오래되어 푸슬푸슬해지다.
② 능갈치다: 교묘하게 잘 둘러대다. 교묘하게 잘 둘러대는 재주가 있다. 아주 능청스럽다.
④ 하릴없다: 달리 어떻게 할 도리가 없다. 조금도 틀림이 없다.

|정답| 12 ③ 13 ① 14 ② 15 ③

에듀윌이
너를
지지할게
ENERGY

간절히 원하는 사람은 결코 핑계를 찾지 않고
반드시 방도를 찾습니다.

– 조정민, 『인생은 선물이다』, 두란노

PART

Ⅱ 관용 표현

5개년 챕터별 출제비중 & 출제개념

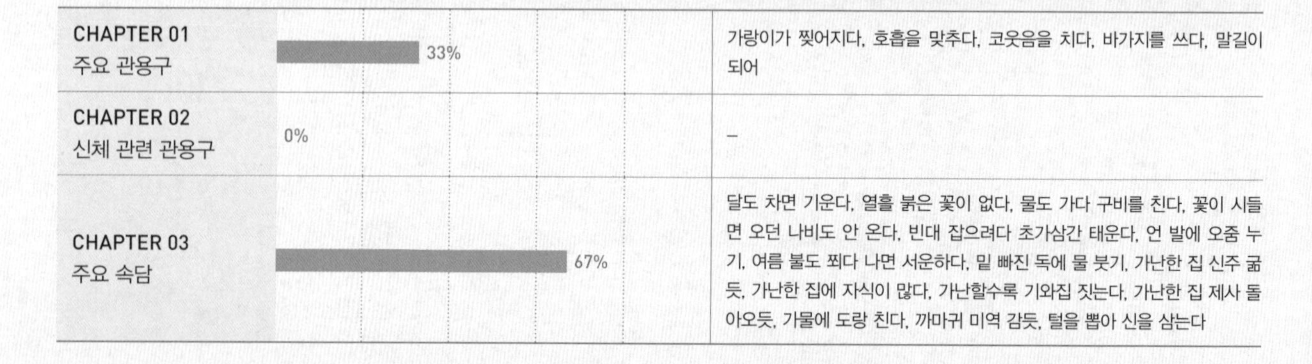

챕터	출제비중	출제개념
CHAPTER 01 주요 관용구	33%	가랑이가 찢어지다, 호흡을 맞추다, 코웃음을 치다, 바가지를 쓰다, 말길이 되어
CHAPTER 02 신체 관련 관용구	0%	–
CHAPTER 03 주요 속담	67%	달도 차면 기운다, 열흘 붉은 꽃이 없다, 물도 가다 구비를 친다, 꽃이 시들면 오던 나비도 안 온다, 빈대 잡으려다 초가삼간 태운다, 언 발에 오줌 누기, 여름 불도 쬐다 나면 서운하다, 밑 빠진 독에 물 붓기, 가난한 집 신주 굶듯, 가난한 집에 자식이 많다, 가난할수록 기와집 짓는다, 가난한 집 제사 돌아오듯, 가물에 도랑 친다, 까마귀 미역 감듯, 털을 뽑아 신을 삼는다

1%

※최근 5개년(국, 지, 서) 출제비중

학습목표

CHAPTER 01 주요 관용구	❶ 의미를 정확하게 파악하기 ❷ 주요 관용구 외우기
CHAPTER 02 신체 관련 관용구	❶ 의미를 정확하게 파악하기 ❷ 주요 관용구 외우기
CHAPTER 03 주요 속담	❶ 의미를 정확하게 파악하기 ❷ 주요 속담 외우기

CHAPTER

01 주요 관용구

☐ 1회독 월 일
☐ 2회독 월 일
☐ 3회독 월 일
☐ 4회독 월 일
☐ 5회독 월 일

ㄱ

가닥을 잡다 분위기, 상황, 생각 따위를 이치나 논리에 따라 바로잡다.

가락(이) 나다 일하는 기운이나 능률이 오르다.

가랑이(가) 찢어지다[째지다] ① 몹시 가난한 살림살이를 비유적으로 이르는 말
② (비유적으로) 하는 일이 힘에 부치거나 일손이 부족하여 일해 나가기가 몹시 벅차다.

가려운 곳을[데를] 긁어 주듯 남에게 꼭 필요한 것을 잘 알아서 그 욕구를 시원스럽게 만족시켜 줌을 비유적으로 이르는 말

가리(를) 틀다 ① 잘되어 가는 일을 안되도록 방해하다.
② 남의 횡재에 대하여 무리하게 한몫을 청하다.

가마를 태우다 그럴듯하게 추어올려 얼렁뚱땅 넘어가거나 속여 넘기다.

가면(을) 벗다 거짓으로 꾸민 모습을 버리고 정체를 드러내다.

가면(을) 쓰다 본심을 감추고 겉으로는 그렇지 않은 것처럼 꾸미다.

가문을 흐리다 집안이나 문중의 명예를 더럽히다.

가살(을) 쓰다 ① 경망스럽게 가살을 부리다.
② 정신 없고 부산스러운 행동을 하다.

가슴이 내려앉다 심한 충격을 받아 마음을 다잡기 힘들게 되다.

간담이 서늘하다 몹시 놀라서 섬뜩하다.

간이 붓다 지나치게 대담해지다.

간(장)을 녹이다 ① 감언이설(甘言利說), 아양 따위로 상대편의 환심을 사다.
② 몹시 애타게 하다.

개 콧구멍으로 알다 시시한 것으로 알아 대수롭지 아니하게 여기다.

거덜(이) 나다 ① 재산이나 살림 같은 것이 여지없이 허물어지거나 없어지다.
② 옷, 신 같은 것이 다 닳아 떨어지다.
③ 하려던 일이 여지없이 결딴이 나다.

건몸(을) 달다 공연히 혼자서만 애쓰며 안달하다.

게걸음(을) 치다 ① 옆으로 걸어 나가다.
② 걸음이 몹시 느리거나 사업이 발전이 없다.

경종을 울리다 잘못이나 위험을 미리 경계하여 주의를 환기시키다.

곁(을) 주다 다른 사람으로 하여금 자기에게 가까이할 수 있도록 속을 터 주다.

고배를 들다[마시다/맛보다] 패배, 실패 따위의 쓰라린 일을 당하다.

고양이 소리 겉으로 발라맞추는 말

고추 먹은 소리 못마땅하게 여겨 씁쓸해하는 말

골머리(를) 앓다 어떻게 하여야 할지 몰라서 머리가 아플 정도로 생각에 몰두하다.

골(을) 올리다 화가 치밀어 오르게 만들다.

골(이) 오르다 화가 치밀어 오르다.

골(이) 틀리다 마음에 언짢아 부아가 나다.

괴발개발 그리다 글씨를 함부로 갈겨쓰다.

귀가 뚫리다 말을 알아듣게 되다.

귀가 여리다 속는 줄도 모르고 남의 말을 그대로 잘 믿다.

귀(를) 주다 ① 남의 말을 엿듣다.
② 남에게 살그머니 알려 조심하게 하다.

귀에 못이 박히다 같은 말을 여러 번 듣다.

그림의 떡 아무리 마음에 들어도 이용할 수 없거나 차지할 수 없는 경우를 이르는 말

금(을) 보다 ① 물건의 값이 얼마나 나가는지 알아보다.
② 물건을 살 사람이 얼마를 주겠다고 값을 말하다.

기미를 보다 임금에게 올리는 수라나 탕제 같은 것을 상궁이 먼저 먹어 보아 독이 들어 있는지 알아보다.

기민(飢民/饑民)(을) 먹이다[주다] 흉년에 굶는 사람에게 국가나 개인이 곡식을 나누어 주다.

꼭지가 무르다 기회가 완전히 무르익다.

끗발(을) 날리다 기세나 세도가 당당하다.

ㄴ

나그네 노릇 떠돌이로 생활하면서 여기저기 신세 지며 사는 일을 이르는 말

나사가 빠지다 정신이 없다.

나사(를) 죄다 해이해진 마음을 가다듬고 정신을 다잡다.

낙동강 오리알 무리에서 떨어져 나오거나 홀로 소외되어 처량하게 된 신세를 비유적으로 이르는 말

낚시를 던지다 남을 꾀어내기 위한 수단을 쓰다.

난다 긴다 하다 재주나 능력이 남보다 뛰어나다.

난장(亂場)을 치다 함부로 마구 떠들다.

남에 없는 남다르게 아주 특별하거나 극심한

낯(이) 깎이다 체면이 손상되다.

눈에 밟히다 잊히지 않고 자꾸 눈에 떠오르다.

눈에 차다 흡족하게 마음에 들다.

눈(을) 똑바로 뜨다 정신을 차리고 주의를 기울이다.

눈(이) 높다 ① 정도 이상의 좋은 것만 찾는 버릇이 있다.
② 안목이 높다.

ㄷ

다름 아닌 다른 것이 아니라 바로

다리가 길다 음식 먹는 자리에 우연히 가게 되어 먹을 복이 있다.

다리를 들리다 미리 손쓸 기회를 빼앗기다.

다리를 잇다 끊어진 관계를 다시 맺어 통하게 되다.

다리품(을) 팔다 ① 길을 많이 걷다.
② 남에게 품삯을 받고 먼 길을 걸어서 다녀오다.

다릿골(이) 빠지다 길을 많이 걸어 다리가 몹시 피로해지다.

다시 말하면 앞에서 말한 것을 풀어서 말하면

닭똥 같은 눈물 몹시 방울이 굵은 눈물을 비유적으로 이르는 말

덜미가 잡히다 죄가 드러나다.

덜미(를) 잡히다 못된 일 따위를 꾸미다가 발각되다.

독 안에 든 쥐 궁지에서 벗어날 수 없는 처지를 비유적으로 이르는 말
㊌ 덫 안에 든 쥐, 푸줏간에 든 소

동곳(을) 빼다 (비유적으로) 힘이 모자라서 복종하다.

들머리판(을) 내다 다 들어먹고 끝장이 나게 하다.

등골이 서늘하다 두려움으로 아찔하고 등골이 떨리다.

등살(이) 바르다 등의 힘살이 뻣뻣하여 굽혔다 폈다 하기에 거북하다.

등쌀(을) 대다 남을 지겹도록 몹시 귀찮게 하다.

등(을) 대다 남의 세력에 의지하다.

등(이) 달다 마음대로 되지 아니하여 몹시 안타까워하다.

딴죽(을) 치다[걸다] 이미 동의하거나 약속한 일에 대하여 딴전을 부리는 것을 비유적으로 이르는 말

땀(을) 들이다 ① 몸을 시원하게 하여 땀을 없애다.
② 잠시 휴식하다.

땀을 빼다 몹시 힘들거나 어려운 고비를 겪느라고 크게 혼이 나다.

땀이 빠지다 몹시 힘들거나 애가 쓰이다.

뚜껑(을) 열다 사물의 내용이나 결과 따위를 보다.

ㅁ

마각을 드러내다 말의 다리로 분장한 사람이 자기 모습을 드러낸다는 뜻으로, 숨기고 있던 일이나 정체를 드러냄을 이르는 말

마당(을) 빌리다 신랑이 신부의 집에 가서 초례식을 지내다.

마른침을 삼키다 몹시 긴장하거나 초조해하다.

마수(를) 걸다 그날 장사 또는 영업 시작 후 처음으로 물건을 팔다.

마술(을) 걸다 마술을 써서 상대편의 판단을 흐리게 하여 정신을 빼앗다.

마음(을) 주다 마음을 숨기지 아니하고 기꺼이 내보이다.

마음에 있다 무엇을 하거나 가지고 싶은 생각이 있다.

말마디나 하다 ① 말을 꽤 조리 있게 잘하다.
② 그리 심하지 않게 나무라다.

말소리를 입에 넣다 다른 사람에게 들리지 아니하도록 중얼중얼 낮은 목소리로 말하다.

머리(를) 맞대다 어떤 일을 의논하거나 결정하기 위하여 서로 마주 대하다.

머리에 쥐가 나다 싫고 두려운 상황에서 의욕이나 생각이 없어지다.

먹고 들어가다 어떤 일을 할 때 이로운 점을 미리 얻고서 관계하다.

멍에(를) 메다[쓰다] 마음대로 행동할 수 없도록 얽매이다.

모골이 송연하다 끔찍스러워서 몸이 으쓱하고 털끝이 쭈뼛해지다.

모과나무 심사(心思) 모과나무처럼 뒤틀려서 심술궂고 순순하지 못한 마음씨를 이르는 말

목에 거미줄 치다 곤궁하여 아무것도 먹지 못하는 처지가 되다.

몽니(가) 궂다 어떤 일에 대해 심술궂게 욕심을 부리다.

문턱을 낮추다 쉽고 편하게 접할 수 있게 만들다.

물고(를) 내다 '죽이다'를 속되게 이르는 말

물에 빠진 생쥐 물에 흠뻑 젖어 몰골이 초췌한 모양을 비유적으로 이르는 말

물 찬 제비 ① 물을 차고 날아오른 제비처럼 몸매가 아주 매끈하여 보기 좋은 사람을 비유하여 이르는 말
② 동작이 민첩하고 깔끔하여 보기 좋은 행동을 함을 비유적으로 이르는 말

미립이 트이다 경험에 의하여 묘한 이치를 깨닫게 되다.

밀고 당기다 남과 실랑이를 하다.

ㅂ

바가지(를) 쓰다 ① 요금이나 물건값을 실제 가격보다 비싸게 지불하여 억울한 손해를 보다.
② 어떤 일에 대한 부당한 책임을 억울하게 지게 되다.

바다(와) 같다 매우 넓거나 깊다는 뜻

바닥을 비우다 일정한 분량의 것을 남김없이 다 없애다.

바닥(이) 질기다 증권 거래에서 떨어진 시세가 더 내리지 아니하고 오래 계속 버티다.

바닥 첫째 '꼴찌'를 놀림조로 이르는 말

바람(을) 넣다 남을 부추겨서 무슨 행동을 하려는 마음이 생기게 만들다.

바람(을) 잡다 ① 허황된 짓을 꾀하거나 그것을 부추기다.
② 마음이 들떠서 돌아다니다.
③ 이성에 대한 들뜬 생각을 하다.

반죽(이) 좋다 노여움이나 부끄러움을 타지 아니하다.

발꿈치를 접하여 일어나다 어떤 일들이 연달아 일어나다.

발(이) 넓다 사귀어 아는 사람이 많아 활동하는 범위가 넓다.

배알이 꼴리다[뒤틀리다] 비위에 거슬려 아니꼽다.

밴댕이 소갈머리 아주 좁고 얕은 심지(心志)를 비유적으로 이르는 말

번지수가 틀리다[다르다] 어떤 일에 들어맞지 않거나 엉뚱한 데를 잘못 짚다.

벌린 입을 다물지 못하다 ① 몹시 감탄하거나 어이없어하다.
② 한번 시작한 이야기를 그치지 못하다.

벌집을 건드리다 건드려서는 안 될 것을 공연히 건드려 큰 화근을 만들다.

변죽을 울리다[치다] 바로 집어 말을 하지 않고 둘러서 말을 하다.

병신이 육갑하다 되지못한 자가 엉뚱한 짓을 하다.

복장(이) 타다 걱정이 되거나 안타까워 마음이 몹시 달다.

부아(가) 돋다 노엽거나 분한 마음이 일어나다.

뼈가 휘도록 오랫동안 육체적 고통을 견디어 내면서 힘겨운 일을 치러 나가는 것을 비유적으로 이르는 말 ㊒ 뼈(가) 빠지게

뼛골(이) 빠지다 육체적으로 매우 힘든 일을 하여 나가다.

ㅅ

사개(가) 맞다 말이나 사리의 앞뒤 관계가 빈틈없이 딱 들어맞다.

사나운 암캐같이 앙앙한다 (속되게) 부녀자들이 듣기 싫게 앙앙거리다.

사람값에 가다 사람으로 쳐줄 만한 가치를 지니다.

사람값에 들다 사람이라고 이를 만한 가치를 지니다.

사람(이) 되다 도덕적으로나 인격적으로 사람으로서의 자질을 갖춘 인간이 되다.

사족(을) 못 쓰다 무슨 일에 반하거나 혹하여 꼼짝 못 하다.
㊒ 사지를 못 쓰다

산으로 들어가다 ① 비합법적인 투쟁이나 유격전을 하기 위하여 산속으로 몸을 피하다.
② 승려가 되다.

산통(을) 깨다 다 잘되어 가던 일을 이루지 못하게 뒤틀다.

살얼음을 밟듯이 겁이 나서 매우 조심스럽게

살(을) 붙이다 바탕에 여러 가지를 덧붙여 보태다.

살을 에고 소금 치는 소리 따끔하고 신랄한 말

살이 끼다 ① 사람이나 물건 따위를 해치는 불길한 기운이 들러붙다.
② 띠앗 없게 하는 기운이 들러붙다.
㊒ 살(이) 붙다[뻗치다 · 서다 · 오르다]

서슬이 시퍼렇다 권세나 기세 따위가 아주 대단하다.
㊒ 서슬(이) 푸르다[퍼렇다]

속(을) 뜨다[떠보다] 남의 마음을 알려고 넘겨짚다.

속(을) 뽑다 일부러 남의 마음을 떠보고 그 속내를 드러나게 하다.

손끝(을) 맺다 할 일이 있는데도 아무 일도 안 하다.

손(에) 익다 일이 손에 익숙해지다. ㊒ 손에 오르다

손(을) 끊다 교제나 거래 따위를 중단하다.

손(이) 여물다 일하는 것이 빈틈없고 매우 꼼꼼하다.
㊒ 손끝(이) 야무지다. 손끝(이) 야물다

시치미(를) 떼다 자기가 하고도 하지 아니한 체하거나 알고 있으면서도 모르는 체하다. ㊒ 시침(을) 떼다[따다]

심금(을) 울리다 마음에 감동을 일으키다.

씨도 먹히지 않다 제기한 방법이나 의견이 받아들여지지 않다.
㊒ 씨알이 먹히지 않다

ㅇ

아귀(가) 맞다 ① 앞뒤가 빈틈없이 들어맞다.
② 일정한 수량 따위가 들어맞다.

아귀(가) 무르다 ① 마음이 굳세지 못하고 남에게 잘 꺾이다.
② 손으로 잡는 힘이 약하다.

아귀(가) 세다 남을 휘어잡는 힘이나 수완이 있다.

아귀(가) 크다 돈이나 물건을 다루는 씀씀이가 넉넉하다.

아귀(를) 맞추다 일정한 기준에 들어맞게 하다.

아퀴(를) 짓다 일이나 말을 끝마무리하다.

악머구리 끓듯 많은 사람이 모여서 시끄럽게 마구 떠드는 모양을 비유적으로 이르는 말

앞자락이 넓다 ① 비위가 매우 좋다.
② 관심을 가지는 분야가 매우 넓다.

어깃장을 놓다 고분고분 따르지 않고 뻗대다.

어깨가 가볍다 무거운 책임에서 벗어나거나 그 책임을 덜어 마음이 홀가분하다. ㊥ 어깨가 무겁다.

어깨를 겨루다[겨누다] 서로 비슷한 지위나 힘을 가지다.
㊒ 어깨(를) 견주다. 어깨를 나란히 하다

어안이 막히다 뜻밖에 놀랍거나 이상한 일을 당하여 기가 막히다.

억장이 무너지다 극심한 슬픔이나 절망 따위로 몹시 가슴이 아프고 괴롭다.

억지 춘향(이) 억지로 어떤 일을 이루게 하거나 어떤 일이 억지로 겨우 이루어지는 경우를 비유적으로 이르는 말

언질(을) 주다 어떤 일이나 현상 따위의 결과를 예측할 수 있는 단서를 제공하다.

얼굴을 내놓다[내밀다] 모임 따위에 모습을 나타내다.

얼굴이 두껍다 부끄러움을 모르고 염치가 없다.
㊒ 낯가죽(이) 두껍다. 낯(이) 두껍다. 얼굴 가죽이 두껍다

엎친 데 덮치다 어렵거나 불행한 일이 겹쳐 일어나다.

오금을 못 쓰다 몹시 마음이 끌리거나 두려워 꼼짝 못 하다.

오금(을) 박다 ① 큰소리치며 장담하던 사람이 그와 반대되는 말이나 행동을 할 때에, 장담하던 말을 빌미로 삼아 몹시 논박하다.
② 다른 사람에게 함부로 말이나 행동을 하지 못하게 단단히 이르거나 으르다.

오금(이) 뜨다 ① 침착하게 한곳에 오래 있지 못하고 들떠서 함부로 덤비다.
② 마음이 방탕하여 놀아나다. ㊒ 오금이 밀리다

오금이 쑤시다 무슨 일을 하고 싶어 가만히 있지 못하다.

오금이 저리다 저지른 일이 들통이 나거나 그 때문에 나쁜 결과가 있지 않을까 마음을 졸이다.

오지랖이 넓다 ① 쓸데없이 지나치게 아무 일에나 참견하는 면이 있다.
② 염치없이 행동하는 면이 있다.

운(을) 떼다 어떤 이야기를 하기 위하여 말을 하기 시작하다.
㊒ 운자(를) 떼다

이골이 나다 어떤 방면에 길이 들어 거기에 익숙해지다.

인왕산 호랑이 몹시 무서운 대상을 비유적으로 이르는 말

입만 살다 ① 말에 따르는 행동은 없으면서 말만 그럴듯하게 잘하다.
② 격에 맞지 아니하게 음식을 가려 먹다.

입(을) 맞추다 서로의 말이 일치하도록 하다.

입(을) 모으다 여러 사람이 같은 의견을 말하다.

입이 밭다[짧다] 음식을 심하게 가리거나 적게 먹다.

ㅈ

자귀(를) 짚다 짐승을 잡으려고 짐승의 발자국을 따라가다.

자기도 모르게 무의식중에 저절로

자기를 잃어버리다 자기의 처지나 존재에 대해서 깨닫지 못하다.

자라목(이) 되다 사물이나 기세 따위가 움츠러들다.

자리를 걷다 병이 낫다.

자리에 눕다 누워서 앓다.

자빡(을) 대다[치다] 아주 딱 잘라 거절하다.

자충수를 두다 스스로 행한 행동이 결국에 가서는 자신에게 불리한 결과를 가져오게 됨을 비유적으로 이르는 말

잔뼈가 굵다 오랜 기간 일정한 곳이나 직장에서 일을 하여 그 일에 익숙하다.

제 눈에 안경 보잘것없는 물건이라도 제 마음에 들면 좋게 보인다는 말

좀이 쑤시다 마음이 들뜨거나 초조하여 가만히 있지 못하다.

죽 끓듯 하다 화나 분통 따위의 감정을 참지 못하여 마음속이 부글부글 끓어오르다.

진(을) 치다 자리를 차지하다.

짝이 지다 양쪽을 비교할 때 서로 차이가 나 어울리지 아니하고 한쪽이 못하거나 떨어지다. 유 짝이 기울다.

ㅊ

차 (떼고) 포 떼다 귀중하고 요긴한 것을 다 빼다.

차포 오졸 꼼짝 못 하게 들이덤비는 공세를 비유적으로 이르는 말

찬바람을 일으키다 차갑고 냉담한 태도를 드러내다.

찬밥 더운밥 가리다 어려운 형편에 있으면서 배부른 행동을 하다.

참새 물 먹듯 음식을 조금씩 여러 번 먹는 모양을 비유적으로 이르는 말

창자가 끊어지다 슬픔이나 분노 따위가 너무 커서 참기 어렵다.

채(를) 잡다 주도적인 역할을 하거나 주도권을 잡고 조종하다.

천불이 나다 열기가 날 정도로 몹시 눈에 거슬리거나 화가 나다.

첫걸음마를 떼다 어떤 일이나 사업을 처음 시작함을 이르는 말
유 걸음마를 떼다

침이 마르다 다른 사람이나 물건에 대하여 거듭해서 말하다.
유 입에 침이 마르다, 입이 닳다, 입이 마르다, 혀가 닳다

ㅋ

칼(을) 갈다[벼리다] ① 싸움이나 침략 따위를 준비하다.
② 복수를 준비하다.

칼(을) 맞다 칼로 침을 당하다.

칼(을) 쓰다 죄인이 칼의 구멍에 목을 넣다.

칼(을) 씌우다 죄인이 칼의 구멍에 목을 넣게 하다.

칼(을) 품다 살의를 품다.

칼자루(를) 잡다[쥐다] 어떤 일에 실제적인 권한을 가지다.
유 도낏자루를 쥐다

코가 높다 잘난 체하고 뽐내는 기세가 있다.

코(가) 빠지다 근심에 싸여 기가 죽고 맥이 빠지다.

코를 떼다 무안을 당하거나 핀잔을 맞다.

코 묻은 돈 어린아이가 가진 적은 돈

코빼기도 못 보다 도무지 나타나지 않아 전혀 볼 수 없음을 낮잡아 이르는 말

코웃음(을) 치다 남을 깔보고 비웃다.

콩 튀듯 몹시 화가 나서 펄펄 뛰는 모양을 비유적으로 이르는 말
유 콩 튀듯 팥 튀듯

ㅌ

타월을 던지다 ① 권투에서, 경기를 계속하기 힘든 선수의 매니저가 티케이오(TKO)를 신청하다. 유 수건을 던지다
② 싸울 뜻을 잃다.

털끝도 못 건드리게 하다 조금도 손을 대지 못하게 하다.

ㅍ

파김치(가) 되다 몹시 지쳐서 기운이 아주 느른하게 되다.

파방(을) 치다 살던 살림을 그만 집어치우다.

포문을 열다 ① 대포를 쏘다.
② 상대편을 공격하는 발언을 시작하다.

피가 뜨겁다 의지나 의욕 따위가 매우 강하다.

피를 말리다 몹시 괴롭히거나 애가 타게 만들다.

핏줄이 당기다[쓰이다] 혈연의 친밀감을 느끼다.

ㅎ

학을 떼다 괴롭거나 어려운 상황을 벗어나느라고 진땀을 빼거나, 그것에 거의 질려 버리다. 유 학질(을) 떼다

허리가 휘다[휘어지다] 감당하기 어려운 일을 하느라 힘이 부치다.

허리가 휘청거리다[휘청하다] 경제적으로 매우 힘들다.

허리를 펴다 어려운 고비를 넘기고 편하게 지낼 수 있게 되다.

허방다리를 짚다 땅바닥인 줄 알고 발을 헛짚다.

혀를 내두르다[두르다] 몹시 놀라거나 어이없어서 말을 못 하다.

호리를 다투다 매우 적은 분량도 아껴 쓰고 아까워하다.

호흡을 맞추다 일을 할 때 서로의 행동이나 의향을 잘 알고 처리하여 나가다.

회가 동하다 구미가 당기거나 무엇을 하고 싶은 마음이 생기다.

흉금을 털어놓다 가슴속의 생각을 모두 털어넣고 이야기하다.

흰 눈으로 보다 업신여기거나 못마땅하게 여기다.

흰소리(를) 치다 터무니없는 소리를 떠벌리다.

CHAPTER

02 신체 관련 관용구

☐ 1회독 월 일
☐ 2회독 월 일
☐ 3회독 월 일
☐ 4회독 월 일
☐ 5회독 월 일

손

손에 걸리다 어떤 사람의 세력 범위에 잡혀 들다.

손에 땀을 쥐다 듣거나 보기에 위험하거나 승패가 아슬아슬하여 안절부절못해하다. 긴장하거나 흥분하다.

손에 붙다 하는 일에 마음이 내키어 능률이 오르다. ㊒ 손에 잡히다

손(에) 익다 다루는 품이 익숙하다.

손(을) 거치다 어떤 사람을 경유하다. 손길이 미치다.

손(을) 끊다 관계를 끊다. 인연을 끊다. 교제를 그만두다.

손(을) 나누다 한 가지 일을 여러 사람이 나누어 맡다.

손(을) 내밀다 달라고 요구하거나 얻어 내려고 하다. ㊒ 손을 벌리다.

손(을) 넘기다 알맞은 시기를 넘기다. 때를 놓치다.

손을 놓다 하던 일을 중도에서 그만두다. ㊒ 손(을) 떼다

손을 늦추다 일의 긴장도를 늦추다.

손(을) 멈추다 일하던 동작을 잠깐 멈추다.

손(을) 빼다[씻다] 하던 일에서 빠져나오다. 하던 일과 관계를 끊다.

손(을) 뻗치다 세력을 넓히다.

손(을) 씻다 부정적인 일 따위와 관계를 청산하다.

손을 적시다 어떤 일에 참여하다.

손(을) 주다 덩굴이 의지하여 자라도록 막대기나 줄을 마련해 주다.

손을 털다 하던 일을 완전히 마치다. 노름판 같은 데서 본전까지도 모조리 잃다.

손(이) 거칠다 남의 것을 훔치는 손버릇이 있다. 손버릇이 나쁘다. 일을 하는 솜씨가 찬찬하지 못하다.

손이 걸다 씀씀이가 대단하다. ㊒ 손(이) 크다

손이 나다 일하는 도중에 잠시 겨를이 생기다.

손이 놀다 일거리가 없어서 일손이 쉬는 상태에 있다.

손이 닳도록 몹시 간절하게 비는 모양

손이 닿다 힘이 미치다.

손(이) 떨어지다 일이 끝이 나다.

손(이) 뜨다 일하는 동작이 굼뜨다.

손(이) 맑다 재수가 없어 생기는 것이 없다. 인색하여 남에게 물건을 주는 품이 후하지 못하다.

손(이) 맞다 함께 일하는 데 생각이나 동작 같은 것이 서로 맞다.

손(이) 맵다 슬쩍 때려도 몹시 아프다. 일하는 솜씨가 야무지다.

손(이) 비다 일감이 없어서 일손이 노는 상태에 있다. 가졌던 돈이 다 떨어지다.

손이 서투르다 일하는 솜씨가 서투르다. 일이 익숙하지 못하다.

손(이) 싸다 손으로 다루는 품이 재빠르다. 일처리가 아주 빠르다.

손(이) 작다 물건이나 재물의 씀씀이가 깐깐하고 작다.

손(이) 크다 씀씀이가 후하고 크다. 수단이 좋고 많다.

발

발 벗고 나서다 적극적으로 나서다.

발 뻗고[펴고] 자다 걱정되거나 애쓰던 일이 끝나 마음을 놓다.

발에 채다[차이다] 여기저기에 흔하게 널려 있다.

발(을) 구르다 몹시 안타까워 애를 태우다.

발(을) 끊다 서로 오가지 아니하거나 관계를 끊다.

발(을) 벗다 신은 것을 벗다. 아무것도 신지 아니하다.

발(을) 빼다[씻다] 어떤 일에서 관계를 끊고 물러나다.

발(을) 타다 강아지 따위가 처음으로 걸음을 걷기 시작하다.

발(이) 길다 무엇을 먹게 된 자리에 한몫 끼게 되어 먹을 복이 있다.

발이 내키지 않다 선뜻 행동으로 옮길 마음이 나지 않다.

발(이) 넓다[너르다] 사교의 범위가 넓다.

발(이) 뜨다 자주 다니지 아니하다. 이따금씩 다니다.

발(이) 맞다 걸을 때 보조가 맞는다는 뜻으로, 여러 사람의 말이나 행동이 일치하다.

발(이) 묶이다 어떤 사연으로 말미암아 오지도 가지도 못하게 되다.

발이 손이 되도록 빌다 손만으로는 모자라서 발로도 빈다는 뜻으로, 간절히 비는 모습을 형용하여 이르는 말

발이 익다 자주 다녀 보아서 그 길에 익숙하다.

발이 잦다 어떤 곳에 자주 다니다.

발이 저리다 양심의 가책 따위로 마음이 편안치 아니하다.

발(이) 짧다 무엇을 먹게 된 자리에 늦게 이르거나 끼지 못하여 먹을 복이 없다.

입

입만 살다 실천은 따르지 않으면서 말만 그럴듯하게 잘함을 이르는 말. 격에 맞지 않게 음식을 까다롭게 가려 먹음을 이르는 말

입만 아프다 여러 번 말해 주어도 아무 소용이 없음을 이르는 말

입 밖에 내다 감추어야 할 말이나 사물을 드러내어 말하다. 발설하다.

입에 거미줄 치다 오랫동안 주리다. ⓤ 목에 거미줄 치다

입에 발린[붙은] 소리 마음에는 없이, 듣기 좋으라고 말로만 하는 소리

입에 침이 마르다 남을 아주 좋게 말하다.

입(을) 놀리다 거리낌 없이 함부로 나불나불 지껄이다.

입(을) 다물다 말을 하지 아니하거나 하던 말을 그치다.

입(을) 떼다 말을 하기 시작하다.

입(을) 막다 말이 나지 않게 하다.

입(을) 맞추다 서로의 말이 일치하도록 미리 짜다.

입(을) 모으다 여러 사람이 내는 의견이 모두 일치하거나 일치되게 하다.

입(을) 씻기다 자기에게 불리한 말을 못 하도록 슬며시 금품을 주다.

입(을) 씻다[닦다] 이익 따위를 혼자 가로채거나 감추고서 모르는 체하다.

입이 되다 음식에 몹시 까다롭다.

입이 (딱) 벌어지다 매우 놀라거나 좋아하다.

입이 뜨다 입이 무거워 말수가 적다.

입이 쓰다 어떤 일이나 말 따위가 못마땅하여 기분이 언짢다.

입이 짧다[밭다] 음식을 심하게 가리거나 적게 먹다.

입이 천 근 같다 입이 매우 무겁다. 말수가 매우 적다.

말

말(을) 내다 어떤 이야기로 말을 시작하다. 비밀스러운 일을 다른 사람에게 말하다.

말(을) 듣다 남이 시키는 대로 하다. 꾸지람이나 나무람을 당하다. 기계 따위가 마음대로 잘 다루어지다.

말(을) 못 하다 매우 심하여 말로는 나타내어 설명할 수 없다.

말(이) 굳다 말할 때 더듬거려 말이 부드럽지 못하다.

말(이) 나다 남이 모르고 있던 일이 알려지게 되다. 말이 이야깃거리로 나오게 되다.

말(이) 되다 하는 말이 이치에 맞다. 어떤 일에 대하여 서로의 사이에 약속이 이루어지다. 말거리가 되다.

말(이) 떨어지다 명령이나 승낙 따위의 말이 나오다.

말(이) 뜨다 말이 술술 나오지 않고 자꾸 막히거나 굼뜨다.

말(이) 많다 말수가 많다. 수다스럽다. 말썽이 끊이지 아니하다.

말(이) 아니다 말이 이치에 맞지 아니하다. 무어라고 말할 수 없을 만큼 처지가 매우 딱하다.

눈

눈 깜짝할 사이 매우 짧은 동안을 이르는 말

눈도 깜짝 안 하다 조금도 두려워하거나 놀라지 않고 태연하다.

눈 딱[꼭] 감다 더 이상 다른 것을 생각하지 않다.

눈 밖에 나다 신임을 얻지 못하고 미움을 받게 되다.

눈에 거슬리다[걸리다] 보기에 마뜩잖아 불쾌한 느낌을 가지게 되다.

눈에 거칠다 하는 짓이 보기에 싫고 마음에 들지 아니하다. 하는 짓이 온당하지 못하다.

눈에 넣어도 아프지 않다 매우 귀엽다.

눈에 들다 마음에 맞다. 정이 가다.

눈(에) 띄다 두드러지게 드러나다.

눈에 밟히다 딱한 모습 등이 잊으려고 해도 자꾸 눈에 선하게 나타나다.

눈에 불을 켜다 무엇을 찾거나 이루려고 온 정신을 집중시키고 덤비다.

눈에 불이 나다 뜻밖에 몹시 화가 나는 일을 당하여 감정이 격렬해지다.

눈에 선하다 잊히지 않고 눈에 환히 보이는 것 같다.

눈(에) 설다 눈에 익지 않다. 처음 보는 것 같다.

눈에 쌍심지를 켜다 몹시 화가 나서 두 눈을 부릅뜨다.

눈(에) 어리다 어떤 모습이 잊히지 않고 환상이 되어 눈에 보이다.

눈에 익다 여러 번 보아서 눈에 익숙하다.

눈에 차다 마음에 들어 흡족하다.

눈에 칼을 세우다 화가 나서 표독스럽게 노려보다.

눈에 헛거미가 잡히다 눈에 허깨비가 아른거릴 정도로 배가 몹시 고프다. 욕심에 눈이 어두워 사물을 바로 보지 못하다.

눈에 흙이 들어가다[덮이다] 죽다. 죽어서 땅에 묻히다.

눈을 끌다 호기심을 일으켜 보게 하다. 마음이 쏠리다.

눈(을) 맞추다 서로 눈을 마주 보다.

눈(을) 붙이다 잠깐 동안 잠을 자다.

눈(을) 속이다 꾀를 써서, 보는 이가 모르게 하다.

눈(을) 주다 눈길을 그쪽으로 돌려서 보다. 가만히 시선을 주어 무슨 뜻을 전하다.

눈(이) 가다 시선이 향하여지다.

눈(이) 높다 무엇이나 좋은 것만 찾는 버릇이 있다. 사물의 좋고 나쁨을 가려내는 능력이 뛰어나다.

눈(이) 뒤집히다 환장을 하다. 욕심이 동하여 어쩔 줄을 몰라 하다. 몹시 참혹한 일을 당하여 제정신을 잃다.

눈이 등잔만 하다 몹시 놀라거나 화가 나서 눈이 휘둥그레지다.

눈(이) 맞다 두 사람의 마음이 서로 통하다. 남남인 남녀 사이에 서로 사랑하는 마음이 통하다.

눈(이) 빠지게[빠지도록] 기다리다 몹시 애태우며 오래 기다리다.

눈(이) 삐다 뻔한 것을 잘못 보고 있을 때 핀잔으로 하는 말

눈(이) 시다 하는 짓이 눈에 거슬려 보기에 아니꼽다.

눈이 시퍼렇게 살아 있다 멀쩡하게 살아 있다.

눈(이) 어둡다 어떤 상태나 상황의 속내를 잘 모르는 처지다.

눈이 캄캄하다 정신이 어찔하여 생각이 콱 막히다.

눈이 트이다 사물이나 현상을 판단하는 능력을 갖게 되다.

코

코가 납작해지다 무안을 당하거나 하여 위신이 크게 떨어져 기가 꺾이다.

코가 높다 남 앞에서 뽐내는 기세가 있다.

코가 땅에 닿다 존경의 뜻을 나타내는 몸짓으로 머리를 깊이 숙이다.

코가 비뚤어지게[비뚤어지도록] 잔뜩 취할 정도로 술을 많이 마시는 모양을 이르는 말

코(가) 빠지다 근심에 싸여 기가 죽고 맥이 빠지다.

코(가) 세다 남의 말을 잘 받아들이려 하지 않고 자기 생각대로만 하려는 고집이 있다.

코가 솟다 남에게 자랑할 일이 있어 우쭐해지다.

코가 우뚝하다 잘난 체하며 거만하게 굴다.

코를 떼다 무안을 당하거나 핀잔을 맞다.

코를 맞대다 한자리에서 서로 가까이 하다.

코를 박듯 머리를 깊이 숙임을 이르는 말

코를 싸쥐다 심한 핀잔을 받아 무안하여 얼굴을 제대로 못 들다.

코 먹은 소리 코가 메어서 나거나, 또는 짐짓 코가 멘 듯이 부자연스레 내는 소리

코 묻은 돈 코흘리개들이 가진, 얼마 안 되는 돈

코에 걸다 무엇을 자랑삼아 내세우다.

코 큰 소리 잘난 체하는 소리

간

간에 기별도 안 가다 먹은 음식의 양이 매우 적어서 먹은 것 같지 않다.

간(에) 바람 들다 하는 행동이 실없다.

간에 차지 않다 흡족하다는 느낌을 전혀 느끼지 못하다.
㊒ 간에 기별도 안 가다

간을 녹이다 몹시 애를 태우다. 사람을 홀딱 반하게 하다.

간(이) 떨어지다 몹시 놀라다.

간(이) 붓다 언행이 넘칠 정도로 대담해지다.

간이 오그라들다 몹시 두려워지거나 무서워지다. ㊒ 간이 콩알만 해지다

머리

머리가 가볍다 기분이 상쾌하다.

머리(가) 굳다 생각이 완고하고 보수적이다. 기억력 등이 무디다[둔하다].

머리가 굵다[크다] 어른이 되다. 성장하다.

머리가 (잘) 돌아가다 기억이 잘 떠오르거나 생각이 잘 미치다. 두뇌 회전이 빠르다.

머리가 젖다 어떤 관념이나 주의에 물들다. 생각이 쏠려 있다.

머리(를) 굽히다[숙이다] 굴복하다. 감동하거나 옳다고 인정하여 경의를 나타내다.

머리(를) 깎다 승려가 되다. 교도소에 복역하다.

머리(를) 내밀다 어떤 자리에 모습을 나타내다.

머리(를) 맞대다 어떤 일을 의논하거나 결정하기 위하여 서로 마주 대하다.

머리(를) 모으다 의논하기 위하여 가까이 모이다. 지혜를 합치다.

머리(를) 식히다 휴식하다. 마음이 안정되게 하다.

머리(를) 싸매다 단단히 각오하고 덤비다. 온 힘을 다 기울여 일에 임하다.

머리(를) 쓰다 깊이 생각하다. 지혜를 짜내다. 좋은 방법을 생각하다.

머리(를) 얹다 여자의 긴 머리를 두 갈래로 땋아 엇바꾸고 양쪽 귀 뒤로 돌려서 이마 위쪽에 한데 틀어 얹다. 어린 기생이 정식으로 기생이 되어 머리를 쪽 찌다. 여자가 시집을 가다.

머리를 쥐어짜다 애를 써서 궁리하다. 지혜를 짜내다.

머리(를) 풀다 상을 당하여 틀었던 머리를 풀다.

머리(를) 흔들다 거절하거나 부인하는 뜻으로 머리를 좌우로 젓다. 싫어서 진저리를 치다.

머리에 피도 안 마르다 어떤 일을 하기에는 아직 어리다.
유 이마에 피도 안 마르다

가슴

가슴에 못을 박다 마음속 깊이 원한이 맺히게 하다.

가슴에 불붙다 감정이 격해지다.

가슴에 새기다 잊지 않도록 단단히 기억하다.

가슴(을) 앓다 후회나 원한이 맺혀 마음이 편할 날이 없다.

가슴을 짓찧다 가슴을 공이 같은 것으로 찧는 듯한 아픔을 느낄 정도로 마음에 심한 고통을 받다.

가슴(을) 태우다 몹시 애태우다.

가슴이 내려앉다 갑자기 불안한 일이나 위태로움을 당했을 때 놀라서 맥이 탁 풀리다.

가슴이 뜨끔하다 나쁜 일을 하다가 들켰거나 비밀이 드러났거나 하였을 때 양심에 찔리다.

가슴이 미어지다 가슴이 콱 막히는 듯한 심한 고통이나 슬픔을 느끼다.

가슴이 아리다 마음이 쓰라리다. 딱하고 애틋하다.

CHAPTER

03 주요 속담

- [ ] 1회독 월 일
- [ ] 2회독 월 일
- [ ] 3회독 월 일
- [ ] 4회독 월 일
- [ ] 5회독 월 일

ㄱ

가갸 뒷다리[뒤 자]도 모른다 글자를 전혀 깨치지 못하여 무식하다거나, 사리에 몹시 어두운 사람을 놀림조로 이르는 말

가게 기둥에 입춘 격에 어울리지 않음을 이르는 말

가까운 남이 먼 일가보다 낫다 이웃끼리 서로 가까이 지내다 보면, 먼 데 있는 일가보다 더 친하게 되어 서로 도와 가며 살게 된다는 말

가까운 데 집은 깎이고 먼 데 절[집]은 비친다 가까운 곳에 있는 것은 너무 친숙하여 좋지 않아 보이고 먼 곳에 있는 것은 더 훌륭해 보임을 비유적으로 이르는 말

가난 구제는 나라[나라님/임금]도 못한다 남의 가난한 살림을 도와주기란 끝이 없는 일이어서, 개인은 물론 나라의 힘으로도 구제하지 못한다는 말

가난도 비단 가난 아무리 가난하여도 몸을 함부로 가지지 않고, 본래의 지체와 체통을 더럽히지 않는다는 말

가난이 원수 가난하기 때문에 억울한 경우나 고통을 당하게 되니 가난이 원수같이 느껴진다는 말

가난한 양반 씻나락 주무르듯 가난한 양반이 털어먹자니 앞날이 걱정스럽고 그냥 두자니 당장 굶는 일이 걱정되어서 볍씨만 한없이 주무르고 있다는 뜻으로, 어떤 일에 닥쳐 우물쭈물하기만 하면서 선뜻 결정을 내리지 못하고 있는 모양을 이르는 말

가난한 집 신주 굶듯 가난한 집에서는 산 사람도 배를 곯는 형편이므로 신주까지도 제사 음식을 제대로 받아 보지 못하게 된다는 뜻으로, 줄곧 굶기만 한다는 말

가난한 집 제사[제삿날/젯날] 돌아오듯 살아가기도 어려운 가난한 집에 제삿날이 자꾸 돌아와서 그것을 치르느라 매우 어려움을 겪는다는 뜻으로, 힘든 일이 자주 닥쳐옴을 비유적으로 이르는 말

가난할수록 기와집 짓는다 당장 먹을 것이나 입을 것이 넉넉지 못한 가난한 살림일수록 기와집을 짓는다는 뜻으로, 실상은 가난한 사람이 남에게 업신여김을 당하기 싫어서 허세를 부리려는 심리를 비유적으로 이르는 말

가는[가던] 날이 장날 일을 보러 가니 공교롭게 장이 서는 날이라는 뜻으로, 어떤 일을 하려고 하는데 뜻하지 않은 일을 공교롭게 당함을 비유적으로 이르는 말

가는 년이 물 길어다 놓고 갈까 이미 일이 다 틀어져 그만두는 터에 뒷일을 생각하고 돌아다볼 리 만무함을 비유적으로 이르는 말

가는 말에 채찍질 열심히 하고 있는데도 더 빨리하라고 독촉함을 비유적으로 이르는 말

가는 말이 고와야 오는 말이 곱다 상대편이 자기에게 말이나 행동을 좋게 하여야 자기도 상대편에게 좋게 한다는 말

가는 방망이 오는 홍두깨 남을 해치려고 하다가 제가 도리어 더 큰 화를 입게 됨을 비유적으로 이르는 말

가는 세월 오는 백발 세월이 가면 나이를 먹고 늙는다는 말

가는 정이 있어야 오는 정이 있다 상대편이 자기에게 말이나 행동을 좋게 하여야 자기도 상대편에게 좋게 한다는 말
㊌ 가는 말이 고와야 오는 말이 곱다

가는 토끼 잡으려다 잡은 토끼 놓친다 지나치게 욕심을 부리다가 이미 차지한 것까지 잃어버리게 됨을 비유적으로 이르는 말

가랑비에 옷 젖는 줄 모른다 가늘게 내리는 비는 조금씩 젖어 들기 때문에 여간해서도 옷이 젖는 줄을 깨닫지 못한다는 뜻으로, 아무리 사소한 것이라도 그것이 거듭되면 무시하지 못할 정도로 크게 됨을 비유적으로 이르는 말

가랑잎에 불붙듯 바싹 마른 가랑잎에 불을 지르면 걷잡을 수 없이 잘 탄다는 뜻으로, 성미가 조급하고 도량이 좁아 걸핏하면 발끈하고 화를 잘 내는 것을 비유적으로 이르는 말

가랑잎으로 눈(을) 가리고 아웅 한다 얕은수로 남을 속이려 한다는 말

가랑잎이 솔잎더러 바스락거린다고 한다 더 바스락거리는 가랑잎이 솔잎더러 바스락거린다고 나무란다는 뜻으로, 자기의 허물은 생각하지 않고 도리어 남의 허물만 나무라는 경우를 비유적으로 이르는 말

가래 터 종놈 같다 힘든 가래질을 억지로 하는 종과 같다는 뜻으로, 성품이 거칠고 버릇없이 굴거나 매사에 못마땅해서 무뚝뚝하게 구는 사람을 비유적으로 이르는 말

가루 가지고 떡 못 만들랴 가루만 있으면 누구나 떡을 만들 수 있다는 뜻으로, 누구나 다 할 수 있는 일을 자랑하며 뽐내는 것을 비웃는 말

가루는 칠수록 고와지고 말은 할수록 거칠어진다 가루는 체에 칠수록 고와지지만 말은 길어질수록 시비가 붙을 수 있고 마침내는 말다툼까지 가게 되니 말을 삼가라는 말

가마 밑이 노구솥 밑을 검다 한다 더 시꺼먼 가마솥 밑이 덜 시꺼먼 노구솥 밑을 보고 도리어 검다고 흉본다는 뜻으로, 남 못지않은 잘못이나 결함이 있는 사람이 제 흉은 모르고 남의 잘못이나 결함만을 흉봄을 비유적으로 이르는 말 ㊌ 가마가 솥더러 검정아 한다

가마 속의 콩도 삶아야 먹는다 가마 안에 들어간 콩도 끓여서 삶아야 먹을 수 있다는 뜻으로, 다 된 듯하고 쉬운 일이라도 손을 대어 힘을 들이지 않으면 이익이 되지 않음을 비유적으로 이르는 말

가마 타고 시집가기는 (다) 틀렸다 시집을 갈 때 으레 가마를 타고 가는 것이나 그 격식을 좇아서 하지 못한다는 뜻으로, 일이 제대로 되지 않아 격식과 채비를 갖추어서 하기는 틀렸음을 비유적으로 이르는 말

가만히 먹으라니까 뜨겁다고 한다 어긋나는 짓을 함을 비유적으로 이르는 말

가문 덕에 대접받는다 변변치 못한 사람이 좋은 가문에 태어난 덕분에 좋은 대우를 받는다는 말

가물 끝은 있어도 장마 끝은 없다 가뭄은 아무리 심하여도 얼마간의 거둘 것이 있지만 큰 장마가 진 뒤에는 아무것도 거둘 것이 없다는 뜻으로, 가뭄에 의한 재난보다 장마로 인한 재난이 더 무서움을 비유적으로 이르는 말

가물에 돌 친다 물이 없는 가뭄에 강바닥에 있는 돌을 미리 쳐서 물길을 낸다는 뜻으로, 무슨 일이든지 사전에 미리 준비를 해야 함을 비유적으로 이르는 말

가물에 콩(씨) 나듯 가뭄에는 심은 콩이 제대로 싹이 트지 못하여 드문드문 난다는 뜻으로, 어떤 일이나 물건이 어쩌다 하나씩 드문드문 있는 경우를 비유적으로 이르는 말

가을 중 싸대듯 수확이 많은 가을철에 조금이라도 더 시주를 얻기 위하여 중이 바쁘게 돌아다닌다는 뜻으로, 여기저기 분주히 돌아다님을 비유적으로 이르는 말

가자니 태산이요 돌아서자니 숭산이라 앞에도 높은 산이고 뒤에도 높은 산이라는 뜻으로, 이러지도 저러지도 못할 난처한 지경에 이름을 비유적으로 이르는 말

가재는 게 편 모양이나 형편이 서로 비슷하고 인연이 있는 것끼리 서로 잘 어울리고, 사정을 보아주며 감싸 주기 쉬움을 비유적으로 이르는 말

가지 나무에 목을 맨다 워낙 딱하고 서러워서 목맬 나무의 크고 작음을 가리지 않고 죽으려 한다는 뜻으로, 이것저것 가릴 처지가 아님을 비유적으로 이르는 말

가지 따 먹고 외수* 한다 남의 밭에 가 가지를 따 먹고 남을 속인다는 뜻으로, 사람의 눈을 피하여 나쁜 짓을 하고는 시치미를 떼면서 딴전을 부림을 비유적으로 이르는 말 (*외수: 남을 속이는 꾀)

가지 많은 나무 바람 잘 날 없다 가지가 많고 잎이 무성한 나무는 살랑거리는 바람에도 잎이 흔들려서 잠시도 조용한 날이 없다는 뜻으로, 자식을 많이 둔 어버이에게는 근심, 걱정이 끊일 날이 없음을 비유적으로 이르는 말

간다 간다 하면서 아이 셋 낳고 간다 그만두겠다고 늘 말은 하면서도 정작 그만두지 못하고 질질 끄는 경우를 비유적으로 이르는 말

간이 콩알만 하다 몹시 겁이 나서 기를 펴지 못하다.

갈수록 수미산[태산]이라 갈수록 더욱 어려운 지경에 처하게 되는 경우를 비유적으로 이르는 말

감기 고뿔도 남을 안 준다 감기까지도 남에게 주지 않을 만큼 지독하게 인색하다는 말

감꼬치 빼 먹듯 벌지는 못하고 있던 재물을 하나씩 하나씩 축내어 가기만 하는 모양을 비유적으로 이르는 말

감나무 밑에 누워도 삿갓 미사리를 대어라 감나무 밑에 누워서 절로 떨어지는 감을 얻어먹으려 하여도 그것을 받기 위하여서는 삿갓 미사리를 입에 대고 있어야 한다는 뜻으로, 의당 자기에게 올 기회나 이익이라도 그것을 놓치지 않으려는 노력이 필요함을 이르는 말

감사 덕분에 비장 나리 호사한다 윗사람 덕분에 아랫사람이 분에 넘치는 대접을 받는다는 뜻으로, 남의 덕분에 엉뚱한 사람이 호강함을 비유적으로 이르는 말

감장강아지로 돼지 만든다 비슷한 것으로 진짜를 가장하여 남을 꾀어 속이려 하는 경우를 비유적으로 이르는 말

갑갑한 놈이 송사한다 제일 급하고 일이 필요한 사람이 그 일을 서둘러 하게 되어 있다는 말

값도 모르고 싸다 한다 일의 속사정은 잘 알지도 못하면서 경솔하게 이러니저러니 말함을 이르는 말

값싼 것이 비지떡 값이 싸면 품질이 좋지 못하다는 말

갓 마흔에 첫 보살[버선] 오래 기다리던 일을 마침내 이루게 됨을 비유적으로 이르는 말

갓 사러 갔다가 망건 산다 사려고 하던 물건이 없어 그와 비슷하거나 전혀 쓰임이 다른 것을 사는 경우를 비유적으로 이르는 말

갓 쓰고 자전거 탄다 전혀 격에 어울리지 아니하게 차려입은 것을 놀림조로 이르는 말

강 건너 불구경 자기에게 관계없는 일이라고 하여 무관심하게 방관하는 모양

강물도 쓰면 준다 굉장히 많은 강물도 쓰면 준다는 뜻으로, 풍부하다고 하여 함부로 헤프게 쓰지 말라는 말

강아지 똥은 똥이 아닌가 약간의 차이는 있다 하더라도 그 본질은 다 같음을 비유적으로 이르는 말

강철이 간 데는 가을도 봄(이라) 강철이가 지나간 곳에는 아무것도 자라지 않은 초봄과 같이 된다는 뜻으로, 악한 방해자가 나타나거나 불운이 겹쳐서 다 되어 가던 일을 망치는 경우를 이르는 말

강태공이 세월 낚듯 한다 무슨 일을 매우 더디고 느리게 함을 비유적으로 이르는 말

갖은 황아다 황아장수가 여러 가지를 다 갖추어 가지고 다닌다는 뜻으로, 여러 가지 것이 골고루 많이 있는 것을 이르는 말

같은 값이면 다홍치마 값이 같거나 같은 노력을 한다면 품질이 좋은 것을 택한다는 말 ㊌ 같은 값이면 과부 집 머슴살이

개가 똥을 마다한다 본디 좋아하는 것을 짐짓 싫다고 거절할 때 이를 비꼬는 말

개가 웃을 일이다 너무도 어이없고 같잖은 일임을 비유적으로 이르는 말

개같이 벌어 정승같이 산다[먹는다] 돈을 벌 때는 천한 일이라도 하면서 벌고 쓸 때는 떳떳하고 보람 있게 씀을 비유적으로 이르는 말

개구리 낯짝에 물 붓기 물에 사는 개구리의 낯에 물을 끼얹어 보았자 개구리가 놀랄 일이 아니라는 뜻으로, 어떤 자극을 주어도 그 자극이 조금도 먹혀들지 아니하거나 어떤 처사를 당하여도 태연함을 이르는 말

개구멍에 망건 치기 남에게 빼앗길 것을 두려워하여 막고 있다가 막던 그 물건까지 잃는다는 뜻으로, 되지도 아니할 일을 공연히 욕심만 내어 어리석게 시작하였다가 도리어 손해나 망신을 당함을 이르는 말

개 꼬락서니 미워서 낙지 산다 개가 즐겨 먹는 뼈다귀가 들어 있지 아니한 낙지를 산다는 뜻으로, 자기가 미워하는 사람에게 이롭거나 좋을 일은 하지 않겠다는 것을 이르는 말

개 눈에는 똥만 보인다 평소에 자신이 좋아하거나 관심을 가지고 있는 것만이 눈에 띈다는 것을 놀림조로 이르는 말

개도 나갈 구멍을 보고 쫓아라 개를 쫓되 살길은 터 주어야 피해를 입지 아니한다는 뜻으로, 어떤 대상을 호되게 몰아치는 경우에 궁지에서 빠져나갈 여지를 주어야지 그렇지 아니하면 오히려 저항에 부딪히게 됨을 이르는 말

개도 먹을 때는 안 때린다 비록 하찮은 짐승일지라도 밥을 먹을 때에는 때리지 않는다는 뜻으로, 음식을 먹고 있을 때에는 아무리 잘못한 것이 있더라도 때리거나 꾸짖지 말아야 한다는 말

개도 무는 개를 돌아본다 같은 개끼리도 사나운 개를 두려워하듯이, 사람 사이에서도 영악하고 사나운 사람에게는 해를 입게 될 것을 두려워하여 도리어 잘 대함을 비유적으로 이르는 말

개도 손 들 날이 있다 개에게도 손님이 올 날이 있다는 뜻으로, 어려운 처지에 있는 사람일지라도 반가운 사람을 만나 기쁨을 나눌 수 있는 기회가 있음을 이르는 말 ㊌ 거지도 손 볼 날이 있다

개똥도 약에 쓰려면 없다 평소에 흔하던 것도 막상 긴하게 쓰려고 구하면 없다는 말

개똥밭에 굴러도 이승이 좋다 아무리 천하고 고생스럽게 살더라도 죽는 것보다는 사는 것이 나음을 이르는 말

개똥참외는 먼저 맡는 이가 임자라 임자 없는 물건은 무엇이든 먼저 발견한 사람이 차지하게 마련이라는 말

개 머루 먹듯 뜻도 모르면서 아는 체함을 이르는 말

개 못된 것은 들에 가 짖는다 개는 집을 지키며 집에서 짖는 짐승인데 못된 개는 쓸데없이 들판에 나가 짖는다는 뜻으로, 제가 마땅히 해야 할 일은 하지 아니하고 아무 소용도 없는 데 가서 잘난 체하고 떠드는 행동을 이르는 말

개 못된 것은 부뚜막에 올라간다 못된 개가 도적은 지키지 않고 더러운 발로 부뚜막에 올라간다는 뜻으로, 제구실도 다하지 못하는 사람이 못된 짓만 함을 이르는 말

개미가 정자나무 건드린다 세력이 아주 큰 것에 몹시 작은 것으로 덤비려 함을 비유적으로 이르는 말

개미구멍으로 공든 탑 무너진다 조그마한 실수나 방심으로 큰일을 망쳐 버린다는 말

개미 금탑 모으듯 재물 따위를 조금씩 조금씩 알뜰히 모아 감을 비유적으로 이르는 말

개 발에 (주석) 편자 옷차림이나 지닌 물건 따위가 제격에 맞지 아니하여 어울리지 않음을 비유적으로 이르는 말

개밥에 도토리 개는 도토리를 먹지 아니하기 때문에 밥 속에 있어도 먹지 아니하고 남긴다는 뜻에서, 따돌림을 받아서 여럿의 축에 끼지 못하는 사람을 비유적으로 이르는 말

개 보름 쇠듯 대보름날 개에게 음식을 주면 여름에 파리가 많이 꼬인다고 하여 개를 굶긴다는 뜻으로, 남들은 다 잘 먹고 지내는 명절 같은 날에 제대로 먹지도 못하고 지냄을 비유적으로 이르는 말

개뼈다귀 은(銀) 올린다 전혀 쓸데없는 데에 돈을 들여서 장식함을 비꼬는 말

개살구도 맛 들일 탓 시고 떫은 개살구도 자꾸 먹어 버릇하여 맛을 들이면 그 맛을 좋아하게 된다는 뜻으로, 정을 붙이면 처음에 나빠 보이던 것도 점차 좋아짐을 비유적으로 이르는 말

개살구 지레 터진다 맛없는 개살구가 참살구보다 먼저 익어 터진다는 뜻으로, 되지 못한 사람이 오히려 잘난 체하며 뽐내거나 남보다 먼저 나섬을 비유적으로 이르는 말

개장수도 올가미가 있어야 한다 무슨 일을 하든지 거기에 필요한 준비와 도구가 있어야 함을 비유적으로 이르는 말

개털에 벼룩 끼듯 좁은 데에 많은 것이 득시글득시글 몰려 있음을 이르는 말

개하고 똥 다투랴 본성이 포악한 사람과는 더불어 견주거나 다툴 필요가 없음을 비유적으로 이르는 말

객줏집 칼도마 같다 객줏집의 칼도마는 손님을 치르느라고 많이 써서 가운데 부분이 움푹 패었다는 뜻으로, 이마와 턱이 나오고 눈 아래가 움푹 들어간 얼굴을 놀림조로 이르는 말

거둥에 망아지 (새끼) 따라다니듯 필요도 없는 사람이 쓸데없이 여기저기 귀찮게 따라다님을 비유적으로 이르는 말

거문고 인 놈이 춤을 추면 칼 쓴 놈도 춤을 춘다 자기는 도저히 할 만한 처지가 아닌데도 남이 하는 짓을 덩달아 흉내 내다가 웃음거리가 됨을 비유적으로 이르는 말

거미도 줄을 쳐야 벌레를 잡는다 무슨 일이든지 거기 필요한 준비가 있어야 그 결과를 얻을 수 있다는 말

거미줄로 방귀 동이듯 한다 지극히 약한 거미줄로 형체도 없는 방귀를 동여맨다는 뜻으로, 어떤 일에 실속 없이 건성으로만 하는 체하는 모양을 이르는 말

거북이 등의 털을 긁는다 털이 나지 않는 거북의 등에서 털을 긁는다는 뜻으로, 아무리 구하여도 얻지 못할 것이 뻔한 것을 애써 구하여 보려는 어리석은 행동을 비유적으로 이르는 말

거적문에 돌쩌귀 제격에 맞지 아니하게 지나친 치장을 함을 비유적으로 이르는 말

거지가 도승지를 불쌍타 한다 도승지는 아무리 추운 때라도 새벽에 궁궐에 가야 하기 때문에 거지가 그것을 불쌍하게 여긴다는 뜻으로, 불쌍한 처지에 놓여 있는 사람이 도리어 자기보다 나은 사람을 동정한다는 말

거지가 말 얻은 것[격] 자기 몸 하나도 돌보기 어려운 거지가 건사하기 힘든 말까지 가지게 되었다는 뜻으로, 괴로운 중에 더욱 괴로운 일이 생겼음을 이르는 말

거지끼리 자루 찢는다 서로 동정하여야 할 사람들끼리 오히려 아옹다옹 다투는 경우를 비유적으로 이르는 말

거지는 모닥불에 살찐다 거지가 모닥불을 피워 놓고 언 몸을 녹이는 맛에 살이 찐다는 뜻으로, 아무리 어려운 사람이라도 무언가 한 가지는 사는 재미가 있다는 말

거지도 부지런하면 더운밥을 얻어먹는다 잘 살려면 부지런해야 함을 비유적으로 이르는 말

거지도 손 볼 날이 있다 어려운 처지에 있는 사람일지라도 반가운 사람을 만나 기쁨을 나눌 수 있는 기회가 있음을 이르는 말

거지 옷 해 입힌 셈 친다 거지에게 자선을 베풀어 새 옷을 한 벌 입혀 준 셈 친다는 뜻으로, 대가나 보답을 바라지 않고 자비를 베풀어 줌을 이르는 말

거짓말도 잘만 하면 논 닷 마지기보다 낫다 거짓말도 경우에 따라서는 처세에 도움이 될 수 있으니, 사람은 아무쪼록 말을 잘해야 한다는 말

걷기도 전에 뛰려고 한다 쉽고 작은 일도 해낼 수 없으면서 어렵고 큰일을 하려고 나섬을 이르는 말

검둥개 멱 감기듯[감듯] 물건이 검은 것은 아무리 물에 씻어도 깨끗하게 희어질 수 없다는 뜻으로, 어떤 일을 해도 별로 효과가 나타나지 않음을 비유적으로 이르는 말

검은 머리 파뿌리 되도록 검던 머리가 파뿌리처럼 하얗게 셀 때까지라는 뜻으로, 오래 살아 아주 늙을 때까지를 이르는 말

겉 다르고 속 다르다 겉으로 드러나는 행동과 마음속으로 품고 있는 생각이 서로 달라서 사람의 됨됨이가 바르지 못함을 이르는 말

게 눈 감추듯 음식을 허겁지겁 빨리 먹어 치움을 비유적으로 이르는 말

게으른 년이 삼 가래 세고 게으른 놈이 책장 센다 게으른 년이 삼(麻)을 찢어 베를 놓다가 얼마나 했는지 헤아려 보고, 게으른 놈이 책을 읽다가 얼마나 읽었나 헤아려 본다는 뜻으로, 게으른 사람이 일은 안 하고 빨리 그 일에서 벗어나고만 싶어 함을 이르는 말

게으른 놈 짐 많이 진다 게으른 사람이 일하기 싫어 한 번에 많이 해치우려고 하거나, 능력도 없으면서 일에 대한 욕심이 지나치게 많음을 빈정대어 이르는 말

겨 묻은 개가 똥 묻은 개 나무란다 결점이 있기는 마찬가지이면서, 조금 덜한 사람이 더한 사람을 흉볼 때에 변변하지 못하다고 지적하는 말

경주 돌이면 다 옥석인가 좋은 일 가운데 궂은일도 섞여 있다는 말

경치고 포도청 간다 단단히 욕을 보고도 또 포도청에 잡혀가서 벌을 받는다는 뜻으로, 몹시 심한 욕을 당하거나 혹독한 형벌을 받음을 비유적으로 이르는 말

계집 때린 날 장모 온다 곤란한 처지에 있는데 더욱 곤란한 일을 당하게 됨을 비유적으로 이르는 말

계집의 독한 마음 오뉴월에 서리 친다 여자가 한번 마음이 틀어져 미워하거나 원한을 품으면 오뉴월에도 서릿발이 칠 만큼 매섭고 독하다는 말

고기는 씹어야 맛이요, 말은 해야 맛이라 고기의 참맛을 알려면 겉만 핥을 것이 아니라 자꾸 씹어야 하듯이, 하고 싶은 말이나 해야 할 말은 시원히 다 해 버려야 좋다는 말

고기도 먹어 본 사람이 많이 먹는다 무슨 일이든지 늘 하던 사람이 더 잘한다는 말

고기도 저 놀던 물이 좋다 평소에 낯익은 제 고향이나 익숙한 환경이 좋다는 말

고래 싸움에 새우 등 터진다 강한 자들끼리 싸우는 통에 아무 상관도 없는 약한 자가 중간에 끼어 피해를 입게 됨을 비유적으로 이르는 말

고름이 살 되랴 이미 그릇된 일이 다시 잘될 리 없다는 말

고삐 없는 말 구속이나 통제에서 벗어나 몸이 자유로움을 이르는 말

고생 끝에 낙이 있다 어려운 일이나 고된 일을 겪은 뒤에는 반드시 즐겁고 좋은 일이 생긴다는 말

고슴도치도 제 새끼가 함함하다면 좋아한다 칭찬을 받을 만한 일이 못 되더라도 좋다고 추어주면 누구나 기뻐한다는 말

고양이가 발톱을 감춘다 재주 있는 사람은 그것을 깊이 감추고서 함부로 드러내지 아니한다는 말

고양이 목에 방울 달기 실행하기 어려운 것을 공연히 의논함을 이르는 말

고양이 앞에 쥐 무서운 사람 앞에서 설설 기면서 꼼짝 못 한다는 말

고양이 쥐 생각 속으로는 해칠 마음을 품고 있으면서, 겉으로는 생각해 주는 척함을 이르는 말

고와도 내 님 미워도 내 님 좋으나 나쁘나 한번 정을 맺은 다음에야 말할 것이 없다는 말

고운 사람 미운 데 없고 미운 사람 고운 데 없다 한번 좋게 보면 그 사람이 하는 일이 다 좋게만 보이고, 한번 밉게 보면 그 사람이 하는 일이 다 밉게만 보인다는 말

고추밭에 말 달리기 심술이 매우 고약함을 비유적으로 이르는 말

고추장 단지가 열둘이라도 서방님 비위를 못 맞춘다 성미가 몹시 까다로워 비위 맞추기가 어려움을 비유적으로 이르는 말

곤장을 메고 매 맞으러 간다 공연한 일을 하여 스스로 화를 자초함을 비유적으로 이르는 말

곰 가재 잡듯 움직임이 둔한 곰이 개천 돌을 뒤쳐 가며 가재를 잡는다는 뜻으로, 급하다는데 느릿느릿 일을 하고 있거나 또는 침착하게 일하고 있음을 비유적으로 이르는 말

곱사등이 짐 지나 마나 일을 하나 하지 않으나 별로 차이가 없다는 말

공든 탑이 무너지랴 공들여 쌓은 탑은 무너질 리 없다는 뜻으로, 힘을 다하고 정성을 다하여 한 일은 그 결과가 반드시 헛되지 아니함을 비유적으로 이르는 말

공연한 제사 지내고 어물값에 졸린다 공연한 짓을 해서 쓸데없이 그 후환을 입게 됨을 비유적으로 이르는 말

곶감 꼬치에서 곶감 빼 먹듯 애써 알뜰히 모아 둔 재산을 조금씩 조금씩 헐어 써 없앰을 비유적으로 이르는 말

과일 망신은 모과가 (다) 시킨다 지지리 못난 사람일수록 같이 있는 동료를 망신시킨다는 말

관가 돼지 배 앓는 격 근심이 있으나 누구 하나 알아주는 사람이 없이 혼자 끙끙 앓음을 비유적으로 이르는 말

광에서 인심 난다 자신이 넉넉해야 다른 사람도 도울 수 있음을 비유적으로 이르는 말

구관이 명관이다 무슨 일이든 경험이 많거나 익숙한 이가 더 잘하는 법임을 비유적으로 이르는 말

구더기 무서워 장 못 담글까 다소 방해되는 것이 있다 하더라도 마땅히 할 일은 하여야 함을 비유적으로 이르는 말

구렁이 담 넘어가듯 한다 일을 분명하고 깔끔하게 처리하지 않고 슬그머니 얼버무려 버림을 비유적으로 이르는 말

구렁이 제 몸 추듯 자기 자랑만 함을 비유적으로 이르는 말

구멍 보아 가며 말뚝 깎는다 무슨 일이고 간에 조건과 사정을 보아 가며 거기에 알맞게 일을 하여야 함을 비유적으로 이르는 말

구멍은 깎을수록 커진다 잘못된 일을 변명하고 얼버무리려고 하면 할수록 더욱 일이 어려워짐을 비유적으로 이르는 말

구슬이 서 말이라도 꿰어야 보배 아무리 훌륭하고 좋은 것이라도 다듬고 정리하여 쓸모 있게 만들어 놓아야 값어치가 있음을 비유적으로 이르는 말

국이 끓는지 장이 끓는지 (모른다) 일이 어떻게 돌아가는지 도무지 영문을 모르겠다는 말

굳은 땅에 물이 괸다 헤프게 쓰지 않고 아끼는 사람이 재산을 모으게 됨을 비유적으로 이르는 말

굴러온 호박이다 뜻밖에 좋은 물건을 얻거나 행운을 만났다는 말

굼벵이도 구르는 재주가 있다 무능한 사람도 한 가지 재주는 있음을 비유적으로 이르는 말

굼벵이도 밟으면 꿈틀한다 아무리 눌려 지내는 미천한 사람이나, 순하고 좋은 사람이라도 너무 업신여기면 가만 있지 아니한다는 말

굽은 나무가 선산을 지킨다 자손이 빈한해지면 선산의 나무까지 팔아 버리나 줄기가 굽어 쓸모없는 것은 그대로 남게 된다는 뜻으로, 쓸모없어 보이는 것이 도리어 제구실을 하게 됨을 비유적으로 이르는 말

굿이나 보고 떡이나 먹지 남의 일에 쓸데없는 간섭을 하지 말고 되어 가는 형편을 보고 있다가 이익이나 얻도록 하라는 말

굿하고 싶어도 맏며느리 춤추는 것 보기 싫다 무엇을 하려고 할 때에 미운 사람이 따라나서 기뻐하는 것이 보기가 싫어 하기를 꺼림을 비유적으로 이르는 말

궁지에 빠진 쥐가 고양이를 문다 막다른 지경에 이르게 되면 약한 자도 마지막 힘을 다하여 반항함을 비유적으로 이르는 말

궁하면 통한다 매우 궁박한 처지에 이르게 되면 도리어 펴 나갈 길이 생긴다는 말

귀 막고 방울 도둑질한다 얕은수를 써서 남을 속이려 하나 거기에 속는 사람이 없음을 비유적으로 이르는 말

귀머거리 삼 년이요 벙어리 삼 년(이라) 여자는 시집가서 남의 말을 듣고도 못 들은 체하고 하고 싶은 말이 있어도 하지 말아야 한다는 뜻으로, 시집살이의 어려움을 비유적으로 이르는 말

귀신도 빌면 듣는다 귀신도 빌면 소원을 들어준다는 뜻으로, 누구나 자기에게 비는 자는 용서함을 비유적으로 이르는 말

귀신도 사귈 탓 성품이 흉악한 사람도 사귀기에 따라서는 잘 지낼 수 있음을 비유적으로 이르는 말

귀신 씻나락 까먹는 소리 분명하지 아니하게 우물우물 말하는 소리를 비유적으로 이르는 말. 조용하게 몇 사람이 수군거리는 소리를 비꼬는 말. 이치에 닿지 않는 엉뚱하고 쓸데 없는 말

귀신이 곡할 노릇 신기하고 기묘하여 그 속내를 알 수 없음을 비유적으로 이르는 말

귀에 걸면 귀걸이 코에 걸면 코걸이 어떤 원칙이 정해져 있는 것이 아니라 둘러대기에 따라 이렇게도 되고 저렇게도 될 수 있음을 비유적으로 이르는 말

귀한 자식 매 한 대 더 때리고 미운 자식 떡 한 개 더 준다 아이들 버릇을 잘 가르치기 위해서는 아이에게 당장 좋게만 해 주는 것이 오히려 해로움을 비유적으로 이르는 말

그릇도 차면 넘친다 세상의 온갖 것이 한번 번성하면 다시 쇠하기 마련이라는 말

그물이 열 자라도 벼리가 으뜸(이라) 사람이나 물건이 아무리 수가 많아도 주장되는 것이 없으면 소용없음을 비유적으로 이르는 말

그 아버지에 그 아들 아들이 여러 면에서 아버지를 닮았을 경우를 이르는 말

금강산도 식후경 아무리 재미있는 일이라도 배가 불러야 흥이 나지 배가 고파서는 아무 일도 할 수 없음을 비유적으로 이르는 말

급하면 관세음보살을 왼다 중이건 속인이건 으레 급하면 관세음보살을 외는데, 그보다는 오히려 평소에 힘쓰고 닦아서 급한 일을 당하더라도 당황하지 않게 하라는 말

급하면 임금 망건 사러 가는 돈이라도 쓴다 사람이 급할 때 어떤 돈이든 가리지 아니하고 써 버림을 비유적으로 이르는 말

급할수록 돌아가랬다 급한 일일수록 서두르지 말고 차근차근 하는 편이 더 낫다는 말

급히 먹는 밥이 목에 멘다 너무 급히 서둘러 일을 하면 잘못하고 실패하게 됨을 비유적으로 이르는 말

기는 놈 위에 나는 놈이 있다 아무리 재주가 뛰어나다 하더라도 그보다 더 뛰어난 사람이 있다는 뜻으로, 스스로 뽐내는 사람을 경계하여 이르는 말

기둥을 치면 대들보가 울린다 직접 맞대고 탓하지 않고 간접적으로 넌지시 말을 하여도 알아들을 수가 있음을 비유적으로 이르는 말

기름 엎지르고 깨 줍기 큰 이익을 버리고 보잘것없는 작은 이익을 구함을 비유적으로 이르는 말

기와 한 장 아끼다가 대들보 썩힌다 조그마한 것을 아끼려다가 오히려 큰 손해를 봄을 비유적으로 이르는 말

기운이 세면 소가 왕 노릇 할까 소가 아무리 크고 힘이 세다 할지라도 왕 노릇은 할 수 없다는 뜻으로, 힘만 가지고는 결코 큰일을 못하며 반드시 훌륭한 품성과 지략을 갖추어야 됨을 비유적으로 이르는 말

긴병에 효자 없다 무슨 일이거나 너무 오래 끌면 그 일에 대한 성의가 없어서 소홀해짐을 비유적으로 이르는 말

길고 짧은 것은 대어 보아야 한다 크고 작고, 이기고 지고, 잘하고 못하는 것은 실지로 겨루어 보거나 겪어 보아야 알 수 있다는 말

길을 두고 뫼로 갈까 쉽게 할 수 있는 것을 구태여 어렵게 하거나 편한 곳을 두고도 불편한 곳으로 가는 경우를 비유적으로 이르는 말

길이 아니면 가지 말고 말이 아니면 탓하지 말라 언행을 소홀히 하지 말고, 정도(正道)에서 벗어나는 일이거든 아예 처음부터 하지 말라는 말

김칫국부터 마신다 해 줄 사람은 생각지도 않는데 미리부터 다 된 일로 알고 행동함 ㊤ 떡 줄 사람은 꿈도 안 꾸는데 김칫국부터 마신다

까마귀 고기를 먹었나 잊어버리기를 잘하는 사람을 놀리거나 나무라는 말

까마귀 날자 배 떨어진다 아무 관계 없이 한 일이 공교롭게도 때가 같아 어떤 관계가 있는 것처럼 의심을 받게 됨을 비유적으로 이르는 말

까마귀도 내 땅 까마귀라면 반갑다 자기가 오래 정들인 것은 무엇이나 다 좋음을 비유적으로 이르는 말

까마귀 똥도 약이라니까 물에 깔긴다 평소에 흔하던 것도 막상 긴하게 쓰려고 구하면 없다는 말 ㊤ 개똥도 약에 쓰려면 없다

까마귀 학이 되랴 본시 제가 타고난 대로밖에는 아무리 하여도 안 됨을 비유적으로 이르는 말

까막까치도 집이 있다 하찮은 까마귀나 까치들도 다 제집이 있는 법이라는 뜻으로, 집 없는 사람의 서러운 처지를 한탄하여 이르는 말

깨어진 그릇 (이) 맞추기 한번 그릇된 일은 다시 본래대로 돌리려고 애써도 돌릴 수 없음을 비유적으로 이르는 말

꼬리가 길면 밟힌다 나쁜 일을 아무리 남모르게 한다고 해도 오래 두고 여러 번 계속하면 결국에는 들키고 만다는 것을 비유적으로 이르는 말

꽁지 빠진 새 같다 볼품이 없거나 위신이 없어 보임을 비유적으로 이르는 말 ㊤ 꽁지 빠진 수탉 같다

꽃샘잎샘에 반늙은이 얼어 죽는다 음력 삼사월의 이른 봄도 날씨가 꽤 추움을 비유적으로 이르는 말

꾸어다 놓은 보릿자루 여럿이 모여 이야기하는 자리에서 아무 말도 하지 않고 한옆에 가만히 있는 사람을 비유적으로 이르는 말

꿀 먹은 벙어리 속에 있는 생각을 나타내지 못하는 사람을 비유적으로 이르는 말

꿈보다 해몽이 좋다 하찮거나 언짢은 일을 그럴듯하게 돌려 생각하여 좋게 풀이함을 비유적으로 이르는 말

꿩 대신 닭 꼭 적당한 것이 없을 때 그와 비슷한 것으로 대신하는 경우를 비유적으로 이르는 말

꿩 먹고 알 먹는다 한 가지 일을 하여 두 가지 이상의 이익을 보게 됨을 비유적으로 이르는 말

꿩 잡는 것이 매다 실제로 제구실을 하여야 명실상부하다는 것을 비유적으로 이르는 말

끓는 국에 맛 모른다 급한 경우를 당하면 정확한 판단을 할 수 없음을 비유적으로 이르는 말

ㄴ

나간 놈의 집구석이라 집 안이 어수선하고 정리가 안 되어 있음을 비유적으로 이르는 말

나간 사람 몫은 있어도 자는 사람 몫은 없다 게으른 사람에게는 혜택이 돌아가지 아니함을 비유적으로 이르는 말

나는 바담 풍 해도 너는 바람 풍 해라 옛날 어느 서당에서 선생님이 '바람 풍(風)' 자를 가르치는데 혀가 짧아서 '바담 풍'으로 발음하니 학생들도 '바담 풍'으로 외운 데서 나온 말로, 자신은 잘못된 행동을 하면서 남보고는 잘하라고 요구하는 말

나는 새도 떨어뜨리고 닫는 짐승도 못 가게 한다 권세가 대단하여 모든 일을 제 마음대로 할 수 있는 상태를 비유적으로 이르는 말

나루 건너 배 타기 무슨 일에나 순서가 있어 건너뛰어서는 할 수 없음을 비유적으로 이르는 말

나 먹자니 싫고 개 주자니 아깝다 자기에게 소용이 없으면서도 남에게는 주기 싫은 인색한 마음을 비유적으로 이르는 말

나무는 큰 나무의 덕을 못 보아도 사람은 큰사람의 덕을 본다 훌륭한 사람에게는 음으로나 양으로나 덕을 입게 됨을 비유적으로 이르는 말

나무에 오르라 하고 흔드는 격 남을 꾀어 위험한 곳이나 불행한 처지에 빠지게 함을 비유적으로 이르는 말

나중 난 뿔이 우뚝하다 후배가 선배보다 훌륭하게 되었음을 비유적으로 이르는 말

나중에 보자는 사람 무섭지 않다 당장에 화풀이를 하지 못하고 두고 보자는 사람은 두려울 것이 없다는 말

낙숫물이 댓돌을 뚫는다 작은 힘이라도 꾸준히 계속하면 큰일을 이룰 수 있음을 비유적으로 이르는 말

날 잡아 잡수 한다 하고 싶은 대로 하라고 상대편에게 자기 몸을 내맡기는 경우를 비유적으로 이르는 말

남 떡 먹는데 팥고물 떨어지는 걱정한다 남의 일에 쓸데없이 걱정함을 비유적으로 이르는 말

남의 눈에 눈물 내면 제 눈에는 피눈물이 난다 남에게 악한 짓을 하면 자기는 그보다 더한 벌을 받게 됨을 비유적으로 이르는 말

남의 다리 긁는다 기껏 한 일이 결국 남 좋은 일이 됨을 비유적으로 이르는 말

남의 떡에 설 쇤다 남의 덕택으로 거저 이익을 보게 됨을 비유적으로 이르는 말

남의 말이라면 쌍지팡이 짚고 나선다 남의 허물에 대하여 시비하기를 좋아하는 사람을 비유적으로 이르는 말

남의 말 하기는 식은 죽 먹기 남의 잘못을 드러내어 말하는 것은 아주 쉬운 일임을 비유적으로 이르는 말

남의 밥에 든 콩이 굵어 보인다 물건은 남의 것이 제 것보다 더 좋아 보이고 일은 남의 일이 제 일보다 더 쉬워 보임을 비유적으로 이르는 말

남의 속에 있는 글도 배운다 남의 머릿속에 있는 지식도 배우는데 하물며 직접 하는 것을 보고 못할 리가 있겠느냐는 뜻으로, 무엇이나 남이 하는 것을 보면 그대로 따라 할 수 있음을 비유적으로 이르는 말

남의 싸움에 칼 빼기 남의 일에 공연히 뛰어들어 간섭하기를 좋아함을 비유적으로 이르는 말

남의 염병이 내 고뿔만 못하다 남의 괴로움이 아무리 크다고 해도 자기의 작은 괴로움보다는 마음이 쓰이지 아니함을 비유적으로 이르는 말

남의 잔치에 감 놓아라 배 놓아라 한다 남의 일에 공연히 간섭하고 나섬을 비유적으로 이르는 말

남의 집 금송아지가 우리 집 송아지만 못하다 아무리 적고 보잘것없는 것이라도 자기가 직접 가진 것이 더 나음을 비유적으로 이르는 말

남의 집 제사에 절하기 상관없는 남의 일에 참여하여 헛수고만 함을 비유적으로 이르는 말

남의 흉 한 가지면 제 흉 열 가지 쓸데없이 남의 흉을 보지 말아야 한다는 말

남이 장에 간다고 하니 거름 지고 나선다 자기 주견이 없이 남이 한다고 덩달아 따라 함을 비유적으로 이르는 말

낫 놓고 기역 자도 모른다 기역 자 모양으로 생긴 낫을 보면서도 기역 자를 모른다는 뜻으로, 아주 무식함을 비유적으로 이르는 말

낮말은 새가 듣고 밤말은 쥐가 듣는다 아무도 안 듣는 데서라도 말조심해야 한다는 말

낯바닥이 땅 두께 같다 도무지 부끄러움을 모르고 염치가 없다.

내가 할 말을 사돈이 한다 자기가 하려고 하는 말이나 마땅히 할 말을 도리어 남이 함을 비유적으로 이르는 말

내 것 주고 뺨 맞는다 남에게 잘해 주고도 도리어 해로움을 당하는 경우를 이르는 말

내 돈 서 푼은 알고 남의 돈 칠 푼은 모른다 제 것은 소중히 여기면서 남의 것은 대수롭지 않게 여기는 이기적인 사람을 비꼬는 말

내 물건이 좋아야 값을 받는다 자기가 지킬 도리를 먼저 지켜야 남에게 대우받음을 비유적으로 이르는 말

내 발등의 불을 꺼야 아비 발등의 불을 끈다 급할 때에는 다른 사람의 일보다도 자기에게 닥친 위험이나 바쁜 일부터 막게 됨을 비유적으로 이르는 말

내 손톱에 장을 지져라 손톱에 불을 달아 장을 지지게 되면 그 고통이라는 것은 이루 말할 수 없는 것인데 그런 모진 일을 담보로 하여 자기가 옳다는 것을 장담할 때 하는 말

내 칼도 남의 칼집에 들면 찾기 어렵다 제 것이라도 남의 손에 들어가면 제 마음대로 하기 어렵게 됨을 비유적으로 이르는 말

내 코가 석 자 내 사정이 급하고 어려워서 남을 돌볼 여유가 없음을 비유적으로 이르는 말

냉수 먹고 된똥 눈다 대단치 않은 재료로 실속 있는 결과를 만들어 냄을 이르는 말

냉수 먹고 속 차려라 지각 있게 처신하지 못하는 사람에게 정신을 차리라고 비난조로 이르는 말

냉수 먹고 이 쑤시기 잘 먹은 체하며 이를 쑤신다는 뜻으로, 실속은 없으면서 무엇이 있는 체함을 이르는 말

너무 고르다가 눈먼 사위 얻는다 너무 고르다 보면 오히려 나쁜 것을 고르게 됨을 비유적으로 이르는 말

노루 꼬리 길면 얼마나 길까 보잘것없는 재주를 지나치게 믿음을 비웃는 말

노루 잡는 사람에 토끼가 보이나 큰일을 꾀하는 사람에게 하찮고 사소한 일은 보이지 않음을 비유적으로 이르는 말

노적가리에 불 지르고 싸라기 주워 먹는다 큰 것을 잃고 작은 것을 얻음을 비유적으로 이르는 말

노처녀가 시집을 가려니 등창이 난다 오랫동안 벼르고 벼르던 일을 하려 할 때 장애물이 생겨서 하지 못하고 맒을 비유적으로 이르는 말

노처녀더러 시집가라 한다 물어보나 마나 좋아할 것을 공연히 묻는다는 말

높은 가지가 부러지기 쉽다 높은 지위일수록 그 자리를 오래 지키기가 어려움을 비유적으로 이르는 말

놓친 고기가 더 크다 현재 가지고 있는 것보다 먼저 것이 더 좋았다고 생각된다는 말

누운 소 똥 누듯 한다 무슨 일을 힘들이지 않고 쉽게 하는 것을 비유적으로 이르는 말

누울 자리 봐 가며 발 뻗어라 어떤 일을 할 때 그 결과가 어떻게 되리라는 것을 생각하여 미리 살피고 일을 시작하라는 말

누워서 침 뱉기 남을 해치려고 하다가 도리어 자기가 해를 입게 된다는 것을 비유적으로 이르는 말

누이 믿고 장가 안 간다 도저히 불가능한 일만 하려고 하고 다른 방책을 세우지 않는 어리석음을 말함

누이 좋고 매부 좋다 서로 다 좋다는 말

눈 가리고 아웅 얕은 꾀를 써서 속이려고 한다.

눈 감으면 코 베어 먹을 인심 세상 인심이 험악하고 믿음성이 없다.

눈뜬 장님이다 눈으로 보고도 알지 못하는 사람을 일컬음

눈에는 눈 이에는 이 해를 입은 만큼 앙갚음하는 것

눈으로 우물 메우기 눈으로 우물을 메우면 눈이 녹아서 허사가 되듯이 헛되이 애만 쓴다는 뜻

눈은 있어도 망울이 없다 세상일의 옳고 그름을 판단할 줄 모른다는 뜻

눈이 눈을 못 본다 자기 눈으로 자기 눈을 못 보듯이 자기 결함은 자기의 주관적인 안목에서는 찾아내기 어렵다는 뜻

눈치가 빠르면 절에 가도 젓갈을 얻어먹는다 눈치가 있으면 어디로 가든지 군색을 당하지 않는다는 뜻

뉘 집에 죽이 끓는지 밥이 끓는지 아나 여러 사람의 사정은 다 살피기 어렵다는 말

늙은 말이 콩 마다할까 오히려 더 좋아한다는 뜻

늙은이 아이 된다 늙으면 행동이 아이들 같아진다는 뜻

늦게 배운 도둑질 날 새는 줄 모른다 늦게 배운 일에 매우 열중한다는 뜻

늦모내기에 죽은 중도 꿈적거린다 철 늦게 하는 모내기는 되도록 빨리 끝내야 하기 때문에 몹시 바쁘다는 말

ㄷ

다리가 위에 붙었다 몸체의 아래에 붙어야 할 다리가 위에 가 붙어서 쓸모없듯이 일이 반대로 되어 아무짝에도 소용이 없다는 뜻

다리 아래서 원을 꾸짖는다 직접 말을 못 하고 안 들리는 곳에서 불평이나 욕을 하는 것

다 먹은 죽에 코 빠졌다 한다 처음에는 아쉬워하던 것을 배가 부르니까 불평을 한다는 뜻

다시 긷지 아니한다고 이 우물에 똥을 눌까 다시 안 볼 것 같지만 얼마 안 가서 그 사람에게 청할 것이 생긴다는 말

다 팔아도 내 땅 어떻게 하더라도 나중에 가서는 내 이익이 되므로 손해 볼 염려는 하나도 없다는 의미

단맛 쓴맛 다 보았다 세상살이의 즐거움과 괴로움을 모두 겪었다는 말

달걀로 바위 치기 맞서서 도저히 이기지 못한다는 뜻

달걀에도 뼈가 있다 늘 일이 잘 안되던 사람이 모처럼 좋은 기회를 만났건만 그 일마저 역시 잘 안됨을 이르는 말

달도 차면 기운다 모든 것이 한번 번성하고 가득 차면 다시 쇠퇴한다는 말

달면 삼키고 쓰면 뱉는다 신의나 지조를 돌보지 않고 자기에게 이로우면 잘 사귀어 쓰나 필요치 않게 되면 배척한다는 말

달밤에 삿갓 쓰고 나온다 미운 사람이 더 미운 짓만 한다는 뜻

달 보고 짖는 개 어리석은 사람의 말이나 행동을 비유해서 하는 말

닭 소 보듯 소 닭 보듯 서로 아무 관심 없는 사이임을 비유적으로 이르는 말

닭쌈에도 텃세한다 어디에나 텃세는 있다는 말

닭의 볏이 될망정 소의 꼬리는 되지 마라 크고 훌륭한 자의 뒤꽁무니가 되는 것보다는 차라리 작고 보잘것없는 데서 우두머리가 되는 것이 좋다는 말

닭의 새끼 봉 되랴 아무리 하여도 본디 타고난 성품은 고칠 수 없다는 말

닭이 천이면 봉이 한 마리 있다 여럿이 모인 데는 반드시 뛰어난 사람도 있다는 말

닭 잡아 겪을 나그네 소 잡아 겪는다 처음에 소홀히 함으로써 결과가 매우 어렵게 된 경우를 말함

닭 잡아먹고 오리 발 내놓기 옳지 못한 일을 저질러 놓고 엉뚱한 수작으로 속여 넘기려 하는 일을 비유적으로 이르는 말

닭 쫓던 개 지붕[먼 산] 쳐다보듯 일이 실패로 돌아가 어찌할 수가 없음을 비유하는 말

담벼락하고 말하는 셈이다 알아듣지 못하는 사람에게는 아무리 말해도 소용이 없다는 뜻

당구 삼 년에 폐풍월 어떤 분야에 대하여 지식과 경험이 전혀 없는 사람이라도 그 부문에 오래 있으면 얼마간의 지식과 경험을 갖게 된다는 말
㊒ 서당 개 삼 년이면 풍월을 짓는다[한다/읊는다]

당나귀 귀 치레 쓸데없는 데에 어울리지 않도록 장식하고 꾸미는 것

당장 먹기엔 곶감이 달다 당장에 좋은 것은 한순간뿐이고 참으로 좋고 이로운 것이 못 된다.

대가리 삶으면 귀까지 익는다 제일 중요한 것만 처리하면 다른 것은 자연히 해결된다는 뜻

대동강 팔아먹을 놈 욕심 사납고 엉뚱한 짓을 잘하는 사람을 보고 하는 말

대문은 넓어야 하고 귓문은 좁아야 한다 남의 말은 듣되 유익한 것과 해로운 것을 구별할 줄 알아야 한다는 뜻

대신 댁 송아지 백정 무서운 줄 모른다 자기 주인의 세력을 믿고 안하무인(眼下無人) 격인 거만한 행동을 하는 사람을 두고 하는 말

대장장이 식칼이 논다 마땅히 있음직한 곳에 오히려 없는 경우를 비유하여 쓰는 말

대천 바다도 건너 봐야 안다 일이고 사람이고 실제로 겪어 봐야 그 참모습을 알 수 있다는 말

대추나무 방망이다 대추나무로 만든 방망이같이 단단하여 어렵고 힘든 일이라도 능히 참고 견딜 수 있다는 뜻

대추나무에 연 걸리듯 여러 곳에 빚을 많이 진 것을 비유하는 말

대추씨 같다 키는 작지만 성질이 야무지고 단단하여 빈틈이 없는 사람이라는 뜻

댕기는 불에 검불 집어넣는다 불이 한창 타는데 검불을 넣으면 바로 타 없어지듯이 어떤 것을 아무리 주어도 제대로 지탱하지 못하는 것을 두고 하는 말

더운 밥 먹고 식은 소리 한다 하루 세 끼 더운밥 먹고 살면서 실없는 소리만 한다는 뜻

더위도 큰 나무 그늘에서 피하랬다 높은 지위에 있는 사람이나 돈이 많은 사람에게 의지해서 살아야 조그마한 덕이라도 볼 수 있다는 의미

덕은 닦은 데로 가고 죄는 지은 데로 간다 덕을 베푼 사람에게는 보답이 돌아가고 죄를 지은 사람에게는 벌이 돌아가게 된다는 뜻

도깨비 대동강 건너듯 일의 진행이 눈에 잘 띄지는 않지만, 그 결과가 빨리 나타나는 것

도깨비도 수풀이 있어야 모인다 의지할 곳이 있어야 무슨 일이나 이루어진다.

도깨비에게 홀린 것 같다 어떤 영문인지 일의 내막을 전혀 몰라 정신을 차릴 수 없다는 말

도깨비 장난 같다 하는 것이 분명하지 아니하여 갈피를 잡을 수 없다는 말

도끼가 제 자루 못 찍는다 자기 허물을 자기가 알아서 고치기 어렵다는 말

도낏자루 썩는 줄 모른다 시간 가는 줄을 모른다는 뜻

도덕은 변해도 양심은 변하지 않는다 사회가 발전됨에 따라 도덕은 편의대로 변할 수 있지만 인간의 양심은 세월이 가도 변할 수 없다는 뜻

도둑놈 개 꾸짖듯 남에게 들리지 않게 입속으로 중얼거림을 말함

도둑놈 문 열어 준 셈 믿지 못할 사람을 신용하여 일을 맡기는 어리석음을 비유적으로 이르는 말

도둑을 뒤로 잡지 앞으로 잡나 확실한 증거가 없이 추측만으로는 남을 의심하거나 이렇다 저렇다 말할 수 없음을 비유적으로 이르는 말

도둑을 맞으려면 개도 안 짖는다 뜻밖에 손재를 당하려면 악운이 겹친다는 말

도둑의 때는 벗어도 자식의 때는 못 벗는다 도둑의 누명은 범인이 잡히면 벗을 수 있으나 자식의 잘못은 그 부모가 지지 않을 수 없다는 뜻

도둑의 씨가 따로 없다 도둑은 조상 때부터 유전되어 온 것이 아니므로 누구나 악한 마음만 가지면 도둑이 된다는 뜻

도둑이 제 발 저리다 잘못이 있으면 아무도 뭐라 안 하여도 마음이 조마조마하여짐을 이르는 말

도둑질을 해도 손발이 맞아야 한다 무슨 일을 하든지 두 편에서 서로 뜻이 맞아야 이루어질 수 있다는 말

도둑 집 개는 짖지 않는다 윗사람이 나쁜 짓을 하면 아랫사람도 자기 할 일을 잊어버리고 태만하게 있다는 뜻

도랑 치고 가재 잡는다 한 가지 일로 두 가지의 이득을 본다는 말

도마에 오른 고기 옴짝달싹 못 하고 죽을 지경에 빠졌음을 이르는 말

도토리 키 재기 서로 별 차이가 없는 처지인데도 불구하고 서로들 제가 잘났다고 떠든다는 의미

독 안에 든 쥐 아무리 애써도 벗어나지 못하고 꼼짝할 수 없는 처지에 이르렀음을 말함

독을 보아 쥐를 못 친다 독 사이에 숨은 쥐를 독 깰까 봐 못 잡듯이 감정 나는 일이 있어도 곁에 있는 사람 체면을 생각해서 자신이 참는다는 뜻

돈 떨어지자 입맛 난다 무엇이 없어지는 것을 보면 아쉬워지고 생각이 더 간절해진다는 말

돈만 있으면 귀신도 사귈 수 있다 돈만 가지면 세상에 못 할 일이 없다.

돈 모아 줄 생각 말고 자식 글 가르쳐라 황금도 학문만은 못하므로 가장 크고 훌륭한 유산은 지식과 덕망이라는 뜻

돈에 침 뱉는 놈 없다 어느 사람이나 돈은 중하게 여긴다는 뜻

돋우고 뛰어야 복사뼈라 날뛰어 보아야 별것이 아니라는 뜻

돌다리도 두들겨 보고 건너라 모든 일에 안전한 길을 택하여 후환이 없도록 한다는 말

돌부리를 차면 발부리만 아프다 쓸데없이 성을 내면 자기만 해롭다.

돌절구도 밑 빠질 때가 있다 아무리 단단한 것도 결단이 날 때가 있다는 말

동냥은 안 주고 쪽박만 깬다 요구하는 것은 주지 않고 나무라기만 한다.

동네 색시 믿고 장가 못 든다 터무니없는 것을 믿다가 일을 그르치게 된다.

동네 송아지는 커도 송아지란다 항상 눈앞에 두고 보면 자라나고 변하는 것을 알아보기 어렵다는 말

동녘이 훤하면 새벽인 줄 안다 세상 물정 모르고 무슨 일이나 다 좋게만 될 것으로 과대망상을 하고 있다는 말

동무 따라 강남 간다 하고 싶지도 않은 일을 친구에게 끌려 덩달아 한다.

동헌에서 원님 칭찬한다 사실은 칭찬할 것도 없는데 공연히 꾸며서 칭찬하는 것

되 글을 가지고 말 글로 써먹는다 글을 조금 배워 가지고 가장 효과 있게 써 먹는다.

되로 주고 말로 받는다 남을 조금 건드렸다가 크게 앙갚음을 당함

될성부른 나무는 떡잎부터 알아본다 장래가 유망할 것은 그것이 싹트기 전 또는 일의 처음부터 알 수 있다는 말. 결과가 좋은 것은 처음부터 그 기미가 보인다 함

두꺼비 파리 잡아먹듯 무엇이든 닥치는 대로 사양 않고 받아 마시는 것을 이르는 말

두레박은 우물 안에서 깨진다 정든 고장은 떠나기 어렵듯이 한번 몸에 밴 직업은 죽을 때까지 종사하게 된다는 뜻

두부 먹다 이 빠진다 방심하는 데서 뜻밖의 실수를 한다는 말

두 손뼉이 맞아야 소리가 난다 무엇이든지 상대가 있어야 하며 혼자서는 하기가 어렵다는 뜻

두 손 털고 나선다 어떤 일에 실패하여 가지고 있던 것을 다 잃고 아무것도 남은 것이 없게 되었다는 뜻

둘러치나 메어치나 매한가지 수단과 방법이 어떻든 결과는 마찬가지라는 말

둘이 먹다 하나(가) 죽어도 모르겠다 음식이 매우 맛있다는 말

둥근 돌은 구르나 모난 돌은 박힌다 성격이 원만한 사람은 재물을 지키지 못하지만 성미가 급하고 날카로운 사람은 재물을 지킨다는 뜻

뒤웅박 차고 바람 잡는다 맹랑하고 허황된 짓을 하는 사람을 이르는 말

뒷간과 사돈집은 멀어야 한다 뒷간은 가까우면 냄새가 나고 사돈집은 가까우면 이러쿵저러쿵 말이 많으므로 그것을 경계한 말

뒷간에 갈 적 마음 다르고 올 적 마음 다르다 제 사정이 급할 때는 다급하게 굴다가 제 할 일 다 하면 마음이 변한다.

뒷구멍으로 호박씨 깐다 겉으로는 얌전한 척하면서 속으로는 음흉한 것

드는 정은 몰라도 나는 정은 안다 대인 관계에서 정이 드는 것은 의식하지 못해도 싫어질 때는 바로 느낄 수 있다는 뜻

드문드문 걸어도 황소걸음 속도는 느리지만 일은 착실히 해 나간다는 말

듣기 좋은 꽃노래도 한두 번이지 좋은 말이라도 되풀이하면 듣기 싫다.

들어서 죽 쑨 놈은 나가서도 죽 쑨다 집에서 늘 일하던 사람은 다른 곳에 가도 일만 하게 된다는 뜻

들으면 병이요 안 들으면 약이다 걱정되는 일은 차라리 아니 듣는 것이 낫다는 말

들은 풍월 얻은 문자 자기가 직접 공부해서 배운 것이 아니라 보고 들어서 알게 된 글이라는 뜻

등잔 밑이 어둡다 가까운 곳에서 생긴 일을 잘 모른다.

등잔불에 콩 볶아 먹을 놈 어리석고 옹졸하여 하는 짓마다 보기에 답답한 일만 하는 사람을 두고 이르는 말

등 치고 간 내먹는다 겉으로는 제법 위하는 척하면서 실상으로는 해를 끼친다는 말

따 놓은 당상 일이 확실하여 조금도 틀림이 없음을 이르는 말

딸이 셋이면 문을 열어 놓고 잔다 딸이 여럿이면 그 혼인을 다 치르고 나서 재산이 다 없어진다는 말

땅 넓은 줄을 모르고 하늘 높은 줄만 안다 키가 홀쭉하게 크고 마른 사람을 보고 하는 말

땅 짚고 헤엄치기 쉽고 안전하여 실패할 염려가 없다는 말

때리는 시어머니보다 말리는 시누이가 더 밉다 자기를 위해 주는 듯이 하면서도 속으로는 해하려는 사람이 더 밉다는 말

떠들기는 천안(天安) 삼거리(라) 늘 끊이지 않고 떠들썩한 곳

떡국 값이나 해라 나잇값이나 제대로 하라는 뜻

떡도 먹어 본 사람이 먹는다 무슨 일이나 경험이 풍부한 사람이라야 그 일을 능숙하게 한다는 의미

떡방아 소리 듣고 김칫국 찾는다 준비가 너무 지나치게 빠르다는 말

떡 본 김에 제사 지낸다 본 김에 처리해 버린다는 뜻

떡 주무르듯 한다 먹고 싶은 떡을 자기 마음대로 주무르듯이 무슨 일을 자기가 하고 싶은 대로 하며 산다는 뜻

떡 줄 사람은 꿈도 안 꾸는데 김칫국부터 마신다 상대편은 생각하지도 않는데 자기가 지레짐작으로 생각하고 행동한다는 말 ㊒ 김칫국부터 마신다

똥구멍으로 호박씨 깐다 겉으로는 어수룩해 보이나 속이 음흉하여 딴짓하는 것을 말함

똥구멍이 찢어지게 가난하다 매우 가난하다는 뜻

똥 누고 밑 아니 씻은 것 같다 뒤끝을 맺지 못하여 꺼림칙하다는 말

똥 누러 갈 적 마음 다르고 올 적 마음 다르다 사람의 마음은 한결같지 않아서 제가 아쉽고 급할 때는 애써 다니다가 그 일이 끝나면 모르는 체한다는 말

똥 먹던 강아지는 안 들키고 재 먹던 강아지는 들킨다 크게 나쁜 일을 한 사람은 들키지 않고 그보다 덜한 죄를 지은 사람이 들켜서 남의 잘못까지 뒤집어쓴다는 말

똥 묻은 개가 겨 묻은 개 나무란다 큰 흉이 있는 사람이 도리어 작은 흉 가진 이를 조롱한다는 말

똥 싸고 성낸다 잘못은 제가 저질러 놓고 오히려 남에게 화를 낸다는 말

똥 싼 주제에 매화타령 한다 잘못하고도 뉘우치지 못하고 비위 좋게 행동하는 사람을 비웃는 말

똥은 건드릴수록 구린내만 난다 악한 사람하고는 접촉할수록 불쾌한 일이 생긴다.

똥이 무서워 피하나 더러워 피하지 악하거나 더러운 사람은 상대하여 겨루는 것보다 피하는 것이 낫다.

뚝배기보다 장맛이 좋다 겉모양보다 내용이 훨씬 낫다.

뜨거운 국에 맛 모른다 사리를 알지 못하고 날뛰거나 무턱대고 행동하는 사람을 가리키는 말

뜨고도 못 보는 당달봉사 무식하여 글을 전혀 모른다는 뜻

뜨물 먹고 주정한다 술도 먹지 않고 공연히 취한 체하면서 주정을 한다는 말

뜬 솥(쇠)도 달면 힘들다 성질이 온화하고 착한 사람도 한번 노하면 무섭다는 뜻

ㅁ

마누라가 귀여우면 처갓집 쇠말뚝 보고도 절한다 아내가 사랑스럽고 소중한 마음이 생기면 처갓집의 것은 무엇이나 다 사랑스러워진다는 뜻

마소의 새끼는 시골로 보내고 사람의 새끼는 서울로 보내라 사람은 도시에서 배워야 견문도 넓어지고 잘될 수 있다는 말

마음에 있어야 꿈도 꾸지 도무지 생각이 없으면 꿈도 안 꾸어진다는 말

마음이 굴뚝 같다 속으로는 하고 싶은 마음이 많다.

마파람에 게 눈 감추듯 음식을 어느 결에 먹었는지 모를 만큼 빨리 먹어버림을 이름

맏딸은 세간 밑천이다 맏딸은 시집가기 전까지 집안 살림을 도와주기 때문에 밑천이 된다는 뜻

말 꼬리에 파리가 천 리 간다 남의 세력에 기운을 편다.

말똥에 굴러도 이승이 좋다 아무리 고생을 하고 천하게 살더라도 죽는 것보다는 낫다는 말

말로 온 동네 다 겪는다 음식이나 물건으로는 힘이 벅차서 많은 사람을 다 대접하지 못하므로 언변으로 잘 대우한다는 뜻. 또는 말로만 남을 대접하는 척하는 것

말로 주고 되로 받는다 많이 주고 적게 받아 항상 손해만 보게 된다는 말

말 많은 집은 장맛도 쓰다 말 많은 집안은 살림이 잘 안 된다.

말 안 하면 귀신도 모른다 무슨 일이든 말을 해야 안다는 뜻

말은 할수록 늘고 되질은 할수록 준다 말은 퍼질수록 보태어지고, 물건은 옮겨 갈수록 줄어든다는 말

말은 해야 맛이고, 고기는 씹어야 맛이다 말은 하는 데 묘미가 있고 음식은 씹는 데 참맛이 있다는 뜻. 할 말은 해야 된다는 뜻

말이 많으면 쓸 말이 적다 말이 많으면 오히려 효과가 적다. 말을 삼가라는 말

말 타면 경마 잡히고 싶다 사람의 욕심이란 한이 없다.

말 한 마디로 천 냥 빚도 갚는다 말을 잘하면 어려운 일이나 불가능한 일도 해결할 수 있다.

맑은 물에 고기 안 논다 사람이 지나치게 결백하면 남이 따르지 않음을 비유적으로 이르는 말

맛없는 국이 뜨겁기만 하다 못된 사람이 오히려 까다롭게 군다는 말

맛 좋고 값싼 갈치자반 한 가지 일로 두 가지 이익을 얻을 때 하는 말

망건 쓰고 세수한다 일의 순서가 뒤바뀌었다는 뜻

망건 쓰자 파장 일이 늦어져 소기의 목적을 이루지 못함

망둥이가 뛰니까 꼴뚜기도 뛴다 남이 하니까 멋도 모르고 따라서 함

망신살이 무지갯살 뻗치듯 한다 많은 사람으로부터 심한 원망과 욕을 먹게 되었을 때 쓰는 말

망신하려면 아버지 이름자도 안 나온다 망신을 당하려면 내내 잘되던 일도 틀어진다는 뜻

망치로 얻어맞고 홍두깨로 친다 복수란 언제나 제가 받은 피해보다 더 무섭게 한다는 뜻

맞기 싫은 매는 맞아도 먹기 싫은 음식은 못 먹는다 음식이란 먹기 싫으면 아무리 먹으려 해도 먹을 수가 없다는 뜻

매도 먼저 맞는 놈이 낫다 당해야 할 일은 먼저 치르는 편이 낫다.

매 위에[앞에] 장사 없다 아무리 힘센 사람이라도 때리는 데는 꼼짝없이 굴복하게 된다는 뜻

맥도 모르고 침통 흔든다 사리나 내용도 모르고 무턱대고 덤빈다는 말

머리 검은 짐승은 구제를 말랬다 사람들 중에는 짐승보다도 남의 은혜를 모르는 뻔뻔한 사람도 있으므로 이런 사람은 아예 구제해 주지 말라는 뜻

먹기는 파발이 먹고 뛰기는 역마가 뛴다 정작 애쓴 사람은 대가를 받지 못하고 엉뚱한 사람이 받는다는 뜻

먹은 놈이 똥을 눈다 공을 들여야 효과가 있다는 뜻

먹을 가까이하면 검어진다 못된 사람과 같이 어울려 다니면 그와 같은 좋지 못한 행실에 물든다는 말

먹지도 못하는 제사에 절만 죽도록 한다 아무 소득이 없는 일에 수고만 한다.

먼 사촌보다 가까운 이웃이 낫다 남이지만 이웃에 사는 사람은 평시나 위급한 때에 도와줄 수 있어 먼 데 사는 친척보다 더 낫다는 말

메기가 눈은 작아도 저 먹을 것은 알아본다 아무리 어리석고 우둔한 사람이라도 저에게 유리한 것은 잘 알아본다는 말

메뚜기도 오뉴월이 한철이다 제때를 만난 듯이 날뛰는 자를 풍자하는 말

며느리 사랑은 시아버지 사위 사랑은 장모 며느리는 보통 시아버지의 귀염을 받고 사위는 장모가 위한다는 뜻

명태 한 마리 놓고 딴전 본다 하고 있는 일과는 상관없는 엉뚱한 일을 한다는 말

모기 다리에서 피 뺀다 어려운 처지에 있는 사람에게서 금품을 뜯어냄을 비유적으로 이르는 말

모기 보고 칼 빼기 시시한 일에 성을 냄을 가리키는 말

모난 돌이 정 맞는다 말과 행동에 모가 나면 미움을 받는다.

모래 위에 물 쏟는 격 소용없는 일을 함을 말함

모로 가도 서울만 가면 된다 수단과 방법을 가리지 않고 목적만 이루면 된다.

모르는 게 약이요 아는 게 병 아무것도 아는 것이 없으면 도리어 마음이 편하여 좋으나, 무얼 좀 알고 있으면 걱정거리가 되어 해롭다는 말

모진 놈 옆에 있다가 벼락 맞는다 모진 사람하고 같이 있다가 그 사람에게 내린 화를 같이 입는다.

모처럼 태수가 되니 턱이 떨어진다 목적한 일이 모처럼 달성되었는데 그것이 헛일이 되고 말았다는 뜻

목구멍이 포도청 먹고살기 위하여, 해서는 안 될 짓까지 하지 않을 수 없음을 이르는 말

목마른 놈이 우물 판다 제일 급하고 일이 필요한 사람이 그 일을 서둘러 하게 되어 있다는 말

못된 송아지 엉덩이에 뿔이 난다 되지못한 것이 엇나가는 짓만 한다는 말

못된 일가 항렬만 높다 쓸데없는 친척이 촌수만 높다는 말

못 먹는 감 찔러나 본다 일이 제게 불리할 때에 심술을 부려 훼방한다.

못생긴 며느리 제삿날에 병난다 가뜩이나 미운 사람이 더 미운 짓만 함을 비유적으로 이르는 말

못 입어 잘난 놈 없고 잘 입어 못난 놈 없다 아무리 잘났더라도 돈이 없고 궁하면 못난 사람 대접밖에 못 받고, 못난 사람도 돈만 있으면 좋은 대접을 받는다는 말

무당이 제 굿 못하고 소경이 저 죽을 날 모른다 남의 일은 잘 처리하여도 자기 일은 자기가 처리하기 어렵다는 말

무른 땅에 말뚝 박기 세도 있는 사람이 힘없고 연약한 사람을 업신여기고 학대함을 비유적으로 이르는 말

무소식이 희소식 소식이 없는 것은 무사히 잘 있다는 말이니, 곧 기쁜 소식이나 다름없음을 이르는 말

무쇠도 갈면 바늘 된다 꾸준히 노력하면 어떤 어려운 일이라도 이룰 수 있다는 말

무자식이 상팔자 자식이 없는 것이 도리어 걱정이 없이 편하다는 말

물 밖에 난 고기 운명이 이미 결정 나 벗어날 수 없음을 비유적으로 이르는 말

물 본 기러기 꽃 본 나비 바라던 바를 이루어 득의양양함을 이르는 말

물에 물 탄 듯 술에 술 탄 듯 아무리 가공을 하여도 본바탕은 조금도 변하지 않는 상태를 비유적으로 이르는 말

물에 빠지면 지푸라기라도 잡는다 위급한 때를 당하면 무엇이나 닥치는 대로 잡고 늘어지게 됨을 이르는 말

물에 빠진 놈 건져 놓으니까 내 봇짐 내라 한다 남에게 은혜를 입고서도 그 고마움을 모르고 생트집을 잡음을 이르는 말

물에 빠진 생쥐 물에 흠뻑 젖어 몰골이 초췌한 모양을 비유적으로 이르는 말

물은 건너 보아야 알고 사람은 지내 보아야 안다 사람은 겉만 보고는 알 수 없으며, 서로 오래 겪어 보아야 알 수 있음을 이르는 말

물은 트는 대로 흐른다 사람은 가르치는 대로 되고, 일은 주선하는 대로 된다는 말

물이 깊어야 고기가 모인다 일정한 바탕이나 조건이 갖추어져야 그것에 합당한 내용이 따르게 됨을 비유적으로 이르는 말

물이 깊을수록 소리가 없다 덕이 높고 생각이 깊은 사람은 겉으로 떠벌리고 잘난 체하거나 뽐내지 않는다는 말

물이 아니면 건너지 말고, 인정이 아니면 사귀지 말라 인정에 의한 사귐이 있어야만 참된 사귐이라는 말

미꾸라지 한 마리가 온 웅덩이를 흐려 놓는다 미꾸라지 한 마리가 흙탕물을 일으켜서 웅덩이의 물을 온통 다 흐리게 한다는 뜻으로, 한 사람의 좋지 않은 행동이 그 집단 전체나 여러 사람에게 나쁜 영향을 미침을 비유적으로 이르는 말

미운 놈 떡 하나 더 준다 미운 사람일수록 잘해 주고 감정을 쌓지 않아야 한다는 말

믿는 도끼에 발등 찍힌다 잘되리라고 믿고 있던 일이 어긋나거나 믿고 있던 사람이 배반하여 오히려 해를 입음을 비유적으로 이르는 말

밀가루 장사하면 바람이 불고 소금 장사하면 비가 온다 밀가루 장사를 하려고 장을 펼치면 바람이 불어와서 가루가 날리고 소금 장사를 하려고 하면 비가 와서 소금이 녹아내린다는 뜻으로, 일이 공교롭게 매번 뒤틀어짐을 비유적으로 이르는 말

밑 빠진 독에 물 붓기 밑 빠진 독에 아무리 물을 부어도 독이 채워질 수 없다는 뜻으로, 아무리 힘이나 밑천을 들여도 보람 없이 헛된 일이 되는 상태를 비유적으로 이르는 말

ㅂ

바늘 가는 데 실 간다 바늘이 가는 데 실이 항상 뒤따른다는 뜻으로, 사람의 긴밀한 관계를 비유적으로 이르는 말

바늘구멍으로 하늘 보기 조그만 바늘구멍으로 넓디넓은 하늘을 본다는 뜻으로, 전체를 포괄적으로 보지 못하는 매우 좁은 소견이나 관찰을 비꼬는 말

바늘구멍으로 황소바람 들어온다 추울 때에는 바늘구멍 같은 작은 구멍에도 엄청나게 센 찬바람이 들어온다는 뜻으로, 작은 것이라도 때에 따라서는 소홀히 하여서는 안 됨을 비유적으로 이르는 말

바늘 도둑이 소도둑 된다 바늘을 훔치던 사람이 계속 반복하다 보면 결국은 소까지도 훔친다는 뜻으로, 작은 나쁜 짓도 자꾸 하게 되면 큰 죄를 저지르게 됨을 비유적으로 이르는 말

발 없는 말이 천 리 간다 말은 비록 발이 없지만 천 리 밖까지도 순식간에 퍼진다는 뜻으로, 말을 삼가야 함을 비유적으로 이르는 말

밥 먹을 때는 개도 안 때린다 음식을 먹는 사람을 때리거나 꾸짖지 말라는 뜻

백 번 듣는 것이 한 번 보는 것만 못하다 듣기만 하는 것보다는 직접 보는 것이 확실하다는 말

백일 장마에도 하루만 더 비가 왔으면 한다 사람이 일기에 대하여 자기 본위로 생각하거나 요구한다는 말

백지장도 맞들면 낫다 쉬운 일이라도 협력하여 하면 훨씬 쉽다는 말

밴 아이 사내 아니면 계집이지 쓸데없는 걱정을 하는 경우를 핀잔하는 말

뱁새가 황새를 따라가면 다리가 찢어진다 힘에 겨운 일을 억지로 하면 도리어 해만 입는다는 말

뱁새는 작아도 알만 잘 낳는다 몸은 비록 작아도 능히 큰일을 감당함을 비유적으로 이르는 말

번개가 잦으면 천둥을 친다 어떤 일의 징조가 잦으면 반드시 그 일이 생기기 마련임을 비유적으로 이르는 말

번갯불에 콩 볶아 먹겠다 번쩍하는 번갯불에 콩을 볶아서 먹을 만하다는 뜻으로, 행동이 매우 민첩함을 이르는 말

벌거벗고 환도 차기 군사가 복장을 다 갖추어 입은 다음에 겉에 환도를 차게 되어 있는데 벌거벗은 알몸에 환도를 차는 것과 같다는 뜻으로, 격에 전혀 어울리지 않아 매우 어색하게 보임을 이르는 말

범 없는 골에 토끼가 스승이라 뛰어난 사람이 없는 곳에서 보잘것없는 사람이 득세함을 비유적으로 이르는 말

범에게 물려 가도 정신만 차리면 산다 아무리 위급한 경우를 당하더라도 정신만 똑똑히 차리면 위기를 벗어날 수가 있다는 말

법은 멀고 주먹은 가깝다 분한 일이 있을 때 이치를 따져 처리하기보다 나중에야 어떻게 되든 간에 앞뒤를 헤아리지 아니하고 주먹으로 먼저 해치운다는 말

벗 따라 강남 간다 자기는 하고 싶지 아니하나 남에게 끌려서 덩달아 하게 됨을 이르는 말

벙어리 속은 그 어미도 모른다 말을 하지 않고 가만 있는 벙어리의 속마음은 그 어머니조차도 알 길이 없다는 뜻으로, 무슨 말을 실지로 들어 보지 않고는 그 내용을 알 수 없음을 비유적으로 이르는 말

벙어리 재판 말 못 하는 벙어리를 대상으로 재판을 한다는 뜻으로, 옳고 그름을 판단하기 매우 어렵거나 곤란한 경우를 비유적으로 이르는 말

벼락 치는 하늘도 속인다 악한 자에게 벼락을 내리는 하늘도 속인다는 뜻으로, 속이려면 못 속일 것이 없음을 비유적으로 이르는 말

벼룩도 낯짝이 있다 매우 작은 벼룩조차도 낯짝이 있는데 하물며 사람이 체면이 없어서야 되겠느냐는 말

벼룩의 등에 육간대청을 짓겠다 벼룩의 좁은 등에 여섯 칸이나 되는 넓은 마루를 짓겠다는 뜻으로, 하는 일이 이치에 어그러지고 도량이 좁음을 비유적으로 이르는 말

변죽을 치면 복판이 울린다 암시만 주어도 곧 눈치를 채고 의사소통이 이루어짐을 비유적으로 이르는 말

병신 달밤에 체조한다 못난 자가 더욱더 미운 짓만 하는 경우를 비유적으로 이르는 말

병신 자식이 효도한다 대수롭지 아니한 것이 도리어 도움이 됨을 비유적으로 이르는 말

병 주고 약 준다 남을 해치고 나서 약을 주며 그를 구원하는 체한다는 뜻으로, 교활하고 음흉한 자의 행동을 비유적으로 이르는 말

보기 좋은 떡이 먹기도 좋다 내용이 좋으면 겉모양도 반반함을 비유적으로 이르는 말

보리밥에 고추장이 제격이다 보리밥에는 고추장을 곁들여 먹어야 알맞다는 뜻으로, 무엇이나 격에 알맞도록 해야 좋음을 비유적으로 이르는 말

보리 주면 오이 안 주랴 제 것은 아까워하면서 남만 인색하다고 여기는 사람에게, 주는 것이 있어야 받는 것이 있음을 비유적으로 이르는 말

보채는 아이 밥 한 술 더 준다 보채면서 자꾸 시끄럽게 구는 아이에게는 달래느라고 밥 한 술이라도 더 주게 된다는 뜻으로, 조르며 서두르는 사람이나 열심히 구하는 사람에게는 더 잘해 주게 됨을 비유적으로 이르는 말

복날(에) 개 패듯 몹시 심하게 때리는 모양을 비유적으로 이르는 말

볶은 콩에 싹이 날까 불에다 볶은 콩은 싹이 날 리가 없다는 뜻으로, 아주 가망이 없음을 비유적으로 이르는 말

봄사돈은 꿈에도 보기 무섭다 대접하기 어려운 사돈을 춘궁기에 맞게 되는 것을 꺼려함을 비유적으로 이르는 말

봉사 개천 나무란다 개천에 빠진 소경이 제 결함은 생각지 아니하고 개천만 나무란다는 뜻으로, 자기 결함은 생각지 아니하고 애꿎은 사람이나 조건만 탓하는 경우를 비유적으로 이르는 말

봉사 문고리 잡기 가까이 두고도 찾지 못하고 헤맴을 이르는 말

부뚜막의 소금도 집어넣어야 짜다 가까운 부뚜막에 있는 소금도 넣지 아니하면 음식이 짠맛이 날 수 없다는 뜻으로, 아무리 좋은 조건이 마련되었거나 손쉬운 일이라도 힘을 들여 이용하거나 하지 아니하면 안 됨을 비유적으로 이르는 말

부부 싸움은 칼로 물 베기 부부는 싸움을 하여도 화합하기 쉬움을 비유적으로 이르는 말

부자는 망해도 삼 년 먹을 것이 있다 본래 부자이던 사람은 망했다 하더라도 얼마 동안은 그럭저럭 살아 나갈 수 있음을 비유적으로 이르는 말

부잣집 외상보다 비렁뱅이 맞돈이 좋다 장사에는 아무리 튼튼한 자리나 신용이 있더라도 외상보다는 현찰 거래가 더 좋음을 비유적으로 이르는 말

부조는 않더라도 제상이나 치지 말라 도와주지 못할망정 방해는 하지 말라는 것을 비유적으로 이르는 말

부처님 가운데 토막 자비로운 부처의 가운데 부분과 같이 음흉하거나 요사스러운 마음이 전혀 없다는 뜻으로, 마음이 지나치게 어질고 순한 사람을 이르는 말

북은 칠수록 소리가 난다 북은 힘을 주어 세게 치면 칠수록 요란한 소리가 난다는 뜻으로, 다투면 다툴수록 그만큼 손해만 커짐을 비유적으로 이르는 말

분다 분다 하니까 하루아침에 왕겨 석 섬을 분다 잘 분다 잘 분다 하니까 쓸데없이 하루아침에 왕겨 석 섬을 다 불어서 날려 보냈다는 뜻으로, 잘한다 잘한다 하니까 우쭐해서 턱없는 정도에까지 이르게 됨을 비유적으로 이르는 말

불면 꺼질까 쥐면 터질까 어린 자녀를 애지중지하여 기르는 부모의 사랑을 비유적으로 이르는 말

ㅅ

사공이 많으면 배가 산으로 올라간다 여러 사람이 저마다 제 주장대로 배를 몰려고 하면 결국에는 배가 물로 못 가고 산으로 올라간다는 뜻으로, 주관하는 사람 없이 여러 사람이 자기주장만 내세우면 일이 제대로 되기 어려움을 비유적으로 이르는 말

사귀어야 절교하지 서로 관계가 있어야 끊을 일도 있다는 뜻으로, 어떤 원인이 있어야 결과가 있음을 이르는 말

사나운 개 콧등 아물 날이 없다 성질이 사나운 사람은 늘 싸움만 하여 상처가 미처 나을 사이가 없음을 비유적으로 이르는 말

사내 등골 빼먹는다 화류계 여성이 외도하는 남자의 재물을 훑어 먹음을 이르는 말

사돈의 팔촌 남이나 다름없는 먼 친척

사또 떠난 뒤에 나팔 분다 사또 행차가 다 지나간 뒤에야 악대를 불러다 나팔을 불리고 북을 치게 한다는 뜻으로, 제때 안 하다가 뒤늦게 대책을 세우며 서두름을 핀잔하는 말

사람과 쪽박은 있는 대로 쓴다 살림을 하노라면 쓸모없어 보이는 쪽박이나 그릇도 있는 대로 다 쓴다는 뜻으로, 사람도 다 제 나름대로 쓸모가 있음을 비유적으로 이르는 말

사람 살 곳은 골골이 있다 아무리 어려운 환경에서도 도와주는 사람은 다 있다는 것을 비유적으로 이르는 말

사람 위에 사람 없고 사람 밑에 사람 없다 사람은 본래 태어날 때부터 권리나 의무가 평등함을 이르는 말

사람은 잡기를 해 보아야 마음을 안다 사람은 속임수를 쓰며 이익을 다투는 노름을 해 보아야 그 본성을 알 수 있음을 이르는 말

사람은 죽으면 이름을 남기고 범은 죽으면 가죽을 남긴다 호랑이가 죽은 다음에 귀한 가죽을 남기듯이 사람은 죽은 다음에 생전에 쌓은 공적으로 명예를 남기게 된다는 뜻으로, 인생에서 가장 중요한 것은 생전에 보람 있는 일을 해 놓아 후세에 명예를 떨치는 것임을 비유적으로 이르는 말

사람은 헌 사람이 좋고 옷은 새 옷이 좋다 물건은 새것이 좋고 사람은 오래 사귀어 서로를 잘 알고 정분이 두터워진 사람이 좋다는 말

사람 죽여 놓고 초상 치러 준다 사람을 죽여 놓고 나서 뻔뻔스럽게 초상 치르는 데 돕겠다고 나선다는 뜻으로, 일은 제가 그르쳐 놓고 뒤늦게 도와준다고 나서는 짓을 비꼬아 이르는 말

사랑은 내리사랑 윗사람이 아랫사람을 사랑하기는 하여도 아랫사람이 윗사람을 사랑하기는 좀처럼 어렵다는 말

사위는 백년 손이요 며느리는 종신 식구라 사위와 며느리는 모두 남의 자식으로서 제 자식뻘이 되나 며느리는 제집 식구처럼 되는 반면에 사위는 영원한 손님이라는 뜻으로, 며느리와 달리 사위는 장인 · 장모에게 언제나 소홀히 대할 수 없는 존재임을 비유적으로 이르는 말

사자어금니 같다 아주 든든하고 믿음직한 것을 비유적으로 이르는 말

사주에 없는 관을 쓰면 이마가 벗어진다 제 분수에 넘치는 일을 억지로 이루어 놓으면 나중에 도리어 해가 될 수 있음을 비유적으로 이르는 말

사촌이 땅을 사면 배가 아프다 남이 잘되는 것을 기뻐해 주지는 않고 오히려 질투하고 시기하는 경우를 비유적으로 이르는 말

사흘 굶어 도둑질 아니 할 놈 없다 아무리 착한 사람이라도 몹시 궁하게 되면 못하는 짓이 없게 됨을 비유적으로 이르는 말

산 개 새끼가 죽은 정승보다 낫다 아무리 천하더라도 살아 있는 것이 죽은 것보다는 낫다는 뜻으로, 세상을 비관하지 말고 살아가라는 말

산 밑 집에 방앗공이(가) 논다 산과 같이 나무가 많은 고장에서 방앗공이가 없다는 뜻으로, 그 고장의 산물이 도리어 그 산지에서는 더 귀함을 비유적으로 이르는 말

산 (사람) 입에 거미줄 치랴 거미가 사람의 입 안에 거미줄을 치자면 사람이 아무것도 먹지 않아야 한다는 뜻으로, 아무리 살림이 어려워 식량이 떨어져도 사람은 그럭저럭 죽지 않고 먹고 살아가기 마련임을 비유적으로 이르는 말

산에 들어가 호랑이를 피하랴 이미 피할 수 없는 일이나 피하여서는 안 되는 일을 피하려고 무모하게 행동함을 이르는 말

산엘 가야 꿩을 잡고 바다엘 가야 고기를 잡는다 꿩은 산에 가야 잡을 수 있고, 고기는 바다에 가야 잡을 수 있다는 뜻으로, 목적하는 방향을 제대로 잡아 노력하여야만 그 목적을 제대로 이룰 수 있음을 비유적으로 이르는 말

산은 오를수록 높고 물은 건널수록 깊다 갈수록 더욱 어려운 지경에 처하게 되는 경우를 비유적으로 이르는 말

산이 높아야 골이 깊다 산이 높고 커야 골짜기가 깊다는 뜻으로, 품은 뜻이 높고 커야 품은 포부나 생각도 크고 깊음을 비유적으로 이르는 말

산 호랑이 눈썹 살아 있는 호랑이 눈썹을 찾는다는 뜻으로, 도저히 구할 수 없는 것을 구하려고 함을 비유적으로 이르는 말

살림에는 눈이 보배 살림에는 낱낱이 살펴 보살피는 것이 제일이라는 말

삼 년 먹여 기른 개가 주인 발등 문다 은혜를 베푼 사람으로부터 큰 화를 입음을 비유적으로 이르는 말

삼십육계 줄행랑이 제일 위험이 닥쳐 몸을 피해야 할 때에는 싸우거나 다른 계책을 세우기보다 우선 피하는 것이 상책이라는 말

상시에 먹은 마음 취중에 난다 평소 생각하던 것을 술에 취한 김에 한다는 뜻으로, 술에 취하게 되면 평소 가졌던 생각이 말이나 행동으로 나타남을 이르는 말 ㊒ 생시에 먹은 마음 취중에 나온다

새도 가지를 가려서 앉는다 새조차도 앉을 때 가지를 고르고 가려서 앉는다는 뜻으로, 친구를 사귀거나 직업을 택하는 데에도 신중하게 잘 가려서 택해야 한다는 말

새 발의 피 새의 가느다란 발에서 나오는 피라는 뜻으로, 아주 하찮은 일이나 극히 적은 분량임을 비유적으로 이르는 말

새벽달 보자고 초저녁부터 기다린다 새벽에 뜰 달을 보겠다고 초저녁부터 나가서 기다리고 있다는 뜻으로, 일을 너무 일찍부터 서두름을 비유적으로 이르는 말

새우 싸움에 고래 등 터진다 아랫사람이 저지른 일로 인하여 윗사람에게 해가 미치는 경우를 비유적으로 이르는 말

서당 개 삼 년에 풍월(을) 한다 서당에서 삼 년 동안 살면서 매일 글 읽는 소리를 듣다 보면 개조차도 글 읽는 소리를 내게 된다는 뜻으로, 어떤 분야에 대하여 지식과 경험이 전혀 없는 사람이라도 그 부문에 오래 있으면 얼마간의 지식과 경험을 갖게 된다는 것을 비유적으로 이르는 말

서리 맞은 구렁이 행동이 굼뜨고 힘이 없는 사람을 비유적으로 이르는 말

서울 가서 김 서방 찾는다 넓은 서울 장안에 가서 주소도 모르고 덮어놓고 김 서방을 찾는다는 뜻으로, 주소도 이름도 모르고 무턱대고 막연하게 사람을 찾아가는 경우를 비유적으로 이르는 말

서울이 무섭다니까 남태령부터 긴다 서울 인심이 야박하여 낭떠러지와 같다는 말만 듣고 미리부터 겁을 먹는다는 뜻으로, 비굴하게 행동하는 짓을 비유적으로 이르는 말

서투른 무당이 장구만 나무란다 자기 기술이나 능력이 부족한 것은 생각하지 않고 애매한 도구나 조건만 가지고 나쁘다고 탓함을 비꼬는 말

선가 없는 놈이 배에 먼저 오른다 뱃삯으로 낼 돈도 없는 주제에 배에는 염치없이 먼저 오른다는 뜻으로, 실력 없는 사람이 오히려 실력 있는 사람보다 앞서서 덤벙대거나 서두름을 놀림조로 이르는 말

섣달 그믐날 개밥 퍼 주듯 섣달 그믐날은 먹을 것이 너무 많아서 개밥도 후하게 주듯이 남에게 음식을 후하게 준다는 뜻

설마가 사람 죽인다 그럴 리야 없을 것이라 마음을 놓거나 요행을 바라는 데에서 탈이 난다는 뜻으로, 요행을 바라지 말고 있을 수 있는 모든 것을 미리 예방해 놓아야 한다는 말

성인도 시속을 따른다 성인군자도 시대적 풍속을 따라 임기응변을 하며 산다는 뜻으로, 보통 사람이 시속에 따라 사는 것은 더 말할 나위가 없음을 비유적으로 이르는 말

섶을 지고 불로 들어가려 한다 당장에 불이 붙을 섶을 지고 이글거리는 불 속으로 뛰어든다는 뜻으로, 앞뒤 가리지 못하고 미련하게 행동함을 놀림조로 이르는 말

세 살 적 버릇이 여든까지 간다 어릴 때 몸에 밴 버릇은 늙어 죽을 때까지 고치기 힘들다는 뜻으로, 어릴 때부터 나쁜 버릇이 들지 않도록 잘 가르쳐야 함을 비유적으로 이르는 말

소경더러 눈멀었다 하면 노여워한다 사람은 자기가 알고 있는 부족한 점이라도 남이 그 결점을 들어 지적하면 싫어함을 비유적으로 이르는 말

소경 잠자나 마나 일을 하나 하지 않으나 별로 차이가 없다는 말

소도 언덕이 있어야 비빈다 언덕이 있어야 소도 가려운 곳을 비비거나 언덕을 디뎌 볼 수 있다는 뜻으로, 누구나 의지할 곳이 있어야 무슨 일이든 시작하거나 이룰 수가 있음을 비유적으로 이르는 말

소매 긴 김에 춤춘다 우연히 운 좋은 기회에, 하려던 일을 해치운다는 말

소문난 잔치에 먹을 것 없다 떠들썩한 소문이나 큰 기대에 비하여 실속이 없거나 소문이 실제와 일치하지 아니하는 경우를 비유적으로 이르는 말

소 잃고 외양간 고친다 소를 도둑맞은 다음에서야 빈 외양간의 허물어진 데를 고치느라 수선을 떤다는 뜻으로, 일이 이미 잘못된 뒤에는 손을 써도 소용이 없음을 비꼬는 말

속곳 벗고 은가락지 낀다 격에 맞지 아니한 짓을 하는 경우를 비유적으로 이르는 말

손자 밥 떠먹고 천장 쳐다본다 겸연쩍은 일을 해 놓고 모른 척하고 시치미를 떼는 경우를 비유적으로 이르는 말

손자 턱에 흰 수염 나겠다 그렇게 오래 기다리다가는 손자가 늙어 버리고 말겠다는 뜻으로, 무엇을 오랫동안 기다리기가 싫증이 나고 지루한 경우를 이르는 말

솔 심어 정자라 솔의 씨를 심어서 소나무가 자란 다음에 그것을 풍치 삼아 정자를 짓거나 또는 그것을 베어 정자를 짓는다는 뜻으로, 어떤 일을 시작하여 성공하기까지는 너무도 까마득함을 비유적으로 이르는 말

솜뭉치로 가슴(을) 칠 일(이다) 아무리 쳐도 가슴이 시원해지지 않을 솜뭉치로 가슴을 칠 일이라는 뜻으로, 몹시 답답하고 원통함을 비유적으로 이르는 말 ㊤ 담뱃대로 가슴을 찌를 노릇

송충이가 갈잎을 먹으면 떨어진다 솔잎만 먹고 사는 송충이가 갈잎을 먹게 되면 땅에 떨어져 죽게 된다는 뜻으로, 자기 분수에 맞지 않는 짓을 하다가는 낭패를 봄을 비유적으로 이르는 말

쇠가 쇠를 먹고 살이 살을 먹는다 동포 형제나 가까운 이웃, 친척끼리 서로 해치려 함을 비유적으로 이르는 말

쇠가죽을 무릅쓰다 부끄러움을 생각하거나 체면을 돌아보지 않다.

쇠귀에 경 읽기 소의 귀에 대고 경을 읽어 봐야 단 한 마디도 알아듣지 못한다는 뜻으로, 아무리 가르치고 일러 주어도 알아듣지 못하거나 효과가 없는 경우를 이르는 말

쇠뿔도 단김에 빼랬다 든든히 박힌 소의 뿔을 뽑으려면 불로 달구어 놓은 김에 해치워야 한다는 뜻으로, 어떤 일이든지 하려고 생각했으면 한창 열이 올랐을 때 망설이지 말고 곧 행동으로 옮겨야 함을 비유적으로 이르는 말

쇠털같이 허구한 날 헤아릴 수 없이 많은 나날을 비유적으로 이르는 말

수염이 대 자라도 먹어야 양반이다 배가 불러야 체면도 차릴 수 있다는 뜻으로, 먹는 것이 중요함을 비유적으로 이르는 말

술에 술 탄 듯 물에 물 탄 듯 주견이나 주책이 없이 말이나 행동이 분명하지 않음을 비유적으로 이르는 말

숭어가 뛰니까 망둥이도 뛴다 제 분수나 처지는 생각하지 않고 잘난 사람을 덮어놓고 따름을 비유적으로 이르는 말

숯이 검정 나무란다 숯이 검은 것을 나무란다는 뜻으로, 제 허물은 생각하지 않고 남의 허물을 들추어냄을 비유적으로 이르는 말

시거든 떫지나 말고 얽거든 검지나 말지 사람이 못났으면 착실하기나 하거나 재주가 없으면 소박하기라도 했으면 좋겠다는 뜻으로, 아무짝에도 쓸모가 없는 경우를 비유적으로 이르는 말

시루에 물 퍼 붓기 구멍 난 시루에 물을 붓는다는 뜻으로, 아무리 수고를 하고 공을 들여도 효과가 나타나지 않는 일을 비유적으로 이르는 말

시시덕이는 재를 넘어도 새침데기는 골로 빠진다 시시덕이는 힘을 들여 고개를 넘는데 새침데기는 꾀바르게 골짜기로 빠져나간다는 뜻으로, 겉으로 떠벌리는 사람보다 얌전한 척하는 사람이 오히려 나쁜 마음을 품는 경우가 많다는 것을 비유적으로 이르는 말

시어미 미워서 개 옆구리 찬다 엉뚱한 데 가서 노여움이나 분을 푸는 경우를 비유적으로 이르는 말

시원찮은 귀신이 사람 잡아간다 변변하지 못하고 미련하여 보이는 사람이 도리어 큰일을 저지름을 비유적으로 이르는 말

시작이 반이다 무슨 일이든지 시작하기가 어렵지 일단 시작하면 일을 끝마치기는 그리 어렵지 아니함을 비유적으로 이르는 말

시장이 반찬 배가 고프면 반찬이 없어도 밥이 맛있음을 비유적으로 이르는 말

시집갈 날 등창이 난다 일이 임박하여 공교롭게 뜻밖의 장애가 생김을 비유적으로 이르는 말

시집도 가기 전에 기저귀 마련한다 일을 너무 일찍 서두름을 비유적으로 이르는 말

식은 죽 먹기 거리낌 없이 아주 쉽게 예사로 하는 모양

신선놀음에 도낏자루 썩는 줄 모른다 어떤 나무꾼이 신선들이 바둑 두는 것을 정신없이 보다가 제정신이 들어 보니 세월이 흘러 도낏자루가 다 썩었다는 데서, 아주 재미있는 일에 정신이 팔려서 시간 가는 줄 모르는 경우를 비유적으로 이르는 말

신 신고 발바닥 긁기 신을 신고 발바닥을 긁으면 긁으나 마나라는 뜻으로, 요긴한 곳에 직접 미치지 못하여 안타까운 경우를 비유적으로 이르는 말

실없는 말이 송사 간다 무심하게 한 말 때문에 큰 소동이 벌어질 수도 있음을 비유적으로 이르는 말

실이 와야 바늘이 가지 베푸는 것이 있어야 받는 것도 있음을 비유적으로 이르는 말

심사가 놀부라 인색하고 심술궂은 사람을 놀림조로 이르는 말

십 년 세도 없고 열흘 붉은 꽃 없다 부귀영화가 오래 계속되지 못함을 비유적으로 이르는 말

십 년이면 강산도 변한다 세월이 흐르면 모든 것이 다 변하게 됨을 비유적으로 이르는 말

싸움은 말리고 흥정은 붙이랬다 나쁜 일은 말리고 좋은 일은 권해야 함을 비유적으로 이르는 말

싹이 노랗다 잘될 가능성이나 희망이 애초부터 보이지 아니하다.

싼 것이 비지떡 값이 싼 물건은 품질도 그만큼 나쁘게 마련이라는 말

쌀독에 앉은 쥐 부족함이 없이 넉넉한 상태에 놓임을 비유적으로 이르는 말

썩어도 준치 본래 좋고 훌륭한 것은 비록 상해도 그 본질에는 변함이 없음을 비유적으로 이르는 말

쓰다 달다 말이 없다 어떤 문제에 대하여 아무런 반응이나 의사 표시가 없음을 비유적으로 이르는 말

씻어 놓은 흰 죽사발 같다 얼굴이 희고 키가 헌칠함을 비유적으로 이르는 말

ㅇ

아가리가 광주리만 해도 막말은 못한다 입이 아무리 커도 함부로 말할 수 없다는 뜻으로, 상대편이 어처구니없는 말을 함을 비난조로 이르는 말

아내 없는 처갓집 가나 마나 목적하는 것이 없는 데는 갈 필요가 없음을 비유적으로 이르는 말

아는 것이 병이다 정확하지 못하거나 분명하지 않은 지식은 오히려 걱정거리가 될 수 있음을 이르는 말

아는 길도 물어 가랬다 잘 아는 일이라도 세심하게 주의를 하라는 말

아는 도끼에 발등 찍힌다 잘되리라고 믿고 있던 일이 어긋나거나 믿고 있던 사람이 배반하여 오히려 해를 입음을 비유적으로 이르는 말

아니 땐 굴뚝에 연기 날까 원인이 없으면 결과가 있을 수 없음을 비유적으로 이르는 말

아닌 밤중에 홍두깨 별안간 엉뚱한 말이나 행동을 함을 비유적으로 이르는 말

아무리 바빠도 바늘허리 매어 쓰지는 못한다 아무리 급하다 하여도 꼭 갖추어야 할 것은 갖추어야 일을 할 수 있음을 비유적으로 이르는 말

아비만 한 자식이 없다 자식이 부모에게 아무리 잘해도 부모가 자식 생각하는 것만은 못함을 이르는 말

아이 말 듣고 배 딴다 어리석은 사람의 말을 곧이듣고 큰 실수를 하게 되는 경우를 비유적으로 이르는 말

아이 보는 데는 찬물도 못 먹는다 아이들은 보는 대로 모방하므로 아이들이 볼 때는 함부로 행동하거나 말을 하여서는 안 됨을 비유적으로 이르는 말

아이 싸움이 어른 싸움 된다 대수롭지 않은 일이 점차 큰일로 번짐을 비유적으로 이르는 말

아직 이도 나기 전에 갈비를 뜯는다 아직 준비가 안 되고 능력도 없으면서 절차를 넘어서 어려운 일을 하려고 달려듦을 비유적으로 이르는 말

안되면 조상 탓 일이 안될 때 그 책임을 남에게 돌리는 태도를 비유적으로 이르는 말

안방에 가면 시어머니 말이 옳고 부엌에 가면 며느리 말이 옳다 양편의 말이 모두 일리가 있어서 시비를 가리기가 어려운 경우를 비유적으로 이르는 말

앉아 주고 서서 받는다 빌려주기는 쉬우나 돌려받기는 어려움을 비유적으로 이르는 말

앉은 자리에 풀도 안 나겠다 사람이 몹시 쌀쌀맞고 냉정한 경우를 비유적으로 이르는 말

앓느니 죽지 수고를 조금 덜 하려고 남을 시켜서 시원치 아니하게 일을 하느니보다는 당장에 힘이 들더라도 자기가 직접 해치우는 편이 낫겠다는 말

앓던 이 빠진 것 같다 걱정거리가 없어져서 후련함을 비유적으로 이르는 말

암탉이 울면 집안이 망한다 날이 샜다고 울어야 할 수탉이 제구실을 못하고 대신 암탉이 울면 집안이 망한다는 뜻으로, 가정에서 아내가 남편을 제쳐 놓고 떠들고 간섭하면 집안일이 잘 안된다는 말

앞길이 구만 리 같다 아직 나이가 젊어서 앞으로 어떤 큰일이라도 해낼 수 있는 세월이 충분히 있다는 말

애호박에 말뚝 박기 심술이 매우 고약함을 비유적으로 이르는 말

약방에 감초 한약에 감초를 넣는 경우가 많아 한약방에 감초가 반드시 있다는 데서, 어떤 일에나 빠짐없이 끼어드는 사람 또는 꼭 있어야 할 물건을 비유적으로 이르는 말

얌전한 고양이(가) 부뚜막에 먼저 올라간다 겉으로는 얌전하고 아무것도 못할 것처럼 보이는 사람이 딴짓을 하거나 자기 실속을 다 차리는 경우를 비유적으로 이르는 말

양반은 물에 빠져도 개헤엄은 안 한다 아무리 위급한 때라도 체면을 유지하려고 노력한다는 말

양반은 얼어 죽어도 짚불은 안 쬔다 아무리 궁하거나 다급한 경우라도 체면을 깎는 짓은 하지 아니한다는 말

양지가 음지 되고 음지가 양지 된다 운이 나쁜 사람도 좋은 수를 만날 수 있고 운이 좋은 사람도 늘 좋기만 하는 것이 아니라 어려운 시기가 있다는 말로, 세상사는 늘 돌고 돈다는 말

얕은 내도 깊게 건너라 잘 아는 일이라도 세심하게 주의를 하라는 말

어느 구름에(서) 비가 올지 일의 결과는 미리 짐작할 수 없다는 말

어느 집 개가 짖느냐 한다 남이 하는 말을 무시하여 들은 체도 아니함을 비유적으로 이르는 말

어르고 뺨 치기 그럴듯한 말로 꾀어서 은근히 남을 해롭게 함을 비유적으로 이르는 말

어물전 망신은 꼴뚜기가 시킨다 지지리 못난 사람일수록 같이 있는 동료를 망신시킨다는 말

어질병이 지랄병 된다 작은 병통을 그냥 두면 점점 커져서 고치기 어려운 큰 병통이 된다는 말

억지 춘향(이) 억지로 어떤 일을 이루게 하거나 어떤 일이 억지로 겨우 이루어지는 경우를 비유적으로 이르는 말

언 발에 오줌 누기 언 발을 녹이려고 오줌을 누어 봤자 효력이 별로 없다는 뜻으로, 임시변통은 될지 모르나 그 효력이 오래가지 못할 뿐만 아니라 결국에는 사태가 더 나빠짐을 비유적으로 이르는 말

얻은 떡이 두레 반 수고하지 아니하고 얻은 것이 애써서 만든 것보다 많음을 비유적으로 이르는 말

업은 아이 삼 년 찾는다 무엇을 몸에 지니거나 가까이 두고도 까맣게 잊어버리고 엉뚱한 데에 가서 오래도록 찾아 헤매는 경우를 비유적으로 이르는 말

엉덩이에 뿔이 났다 되지못한 것이 엇나가는 짓만 한다는 말

열 길 물속은 알아도 한 길 사람의 속은 모른다 사람의 속마음을 알기란 매우 힘듦을 비유적으로 이르는 말

열 번 찍어 아니 넘어가는 나무 없다 아무리 뜻이 굳은 사람이라도 여러 번 권하거나 꾀고 달래면 결국은 마음이 변한다는 말

열 사람이 지켜도 한 도둑놈을 못 막는다 여러 사람이 함께 살펴도 한 사람의 나쁜 짓을 못 막는다는 말

열 손가락을 깨물어 안 아픈 손가락이 없다 혈육은 다 귀하고 소중함을 비유적으로 이르는 말

열흘 굶어 군자 없다 아무리 착한 사람이라도 몹시 궁하게 되면 못하는 짓이 없게 됨을 비유적으로 이르는 말

염불 못하는 중이 아궁이에 불을 땐다 사람은 누구나 제 능력에 따라 일을 하여야 대접도 받는다는 말

염불에는 맘이 없고 잿밥에만 맘이 있다 맡은 일에는 정성을 들이지 아니하면서 잇속에만 마음을 두는 경우를 비유적으로 이르는 말

영리한 고양이가 밤눈 못 본다 약빨라 실수가 없을 듯한 사람도 부족한 점은 있음을 비유적으로 이르는 말

옆찔러 절 받기 상대편은 마음에 없는데 자기 스스로 요구하여 대접을 받는 경우를 비유적으로 이르는 말

오뉴월 감기는 개도 아니 걸린다 여름에 감기 앓는 사람을 변변치 못한 사람이라고 놀림조로 이르는 말

오뉴월에 얼어 죽는다 지나치게 추위를 타는 사람을 비난조로 이르는 말

오뉴월 하룻볕도 무섭다 음력 오뉴월에는 하룻볕이라도 쬐면 동식물이 부쩍부쩍 자라게 된다는 뜻으로, 짧은 동안에 자라는 정도가 아주 뚜렷함을 비유적으로 이르는 말

오라는 데는 없어도 갈 데는 많다 자기를 알아주거나 청하여 주는 데는 없어도 자기로서는 가야 할 데나 하여야 할 일이 많음을 이르는 말

오르지 못할 나무는 쳐다보지도 마라 자기의 능력 밖의 불가능한 일에 대해서는 처음부터 욕심을 내지 않는 것이 좋다는 말

오 리를 보고 십 리를 간다 사소한 일도 유익하기만 하면 수고를 아끼지 아니한다는 말

오소리감투가 둘이다 어떤 일에 주관하는 자가 둘이 있어 서로 다툼이 생긴 경우를 비유적으로 이르는 말

옥에도 티가 있다 아무리 훌륭한 사람 또는 좋은 물건이라 하여도 자세히 따지고 보면 사소한 흠은 있다는 말

옷이 날개라 옷이 좋으면 사람이 돋보인다는 말

왕후장상이 씨가 있나 높은 자리에 오르는 것은 가문이나 혈통 따위에 따른 것이 아니라 자신의 능력에 따른 것임을 이르는 말

우물가에 애 보낸 것 같다 어린아이를 우물가에 내놓으면 언제 우물에 빠질지 몰라 마음이 불안하다는 뜻으로, 몹시 걱정이 되어 마음이 놓이지 아니하는 상태를 비유적으로 이르는 말

우물 안 개구리 견식이 좁아 저만 잘난 줄로 아는 사람을 비꼬는 말

우물에 가 숭늉 찾는다 모든 일에는 질서와 차례가 있는 법인데 일의 순서도 모르고 성급하게 덤빔을 비유적으로 이르는 말

우물을 파도 한 우물을 파라 일을 너무 벌여 놓거나 하던 일을 자주 바꾸어 하면 아무런 성과가 없으니 어떠한 일이든 한 가지 일을 끝까지 하여야 성공할 수 있다는 말

우선 먹기는 곶감이 달다 앞일은 생각해 보지도 아니하고 당장 좋은 것만 취하는 경우를 비유적으로 이르는 말

우수 경칩에 대동강 물이 풀린다 우수와 경칩을 지나면 아무리 춥던 날씨도 누그러짐을 이르는 말

울며 겨자 먹기 맵다고 울면서도 겨자를 먹는다는 뜻으로, 싫은 일을 억지로 마지못하여 함을 비유적으로 이르는 말

울지 않는 아이 젖 주랴 무슨 일에 있어서나 자기가 요구하여야 쉽게 구할 수 있음을 이르는 말

웃는 낯에 침 뱉으랴 웃는 낯으로 대하는 사람에게 침을 뱉을 수 없다는 뜻으로, 좋게 대하는 사람에게 나쁘게 대할 수 없다는 말

웃음 속에 칼이 있다 겉으로는 좋은 체하면서 실제로는 해롭게 하는 경우를 비유적으로 이르는 말

원수는 외나무다리에서 만난다 꺼리고 싫어하는 대상을 피할 수 없는 곳에서 공교롭게 만나게 됨을 비유적으로 이르는 말

윗물이 맑아야 아랫물이 맑다 윗사람이 잘하면 아랫사람도 따라서 잘하게 된다는 말

윷짝 가르듯 판단이 분명함을 비유적으로 이르는 말

은행나무도 마주 서야 연다 남녀가 결합하여야 집안이 번영한다는 말

은혜를 원수로 갚는다 감사로써 은혜에 보답해야 할 자리에 도리어 해를 끼침을 이르는 말

음지도 양지 될 때가 있다 운이 나쁜 사람도 좋은 일을 만날 수 있음을 이르는 말

이마에 내 천(川) 자를 그리다 마음이 언짢거나 수심에 싸여 얼굴을 잔뜩 찌푸리다.

이불 안에서 활개 친다 남 앞에서는 제대로 기도 못 펴면서 남이 없는 곳에서만 잘난 체하고 호기를 부리는 경우를 비유적으로 이르는 말

이웃집 개도 부르면 온다 미물인 개도 부르면 오는데 하물며 사람이 불렀는데도 왜 오지 않느냐는 뜻으로, 불러도 안 오는 사람을 꾸짖어 이르는 말

이웃집 무당 영하지 않다 가까이 살아 그 단점을 많이 알고 있어 훌륭하다고 생각하지 않음을 이르는 말

익은 밥 먹고 선소리한다 사리에 맞지 않은 말을 하는 경우를 비유적으로 이르는 말

임도 보고 뽕도 딴다 뽕 따러 나가니 누에 먹이를 장만할 뿐만 아니라 사랑하는 애인도 만나 정을 나눈다는 뜻으로, 두 가지 일을 동시에 이룸을 비유적으로 이르는 말

입에 맞는 떡 마음에 꼭 드는 일이나 물건을 이르는 말

입에 쓴 약이 병에는 좋다 자기에 대한 충고나 비판이 당장은 듣기에 좋지 아니하지만 그것을 달게 받아들이면 자기 수양에 이로움을 이르는 말

입은 비뚤어져도 말은 바로 해라 상황이 어떻든지 말은 언제나 바르게 하여야 함을 이르는 말

입이 여럿이면 금도 녹인다 여러 사람이 힘을 모으면 무슨 일이든 이룰 수 있다는 말

입이 열 개라도 할 말이 없다 잘못이 명백히 드러나 변명의 여지가 없음을 비유적으로 이르는 말

입추의 여지가 없다 송곳 끝도 세울 수 없을 정도라는 뜻으로, 발 들여놓을 데가 없을 정도로 많은 사람들이 꽉 들어찬 경우를 비유적으로 이르는 말

ㅈ

자는 범 코침 주기 그대로 가만히 두었으면 아무 탈이 없을 것을 공연히 건드려 문제를 일으킴을 비유적으로 이르는 말

자다가 벼락을 맞는다 급작스럽게 뜻하지 아니한 큰 봉변을 당함을 비유적으로 이르는 말

자다가 봉창 두드린다 한참 단잠 자는 새벽에 남의 집 봉창을 두들겨 놀라 깨게 한다는 뜻으로, 뜻밖의 일이나 말을 갑자기 불쑥 내미는 행동을 비유적으로 이르는 말

자라 보고 놀란 가슴 솥뚜껑 보고 놀란다 어떤 사물에 몹시 놀란 사람은 비슷한 사물만 보아도 겁을 냄을 이르는 말

자발없는 귀신은 무랍도 못 얻어먹는다 너무 경솔하게 굴면 푸대접을 받고 마땅히 얻어먹을 것도 못 얻어먹음을 이르는 말

자식 겉 낳지 속은 못 낳는다 자식이 좋지 못한 생각을 품는다 하더라도 그것은 부모의 책임이 아님을 이르는 말

자식도 품 안에 들 때 자식이다 자식이 어렸을 때는 부모의 뜻을 따르지만 자라서는 제 뜻대로 행동하려 함을 비유적으로 이르는 말

자식을 길러 봐야 부모 은공을 안다 무슨 일이든 직접 경험하지 아니하고서는 속까지 다 알기 어려움을 이르는 말

작은 고추가 더 맵다 몸집이 작은 사람이 큰 사람보다 재주가 뛰어나고 야무짐을 비유적으로 이르는 말

잘되면 제 탓 못되면 조상 탓 일이 안될 때 그 책임을 남에게 돌리는 태도를 비유적으로 이르는 말

잘되면 충신이요 못되면 역적이다 강한 것이 정의(正義)가 된다는 말

잘 자랄 나무는 떡잎부터 알아본다 장래에 크게 될 사람은 어릴 때부터 다르다는 말

잠결에 남의 다리 긁는다 자기가 해야 할 일을 모른 채 엉뚱하게 다른 일을 함을 비유적으로 이르는 말

잠을 자야 꿈을 꾸지 원인 없이 결과를 바랄 수 없음을 이르는 말

잠자리 날개 같다 천 따위가 속이 비칠 만큼 매우 얇고 고움을 비유적으로 이르는 말

장구를 쳐야 춤을 추지 곁에서 북돋우며 거들어야 일을 더 잘하게 된다는 말

장구 치는 사람 따로 있고 고개 까닥이는 사람 따로 있나 자기 혼자 할 수 있는 일을 아무 상관 없는 사람에게 나누어 하자고 할 때에 이를 반박하여 이르는 말

장난 끝에 살인난다 우습게 보고 한 일이 큰 사고를 일으킬 수도 있음을 이르는 말

장님 제 닭 잡아먹듯 횡재라 생각하며 잡아먹은 닭이 알고 보니 결국 자기 닭이라는 뜻으로, 남을 해치려다가 도리어 자신이 해를 입게 됨을 비유적으로 이르는 말

장님 코끼리 말하듯 일부분을 알면서도 전체를 아는 것처럼 여기는 어리석음을 이르는 말

장대로 하늘 재기 끝없이 높은 하늘의 높이를 장대를 가지고 재려 한다는 뜻으로, 가능성이 전혀 없는 짓을 함을 이르는 말

장부가 칼을 빼었다가 도로 꽂나 크게 결심하고 무슨 일을 하려다가 어려움이 있다 하여서 중도에 그만둘 수는 없음을 이르는 말

재주는 곰이 넘고 돈은 되놈이 받는다 수고하여 일한 사람은 따로 있고, 그 일에 대한 보수는 다른 사람이 받는다는 말

저녁 굶은 시어미 상 아주 못마땅하여 얼굴을 잔뜩 찌푸리고 있는 모양

저 먹자니 싫고 개 주자니 아깝다 자기에게 소용이 없으면서도 남에게는 주기 싫은 인색한 마음을 비유적으로 이르는 말

저 살 구멍만 찾는다 남이야 어떻게 되든지 전혀 상관하지 않고 제 욕심대로만 자기 이익을 취해 버린다는 의미

저 잘난 멋에 산다 사람은 누구나 자기가 남보다 잘났다고 자존심을 가지고 살아간다는 뜻

적게 먹고 가는 똥 눈다 욕심을 부리지 않고 분수대로 살라는 뜻

적게 먹으면 약주요 많이 먹으면 망주다 모든 일은 정도에 맞게 하여야 한다는 말

전정(前程)[앞길]이 구만리 같다 아직 나이가 젊어서 앞으로 어떤 큰일이라도 해낼 수 있는 세월이 충분히 있다는 말

절에 가면 중노릇하고 싶다 일정한 주견이 없이 덮어놓고 남을 따르려 한다.

절에 가서 젓국 달라 한다 있을 수 없는 데 가서 없는 것을 구한다는 말로, 당치 않은 곳에 가서 어떤 물건을 찾을 때 쓰는 말

젊어 고생은 사서도 한다 젊었을 때의 고생은 후일에 잘 살기 위한 밑거름이 된다는 의미

접시 물에 빠져 죽지 처지가 매우 궁박하여 어쩔 줄을 모르고 답답해함을 이름

접시 밥도 담을 탓이다 수단이나 성의를 다하면 어려운 일이라도 좋은 성과를 이룰 수 있다는 말

정성이 있으면 한식에도 세배 간다 마음만 있으면 언제라도 제 성의는 표시할 수 있다는 말

젖 먹던 힘이 다 든다 일이 몹시 힘듦을 비유적으로 이르는 말

제 것 주고 뺨 맞는다 남에게 잘해 주고도 도리어 욕을 먹는다.

제 꾀에 (제가) 넘어간다 꾀를 너무 부리다가 제가 도리어 그 꾀에 넘어간다.

제 논에 물 대기 자기의 이익만 생각한다는 뜻

제 눈에 안경 보잘것없는 것도 제 마음에 들면 좋아 보인다는 말

제 도끼에 제 발등 찍힌다 자기가 한 일이 자기에게 해가 된다.

제 돈 칠 푼만 알고 남의 돈 열네 닢은 모른다 자기가 가지고 있는 것만 소중히 여기고 남의 것은 대수롭지 않게 여긴다는 말

제 똥 구린 줄 모른다 자기의 허물을 반성할 줄 모른다.

제 방귀에 제가 놀란다 자기의 무의식중에 한 일을 도리어 뜻밖으로 안다.

제 배 부르니 종의 배 고픈 줄 모른다 남의 사정은 조금도 알아줄 줄 모르고 자기만 알고 자기 욕심만 채우는 사람을 보고 하는 말

제 버릇 개 줄까 나쁜 버릇은 쉽게 고치기가 어렵다.

제비는 작아도 강남(을) 간다 모양은 비록 작아도 제 할 일은 다 한다는 말

제석*(의) 아저씨도 벌지 않으면 안 된다 어떠한 사람이건 벌지 않으면 안 된다는 말 (*제석: 불경에 나오는 신의 이름으로 불법을 지키는 신)

제 얼굴 못나서 거울만 깬다 제 잘못은 모르고 남만 나무란다는 뜻

제 칼도 남의 칼집에 들면 찾기 어렵다 비록 자기 물건이라도 남의 손에 들어가게 되면 제 마음대로 할 수 없다는 말

제 코가 석 자 남을 나서서 도와주기는커녕 자기도 궁지에 빠져서 어쩔 도리가 없다는 뜻

제 털 뽑아 제 구멍에 막기 성미가 너무 고지식하여 융통성이 없다는 말

제 팔자 개 못 준다 타고난 운명은 버릴 수 없다는 말

제 흉 열 가지 가진 놈이 남의 흉 한 가지를 본다 제 결점 많은 것은 모르면서 남의 작은 결점을 도리어 흉본다.

조상 덕에 이밥을 먹는다 조상 덕에 부유하게 산다는 말

조잘거리기는 아침 까치로구나 커다란 소리로 지껄이는 사람을 가리키는 말

족제비도 낯짝이 있다 염치나 체면을 모르는 사람을 탓하는 말

종로에서 뺨 맞고 한강에 가서 눈 흘긴다 욕을 당한 그 자리에서는 아무 말도 못하고 딴 곳에 가서 화풀이를 한다는 뜻

종이 한 장(의) 차이 종이 한 장 정도밖에 안 되는 근소한 차이라는 뜻

좋은 말도 세 번 하면 듣기 싫다 아무리 좋은 것도 늘 보고 접하게 되면 지루해지고 싫증이 난다는 말

죄는 지은 데로 가고 덕은 닦은 데로 간다 죄지은 사람은 마땅히 벌을 받고, 덕을 베푼 사람은 결국에는 복을 받는다는 뜻

죄는 지은 데로 가고 물은 곬으로 흐른다 나쁜 짓을 한 사람은 벌을 받는 것이 당연하다는 말

주린 개 뒷간 넘겨다보듯 누구나 배가 몹시 고플 때는 무엇이고 먹을 것을 찾기 위해 여기저기를 기웃거린다는 말

주머닛돈이 쌈짓돈 주머니에 든 돈이나 쌈지에 든 돈이나 다 한가지라는 뜻으로, 그 돈이 그 돈이어서 구별할 필요가 없음을 비유적으로 이르는 말

주인 많은 나그네 밥 굶는다 해 준다는 사람이 너무 많으면 서로 미루다가 결국 안 된다는 말

주인 모를 공사 없다 무슨 일이든지 주장하는 사람이 모르면 안 된다는 말

죽 쑤어 개 좋은 일 하였다 애써서 이루어 놓은 일이 남에게 유리할 뿐이다.

죽어 봐야 저승을 알지 무슨 일이나 겪어 보아야 실상을 알 수 있다는 말

죽은 나무에 꽃이 핀다 보잘것없던 집안에서 영화로운 일이 있을 때 하는 말

죽은 뒤에 약방문 사람이 죽은 다음에야 약을 구한다는 뜻으로, 때가 지나 일이 다 틀어진 후에야 뒤늦게 대책을 세움을 비유적으로 이르는 말

죽은 자식 나이 세기 이왕 그릇된 일을 자꾸 생각하여 보아야 소용없다는 말

중은 중이라도 절 모르는 중이라 꼭 알고 있어야 할 처지에 있으면서 모르고 있는 경우를 비유적으로 이르는 말

중이 미우면 가사도 밉다 어떤 사람이 미우면 그에 딸린 사람까지도 밉게 보인다는 말

중이 제 머리를 못 깎는다 자기가 자신에 관한 일을 좋게 해결하기는 어려운 일이어서 남의 손을 빌려야만 이루기 쉬움을 비유적으로 이르는 말

쥐구멍에도 볕 들 날 있다 몹시 고생을 하는 삶도 좋은 운수가 터질 날이 있다는 말

쥐구멍에 홍살문 세우겠다 가당치 아니한 일을 주책없이 함을 비유적으로 이르는 말

지렁이도 밟으면 꿈틀한다 아무리 눌려 지내는 미천한 사람이나, 순하고 좋은 사람이라도 너무 업신여기면 가만있지 아니한다는 말

지붕의 호박도 못 따면서 하늘의 천도(天桃) 따겠단다 쉬운 일도 못하는 주제에 당치 아니한 어려운 일을 하려고 함을 비유적으로 이르는 말

ㅊ

차면 넘친다 너무 정도에 지나치면 도리어 불완전하게 된다는 말

차(車) 치고, 포(包) 친다 무슨 일에나 당당하게 덤비어 잘 해결함을 비유적으로 이르는 말

찬물도 위아래가 있다 무엇에나 순서가 있으니, 그 차례를 따라 하여야 한다는 말

참깨 들깨 노는데 아주까리 못 놀까 남들도 다 하는데 나도 한몫 끼어 하자고 나설 때 이르는 말

참새가 방앗간을 그저 지나랴 욕심 많은 사람이 이끗*을 보고 가만있지 못한다는 말 (*이끗: 재물의 이익이 되는 실마리)

참새가 죽어도 짹 한다 아무리 약한 것이라도 너무 괴롭히면 대항한다는 말

참을 인(忍) 자 셋이면 살인도 피한다 어떤 경우에도 끝까지 참으면 무슨 일이든 이루지 못할 것이 없다는 말

처갓집에 송곳 차고 간다 사위가 처가에 가면 그 대접이 극진하여 밥을 지나치게 꼭꼭 담아서 송곳으로 쑤셔 먹지 않으면 안 된다는 뜻으로, 처갓집에 가면 대접을 잘해 줌을 비유적으로 이르는 말

처녀가 아이를 낳아도 할 말이 있다 아무리 큰 잘못을 저지른 사람도 그것을 변명하고 이유를 붙일 수 있다는 말

척하면 삼천리 상대편의 의도나 돌아가는 상황을 재빠르게 알아차림을 비유적으로 이르는 말

천 길 물속은 알아도 한 길 사람의 속은 모른다 사람의 속마음을 알기란 매우 힘듦을 비유적으로 이르는 말

천 냥 빚도 말로 갚는다 말만 잘하면 어려운 일이나 불가능해 보이는 일도 해결할 수 있다는 말

천 리 길도 한 걸음부터 무슨 일이나 그 일의 시작이 중요하다는 말

천석꾼에 천 가지 걱정 만석꾼에 만 가지 걱정 재산이 많으면 그만큼 걱정도 많음을 비유적으로 이르는 말

철나자 망령 난다 철이 들 만하자 망령이 들었다는 뜻으로, 지각없이 굴던 사람이 정신을 차려 일을 잘할 만하니까 이번에는 망령이 들어 일을 그르치게 되는 경우를 비난조로 이르는 말

첫 술에 배부르랴 어떤 일이든지 단번에 만족할 수는 없다는 말

초가삼간 다 타도 빈대 죽는 것만 시원하다 비록 자기에게 큰 손해가 있더라도 제 마음에 들지 아니하던 것이 없어지는 것만은 상쾌하다는 말

초년고생은 사서라도 한다 젊은 시절의 고생은 장래 발전을 위하여 중요한 경험이 되므로 그 고생을 달게 여기라는 말

초록은 동색 풀색과 녹색은 같은 색이라는 뜻으로, 처지가 같은 사람들끼리 한패가 되는 경우를 비유적으로 이르는 말

초사흘 달은 잰 며느리가 본다 음력 초사흗날에 뜨는 달은 떴다가 곧 지기 때문에 부지런한 며느리만이 볼 수 있다는 뜻으로, 슬기롭고 민첩한 사람만이 미세한 것을 살필 수 있음을 비유적으로 이르는 말

초상술에 권주가 부른다 때와 장소를 분별하지 못하고 경망스럽게 행동하는 경우를 비유적으로 이르는 말

초상집 개 같다 먹을 것이 없어서 이 집 저 집 돌아다니며 빌어먹는 사람이나 궁상이 끼고 초췌한 꼴을 한 사람을 비유적으로 이르는 말

초학(初學) 훈장(訓長)의 똥은 개도 안 먹는다 선생 노릇 하기가 무척 어렵고 힘듦을 비유적으로 이르는 말

친 사람은 다리를 오그리고 자도 맞은 사람은 다리를 펴고 잔다 남에게 해를 입힌 사람은 마음이 불안하나 해를 입은 사람은 오히려 마음이 편하다는 말

칠 년 가뭄에 하루 쓸 날 없다 계속 날이 개어 있다가 무슨 일을 하려고 하는 날 공교롭게도 날씨가 궂어 일을 그르치는 경우를 비유적으로 이르는 말

침 뱉은 우물 다시 먹는다 다시 안 볼 것같이 하여도 나중에 다시 만나 사정하게 됨을 비유적으로 이르는 말

ㅋ

칼도 날이 서야 쓴다 무엇이나 제 기능을 할 수 있게 조건이 갖추어져야 그 존재 가치가 있음을 비유적으로 이르는 말

코가 쉰댓 자나 빠졌다 근심이 쌓이고 고통스러운 일이 있어 맥이 빠진 경우를 비유적으로 이르는 말

코에서 단내가 난다 몹시 고되게 일하여 힘이 들고 몸이 피로하다는 말

콩 볶아 먹다가 가마솥 터뜨린다 작은 재미를 보려고 어떤 일을 하다가 큰일을 저지름을 비유적으로 이르는 말

콩 심은 데 콩 나고 팥 심은 데 팥 난다 모든 일은 근본에 따라 거기에 걸맞은 결과가 나타나는 것임을 비유적으로 이르는 말

콩으로 메주를 쑨다 하여도 곧이듣지 않는다 아무리 사실대로 말하여도 믿지 아니함을 비유적으로 이르는 말

콩이야 팥이야 한다 콩의 싹이나 팥의 싹이나 거의 비슷한데도 그것을 구별하느라 언쟁하는 것과 같이, 대수롭지 아니한 일을 가지고 서로 시비를 다투는 경우를 비유적으로 이르는 말

큰 방죽도 개미구멍으로 무너진다 작은 힘으로도 큰일을 이룰 수 있음을 비유적으로 이르는 말

큰북에서 큰 소리 난다 크고 훌륭한 데서라야 무엇이나 좋은 일이 생길 수 있음을 비유적으로 이르는 말

키 크고 싱겁지 않은 사람 없다 키 큰 사람의 행동은 야무지지 못하고 싱겁다는 말

ㅌ

탕약에 감초 빠질까 여기저기 아무 데나 끼어들어 빠지는 일이 없는 사람을 놀림조로 이르는 말

태산을 넘으면 평지를 본다 어려운 일이나 고된 일을 겪은 뒤에는 반드시 즐겁고 좋은 일이 생긴다는 말

터를 닦아야 집을 짓는다 기초 작업을 해야 그다음 일을 할 수 있음을 비유적으로 이르는 말

터진 꽈리 보듯 한다 사람이나 물건을 아주 쓸데없는 것으로 여겨 중요시하지 아니함을 비유적으로 이르는 말

털도 아니 난 것이 날기부터 하려 한다 쉽고 작은 일도 해낼 수 없으면서 어렵고 큰일을 하려고 나섬을 이르는 말

털도 안 뜯고 먹겠다 한다 너무 성급히 행동함을 비유적으로 이르는 말

털 뜯은 꿩 앙상하고 볼품없는 것을 비유적으로 이르는 말

토끼 둘을 잡으려다가 하나도 못 잡는다 욕심을 부려 한꺼번에 여러 가지 일을 하려 하면 그 가운데 하나도 이루지 못한다는 말

토끼가 제 방귀에 놀란다 남몰래 저지른 일이 염려되어 스스로 겁을 먹고 대수롭지 아니한 것에도 놀람을 비유적으로 이르는 말

티끌 모아 태산 아무리 작은 것이라도 모이고 모이면 나중에 큰 덩어리가 됨을 비유적으로 이르는 말

ㅍ

파리똥도 똥이다 약간의 차이는 있다 하더라도 그 본질은 다 같음을 비유적으로 이르는 말

팔십 노인도 세 살 먹은 아이한테 배울 것이 있다 어린아이가 하는 말이라도 일리가 있을 수 있으므로 소홀히 여기지 말고 귀담아들어야 한다는 뜻으로, 남이 하는 말을 신중하게 잘 들어야 함을 비유적으로 이르는 말

팔이 들이굽지 내굽나 자기 혹은 자기와 가까운 사람에게 정이 더 쏠리거나 유리하게 일을 처리함은 인지상정이라는 말

팥이 풀어져도 솥 안에 있다 일이 제대로 안 되어 손해를 본 것 같지만 따지고 보면 손해는 없다는 뜻

팥죽 단지에 생쥐 달랑거리듯 팥죽 단지에 생쥐가 부지런히 드나든다는 뜻으로, 매우 자주 드나드는 모양을 비유적으로 이르는 말

패는 곡식 이삭 빼기 잘되어 가는 일을 심술궂은 행동으로 망치는 경우를 비유적으로 이르는 말

편지에 문안 편지에는 으레 문안하는 말이 있다는 뜻으로, 항상 빠지지 않고 끼어드는 것이나 항상 빠뜨리지 않고 하는 일을 비유적으로 이르는 말

평생 신수가 편하려면 두 집을 거느리지 말랬다 두 집 살림을 차리게 되면 대부분 집안이 항상 편하지 못하다는 뜻

평택이 무너지나 아산이 깨어지나 서로 싸울 때 끝까지 겨루어 보자고 벼르며 이르는 말

포도청의 문고리 빼겠다 대담하고 겁이 없는 사람의 행동을 비유적으로 이르는 말

포수 집 강아지 범 무서운 줄 모르듯 큰 세력을 등에 업고 주제넘게 행동함을 비꼬는 말

푸줏간에 든 소 궁지에서 벗어날 수 없는 처지를 비유적으로 이르는 말

품 안에 있어야 자식이라 자식이 어렸을 때는 부모의 뜻을 따르지만 자라서는 제 뜻대로 행동하려 함을 비유적으로 이르는 말

풍년 개 팔자 하는 일 없이 놀고먹는 편한 팔자를 비유적으로 이르는 말

풍년거지 더 섧다 남은 다 잘사는데 자기만 어렵게 지냄이 더 서럽다는 뜻으로, 남들은 다 흔하게 하는 일에 자기만 빠지게 될 때 이르는 말

피는 물보다 진하다 혈육의 정이 깊음을 이르는 말

핑계 없는 무덤 없다 아무리 큰 잘못을 저지른 사람도 그것을 변명하고 이유를 붙일 수 있다는 말

핑계 핑계 도라지 캐러 간다 적당한 핑계를 대고 제 볼일을 보러 간다는 말

ㅎ

하나를 보고 열을 안다 일부만 보고 전체를 미루어 안다는 말

하늘 높은 줄은 모르고 땅 넓은 줄만 안다 키가 작고 뚱뚱한 사람을 농담조로 이르는 말

하늘 보고 주먹질 한다 어떤 일을 이루려고 노력을 하나 그럴 만한 능력이 없으므로 공연한 짓을 함을 비유적으로 이르는 말

하늘 보고 침 뱉기 하늘을 향하여 침을 뱉어 보아야 자기 얼굴에 떨어진다는 뜻으로, 자기에게 해가 돌아올 짓을 함을 비유적으로 이르는 말
㊒ 하늘에 돌 던지는 격

하늘을 쓰고 도리질한다 세력을 믿고 기세등등하여 아무것도 거리낌 없이 제 세상인 듯 교만하고 방자하게 거들먹거림을 비꼬는 말

하늘이 무너져도 솟아날 구멍이 있다 아무리 어려운 경우에 처하더라도 살아 나갈 방도가 생긴다는 말

하루 물림이 열흘 간다 한번 뒤로 미루기 시작하면 자꾸 더 미루게 된다는 뜻으로, 무슨 일이나 뒤로 미루지 말라고 경계하여 이르는 말

하루 세 끼 밥 먹듯 아주 예사로운 일로 생각함을 이르는 말

하룻강아지 범 무서운 줄 모른다 철없이 함부로 덤비는 경우를 비유적으로 이르는 말

하룻밤을 자도 만리성을 쌓는다 잠깐 사귀어도 깊은 정을 맺을 수 있음을 이르는 말

학도 아니고 봉도 아니고 아무것도 아니라는 뜻으로, 행동이 분명하지 아니하거나 사람이 뚜렷하지 못한 경우를 비난조로 이르는 말

한강 가서 목욕한다 어떤 일을 일부러 먼 곳에 가서 하여 보아야 별로 신통할 것이 없다는 말

한강에 돌 던지기 어떤 사물이 지나치게 미미하여 일을 하는 데에 효과나 영향이 전혀 없다는 말

한 귀로 듣고 한 귀로 흘린다 남의 말을 귀담아듣지 아니한다는 말

한 다리가 천 리(千里) 촌수나 친분은 멀어질수록 더욱 사이가 벌어진다는 말

한 달이 크면 한 달이 작다 한 번 좋은 일이 있으면 다음에는 궂은일도 있는 것처럼 세상사는 좋고 나쁜 일이 돌고 돈다는 말

한번 엎지른 물은 다시 주워 담지 못한다 일단 저지른 잘못은 회복하기 어렵다는 말

한 부모는 열 자식을 거느려도 열 자식들은 한 부모를 못 거느린다 자식이 많아도 부모는 잘 거느리고 살아가나 자식들은 그렇지 못하다는 말

한솥밥 먹고 송사한다 한집안 또는 아주 가까운 사이에 다투는 경우를 이르는 말

한술 밥에 배부르랴 힘을 조금 들이고 많은 효과를 기대할 수 없다는 말

한 어미 자식도 아롱이다롱이 한 어미에게서 난 자식도 각각 다르다는 뜻으로, 세상일은 무엇이나 똑같은 것이 없다는 말

한 잔 술에 눈물 난다 사람의 감정은 사소한 일에 차별을 두는 데서도 섭섭한 생각이 생길 수 있다는 말

한편 말만 듣고 송사 못 한다 한쪽 말만 들어서는 잘잘못을 가리기가 어렵다는 말

한 푼 아끼다 백 냥 잃는다 조그마한 것을 아끼려다가 오히려 큰 손해를 봄을 비유적으로 이르는 말

함박 시키면 바가지 시키고 바가지 시키면 쪽박 시킨다 윗사람이 아랫사람에게 무슨 일을 시키면 그도 자기의 아랫사람을 불러 일을 시킨다는 말

항우도 댕댕이덩굴에 넘어진다 비록 힘이 세더라도 방심하여 조심하지 아니하면 실수를 할 수 있으므로 작고 보잘것없다 하여 깔보아서는 안 된다는 말

행랑 빌리면 안방까지 든다 처음에는 조심하여 삼가다가 차차 통이 큰 짓까지 하게 된다는 말

헌 배에 물 푸기 근본적인 대책을 세우지 아니하고 드러난 문제만 형식적으로 처리한다면 문제가 해결되지 않음을 비유적으로 이르는 말

헌신짝 버리듯 요긴하게 쓴 다음 아까울 것이 없이 내버리다.

형만 한 아우 없다 모든 일에 있어 아우가 형만 못하다는 말

호랑이 담배 피울 적 지금과는 형편이 다른 아주 까마득한 옛날을 이르는 말

호랑이도 제 말 하면 온다 깊은 산에 있는 호랑이조차도 저에 대하여 이야기하면 찾아온다는 뜻으로, 어느 곳에서나 그 자리에 없다고 남을 흉보아서는 안 된다는 말

호랑이에게 개 꾸어 준 셈 염치와 예의도 모르는 사람에게 그 사람이 좋아하는 물건을 맡겨 놓으면 영락없이 그 물건을 잃게 됨을 비유적으로 이르는 말

호랑이에게 물려가도 정신만 차리면 산다 아무리 위급한 경우를 당하더라도 정신만 똑똑히 차리면 위기를 벗어날 수가 있다는 말

호미로 막을 것을 가래로 막는다 적은 힘으로 충분히 처리할 수 있는 일에 쓸데없이 많은 힘을 들이는 경우를 비유적으로 이르는 말. 커지기 전에 처리하였으면 쉽게 해결되었을 일을 방치하여 두었다가 나중에 큰 힘을 들이게 된 경우를 비유적으로 이르는 말

호박꽃도 꽃이냐 예쁘지 않은 여자는 여자로 볼 수 없음을 이르는 말

호박에 침주기 어떤 자극에도 아무 반응이 없음을 비유적으로 이르는 말. 아주 하기 쉬운 일을 비유적으로 이르는 말

혹 떼러 갔다가 혹 붙여 온다 자기의 부담을 덜려고 하다가 다른 일까지도 맡게 된 경우를 비유적으로 이르는 말. 혹부리 영감이 도깨비를 속여 혹을 떼었다는 소문을 들은 다른 혹부리 영감이 도깨비를 만나 혹을 떼려 했지만 오히려 혹을 하나 더 붙여 왔다는 이야기에서 나온 말이다.

화가 복(이) 된다 처음에 재앙으로 여겼던 것이 원인이 되어 뒤에 다행스러운 결과를 가져오는 수도 있다는 말

화약을 지고 불로 들어간다 자기 스스로 위험한 곳으로 찾아 들어간다는 말

홧김에 서방질한다[화냥질한다] 울분을 참지 못하여 차마 못 할 짓을 저지른다는 말

황금 천 냥이 자식 교육만 못하다 자식을 위하는 가장 좋은 유산은 교육을 잘 시키는 일임을 강조하는 말

황소 뒷걸음치다가 쥐 잡는다 어쩌다 우연히 이루거나 알아맞힘을 비유적으로 이르는 말

흥정은 붙이고 싸움은 말리랬다 좋은 일은 도와주고 궂은일은 말리라는 말

Ⅱ 관용 표현

교수님 코멘트▶ 이 영역에서는 다양한 관용 표현이 출제된다. 먼저 기출된 어휘를 중심으로 외우고 나머지 단어들로 외연을 확대해 나가야 한다.

01

2017 서울시 9급

다음 〈보기〉의 속담과 가장 관련이 깊은 말은?

보기

㉠ 가물에 도랑 친다　　㉡ 까마귀 미역 감듯

① 헛수고　　② 분주함
③ 성급함　　④ 뒷고생

02

2015 서울시 9급

다음 중 〈보기〉의 뜻으로 옳은 것은?

보기

털을 뽑아 신을 삼는다

① 힘든 일을 억지로 함
② 자신의 온 정성을 다하여 은혜를 꼭 갚음
③ 모든 물건은 순리대로 가꾸고 다루어야 함
④ 사리를 돌보지 아니하고 남의 것을 통으로 먹으려 함

03

2014 지방직 9급

다음 문장과 관련된 속담으로 가장 적절한 것은?

그 동네에 있는 레스토랑의 음식은 보기와는 달리 너무 맛이 없었어.

① 보기 좋은 떡이 먹기도 좋다.
② 볶은 콩에 싹이 날까?
③ 빛 좋은 개살구
④ 뚝배기보다 장맛이 좋다.

정답&해설

01 ① 속담

㉠ 가물에 도랑 친다: 한창 가물 때 애쓰며 도랑을 치느라고 분주하게 군다는 뜻으로, 아무 보람도 없는 헛된 일을 하느라고 부산스럽게 구는 것을 비유적으로 이르는 말
㉡ 까마귀 미역 감듯: 까마귀는 미역을 감아도 그냥 검다는 데서, 일한 자취나 보람이 드러나지 않음을 비유적으로 이르는 말

02 ② 속담

② '털을 뽑아 신을 삼는다'라는 속담은 자신의 온 정성을 다해 은혜를 꼭 갚겠다는 의미이다. '결초보은(結草報恩)'과 상통한다.

03 ③ 속담

③ 빛 좋은 개살구: 겉보기에는 먹음직스러운 빛깔을 띠고 있지만 맛은 없는 개살구라는 뜻으로, 겉만 그럴듯하고 실속이 없는 경우를 비유적으로 이르는 말
|오답해설| ① 보기 좋은 떡이 먹기도 좋다: 내용이 좋으면 겉모양도 반반함을 비유적으로 이르는 말. 겉모양새를 잘 꾸미는 것도 필요함을 비유적으로 이르는 말
② 볶은 콩에 싹이 날까: 불에다 볶은 콩은 싹이 날 리가 없다는 뜻으로, 아주 가망이 없음을 비유적으로 이르는 말
④ 뚝배기보다 장맛이 좋다: 겉모양은 보잘것없으나 내용은 훨씬 훌륭함을 이르는 말

| 정답 | 01 ① 02 ② 03 ③

04

2013 지방직 7급

밑줄 친 문장의 상황에 부합하는 속담으로 가장 적절한 것은?

> 나는 대뜸 달겨들어서 나도 모르는 사이에 큰 수탉을 단매로 때려 엎었다. 닭은 푹 엎어진 채 다리 하나 꼼짝 못 하고 그대로 죽어 버렸다. 그리고 나는 멍하니 섰다가 점순이가 매섭게 눈을 흡뜨고 닥치는 바람에 뒤로 벌렁 나자빠졌다.
> "이놈아! 너, 왜 남의 닭을 때려 죽이니?"
> "그럼 어때?" 하고, 일어나다가
> "뭐 이 자식아! 누 집 닭인데?" 하고 복장을 떼미는 바람에 다시 벌렁 자빠졌다. 그러고 나서 가만히 생각을 하니 분하기도 하고 무안도 스럽고, 또 한편 일을 저질렀으니 인젠 땅이 떨어지고 집도 내쫓기고 해야 될는지 모른다. 나는 비슬비슬 일어나며 소맷자락으로 눈을 가리고는 얼김에 엉 하고 울음을 놓았다. 그러다 점순이가 앞으로 다가와서
> "그럼, 너, 이담부턴 안 그럴 테냐?" 하고 물을 때에야 비로소 살 길을 찾은 듯싶었다. 나는 눈물을 우선 씻고 뭘 안 그러는지 명색도 모르건만
> "그래!" 하고 무턱대고 대답하였다.
> "요담부터 또 그래 봐라. 내 자꾸 못살게 굴 테니."
> "<u>그래 그래, 인젠 안 그럴 테야.</u>"
> "닭 죽은 건 염려 마라. 내 안 이를 테니."
> 그리고 뭣에 떠다밀렸는지 나의 어깨를 짚은 채 그대로 퍽 쓰러진다. 그 바람에 나의 몸뚱이도 겹쳐서 쓰러지며 한창 피어 퍼드러진 노란 동백꽃 속으로 푹 파묻혀 버렸다.
>
> – 김유정, 「동백꽃」 중에서 –

① 간에 붙었다 쓸개에 붙었다 하는군.
② 닭 쫓던 개 지붕 쳐다보는 꼴이야.
③ 이건 울며 겨자 먹는 꼴이지 뭐야.
④ 소 잃고 외양간 고치는 격이군.

05

2015 지방직 9급

다음과 같은 뜻의 속담은?

> 임시변통은 될지 모르나 그 효력이 오래가지 못할 뿐만 아니라 결국에는 사태가 더 나빠진다는 것을 말한다.

① 빈대 잡으려다 초가삼간 태운다
② 언 발에 오줌 누기
③ 여름 불도 쬐다 나면 서운하다
④ 밑 빠진 독에 물 붓기

06

2019 서울시 9급

서로 의미가 유사한 속담과 한자 성어를 짝지은 것이다. 관련이 <u>없는</u> 것끼리 묶은 것은?

① 원님 덕에 나팔 분다 – 狐假虎威
② 소 잃고 외양간 고친다 – 晩時之歎
③ 언 발에 오줌 누기 – 雪上加霜
④ 낫 놓고 기역 자도 모른다 – 目不識丁

07

2017 지방직 9급

밑줄 친 말의 의미는?

> 몇 달 만에야 <u>말길이 되어</u> 겨우 상대편을 만나 보았다.

① 남의 말이 끝나자마자 이어 말하다.
② 자신을 소개하는 길이 트이다.
③ 어떤 말이 상정되거나 토론이 되다.
④ 마음에 당겨 재미를 붙이다.

08

2013 서울시 7급

다음 중 관용어의 뜻풀이가 적절하지 않은 것은?

① 가락이 나다 – 일의 능률이 오르다.
② 개 콧구멍으로 알다 – 시시한 것으로 알아 대수롭지 않게 여기다.
③ 개발에 편자 – 가진 물건이나 입은 옷 등이 제격에 맞지 않음
④ 개천에 든 소 – 먹을 것이 많아 유복한 처지에 든 사람
⑤ 개가를 올리다 – 대표로 하다.

정답&해설

04 ③ 속담

③ 울며 겨자 먹기: 맵다고 울면서도 겨자를 먹는다는 뜻으로, 싫은 일을 억지로 마지못하여 함을 비유적으로 이르는 말이다.

05 ② 속담

제시문에서 '임시변통(臨時變通)'이라는 말이 핵심어이다.
② 언 발에 오줌 누기: 언 발을 녹이려고 오줌을 누어 봤자 효력이 별로 없다는 뜻으로, 임시변통은 될지 모르나 그 효력이 오래가지 못할 뿐만 아니라 오줌이 식은 후에는 그 전보다 더 추워질 수 있으므로 결국에는 사태가 더 나빠짐을 비유적으로 이르는 말이다.

|오답해설| ① 빈대 잡으려다 초가삼간 태운다: 작은 허물을 고치려다 일 전체를 망치거나 큰 손해에 대한 생각 없이 어리석게 덤벼드는 경우를 비유적으로 이르는 말이다.
③ 여름 불도 쬐다 나면 서운하다: 쓸데없는 것이라도 없어지고 보면 섭섭함을 이르는 말이다.
④ 밑 빠진 독에 물 붓기: 밑 빠진 독에 아무리 물을 부어도 독이 채워질 수 없다는 뜻으로, 아무리 힘이나 밑천을 들여도 보람 없이 헛된 일이 되는 상태를 비유적으로 이르는 말이다.

06 ③ 속담

③ '언 발에 오줌 누기'와 의미가 유사한 한자 성어는 '잠시 동안만 효력이 있을 뿐 효력이 바로 사라짐을 비유적으로 이르는 말'인 '凍足放尿(동족방뇨)'이다.
- 언 발에 오줌 누기: 언 발을 녹이려고 오줌을 누어 봤자 효력이 별로 없다는 뜻으로, 임시변통은 될지 모르나 그 효력이 오래가지 못할 뿐만 아니라 결국에는 사태가 더 나빠짐을 비유적으로 이르는 말
- 雪上加霜(설상가상): 눈 위에 서리가 덮인다는 뜻으로, 난처한 일이나 불행한 일이 잇따라 일어남을 이르는 말

|오답해설| ① • 원님 덕에 나팔 분다: 사또와 동행한 덕분에 나팔 불고 요란히 맞아 주는 호화로운 대접을 받는다는 뜻으로, 남의 덕으로 당치도 아니한 행세를 하게 되거나 그런 대접을 받고 우쭐대는 모양을 비유적으로 이르는 말
- 狐假虎威(호가호위): 남의 권세를 빌려 위세를 부림

② • 소 잃고 외양간 고친다: 소를 도둑맞은 다음에서야 빈 외양간의 허물어진 데를 고치느라 수선을 떤다는 뜻으로, 일이 이미 잘못된 뒤에는 손을 써도 소용이 없음을 비꼬는 말
- 晩時之歎(만시지탄): 시기에 늦어 기회를 놓쳤음을 안타까워하는 탄식

④ • 낫 놓고 기역 자도 모른다: 기역 자 모양으로 생긴 낫을 보면서도 기역 자를 모른다는 뜻으로, 아주 무식함을 비유적으로 이르는 말
- 目不識丁(목불식정): 아주 간단한 글자인 '丁(고무래 정)' 자를 보고도 그것이 '고무래'인 줄을 알지 못한다는 뜻으로, 아주 까막눈임을 이르는 말

07 ② 관용구

② 말길이 되다: 남에게 소개하는 의논의 길이 트이다.
|오답해설| ① 남의 말이 끝나자마자 이어 말하다: 말꼬리를 물다
③ 어떤 말이 상정되거나 토론이 되다: 말이 있다
④ 마음에 당겨 재미를 붙이다: 맛(을) 붙이다

08 ⑤ 관용구

⑤ 개가를 올리다: 큰 성과를 올리다.

|정답| 04 ③ 05 ② 06 ③ 07 ② 08 ⑤

09

2021 지방직(=서울시) 9급

밑줄 친 부분과 바꿔 쓸 수 있는 관용 표현으로 적절하지 않은 것은?

① 몹시 가난한 형편에 누구를 돕겠느냐? – 가랑이가 찢어질

② 그가 중간에서 연결해 주어 물건을 쉽게 팔았다. – 호흡을 맞춰

③ 그는 상대편을 보고는 속으로 깔보며 비웃었다. – 코웃음을 쳤다

④ 주인의 말에 넘어가 실제보다 비싸게 이 물건을 샀다. – 바가지를 쓰고

10

2017 서울시 사회복지직 9급

밑줄 친 표현의 뜻풀이가 옳지 않은 것은?

① 그 사람은 입이 밭아서 입맛 맞추기가 어렵다.
– 음식을 심하게 가리거나 적게 먹다.

② 입이 거친 그를 흰 눈으로 보는 것은 당연한 일이다.
– 업신여기거나 못마땅하게 여기다.

③ 이번 일은 네가 허방 짚은 격이다.
– 잘못 알거나 잘못 예산하여 실패하다.

④ 새참 동안 땀을 들인 후 다시 일을 시작했다.
– 땀을 일부러 많이 내서 피곤을 풀다.

11

2017 지방직 7급

밑줄 친 관용어의 사용이 적절하지 않은 것은?

① 저 친구는 입이 높아 일반 음식은 먹지 않아.

② 그는 입이 뜨고 과묵한 사람이다.

③ 입 아래 코라고 일의 순서가 바뀌었어.

④ 사람이 저렇게 입이 진 것을 보니 교양이 있겠구나.

정답&해설

09 ② 관용구

② '호흡을 맞추다'는 '일을 할 때 서로의 행동이나 의향을 잘 알고 처리하여 나가다.'라는 뜻이다. 따라서 '연결해 주다'와 관련이 없다.

| 오답해설 | ① 가랑이가 찢어지다: 몹시 가난한 살림살이를 비유적으로 이르는 말이다.

③ 코웃음 치다: 남을 깔보고 비웃다.

④ 바가지를 쓰다: 요금이나 물건값을 실제 가격보다 비싸게 지불하여 억울한 손해를 보다.

10 ④ 관용구

④ 땀을 들이다: '몸을 시원하게 하여 땀을 없애다' 또는 '잠시 휴식하다'

11 ④ 관용구

④ 입이 질다: 속된 말씨로 거리낌 없이 말을 함부로 하다.

| 오답해설 | ① 입이 높다: 보통 음식으로 만족하지 아니하고 맛있고 좋은 음식만을 바라는 버릇이 있다.

② 입이 뜨다: 입이 무거워 말수가 적다.

③ 입 아래 코: 일의 순서가 바뀐 경우를 비유적으로 이르는 말이다.

| 정답 | 09 ② 10 ④ 11 ④

ENERGY

세상의 중요한 업적 중 대부분은,
희망이 보이지 않는 상황에서도
끊임없이 도전한 사람들이 이룬 것이다.

– 데일 카네기(Dale Carnegie)

PART

III

한자와 한자어

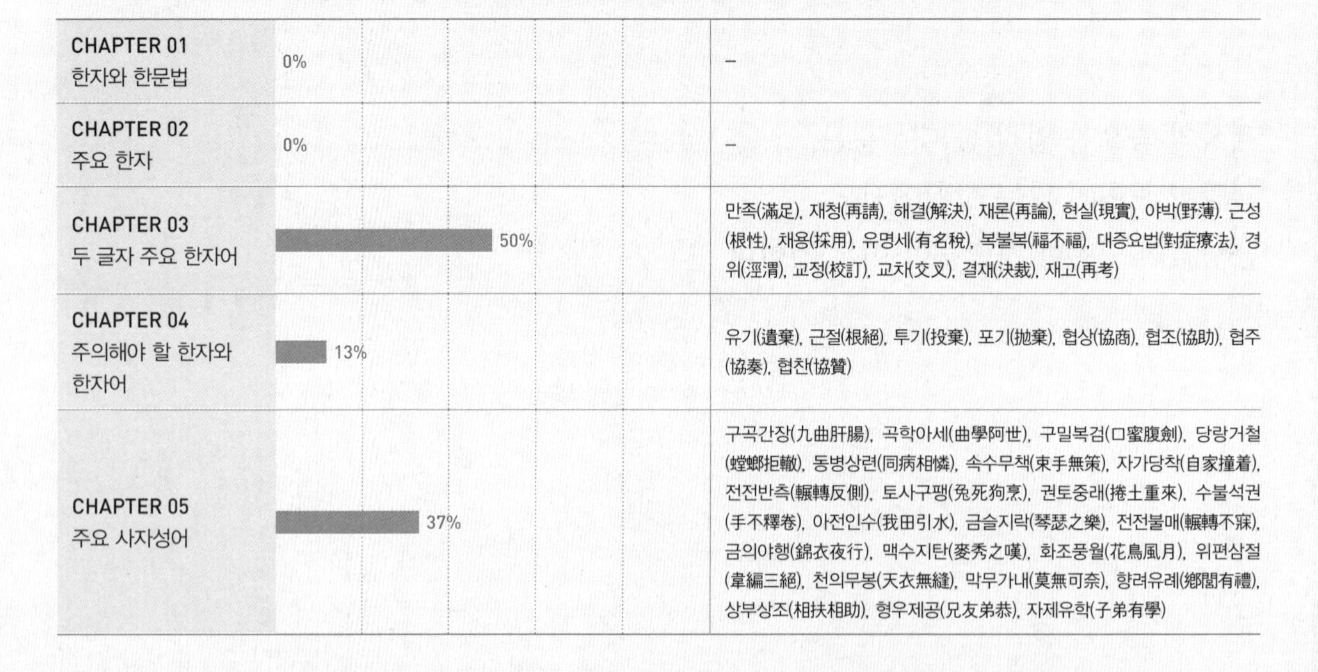

5개년 챕터별 출제비중 & 출제개념

챕터	출제비중	출제개념
CHAPTER 01 한자와 한문법	0%	–
CHAPTER 02 주요 한자	0%	–
CHAPTER 03 두 글자 주요 한자어	50%	만족(滿足), 재청(再請), 해결(解決), 재론(再論), 현실(現實), 야박(野薄), 근성(根性), 채용(採用), 유명세(有名稅), 복불복(福不福), 대증요법(對症療法), 경위(涇渭), 교정(校訂), 교차(交叉), 결재(決裁), 재고(再考)
CHAPTER 04 주의해야 할 한자와 한자어	13%	유기(遺棄), 근절(根絕), 투기(投棄), 포기(抛棄), 협상(協商), 협조(協助), 협주(協奏), 협찬(協贊)
CHAPTER 05 주요 사자성어	37%	구곡간장(九曲肝腸), 곡학아세(曲學阿世), 구밀복검(口蜜腹劍), 당랑거철(螳螂拒轍), 동병상련(同病相憐), 속수무책(束手無策), 자가당착(自家撞着), 전전반측(輾轉反側), 토사구팽(兎死狗烹), 권토중래(捲土重來), 수불석권(手不釋卷), 아전인수(我田引水), 금슬지락(琴瑟之樂), 전전불매(輾轉不寐), 금의야행(錦衣夜行), 맥수지탄(麥秀之嘆), 화조풍월(花鳥風月), 위편삼절(韋編三絕), 천의무봉(天衣無縫), 막무가내(莫無可奈), 향려유례(鄕閭有禮), 상부상조(相扶相助), 형우제공(兄友弟恭), 자제유학(子弟有學)

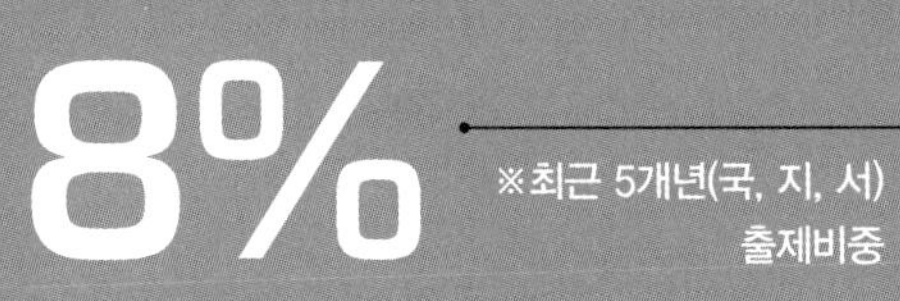

학습목표

CHAPTER 01 한자와 한문법	❶ 한자의 일반적 개념 공부하기 ❷ 한문법의 원리 공부하기
CHAPTER 02 주요 한자	❶ 단계별로 한자 외우기
CHAPTER 03 두 글자 주요 한자어	❶ 낱글자로 외운 한자를 두 글자 한자어에 적용해 보기 ❷ 주요 두 글자 한자어의 한자와 의미 외우기
CHAPTER 04 주의해야 할 한자와 한자어	❶ 여러 의미를 가진 한자어 공부하기 ❷ 모양이 비슷한 한자어 공부하기 ❸ 뜻이 반대되는 한자어 공부하기
CHAPTER 05 주요 사자성어	❶ 주요 사자성어를 한글로 읽고 의미 공부하기 ❷ 주요 사자성어를 한자로 읽고 의미 공부하기

CHAPTER

01 한자와 한문법

□ 1회독	월	일
□ 2회독	월	일
□ 3회독	월	일
□ 4회독	월	일
□ 5회독	월	일

단권화 MEMO

■ 육서(六書)
한자의 구성 및 운용에 관한 여섯 가지의 명칭을 의미한다.

01 한자의 기본 개념

1 한자의 기원

한자의 발생을 놓고 합의된 의견은 존재하지 않는다. 다만, 중국의 전설을 인용하면 약 5천 년 전, 전설 시대인 三皇五帝(삼황오제) 때, 皇帝(황제)의 史官(사관) 蒼頡(창힐)이 새와 짐승의 발자국을 보고 창안하였다고 한다.

2 한자의 3요소

한자는 '모양(形: 형), 뜻(義: 의), 소리(音: 음)'의 세 가지 요소로 구성된다.

木	나무	목
모양	뜻	소리

3 한자의 짜임

한자는 그 구성 원리와 응용 방법에 따라 크게 6가지로 나눌 수 있다.

구분	개념	용례
상형(象形)	사물의 모양을 본떠서 글자를 만드는 방법	日, 月, 山, 川, 水, 木, 人, 目, 馬, 鳥, 魚, 弓, 門 등
지사(指事)	추상적 대상을 부호나 도형으로 대신 나타내어 글자를 만드는 방법	一, 二, 三, 五, 十, 上, 下, 本, 中, 天 등
회의(會意)	이미 만들어진 두 글자 이상을 결합하여 새로운 글자를 만들 때, 처음 두 글자와는 다른 새로운 뜻을 가진 글자를 만드는 방법 日(해 일) + 月(달 월) → 明(밝을 명)	林, 姦, 品, 好, 明, 位, 東 등
형성(形聲)	이미 만들어진 두 글자 이상을 결합하여 새로운 글자를 만들 때, 한 글자는 뜻을 나타내고 다른 한 글자는 소리(음)를 나타내도록 만드는 방법 水(물 수: 뜻 부분) + 羊(양 양: 음 부분) → 洋(큰 바다 양)	花, 河, 志, 問, 聞, 功, 防, 淸, 廳, 請, 聽, 晴 등

전주(轉注)	기존 한자의 뜻을 더 확대하여 사용하는 방법	• 樂 – 풍류 악 → 音樂(음악) – 즐거울 락 → 娛樂(오락) – 좋아할 요 → 樂山(요산) • 惡: 악하다 악 / 미워하다 오 • 度: 법도 도 / 헤아리다 탁
가차(假借)	의미가 아닌 단순히 소리의 유사성을 바탕으로 글자를 빌려 쓰는 방법	• 丁丁(정정): 나무 찍는 소리 • 巴利(파리): Paris(프랑스의 수도) • 堂堂(당당): 버젓하고 정대한 모양 • 佛陀(불타): Buddha(부다)

02 부수

부수란 한자의 기본이 되는 부분이므로, 부수의 뜻을 알면 그 한자의 뜻을 이해하기 쉽다. 한자의 부수 글자는 총 214자가 있다.

1 부수의 종류

부수	개념	용례
변	글자의 왼쪽 부분을 차지하는 부수	• 亻{(人) 사람 인} → 休(휴), 信(신), 仙(선), 伏(복) • 氵{(水) 물 수} → 江(강), 河(하), 淸(청), 海(해)
방	글자의 오른쪽 부분을 차지하는 부수	• 攵{(攴) 등글월문} → 政(정), 改(개), 放(방) • 刂{(刀) 칼 도} → 別(별), 判(판), 刊(간), 利(리)
머리	글자의 윗부분에 놓여 있는 부수	• 宀(집 면) → 宙(주), 宇(우), 安(안), 家(가) • ++ = 艸(풀 초 = 초두머리) → 花(화), 草(초), 英(영), 苦(고)
발	글자의 아랫부분에 놓여 있는 부수	• 皿(그릇 명) → 益(익), 盛(성), 盡(진), 監(감) • 心(마음 심) → 應(응), 惡(악), 恩(은), 思(사)
엄	글자의 위와 왼쪽을 둘러싸는 부수	• 广(집 엄) → 店(점), 度(도), 庭(정), 府(부), 康(강) • 尸(주검 시) → 居(거), 尾(미), 屋(옥), 尺(척), 尼(니)
받침	글자의 왼쪽과 아래를 싸는 부수	• 辵(쉬엄쉬엄 갈 착 = 辶) → 道(도), 近(근), 迎(영), 送(송) • 走(달아날 주) → 起(기), 趙(조)
몸	글자의 바깥 둘레를 감싸는 부수	• 囗(에운담) → 困(곤), 國(국) • 門(문 문) → 間(간), 開(개) • 匸(감출 혜) → 匹(필), 區(구) • 行(다닐 행) → 街(가), 術(술)
제부수	한 글자가 그대로 부수인 경우	一(일), 日(일), 月(월), 山(산), 木(목), 目(목), 石(석), 雨(우), 水(수), 火(화), 土(토), 二(이), 心(심), 身(신), 耳(이), 手(수), 足(족), 子(자)

2 부수의 역할

① 부수는 주로 상형자와 지사자로 되어 있으며, 그 부의 가장 기본이 되는 글자 구실을 한다.
② 글자의 개략적인 뜻을 나타낸다.
③ 자전에서 글자의 음과 뜻을 찾는 데 활용된다.

단권화 MEMO

단권화 MEMO

3 부수의 변형

부수로 쓰일 때 본래의 모양에서 달라지는 글자들을 말한다.

人(인)	⇨	亻(사람인변)	水(수)	⇨	氵(물수변)
心(심)	⇨	忄(심방변)	手(수)	⇨	扌(재방변)
邑(읍)	⇨	阝(우부방)	阜(부)	⇨	阝(좌부변)
肉(육)	⇨	月(고기육변)	刀(도)	⇨	刂(칼도방)
艸(초)	⇨	艹(초두머리)	辵(착)	⇨	辶(책받침)
犬(견)	⇨	犭(개사슴록변)	火(화)	⇨	灬(연화발)
衣(의)	⇨	衤(옷의변)	老(로)	⇨	耂(늙을로엄)
㔾(절)	⇨	卩(병부절)			

더 알아보기 꼭 알아 두어야 할 부수

1획	一(한 일)	丨(뚫을 곤)	丶(점 주)	丿(삐칠 별)	乙(새을)	亅(갈고리 궐)
2획	二(두 이)	亠(돼지해머리 두)		亻(사람 인)	儿(어진사람 인)	入(들 입)
	八(여덟 팔)	冂(멀 경)	冖(덮을 멱)	冫(얼음 빙)	几(안석 궤)	凵(입벌릴 감)
	刂(칼 도)	力(힘 력)	勹(쌀 포)	匕(비수 비)	匚(상자 방)	匸(감출 혜)
	十(열 십)	卜(점 복)	卩(병부절)	厂(언덕 한)	厶(나 사)	又(또 우)
3획	口(입 구)	囗(에울 위)	土(흙 토)	士(선비 사)	夂(뒤져서올 치)	夊(천천히걸을 쇠)
	夕(저녁 석)	大(큰 대)	女(계집 녀)	子(아들 자)	宀(집 면)	寸(마디 촌)
	小(작을 소)	尢(절름발이 왕)	尸(주검 시)	屮(풀 철)	山(뫼 산)	巛(개미허리 천)
	工(장인 공)	己(자기 기)	巾(수건 건)	干(방패 간)	幺(작을 요)	广(집 엄)
	廴(길게걸을 인)	廾(맞잡을 공)	弋(주살 익)	弓(활 궁)	彐(고슴도치머리 계)	
	彡(터럭 삼)	彳(조금걸을 척)	扌(손 수)			
4획	心(마음 심)	戈(창 과)	戶(집 호)	支(지탱할 지)	攴(칠 복)	文(글 문)
	斗(말 두)	斤(도끼 근)	方(모 방)	无(없을 무)	日(해 일)	曰(가로 왈)
	月(달 월)	木(나무 목)	欠(하품 흠)	止(그칠 지)	歹(부서진뼈 알)	殳(몽둥이 수)
	毋(말 무)	比(견줄 비)	毛(털 모)	氏(성씨 씨)	气(기운 기)	水(물 수)
	火(불 화)	爪(손톱 조)	父(아비 부)	爻(사귈 효)	爿(조각 장)	片(조각 편)
	牙(어금니 아)	牛(소 우)	犬(개 견)			
5획	玄(검을 현)	玉(구슬 옥)	瓜(오이 과)	瓦(기와 와)	甘(달 감)	生(날 생)
	用(쓸 용)	田(밭 전)	疋(발 소)	疒(병들어기댈 녁)		癶(등질 발)
	白(흰 백)	皮(가죽 피)	皿(그릇 명)	目(눈 목)	矛(창 모)	矢(화살 시)
	石(돌 석)	示(보일 시)	禸(짐승발자국 유)		禾(벼 화)	穴(구멍 혈)
	立(설 립)					
6획	竹(대나무 죽)	米(쌀 미)	糸(실 사)	缶(장군 부)	网(그물 망)	羊(양 양)
	羽(깃 우)	老(늙을 로)	而(말이을 이)	耒(쟁기 뢰)	耳(귀 이)	聿(붓 율)
	肉(고기 육)	臣(신하 신)	自(스스로 자)	至(이를 지)	臼(절구 구)	舌(혀 설)
	舛(어그러질 천)	舟(배 주)	艮(어긋날 간)	色(빛 색)	艸(풀 초)	虍(범 호)
	虫(벌레 충)	血(피 혈)	行(다닐 행)	衣(옷 의)	襾(덮을 아)	
7획	見(볼 견)	角(뿔 각)	言(말씀 언)	谷(골 곡)	豆(콩 두)	豕(돼지 시)
	豸(벌레 치)	貝(조개 패)	赤(붉을 적)	走(달릴 주)	足(발 족)	身(몸 신)
	車(수레 차)	辛(매울 신)	辰(날 신)	辵(쉬엄쉬엄갈 착)		邑(고을 읍)
	酉(닭 유)	釆(분별할 변)	里(마을 리)			
8획	金(쇠 금)	長(길 장)	門(문 문)	阜(언덕 부)	隶(미칠 이)	隹(새 추)
	雨(비 우)	靑(푸를 청)	非(아닐 비)			
9획	面(얼굴 면)	革(가죽 혁)	韋(가죽 위)	韭(부추 구)	音(소리 음)	頁(머리 혈)
	風(바람 풍)	飛(날 비)	食(밥 식)	首(머리 수)	香(향기 향)	
10획	馬(말 마)	骨(뼈 골)	高(높을 고)	髟(머리털드리워질 표)		鬥(싸울 투)
	鬯(울창주 창)	鬲(막을 격)	鬼(귀신 귀)			
11획	魚(물고기 어)	鳥(새 조)	鹵(소금 로)	鹿(사슴 록)	麥(보리 맥)	麻(삼 마)
12획	黃(누를 황)	黍(기장 서)	黑(검을 흑)	鼎(솥 정)	黹(바느질할 치)	
13획	黽(맹꽁이 맹)	鼓(북 고)	鼠(쥐 서)			
14획	鼻(코 비)	齊(가지런할 제)		15획	齒(이 치)	
16획	龍(용 룡)	17획	龠(피리 약)	18획	龜(거북 귀)	

단권화 MEMO

03 한문법

1 한자어의 구조

구분		개념	용례
주술 관계		한자어가 주어와 서술어의 관계로 결합한 경우	• 일출(日出: 해가 뜨다) • 연소(年少: 나이가 어리다)
술목 관계		한자어가 서술어와 목적어의 관계로 결합한 경우	• 독서(讀書: 책을 읽다) • 승차(乘車: 차를 타다)
술보 관계		한자어가 서술어와 보어나 부사어의 관계로 결합한 경우	• 귀가(歸家: 집에 돌아오다) • 입사(入社: 회사에 들어가다)
수식 관계		한자어가 수식어와 피수식어의 관계로 결합한 경우	• 명월(明月: 밝은 달) • 장강(長江: 긴 강) • 고비(高飛: 높이 날다)
병렬 관계	유의 관계	한자어의 뜻이 같거나 비슷한 경우	• 도로(道路: 길) • 수목(樹木: 나무) • 해양(海洋: 바다)
	대립 관계	한자어의 뜻이 대립되는 경우	• 남북(南北: 남쪽과 북쪽) • 부부(夫婦: 남편과 아내)
	첩어 관계	같은 글자의 한자어가 반복되는 경우	• 가가(家家: 집집마다) • 연년(年年: 해마다)
	융합 관계	한자어가 결합하여 새로운 의미를 만들어 내는 경우	• 광음(光陰: 빛과 그늘 → 세월) • 모순(矛盾: 창과 방패 → 앞뒤가 맞지 않음)

2 한문 문장의 구조

(1) 기본 구조

문장을 구성하는 성분 중 문장이 주성분만으로 이루어질 때 이를 기본 구조라 한다. 기본 구조에는 주술 구조, 주술목 구조, 주술보 구조, 주술목보 구조가 있다.

구분	개념	용례
주술 구조 (주어+서술어)	주어와 서술어를 통해 주체에 의한 행동이나 상태를 나타내는 구조	• 체언+체언: 時+春也 → 때는 봄이다. [뒤에 어조사 也(야)가 붙음] • 체언+동사: 日+出 → 해가 뜨다. • 체언+형용사: 月+明 → 달이 밝다.
주술목 구조 (주어+서술어+목적어)	주어와 서술어, 목적어를 통해 주체와 행동 대상, 행동을 나타내는 구조	• 父+耕+田 → 아버지가 밭을 갈다. • 兒+讀+書 → 아이가 책을 읽는다.
주술보 구조 (주어+서술어+보어)	주어와 서술어, 보어를 통해 주체와 행동이나 상태, 주어나 서술어를 보충하는 내용을 나타내는 구조	• 我+登+山 → 나는 산에 오른다. • 人+有+情 → 사람은 정이 있다.
주술목보 구조 (주어+서술어+목적어+보어)	주어와 서술어, 목적어, 보어를 통해 주체와 행동, 행동 대상, 주어나 서술어를 보충하는 내용을 나타내는 구조	• 人+謂+我+賢 → 사람들이 나를 어질다고 말한다. • 孔子+問+禮+於老子 → 공자가 예를 노자에게 묻다.

단권화 MEMO

(2) 확장 구조

기본 구조에 관형어나 부사어 등의 수식어를 붙여서 만든 구조를 확장 구조라 한다.

구분	구조	용례
주술 확장 구조	관형어+주어+서술어	衆 鳥+飛 → 뭇 새가 난다.
	주어+부사어+서술어	鳥+高 飛 → 새가 높이 난다.
	관형어+주어+부사어+서술어	衆 鳥+高 飛 → 뭇 새가 높이 난다.
주술목 확장 구조	관형어+주어+서술어+목적어	吾 兄+讀+書 → 나의 형이 책을 읽는다.
	주어+서술어+관형어+목적어	兄+讀+良 書 → 형이 좋은 책을 읽는다.
	관형어+주어+부사어+서술어+관형어+목적어	吾 兄+須 讀+良 書 → 나의 형은 모름지기 좋은 책을 읽어야 한다.
주술보 확장 구조	관형어+주어+서술어+보어	積善之 家+有+慶 → 선행을 쌓는 집에는 경사가 있다.
	주어+서술어+관형어+보어	家+有+餘 慶 → 집에는 남은 경사가 있다.
	주어+부사어+서술어+보어	家+必 有+慶 → 집에는 반드시 경사가 있다.
	관형어+주어+부사어+서술어+보어	積善之 家+必 有+慶 → 선행을 쌓는 집에는 반드시 경사가 있다.
	관형어+주어+서술어+관형어+보어	積善之 家+有+餘 慶 → 선행을 쌓는 집에는 남은 경사가 있다.
	관형어+주어+부사어+서술어+관형어+보어	積善之 家+必 有+餘 慶 → 선행을 쌓는 집에는 반드시 남은 경사가 있다.

3 문장의 형식

구분	개념	용례
평서형	종결사를 사용하여 평서의 의미를 나타내는 글의 형식	① '也, 矣, 焉' 등의 종결사가 붙는 경우 • 吾韓人也(오한인야): 나는 한국 사람이다. • 舟已行矣(주이행의): 배는 이미 갔다. ② 종결사가 붙지 않는 경우 • 笑門萬福來(소문만복래): 웃는 집에는 만복이 들어온다.
부정형	부정사 '不, 未, 非, 無, 莫' 등을 사용하여 부정의 의미를 나타내는 글의 형식	• 人非生而知之者(인비생이지지자): 사람은 태어나면서부터 아는 것은 아니다. • 君子居無求安(군자거무구안): 군자는 거처하는 데에 편안함을 구하는 법이 없다.
금지형	금지사 '無, 毋, 勿, 莫, 非' 등을 사용하여 금지의 의미를 나타내는 글의 형식	• 己所不欲勿施於人(기소불욕물시어인): 자기가 하고 싶지 않은 것을 남에게 시키지 말라. • 無道人之短(무도인지단): 남의 단점을 말하지 말라.
의문형	의문사나 의문 종결사를 사용하여 물음의 의미를 나타내는 글의 형식	① 의문 대명사가 쓰인 경우: 誰, 孰, 何, 安, 惡 – '누구, 어떤, 무엇'의 의미 • 客何好(객하호): 객은 무엇을 좋아하는가? • 路惡在(노오재): 길은 어디에 있는가? ② 의문 부사가 쓰인 경우: 何, 何以, 何如(如何), 奈何 – '어찌, 어떻게, 왜'의 의미 ③ 의문 종결사가 쓰인 경우: 乎, 哉, 與(= 歟), 諸(之乎) – '~는가?'의 의미 • 何共乎(가공호): 함께 할 수 있겠습니까?

반어형	반어 부사, 반어 종결사 등을 사용하여 반어의 의미를 나타내는 글의 형식	• 讀書, 豈擇地乎(독서기택지호): 독서에 어찌 장소를 가리겠는가? • 不亦說乎(불역열호): 또한 기쁘지 않겠는가?
비교형	비교 전치사, 비교형 서술어 등을 사용하여 비교나 선택의 의미를 나타내는 글의 형식	• 霜葉紅於二月花(상엽홍어이월화): 서리 맞은 잎이 이월의 꽃보다 붉다. • 過猶不及(과유불급): 지나친 것은 오히려 모자라는 것과 같다.
가정형	가정 부사, 가정 접속사 등을 사용하여 가정의 의미를 나타내는 글의 형식	• 富若勤學(부약근학): 부유하더라도 만일 부지런히 배우면 • 欲速則不達(욕속즉부달): 빨리하고자 하면 이루지 못한다.
한정형	한정 부사, 한정 종결사 등을 사용하여 한정의 의미를 나타내는 글의 형식	• 求其放心而已矣(구기방심이이의): 그 잃어버린 마음을 구할 따름이다.
사동형	사동 보조사, 사역 동사 등을 사용하여 사동의 의미를 나타내는 글의 형식	• 使人思而得之(사인사이득지): 남으로 하여금 생각하여 터득하게 한다.
피동형	피동 보조사, 피동 전치사 등을 사용하여 피동의 의미를 나타내는 글의 형식	• 不信乎朋友(불신호붕우): 친구에게 믿음을 받지 못하다.
감탄형	감탄사, 감탄 종결사 등을 사용하여 감탄의 느낌을 나타내는 글의 형식	• 久矣(구의): 오래되었도다!

04 한문의 품사

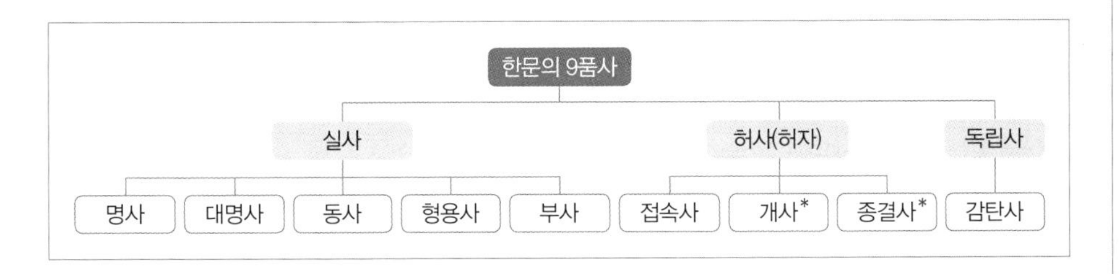

단권화 MEMO

*개사
성분 관계를 규정

*종결사
문장의 종결을 표현

1 명사

한자의 명사는 보통 명사, 고유 명사, 추상 명사, 수량 명사, 불완전 명사로 나뉜다.

보통 명사	山高水長(산고수장): 산은 높고, 물은 유유히 흐른다. ⇨ 山(이름을 나타내는 보통 명사)
고유 명사	孔子聖人(공자성인): 공자는 성인이다. ⇨ 孔子(인명, 사물명 등 고유한 이름을 나타내는 고유 명사)
추상 명사	見利思義(견리사의): 이익을 보면 의를 생각한다. ⇨ 利(추상적인 관념을 나타내는 추상 명사)
수량 명사	九死一生(구사일생): 아홉 번 죽을 뻔하다 한 번 살아난다는 뜻으로, 여러 번 죽을 고비를 넘기고 간신히 살아남 ⇨ 九(숫자를 나타내는 수량 명사)
불완전 명사	知命者 不怨天(지명자 불원천): 운명을 아는 사람은 하늘을 원망하지 않는다. ⇨ 者(수식어를 반드시 요구하는 불완전 명사)

단권화 MEMO

2 대명사

한자의 대명사는 인칭 대명사, 지시 대명사, 의문 대명사로 나뉜다.

구분	예
인칭 대명사	• 吾鼻三尺(오비삼척): 내 코가 석자 ⇨ 吾(1인칭 대명사) • 汝何國臣乎(여하국신호): 너는 어느 나라 신하인가? ⇨ 汝(2인칭 대명사) • 彼丈夫也(피장부야): 그는 장부이다. ⇨ 彼(3인칭 대명사)
지시 대명사	• 是謂過矣(시위과의): 이것을 잘못이라 한다. ⇨ 是(근칭) • 思其理(사기리): 그 이치를 생각하다. ⇨ 其(중칭) • 登彼西山(등피서산): 저 서산에 오르다. ⇨ 彼(원칭)
의문 대명사	• 誰稱大丈夫(수칭대장부): 누가 대장부라 하겠는가? ⇨ 誰(의문사)

3 동사

한자의 동사는 타동사, 자동사, 조동사(동사의 행위를 돕는 말)로 나뉜다.

구분	예
타동사	• 結草報恩(결초보은): 죽어서도 잊지 않고 은혜를 갚는다. ⇨ 報
자동사	• 仁者無敵(인자무적): 어진 사람은 적이 없다. ⇨ 無
조동사	• 福未至(복미지): 복이 이르지 아니하다. ⇨ 未(부정 조동사) • 豈可他求哉(기가타구재): 어찌 가히 다른 데서 구할 수 있겠는가? ⇨ 可(가능 조동사) • 令人 無不孝之心(영인 무불효지심): 사람들로 하여금 불효하는 마음이 없게 하다. ⇨ 令(사역 조동사) • 欲使人人 易習(욕사인인 이습): 사람들로 하여금 쉽게 익히고자 한다. ⇨ 欲(욕망 조동사)

4 형용사

한자의 형용사는 서술 형용사, 수식 형용사로 나뉜다.

구분	예
서술 형용사	霜葉紅於二月花(상엽홍어이월화): 서리 맞은 잎이 이월의 꽃보다 붉다. ⇨ 紅
수식 형용사	靑山綠水(청산녹수): 푸른 산과 푸른 물 ⇨ 靑, 綠

5 부사

한자의 부사는 의문 부사, 한정 부사, 시제 부사, 가정 부사, 발어 부사로 나뉜다.

구분	예
의문 부사	豈不成功(기불성공): 어찌 성공하지 못하겠는가? ⇨ 豈
한정 부사	只在此山中(지재차산중): 다만 이 산속에 있을 뿐이다. ⇨ 只
시제 부사	戰方急(전방급): 싸움이 바야흐로 급하다. ⇨ 方
가정 부사	泰山雖高 是亦山(태산수고 시역산): 태산이 비록 높다 하나 이 또한 산이다. ⇨ 雖
발어 부사	夫一人致死 當百人(부일인치사 당백인): 대저 한 사람이 죽음으로써 백 사람을 당해 낸다. ⇨ 夫(문장의 처음에 놓여 다음에 오는 말을 강조함)

6 접속사

한자의 접속사는 글자와 글자, 단어와 단어, 구와 구, 절과 절을 연결하는 말을 뜻한다.

구분	예
접속사	良藥苦於口 而利於病(양약고어구 이이어병): 좋은 약은 입에 쓰나 병에 이롭다. ⇨ 而

7 개사

실사와 실사의 사이에 들어가 다른 말과의 관계를 만들어 주는 품사이다.

명사 앞에 쓰인 개사	紅於二月花(홍어이월화): 이월의 꽃보다 붉다. ⇨ 於
명사 뒤에 쓰인 개사	三歲之習(삼세지습): 세 살 적의 버릇 ⇨ 之

8 종결사

문장의 끝에서 종료의 의미로 쓰이는 품사를 말한다. '也, 矣, 焉' 등이 있다.

종결사	• 信者 人之大寶也(신자 인지대보야): 믿음이라는 것은 사람의 큰 보배이다. ⇨ 也 • 家事可治矣(가사가치의): 집안의 일이 가히 다스려질 수 있다. ⇨ 矣

9 감탄사

감탄의 의미를 나타내는 품사이다.

감탄사	嗚呼 老矣(오호 노의): 슬프다! 늙었구나. ⇨ 呼

더 알아보기 허자의 용법

허자	개념
於	처소, 대상, 목적, 비교, 피동, 출발, 유래, 시간, 감탄 등을 나타냄
以	수단, 방법, 도구, 재료, 신분, 자격, 원인, 목적, 시간, 기간, 동반, 순접 등을 나타냄
自	전치사, 부사, 명사 등을 나타냄
與	전치사, 접속사, 종결사, 관용구 등을 나타냄
之	주격, 관형격, 목적격 등을 나타냄
者	사람, 사물, 존재, 사실, 장소, 자리, 지위 등을 나타냄
而	순접, 역접, 자격, 신분, 가정, 조건, 한정 종결사 등을 나타냄
則	접속사, 주격 조사 등을 나타냄
且	접속사, 강조, 시간, 부사, 발어사(대저, 무릇, 그리고) 등을 나타냄
乃	부사, 대명사 등을 나타냄
爲	전치사, 종결사, 동사 등을 나타냄
其	추측, 명령, 권고 등을 나타냄

단권화 MEMO

CHAPTER

02 주요 한자

□ 1 회 독 월 일
□ 2 회 독 월 일
□ 3 회 독 월 일
□ 4 회 독 월 일
□ 5 회 독 월 일

단권화 MEMO

1단계

한자	뜻(훈)	음	한자	뜻(훈)	음
九	아홉	구	十	열	십
口	입	구	五	다섯	오
女	여자	녀	王	임금	왕
六	여섯	륙(육)	月	달	월
母	어머니	모	二	두	이
木	나무	목	人	사람	인
門	문	문	日	날	일
白	흰	백	一	한	일
父	아버지	부	子	아들	자
四	넉	사	中	가운데	중
山	메	산	七	일곱	칠
三	석	삼	土	흙	토
上	위	상	八	여덟	팔
小	작을	소	下	아래	하
水	물	수	火	불	화

2단계

한자	뜻(훈)	음	한자	뜻(훈)	음
江	강	강	立	설	립
工	장인	공	目	눈	목
金	쇠	금	百	일백	백
男	사내	남	手	손	수
力	힘	력	心	마음	심

한자	뜻(훈)	음	한자	뜻(훈)	음
生	날	생	川	내	천
石	돌	석	千	일천	천
入	들	입	天	하늘	천
自	스스로	자	出	날	출
足	발	족	兄	맏	형

3단계

한자	뜻(훈)	음	한자	뜻(훈)	음
南	남녘	남	西	서녘	서
內	안	내	夕	저녁	석
年	해(= 秊)	년	少	적을	소
東	동녘	동	外	바깥	외
同	한가지/같을	동	正	바를	정
名	이름	명	弟	아우	제
文	글월	문	主	주인	주
方	모	방	靑	푸를	청
夫	지아비	부	寸	마디	촌
北	북녘	북	向	향할	향

4단계

한자	뜻(훈)	음	한자	뜻(훈)	음
歌	노래	가	記	기록할	기
家	집	가	氣	기운	기
間	사이	간	己	몸	기
車	수레	거(차)	農	농사	농
巾	수건	건	答	대답	답
古	옛	고	代	대신할	대
空	빌	공	大	큰	대
敎	가르칠	교	道	길	도
校	학교	교	洞	골	동
國	나라	국	登	오를	등
軍	군사	군	來	올	래
今	이제	금	老	늙을	로

단권화 MEMO

단권화 MEMO

한자	뜻(훈)	음	한자	뜻(훈)	음
里	마을	리	玉	구슬	옥
林	수풀	림	牛	소	우
馬	말	마	右	오른	우
萬	일만	만	位	자리	위
末	끝	말	有	있을	유
每	매양	매	育	기를	육
面	낯	면	邑	고을	읍
問	물을	문	衣	옷	의
物	물건	물	耳	귀	이
民	백성	민	字	글자	자
本	근본	본	長	길	장
不	아닐	불(부)	場	마당	장
分	나눌	분	電	번개	전
士	선비	사	前	앞	전
事	일	사	全	온전할	전
色	빛	색	祖	할아비	조
先	먼저	선	左	왼	좌
姓	성씨	성	住	살	주
世	세상	세	地	땅	지
所	바	소	草	풀	초
時	때	시	平	평평할	평
市	저자	시	學	배울	학
食	먹을	식	韓	나라이름	한
植	심을	식	漢	한수/한나라	한
室	집	실	合	합할	합
安	편안할	안	海	바다	해
羊	양	양	孝	효도	효
語	말씀	어	休	쉴	휴
午	낮	오			

5단계

한자	뜻(훈)	음	한자	뜻(훈)	음
各	각각	각	强	강할	강
感	느낄	감	開	열	개

한자	뜻(훈)	음	한자	뜻(훈)	음
去	갈	거	理	다스릴	리
犬	개	견	李	오얏(자두)	리
見	볼	견	利	이로울	리
京	서울	경	命	목숨	명
計	셀	계	明	밝을	명
界	지경	계	毛	털	모
苦	괴로울	고	無	없을	무
高	높을	고	聞	들을	문
功	공	공	米	쌀	미
共	함께	공	美	아름다울	미
科	과목	과	朴	성씨/순박할	박
果	과실	과	反	돌이킬	반
光	빛	광	半	절반	반
交	사귈	교	發	필	발
郡	고을	군	放	놓을	방
近	가까울	근	番	차례	번
根	뿌리	근	別	다를	별
急	급할	급	病	병	병
多	많을	다	步	걸음	보
短	짧을	단	服	옷	복
當	마땅할	당	部	거느릴	부
堂	집	당	死	죽을	사
對	대답할	대	書	글	서
圖	그림	도	席	자리	석
度	법도	도	線	줄/선	선
刀	칼	도	省	살필	성
讀	읽을	독	性	성품	성
冬	겨울	동	成	이룰	성
童	아이	동	消	사라질	소
頭	머리	두	速	빠를	속
等	무리	등	孫	손자	손
樂	즐거울	락	樹	나무	수
禮	예도	례	首	머리	수
路	길	로	習	익힐	습
綠	푸를	록	勝	이길	승

단권화 MEMO

단권화 MEMO

한자	뜻(훈)	음	한자	뜻(훈)	음
詩	시/글	시	昨	어제	작
示	보일	시	作	지을	작
始	처음	시	章	글	장
式	법	식	在	있을	재
神	귀신	신	才	재주	재
身	몸	신	田	밭	전
信	믿을	신	題	제목	제
新	새로울	신	第	차례	제
失	잃을	실	朝	아침(= 晁)	조
愛	사랑	애	族	겨레	족
野	들	야	晝	낮	주
夜	밤	야	竹	대/대나무	죽
藥	약	약	重	무거울	중
弱	약할	약	直	곧을	직
陽	볕	양	窓	창문	창
洋	큰 바다	양	淸	맑을	청
魚	물고기	어	體	몸	체
言	말씀	언	村	마을	촌
業	일	업	秋	가을	추
永	길	영	春	봄	춘
英	꽃부리	영	親	친할	친
勇	날쌜	용	太	클	태
用	쓸	용	通	통할	통
友	벗	우	貝	조개	패
運	움직일/운전할	운	便	편할	편
遠	멀	원	表	겉	표
原	언덕/근본	원	品	물건	품
元	으뜸	원	風	바람	풍
油	기름	유	夏	여름(= 昰)	하
肉	고기	육	行	다닐	행
銀	은	은	幸	다행	행
飮	마실	음	血	피	혈
音	소리	음	形	모양	형
意	뜻	의	號	이름	호
者	놈	자	花	꽃	화

한자	뜻(훈)	음	한자	뜻(훈)	음
話	말씀/말할	화	黃	누를	황
和	화할/화목할	화	會	모일	회
活	살	활	後	뒤	후

6단계

한자	뜻(훈)	음	한자	뜻(훈)	음
價	값	가	給	줄	급
加	더할	가	期	기약할	기
可	옳을	가	技	재주	기
角	뿔	각	基	터	기
甘	달	감	吉	길할	길
改	고칠	개	念	생각	념
個	낱	개	能	능할	능
客	손님	객	談	말씀	담
決	결단할	결	待	기다릴	대
結	맺을	결	德	덕	덕
輕	가벼울	경	都	도읍	도
敬	공경할	경	島	섬	도
季	계절	계	到	이를	도
固	굳을	고	動	움직일	동
考	상고할/생각할	고	落	떨어질	락
告	알릴	고	冷	찰	랭
曲	굽을	곡	兩	두	량
公	공변될	공	良	어질	량
課	시험할	과	量	헤아릴	량
過	지날	과	歷	지낼	력
關	관계할/빗장	관	領	거느릴	령
觀	볼	관	令	하여금/명령할	령
廣	넓을	광	例	법식	례
橋	다리	교	勞	수고로울	로
求	구할	구	料	헤아릴	료
君	임금	군	流	흐를	류
貴	귀할	귀	亡	망할	망
極	다할	극	望	바랄	망

단권화 MEMO

단권화 MEMO

한자	뜻(훈)	음	한자	뜻(훈)	음
買	살	매	誠	정성	성
妹	아랫누이	매	洗	씻을	세
賣	팔	매	歲	해	세
武	굳셀	무	送	보낼	송
味	맛	미	數	셈	수
未	아닐	미	守	지킬	수
法	법	법	宿	잠잘	숙
兵	군사	병	順	순할	순
報	갚을	보	視	볼	시
福	복	복	試	시험	시
奉	받들	봉	識	알	식
富	부자	부	臣	신하	신
備	갖출	비	實	열매	실
比	견줄	비	氏	성씨	씨
貧	가난할	빈	兒	아이	아
氷	얼음	빙	惡	악할	악
仕	벼슬	사	案	책상/생각	안
思	생각	사	暗	어두울	암
師	스승	사	約	맺을	약
史	역사	사	養	기를	양
使	하여금	사	漁	고기잡을	어
産	낳을	산	億	억	억
算	셈	산	如	같을	여
賞	상줄	상	餘	남을	여
相	서로	상	然	그럴	연
商	장사	상	熱	더울	열
常	항상	상	葉	잎	엽
序	차례	서	屋	집	옥
船	배	선	溫	따뜻할	온
仙	신선	선	完	완전할	완
善	착할	선	要	구할/중요할	요
雪	눈	설	雨	비	우
說	말씀	설	雲	구름	운
星	별	성	園	동산	원
城	재	성	願	원할	원

한자	뜻(훈)	음	한자	뜻(훈)	음
由	말미암을	유	至	이를	지
義	옳을	의	紙	종이	지
醫	의원	의	支	지탱할	지
以	써	이	進	나아갈	진
因	인할	인	眞	참	진
姊	누이(= 姉)	자	質	바탕	질
再	두	재	集	모일	집
材	재목	재	次	버금	차
財	재물	재	參	참여할(셋)	참(삼)
爭	다툴	쟁	責	꾸짖을	책
低	낮을	저	鐵	쇠	철
貯	쌓을	저	初	처음	초
的	과녁	적	祝	빌	축
赤	붉을	적	充	채울	충
典	법	전	忠	충성	충
戰	싸움	전	致	이를	치
傳	전할	전	他	다를	타
展	펼	전	打	칠	타
店	가게	점	宅	집	택
庭	뜰	정	統	거느릴	통
情	뜻	정	特	특별할	특
定	정할	정	敗	패할	패
調	고를	조	必	반드시	필
助	도울	조	河	물	하
鳥	새	조	寒	찰	한
早	이를	조	害	해칠/해로울	해
存	있을	존	香	향기	향
卒	군사	졸	許	허락할	허
終	마칠	종	現	나타날	현
種	씨	종	好	좋을	호
罪	허물	죄	湖	호수	호
注	물댈/부을	주	畫	그림	화
止	그칠	지	化	될/변화할	화
志	뜻	지	患	근심	환
知	알	지	回	돌	회

단권화 MEMO

단권화 MEMO

한자	뜻(훈)	음	한자	뜻(훈)	음
效	본받을	효	凶	흉할(= 兇)	흉
訓	가르칠	훈	黑	검을	흑

7단계

한자	뜻(훈)	음	한자	뜻(훈)	음
街	거리	가	弓	활	궁
假	거짓	가	權	권세	권
佳	아름다울	가	均	고를	균
干	방패	간	禁	금할	금
看	볼	간	及	미칠	급
減	덜	감	其	그	기
甲	껍질/갑옷	갑	起	일어날	기
擧	들	거	乃	이에	내
巨	클	거	怒	성낼	노
建	세울	건	端	바를/끝	단
乾	하늘	건	丹	붉을	단
更	다시	갱	單	홑	단
慶	경사	경	達	통달할	달
競	다툴	경	徒	무리	도
耕	밭갈	경	獨	홀로	독
景	볕	경	斗	말	두
經	지날/글	경	得	얻을	득
庚	천간/별	경	燈	등잔	등
溪	시내	계	旅	나그네	려
癸	천간	계	連	이을	련
故	연고	고	練	익힐	련
谷	골	곡	烈	세찰/매울	렬
骨	뼈	골	列	벌일	렬
官	벼슬	관	論	논할	론
救	구원할	구	陸	뭍	륙
究	궁구할	구	倫	인륜	륜
句	글귀	구	律	법	률
舊	옛	구	滿	찰	만
久	오랠	구	忘	잊을	망

한자	뜻(훈)	음	한자	뜻(훈)	음
妙	묘할	묘	細	가늘	세
卯	토끼	묘	勢	권세	세
務	힘쓸	무	稅	세금	세
尾	꼬리	미	笑	웃음	소
密	빽빽할	밀	續	이을	속
飯	밥	반	俗	풍속	속
防	막을	방	松	소나무	송
房	방	방	收	거둘	수
訪	찾을	방	修	닦을	수
拜	절	배	受	받을	수
伐	칠	벌	授	줄	수
變	변할	변	純	순수할	순
丙	남녘	병	戌	개/지지	술
保	지킬	보	拾	주울	습
復	돌아올	복	承	이을/받을	승
否	아닐	부	是	옳을	시
婦	지어미/며느리	부	辛	매울	신
佛	부처	불	申	펼/지지	신
悲	슬플	비	眼	눈	안
非	아닐	비	若	같을/만약	약
鼻	코	비	與	더불/줄	여
巳	뱀/지지	사	逆	거스를	역
謝	사례할	사	研	갈	연
私	사사로울	사	榮	영화	영
絲	실	사	藝	재주	예
寺	절	사	誤	그릇될	오
舍	집	사	往	갈	왕
散	흩어질	산	浴	목욕할	욕
想	생각	상	容	얼굴	용
選	가릴	선	遇	만날	우
鮮	고울	선	雄	수컷	웅
舌	혀	설	危	위태할	위
聖	성스러울	성	偉	클	위
盛	성할	성	爲	할	위
聲	소리	성	遺	남길	유

단권화 MEMO

단권화 MEMO

한자	뜻(훈)	음	한자	뜻(훈)	음
酉	닭/지지	유	指	손가락	지
恩	은혜	은	辰	별/지지	진
乙	새	을	着	붙을	착
陰	그늘	음	察	살필	찰
應	응할	응	唱	부를	창
依	의지할	의	冊	책	책
異	다를	이	處	곳/살	처
移	옮길	이	聽	들을	청
益	더할	익	請	청할	청
引	끌	인	最	가장	최
印	도장	인	蟲	벌레	충
寅	범	인	取	가질	취
認	알	인	治	다스릴	치
壬	천간/북방	임	齒	이	치
將	장수	장	則	법칙	칙
適	맞을	적	針	바늘/침(= 鍼)	침
敵	원수	적	快	쾌할	쾌
節	마디	절	脫	벗을	탈
接	이을	접	探	찾을	탐
停	머무를	정	退	물러날	퇴
井	우물	정	波	물결	파
精	정기	정	判	판단할	판
政	정사	정	片	조각	편
除	덜	제	布	베/펼	포
祭	제사	제	暴	사나울	포
製	지을	제	筆	붓	필
兆	조	조	限	한정할	한
造	지을	조	解	풀	해
尊	높을	존	鄕	시골/마을	향
坐	앉을	좌	協	도울	협
走	달릴	주	惠	은혜	혜
朱	붉을	주	呼	부를	호
衆	무리	중	戶	지게문	호
增	더할	증	婚	혼인할	혼
持	가질	지	貨	재화	화

한자	뜻(훈)	음	한자	뜻(훈)	음
興	일어날	흥	希	바랄	희

8단계

한자	뜻(훈)	음	한자	뜻(훈)	음
脚	다리	각	球	공	구
渴	목마를	갈	區	나눌	구
敢	감히	감	局	판	국
監	볼	감	群	무리	군
鋼	강철	강	窮	다할	궁
降	내릴	강	宮	집	궁
康	편안할	강	勸	권할	권
皆	다	개	卷	책	권
居	살	거	歸	돌아갈	귀
健	건강할	건	規	법	규
件	사건	건	勤	부지런할	근
檢	검사할	검	級	등급	급
儉	검소할	검	器	그릇	기
格	격식	격	旗	기	기
堅	굳을	견	幾	몇	기
潔	깨끗할	결	旣	이미	기
鏡	거울	경	暖	따뜻할(= 煖)	난
警	경계할	경	難	어려울	난
驚	놀랄	경	納	들일	납
境	지경	경	努	힘쓸	노
戒	경계할	계	斷	끊을	단
鷄	닭	계	但	다만	단
階	섬돌	계	團	둥글	단
繼	이을	계	壇	제단	단
庫	곳집	고	段	층계	단
孤	외로울	고	隊	무리	대
穀	곡식	곡	導	인도할	도
困	곤할	곤	豆	콩	두
坤	땅	곤	羅	벌일	라
具	갖출	구	卵	알	란

단권화 MEMO

단권화 MEMO

한자	뜻(훈)	음	한자	뜻(훈)	음
覽	볼	람	伏	엎드릴	복
浪	물결	랑	逢	만날	봉
郎	사내	랑	扶	도울	부
略	간략할	략	浮	뜰	부
凉	서늘할	량	副	버금	부
露	이슬	로	朋	벗	붕
錄	기록할	록	飛	날	비
留	머무를	류	祕	숨길	비
類	무리	류	費	쓸	비
柳	버들	류	社	모일	사
莫	없을	막	寫	베낄	사
晩	늦을	만	射	쏠	사
忙	바쁠	망	査	조사할	사
麥	보리	맥	殺	죽일	살
免	면할	면	狀	모양	상
眠	잠잘	면	傷	상할	상
勉	힘쓸	면	霜	서리	상
鳴	울	명	尙	오히려	상
暮	저물	모	喪	초상	상
牧	칠	목	象	코끼리	상
墓	무덤	묘	床	평상(= 牀)	상
茂	무성할/우거질	무	暑	더울	서
戊	천간	무	惜	아낄	석
舞	춤출	무	昔	옛	석
墨	먹	묵	設	베풀	설
勿	말	물	掃	쓸	소
班	나눌	반	素	흴	소
倍	갑절	배	束	묶을	속
背	등	배	損	덜	손
杯	잔	배	愁	근심	수
配	짝	배	誰	누구	수
罰	벌할	벌	須	모름지기	수
凡	무릇	범	壽	목숨	수
犯	범할	범	雖	비록	수
寶	보배	보	秀	빼어날	수

한자	뜻(훈)	음	한자	뜻(훈)	음
淑	맑을	숙	曰	가로	왈
叔	아재비	숙	謠	노래	요
術	재주	술	欲	하고자 할	욕
崇	높일	숭	憂	근심	우
乘	탈	승	尤	더욱	우
施	베풀	시	又	또	우
息	숨쉴	식	于	어조사	우
深	깊을	심	宇	집	우
甚	심할	심	云	이를	운
我	나	아	源	근원	원
顔	얼굴	안	圓	둥글	원
巖	바위	암	怨	원망할	원
央	가운데	앙	員	인원	원
仰	우러를	앙	院	집	원
哀	슬플	애	威	위엄	위
也	어조사	야	猶	같을	유
揚	날릴/떨칠/오를	양	遊	놀	유
讓	사양할	양	柔	부드러울	유
於	어조사	어	儒	선비	유
憶	생각할	억	幼	어릴	유
嚴	엄할	엄	唯	오직	유
余	나	여	乳	젖	유
汝	너	여	吟	읊을	음
亦	또	역	泣	울	읍
域	지경	역	矣	어조사	의
煙	연기	연	議	의논할	의
悅	기쁠	열	而	말 이을	이
炎	불꽃	염	易	쉬울	이
營	경영할	영	已	이미	이
迎	맞이할	영	仁	어질	인
烏	까마귀	오	忍	참을	인
悟	깨달을	오	任	맡길	임
吾	나	오	慈	사랑	자
瓦	기와	와	壯	씩씩할	장
臥	누울	와	腸	창자	장

단권화 MEMO

단권화 MEMO

한자	뜻(훈)	음	한자	뜻(훈)	음
栽	심을	재	職	직분	직
哉	어조사	재	盡	다할	진
災	재앙	재	執	잡을	집
著	나타날	저	且	또	차
積	쌓을	적	借	빌릴	차
轉	구를	전	此	이	차
錢	돈	전	創	비롯할	창
專	오로지	전	昌	창성할	창
絕	끊을	절	菜	나물	채
切	끊을/간절할	절	採	캘	채
點	점	점	妻	아내	처
靜	고요할	정	尺	자	척
貞	곧을	정	泉	샘	천
淨	깨끗할	정	淺	얕을	천
丁	장정	정	晴	갤	청
頂	정수리	정	招	부를	초
制	지을	제	總	거느릴	총
諸	모두	제	推	밀	추
際	사이	제	追	쫓을	추
帝	임금	제	丑	소	축
操	잡을	조	就	나아갈	취
宗	마루	종	吹	불	취
鐘	쇠북	종	層	층	층
從	좇을	종	卓	높을	탁
州	고을	주	炭	숯	탄
酒	술	주	泰	클	태
宙	집	주	討	칠	토
準	법도	준	痛	아플	통
卽	곧	즉	投	던질	투
曾	일찍	증	破	깨뜨릴	파
證	증거	증	板	널빤지	판
枝	가지	지	篇	책	편
之	갈	지	閉	닫을	폐
只	다만	지	包	쌀	포
智	지혜	지	抱	안을	포

한자	뜻(훈)	음	한자	뜻(훈)	음
票	표	표	賢	어질	현
豊	풍년	풍	刑	형벌	형
皮	가죽	피	虎	범	호
彼	저	피	乎	어조사	호
疲	피곤할	피	或	혹	혹
匹	짝	필	混	섞을	혼
何	어찌	하	紅	붉을	홍
賀	하례할	하	華	빛날	화
閑	한가할	한	歡	기쁠	환
恨	한할	한	皇	임금	황
恒	항상	항	候	기후	후
亥	돼지	해	厚	두터울(= 垕)	후
虛	빌	허	胸	가슴	흉
驗	시험	험	吸	숨 들이 쉴	흡
革	가죽	혁	喜	기쁠	희

9단계

한자	뜻(훈)	음	한자	뜻(훈)	음
暇	겨를	가	傾	기울	경
架	시렁	가	械	기계	계
覺	깨달을	각	係	맬	계
刻	새길	각	契	맺을	계
姦	간사할	간	系	이어 맬	계
刊	책 펴낼	간	姑	시어머니	고
講	익힐/외울	강	稿	원고	고
介	낄	개	恭	공손	공
距	떨어질	거	孔	구멍	공
拒	막을	거	貢	바칠	공
傑	뛰어날(= 杰)	걸	供	이바지할	공
劍	칼	검	攻	칠	공
激	부딪칠	격	冠	갓	관
缺	이지러질	결	貫	꿸	관
兼	겸할	겸	管	대롱	관
硬	굳을	경	慣	버릇	관

단권화 MEMO

단권화 MEMO

한자	뜻(훈)	음	한자	뜻(훈)	음
較	견줄	교	銅	구리	동
構	얽을	구	亂	어지러울	란
苟	진실로	구	糧	양식	량
券	책/문서	권	慮	생각	려
拳	주먹	권	戀	사모할	련
菌	버섯	균	蓮	연꽃	련
克	이길	극	聯	잇닿을	련
斤	도끼	근	嶺	고개	령
謹	삼갈	근	鹿	사슴	록
畿	경기	기	了	마칠	료
奇	기이할	기	龍	용	룡
企	꾀할	기	輪	바퀴	륜
機	베틀	기	栗	밤	률
紀	벼리	기	離	떠날	리
寄	부칠	기	履	밟을	리
祈	빌	기	梨	배	리
欺	속일	기	吏	아전	리
娘	아가씨	낭	臨	임할	림
耐	견딜	내	麻	삼	마
奴	종	노	妄	망령될	망
腦	뇌	뇌	梅	매화	매
茶	차	다(차)	盲	눈 멀	맹
淡	맑을	담	孟	맏	맹
擔	멜	담	盟	맹세	맹
畓	논	답	銘	새길	명
黨	무리	당	募	모을	모
帶	띠	대	模	법, 본뜰	모
貸	빌릴	대	慕	사모할	모
倒	넘어질	도	某	아무	모
逃	달아날	도	睦	화목할	목
盜	도둑	도	貿	무역할	무
督	감독할/살필	독	敏	재빠를	민
毒	독	독	博	넓을	박
豚	돼지	돈	薄	엷을	박
突	갑자기	돌	返	돌아올	반

한자	뜻(훈)	음	한자	뜻(훈)	음
般	일반	반	索	찾을	색
髮	터럭	발	署	관청	서
芳	꽃다울	방	庶	여러	서
邦	나라	방	恕	용서할	서
妨	방해할	방	宣	베풀	선
輩	무리	배	涉	건널	섭
繁	번성할	번	蔬	나물	소
範	법	범	頌	기릴	송
壁	벽	벽	訟	송사할	송
邊	가	변	刷	인쇄할	쇄
辯	말 잘할	변	囚	가둘	수
補	기울	보	輸	보낼	수
普	넓을	보	熟	익을	숙
譜	족보	보	巡	순행할	순
複	겹칠	복	旬	열흘	순
腹	배	복	述	지을	술
卜	점	복	雅	바를	아
峰	봉우리(= 峯)	봉	亞	버금	아
府	마을, 관청	부	餓	주릴	아
付	부칠	부	岸	언덕	안
負	질	부	涯	물가	애
粉	가루	분	額	이마	액
奔	달릴	분	樣	모양	양
紛	어지러울	분	壤	흙	양
拂	떨칠	불	役	부릴	역
批	비평할	비	驛	역마	역
肥	살찔	비	延	끌	연
司	맡을	사	鉛	납	연
捨	버릴	사	沿	물 따라갈	연
詐	속일	사	緣	인연	연
斯	이	사	宴	잔치	연
祀	제사	사	演	펼	연
償	갚을	상	映	비칠	영
祥	상서로울	상	泳	헤엄칠	영
像	형상	상	銳	날카로울	예

단권화 MEMO

단권화 MEMO

한자	뜻(훈)	음	한자	뜻(훈)	음
辱	욕될	욕	整	가지런할	정
慾	욕심	욕	訂	바로잡을	정
羽	깃	우	亭	정자	정
優	넉넉할	우	廷	조정	정
愚	어리석을	우	征	칠	정
郵	우편	우	齊	가지런할	제
援	도울	원	濟	건널	제
委	맡길	위	提	끌	제
胃	밥통	위	堤	둑	제
圍	에울	위	照	비칠	조
衛	지킬	위	條	조목	조
裕	넉넉할	유	弔	조상할	조
悠	멀	유	租	조세	조
維	벼리	유	潮	조수	조
儀	거동	의	組	짤	조
宜	마땅	의	座	자리	좌
疑	의심	의	株	그루	주
姻	혼인할	인	柱	기둥	주
逸	편안할/잃을	일	周	두루	주
姿	맵시	자	舟	배	주
資	재물	자	俊	준걸	준
殘	남을	잔	症	증세	증
雜	섞일	잡	誌	기록할	지
奬	권면할	장	池	못	지
裝	꾸밀	장	織	짤	직
障	막을	장	陳	늘어놓을	진
張	베풀	장	珍	보배	진
丈	어른	장	鎭	진압할	진
帳	휘장	장	陣	진 칠	진
抵	거스를	저	姪	조카	질
底	밑	저	秩	차례	질
績	길쌈	적	差	어긋날	차
賊	도둑	적	贊	도울	찬
籍	문서	적	倉	곳집	창
占	점칠	점	債	빚	채

한자	뜻(훈)	음	한자	뜻(훈)	음
策	꾀	책	版	판목	판
拓	넓힐	척	販	팔	판
踐	밟을	천	評	평론할	평
賤	천할	천	肺	허파	폐
哲	밝을	철	浦	물가	포
妾	첩	첩	捕	잡을	포
超	넘을	초	胞	태보	포
礎	주춧돌	초	爆	터질	폭
聰	귀 밝을	총	被	입을	피
築	쌓을	축	避	피할	피
側	곁	측	咸	다	함
測	헤아릴	측	抗	겨룰	항
値	값	치	項	목	항
置	둘	치	航	배	항
恥	부끄러울	치	港	항구	항
浸	적실	침	享	누릴	향
侵	침노할	침	響	소리	향
稱	일컬을	칭	憲	법	헌
妥	평온할	타	險	험할	험
濯	씻을	탁	絃	줄	현
歎	탄식할(= 嘆)	탄	亨	형통할	형
彈	탄알	탄	昏	저물	혼
塔	탑	탑	弘	클	홍
態	모양	태	確	굳을	확
擇	가릴	택	環	고리	환
澤	못	택	丸	알	환
吐	토할	토	悔	뉘우칠	회
鬪	싸울	투	劃	그을	획
派	물갈래	파	揮	휘두를	휘

단권화 MEMO

10단계

한자	뜻(훈)	음	한자	뜻(훈)	음
賈	값(장사)	가(고)	伽	절	가
嘉	아름다울	가	閣	누각	각

단권화 MEMO

한자	뜻(훈)	음	한자	뜻(훈)	음
却	물리칠	각	絹	비단	견
珏	쌍옥	각	肩	어깨	견
肝	간	간	訣	이별할/비결	결
諫	간할	간	謙	겸손할	겸
簡	대략/간략할	간	竟	마침내	경
奸	범할/간사할	간	卿	벼슬	경
懇	정성/간절할	간	瓊	구슬/붉은 옥	경
幹	줄기	간	炅	빛날	경
葛	칡	갈	璟	옥빛	경
鑑	거울	감	頃	이랑/잠깐	경
憾	한할	감	徑	지름길	경
鉀	갑옷	갑	桂	계수나무	계
岬	곶/산허리	갑	繫	얽어맬	계
剛	굳셀	강	啓	열	계
綱	벼리	강	屆	이를/극진할	계
腔	빈속	강	膏	기름	고
姜	성	강	顧	돌아볼	고
岡	언덕(= 崗)	강	枯	마를	고
疆	지경	강	鼓	북	고
凱	개선할/즐길	개	雇	품 팔	고
箇	낱	개	哭	울	곡
概	대개	개	恐	두려울	공
蓋	덮을	개	菓	과자/과실	과
慨	슬퍼할	개	瓜	오이	과
坑	구덩이	갱	誇	자랑할	과
據	의거할	거	寡	적을	과
鍵	열쇠	건	戈	창	과
乞	빌	걸	郭	성곽	곽
劫	위협할	겁	寬	너그러울	관
揭	높이 들	게	款	정성/조목	관
憩	쉴	게	館	집/객사	관
隔	막힐	격	狂	미칠	광
擊	칠	격	鑛	쇳돌	광
牽	끌	견	掛	걸	괘
遣	보낼	견	卦	점괘	괘

한자	뜻(훈)	음	한자	뜻(훈)	음
怪	기이할	괴	軌	굴대	궤
傀	꼭두각시	괴	龜	거북(터질/땅 이름)	귀(균/구)
壞	무너질	괴	鬼	귀신	귀
愧	부끄러울	괴	奎	별 이름	규
塊	흙덩이	괴	叫	부르짖을	규
僑	객지에 살	교	糾	살필	규
巧	공교할/교묘할	교	珪	서옥	규
狡	교활할	교	閨	안방	규
郊	들	교	揆	헤아릴	규
絞	목맬	교	圭	홀	규
矯	바로잡을	교	劇	심할	극
膠	아교	교	僅	겨우	근
鷗	갈매기	구	瑾	구슬	근
狗	개	구	槿	무궁화	근
懼	두려울	구	筋	힘줄	근
邱	땅이름/언덕	구	禽	새	금
灸	뜸	구	琴	거문고	금
驅	몰	구	錦	비단	금
鳩	비둘기	구	兢	삼갈	긍
購	살	구	矜	자랑할/불쌍히 여길	긍
丘	언덕(= 坵)	구	肯	즐길	긍
玖	옥돌	구	岐	갈림길	기
仇	원수	구	麒	기린	기
拘	잡을	구	忌	꺼릴	기
歐	토할	구	耆	늙을	기
俱	함께	구	騎	말 탈	기
菊	국화	국	汽	물 끓는 김	기
鞠	기를	국	棋	바둑	기
窟	굴(= 堀)	굴	棄	버릴	기
屈	굽힐	굴	豈	어찌	기
掘	팔	굴	琪	옥	기
倦	게으를	권	琦	옥 이름	기
圈	둘레	권	飢	주릴(= 饑)	기
厥	그	궐	騏	준마	기
闕	대궐	궐	緊	긴할/굳게 얽을	긴

단권화 MEMO

단권화 MEMO

한자	뜻(훈)	음	한자	뜻(훈)	음
那	어찌	나	悼	슬퍼할	도
諾	허락할	낙	陶	질그릇	도
奈	어찌	내	萄	포도	도
寧	편안할	녕	篤	도타울	독
濃	짙을	농	敦	도타울	돈
惱	괴로워할	뇌	頓	조아릴	돈
尿	오줌	뇨	棟	마룻대	동
尼	여승	니	凍	얼	동
泥	진흙	니	桐	오동나무	동
溺	빠질	닉	杜	막을	두
匿	숨을	닉	屯	모일	둔
鍛	단련할	단	鈍	무딜	둔
檀	박달나무	단	藤	등나무	등
旦	아침	단	謄	베낄	등
撻	매질할	달	騰	오를	등
毯	담요	담	裸	벌거벗을	라
潭	못	담	洛	강 이름	락
膽	쓸개	담	絡	맥락/얽힐	락
踏	밟을	답	欄	난간	란
唐	당나라	당	蘭	난초	란
塘	못	당	爛	빛날	란
糖	엿	당	剌	어그러질	랄
臺	대	대	濫	넘칠	람
戴	일	대	藍	쪽	람
袋	자루	대	拉	꺾을/끌고 갈	랍
垈	터	대	朗	밝을	랑
渡	건널	도	廊	행랑	랑
途	길	도	萊	명아주	래
挑	돋울	도	掠	노략질할	략(약)
跳	뛸	도	梁	들보(= 樑)	량
塗	바를/진흙	도	亮	밝을	량
稻	벼	도	諒	살필/믿을	량
桃	복숭아	도	麗	고울	려
燾	비출/덮을	도	廬	오두막집	려
禱	빌	도	呂	음률/등뼈	려

한자	뜻(훈)	음	한자	뜻(훈)	음
侶	짝	려	率	비율	률
勵	힘쓸	려	隆	높일	륭
曆	책력	력	陵	언덕	릉
煉	달굴	련	裏	속(= 裡)	리
憐	불쌍할	련	隣	이웃	린
鍊	쇠 불릴	련	粒	낟알	립
劣	못할	렬	磨	갈	마
裂	찢을	렬	魔	마귀	마
廉	청렴할	렴	摩	문지를	마
獵	사냥할	렵	痲	저릴/홍역	마
齡	나이	령	寞	고요할	막
零	떨어질	령	漠	사막	막
靈	신령	령	幕	장막/군막	막
玲	옥소리	령	膜	흘떼기/막	막
隷	종	례	慢	거만할/게으를	만
蘆	갈대	로	灣	물굽이	만
魯	노나라	로	漫	물 질펀할	만
盧	목로/검을	로	瞞	속일	만
虜	사로잡을	로	蠻	오랑캐	만
爐	화로	로	娩	해산할	만
祿	녹	록	網	그물	망
籠	새장	롱	茫	망망할	망
弄	희롱	롱	罔	없을	망
賂	뇌물 줄	뢰	枚	낱/줄기	매
雷	우레	뢰	埋	묻을	매
賴	힘입을	뢰	昧	어두울	매
僚	동료	료	寐	잠잘	매
療	병 고칠	료	媒	중매	매
淚	눈물	루	脈	맥	맥
樓	다락	루	猛	사나울	맹
漏	샐	루	覓	찾을	멱
累	여러/묶을	루	綿	솜	면
屢	자주	루	滅	멸망할	멸
謬	그릇될	류	蔑	업신여길	멸
劉	죽일/성	류	冥	어두울	명

단권화 MEMO

단권화 MEMO

한자	뜻(훈)	음	한자	뜻(훈)	음
謨	꾀	모	拍	칠	박
謀	꾀할	모	舶	큰 배	박
茅	띠	모	迫	핍박할	박
貌	모양	모	叛	배반할	반
帽	모자	모	盤	소반	반
冒	무릅쓸	모	搬	운반할	반
牡	수컷	모	伴	짝	반
侮	업신여길	모	拔	뺄	발
耗	줄을	모	傍	곁	방
矛	창	모	紡	길쌈	방
牟	클/소울	모	旁	두루/곁	방
沐	목욕할	목	倣	본받을	방
沒	빠질	몰	肪	비계	방
夢	꿈	몽	龐	클	방
蒙	어릴	몽	謗	헐뜯을	방
廟	사당	묘	俳	광대	배
苗	싹	묘	排	물리칠	배
毋	말	무	賠	배상할	배
巫	무당	무	培	북돋울	배
霧	안개	무	裵	성	배
默	잠잠할	묵	魄	넋	백
汶	물 이름	문	伯	맏	백
紊	어지러울	문	帛	비단	백
眉	눈썹	미	柏	잣나무	백
迷	미혹할	미	飜	뒤칠/나부낄	번
微	작을	미	煩	번거로울	번
旻	가을하늘	민	閥	문벌	벌
悶	민망할	민	汎	뜰	범
憫	불쌍히 여길	민	碧	푸를	벽
閔	성/근심할	민	僻	후미질	벽
珉	옥돌(= 瑉)	민	弁	고깔	변
玟	옥돌/옥무늬	민	辨	분별할(= 釆)	변
旼	온화할	민	卞	성씨	변
蜜	꿀	밀	竝	나란히 할	병
泊	배 댈	박	屛	병풍	병

한자	뜻(훈)	음	한자	뜻(훈)	음
炳	불꽃	병	匕	비수	비
并	아우를(= 倂)	병	妃	왕비/짝	비
柄	자루	병	彬	빛날	빈
秉	잡을	병	賓	손님	빈
輔	도울	보	頻	자주	빈
甫	클	보	聘	부를	빙
覆	뒤집힐	복	邪	간사할	사
縫	꿰맬	봉	似	같을	사
俸	녹/봉급	봉	詞	말/글	사
蜂	벌	봉	辭	말씀	사
封	봉할	봉	飼	먹일	사
鳳	봉황새	봉	沙	모래(= 砂)	사
釜	가마	부	蛇	뱀	사
賦	구실	부	唆	부추길	사
赴	다다를	부	斜	비낄	사
簿	문서	부	祠	사당	사
訃	부고	부	奢	사치할	사
符	부신	부	徙	옮길	사
賻	부의	부	赦	용서할	사
附	붙을	부	賜	줄	사
膚	살갗	부	削	깎을	삭
腐	썩을	부	朔	초하루	삭
剖	쪼갤	부	酸	실	산
盆	동이	분	傘	우산	산
奮	떨칠	분	撒	뿌릴	살
墳	무덤	분	森	빽빽할	삼
憤	분할	분	蔘	삼	삼
噴	뿜을	분	挿	꽂을	삽
弗	아닐	불	嘗	맛볼	상
崩	무너질	붕	桑	뽕나무	상
婢	계집종	비	箱	상자	상
卑	낮을	비	詳	자세할	상
匪	도둑	비	裳	치마	상
毘	도울	비	塞	변방	새
碑	비석	비	逝	갈	서

단권화 MEMO

단권화 MEMO

한자	뜻(훈)	음	한자	뜻(훈)	음
誓	맹세할	서	宋	송나라	송
瑞	상서로울	서	誦	욀	송
緖	실마리	서	碎	부술	쇄
敍	차례/서술할	서	鎖	쇠사슬	쇄
徐	천천히	서	衰	쇠약할	쇠
舒	펼	서	需	구할	수
析	가를	석	殊	다를	수
錫	주석	석	垂	드리울	수
碩	클	석	隨	따를	수
奭	클(붉을)	석(혁)	銖	무게 이름	수
釋	풀	석	洙	물 이름	수
禪	봉선/선	선	羞	부끄러울	수
繕	기울	선	隋	수나라	수
旋	돌	선	戍	수자리	수
膳	반찬	선	粹	순수할	수
薛	성	설	遂	이룰/드디어	수
纖	가늘	섬	帥	장수	수
閃	번쩍할	섬	睡	졸	수
攝	끌어잡을	섭	獸	짐승	수
燮	불꽃	섭	搜	찾을	수
晟	밝을	성	孰	누구	숙
貰	세낼	세	肅	엄숙할	숙
蘇	깨어날	소	瞬	눈 깜짝할	순
沼	늪	소	循	돌/좇을	순
昭	밝을	소	殉	따라 죽을	순
召	부를	소	盾	방패	순
燒	불사를	소	淳	순박할	순
巢	새집	소	舜	순임금	순
騷	시끄러울	소	珣	옥그릇	순
紹	이을	소	脣	입술	순
疏	트일/성길(= 疎)	소	筍	죽순	순
訴	하소연할	소	荀	풀 이름	순
屬	무리/붙일	속	襲	엄습할	습
粟	조	속	濕	젖을	습
遜	겸손할	손	升	되	승

한자	뜻(훈)	음	한자	뜻(훈)	음
昇	오를	승	壓	누를	압
僧	중	승	押	누를/수결	압
侍	모실	시	殃	재앙	앙
柴	섶	시	碍	막을	애
尸	시동	시	隘	좁을	애
媤	시집	시	厄	재앙	액
屍	주검	시	液	진액	액
弑	죽일	시	耶	어조사	야
矢	화살	시	惹	이끌	야
飾	꾸밀	식	躍	뛸	약
湜	맑을	식	楊	버들	양
殖	번식할	식	孃	아가씨	양
迅	빠를	신	禦	막을	어
愼	삼갈	신	御	어거할	어
晨	새벽	신	抑	누를	억
娠	아이 밸	신	彦	선비	언
腎	콩팥	신	焉	어조사	언
紳	큰 띠	신	予	나/줄	여
伸	펼	신	輿	수레	여
審	살필	심	譯	번역할	역
尋	찾을	심	疫	(전)염병	역
雙	쌍	쌍	淵	못	연
芽	싹	아	捐	버릴	연
牙	어금니	아	硯	벼루	연
阿	언덕	아	燃	불탈	연
握	잡을	악	軟	연할	연
岳	큰 산	악	姸	예쁠	연
雁	기러기	안	燕	제비	연
晏	늦을	안	衍	퍼질	연
按	살필	안	閱	검열할	열
鞍	안장	안	染	물들일	염
斡	돌	알	鹽	소금	염
謁	뵐/아뢸	알	厭	싫을	염
癌	암	암	燁	빛날	엽
庵	암자	암	瑩	밝을	영

단권화 MEMO

단권화 MEMO

한자	뜻(훈)	음	한자	뜻(훈)	음
影	그림자	영	溶	질펀히 흐를/녹일	용
詠	읊을	영	瑢	패옥 소리	용
譽	기릴	예	傭	품팔이	용
豫	미리	예	佑	도울	우
預	미리/맡길	예	祐	복	우
傲	거만할	오	寓	붙어 살	우
伍	다섯 사람/대오	오	偶	짝	우
汚	더러울	오	禹	하우씨	우
吳	성	오	煜	불꽃/빛날	욱
梧	오동나무	오	旭	해 뜰	욱
娛	즐거워할	오	韻	운/운치	운
嗚	탄식할	오	蔚	고을 이름	울
沃	기름질	옥	鬱	답답할	울
鈺	단단한 쇠	옥	媛	계집	원
獄	옥	옥	苑	나라동산	원
翁	늙은이	옹	袁	성	원
擁	안을	옹	越	넘을	월
緩	느릴	완	韋	가죽	위
汪	넓을	왕	僞	거짓	위
旺	성할	왕	渭	물 이름	위
歪	비뚤	왜	尉	벼슬 이름	위
倭	왜나라	왜	緯	씨줄	위
畏	두려울	외	違	어긋날	위
遙	멀/거닐	요	慰	위로할	위
曜	빛날	요	謂	이를	위
耀	빛날(= 燿)	요	幽	그윽할	유
姚	예쁠	요	喩	깨우칠	유
妖	요망할	요	誘	꾈	유
堯	요임금	요	踰	넘을	유
夭	일찍 죽을	요	楡	느릅나무	유
腰	허리	요	愈	더욱/나을	유
搖	흔들	요	惟	생각할	유
鎔	녹일	용	兪	성/그럴	유
庸	떳떳할	용	尹	다스릴	윤
踊	뛸	용	胤	맏아들/이을	윤

한자	뜻(훈)	음	한자	뜻(훈)	음
銃	병기/총	윤	蠶	누에	잠
閏	윤달	윤	潛	잠길	잠
潤	윤택할	윤	暫	잠깐	잠
允	진실로	윤	藏	감출	장
融	녹을/화할	융	樟	녹나무	장
隱	숨을	은	粧	단장할	장
垠	언덕	은	墻	담	장
殷	은나라	은	璋	반쪽 홀	장
淫	음란할	음	蔣	성씨	장
凝	엉길	응	掌	손바닥	장
貳	두	이	臟	오장	장
姨	이모	이	葬	장사 지낼	장
伊	저	이	莊	장엄할	장
夷	클	이	匠	장인	장
怡	화할/기쁠	이	杖	지팡이	장
翼	날개	익	載	실을	재
翌	다음날	익	裁	옷 마를	재
刃	칼날	인	宰	재상	재
鎰	스물넉 냥	일	箸	젓가락	저
壹	한	일	寂	고요할	적
姙	아이 밸	임	摘	딸	적
賃	품팔이	임	滴	물방울	적
炙	고기 구울	자	跡	발자취	적
諮	물을	자	蹟	사적/자취	적
恣	방자할	자	迹	자취	적
滋	불을	자	笛	피리	적
雌	암컷	자	顚	넘어질	전
玆	이	자	殿	대궐/큰 집	전
磁	자석	자	折	꺾을	절
紫	자줏빛	자	竊	훔칠	절
刺	찌를	자	漸	점차	점
疵	흠	자	蝶	나비	접
酌	따를/술잔	작	艇	거룻배	정
爵	벼슬	작	楨	광나무/근본	정
雀	참새	작	旌	기	정

단권화 MEMO

단권화 MEMO

한자	뜻(훈)	음	한자	뜻(훈)	음
程	길/법	정	憎	미워할	증
鄭	나라	정	贈	줄	증
晶	맑을	정	蒸	찔	증
汀	물가	정	遲	더딜	지
町	밭두둑	정	旨	뜻	지
呈	보일/드릴	정	祉	복	지
鼎	솥	정	脂	비계	지
珽	옥홀	정	肢	사지	지
偵	정탐할	정	芝	지초	지
穽	함정	정	址	터(= 阯)	지
劑	약 지을	제	稙	올벼	직
趙	나라	조	津	나루	진
釣	낚시	조	振	떨칠	진
措	둘	조	秦	진나라	진
燥	마를	조	震	진동할/벼락	진
曹	무리/성(= 曺)	조	診	진찰할	진
彫	새길	조	塵	티끌	진
爪	손톱	조	窒	막을	질
拙	못날/옹졸할	졸	疾	병	질
綜	모을	종	輯	모을	집
縱	세로	종	徵	부를	징
琮	옥홀	종	懲	징계할	징
佐	도울	좌	叉	깍지 낄	차
珠	구슬	주	遮	막을	차
駐	머무를	주	錯	섞일	착
洲	물가	주	捉	잡을	착
鑄	부어 만들	주	讚	기릴	찬
奏	아뢸	주	餐	먹을	찬
註	글 뜻 풀	주	燦	빛날	찬
週	주일/돌	주	璨	옥빛/빛날	찬
埈	가파를(= 陖)	준	刹	절	찰
峻	높을	준	札	편지/패	찰
遵	좇을	준	斬	벨	참
駿	준마	준	慙	부끄러워할	참
仲	버금	중	慘	참혹할	참

한자	뜻(훈)	음	한자	뜻(훈)	음
昶	밝을/해 길	창	觸	닿을	촉
彰	빛날	창	促	재촉할	촉
滄	큰바다	창	燭	촛불	촉
蒼	푸를	창	叢	떨기	총
暢	화창할	창	寵	사랑	총
蔡	성/풀떨기	채	銃	총	총
埰	채밭	채	崔	높을	최
彩	채색	채	催	재촉할	최
采	풍채/캘	채	趨	달릴	추
悽	슬플	처	抽	뽑을	추
戚	겨레	척	醜	추할	추
斥	물리칠	척	軸	굴대	축
隻	외짝/새 한 마리	척	畜	기를	축
遷	옮길	천	蓄	모을/저축할	축
薦	천거할	천	縮	줄어질	축
撤	거둘	철	逐	쫓을	축
澈	물 맑을	철	蹴	찰	축
喆	밝을	철	沖	깊을	충
徹	통할	철	衷	정성	충
添	더할	첨	衝	찌를/부딪칠	충
尖	뾰족할	첨	臭	냄새	취
諜	염탐할	첩	炊	불 땔	취
廳	청사	청	醉	술 취할	취
遞	갈마들	체	趣	취미	취
滯	막힐	체	惻	슬퍼할	측
締	맺을	체	雉	꿩	치
逮	미칠	체	侈	사치할	치
替	바꿀	체	稚	어릴	치
肖	닮을	초	勅	칙서	칙
哨	망볼	초	漆	옻칠할	칠
抄	베낄/노략질할	초	枕	베개	침
秒	초	초	沈	잠길	침
楚	초나라	초	寢	잠잘	침
焦	탈	초	墮	떨어질	타
蜀	나라 이름	촉	托	맡길/밀	탁

단권화 MEMO

단권화 MEMO

한자	뜻(훈)	음	한자	뜻(훈)	음
鐸	방울	탁	砲	대포	포
託	부탁할	탁	抛	던질	포
琢	다듬을/쪼을	탁	怖	두려울	포
濁	흐릴	탁	哺	먹일	포
誕	낳을	탄	飽	배부를	포
奪	빼앗을	탈	鋪	펼/점방	포
眈	노려볼	탐	葡	포도	포
貪	탐할	탐	幅	폭	폭
湯	끓을	탕	漂	뜰	표
怠	게으를	태	杓	자루	표
兌	기쁠/괘 이름	태	豹	표범	표
台	별	태	標	표할	표
胎	아이 밸	태	楓	단풍나무	풍
殆	위태할	태	弼	도울	필
颱	태풍	태	畢	마칠	필
兔	토끼	토	泌	스며 흐를(샘물 흐를)	필(비)
透	통할	투	乏	모자랄/가난할	핍
巴	땅 이름	파	荷	연꽃/짐	하
播	뿌릴	파	瑕	티/흠	하
坡	언덕	파	虐	사나울	학
頗	자못	파	鶴	학	학
把	잡을	파	旱	가물	한
罷	마칠	파	翰	글/날개	한
阪	언덕	판	汗	땀	한
覇	으뜸	패	轄	다스릴/비녀장	할
遍	두루	편	割	벨	할
編	엮을	편	含	머금을	함
鞭	채찍	편	陷	빠질	함
偏	치우칠	편	艦	싸움배	함
扁	현판	편	函	함	함
坪	들/평수	평	巷	거리	항
蔽	덮을	폐	亢	목/별 이름	항
幣	폐백	폐	該	그/갖출	해
廢	폐할/버릴	폐	奚	어찌	해
弊	해질	폐	核	씨	핵

한자	뜻(훈)	음	한자	뜻(훈)	음
杏	은행/살구	행	皓	흴	호
獻	드릴	헌	酷	독할	혹
軒	처마/수레	헌	惑	미혹할	혹
赫	붉을/빛날	혁	魂	넋	혼
玄	검을	현	忽	갑자기	홀
峴	고개	현	鴻	기러기	홍
縣	고을	현	洪	넓을	홍
顯	나타날	현	靴	가죽신	화
懸	매달	현	禾	벼	화
炫	빛날	현	禍	재앙	화
鉉	솥귀	현	穫	거둘	확
弦	활시위	현	擴	넓힐	확
穴	구멍	혈	桓	굳셀	환
嫌	싫어할	혐	還	돌아올	환
峽	골짜기	협	換	바꿀	환
脅	위협할/갈빗대	협	煥	빛날	환
狹	좁을	협	幻	허깨비	환
螢	반딧불	형	滑	미끄러울	활
炯	빛날	형	荒	거칠	황
邢	성/나라 이름	형	晃	밝을	황
衡	저울	형	凰	봉황	황
型	틀/본보기	형	況	하물며	황
兮	어조사	혜	賄	뇌물	회
慧	지혜	혜	迴	돌아올	회
毫	가는 털	호	淮	물 이름	회
浩	넓을	호	灰	재	회
晧	밝을	호	懷	품을	회
護	보호할	호	獲	사로잡을	획
祜	복	호	橫	가로	횡
互	서로	호	曉	새벽	효
胡	오랑캐	호	喉	목구멍	후
昊	하늘	호	后	왕후	후
壕	해자/도랑	호	侯	제후	후
豪	호걸	호	勳	공	훈
鎬	호경/빛날	호	熏	연기 낄(= 燻)	훈

단권화 MEMO

단권화 MEMO

한자	뜻(훈)	음	한자	뜻(훈)	음
薰	향풀/향내 날	훈	稀	드물	희
毁	헐	훼	禧	복	희
輝	빛날	휘	熙	빛날	희
携	끌	휴	姬	아씨	희
烋	아름다울	휴	嬉	즐길	희
痕	흉터	흔	噫	탄식할	희
欽	공경할	흠	戲	희롱할	희
欠	하품	흠	犧	희생	희

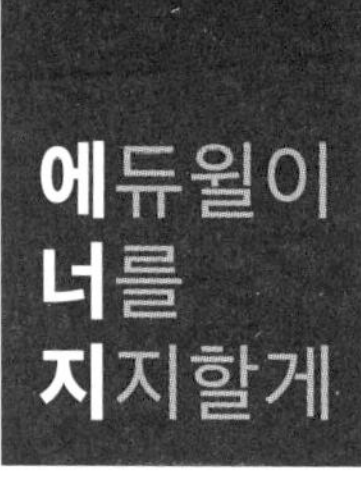

우리의 인생은 우리가 노력한 만큼 가치가 있다.

– 프랑수아 모리아크(Francois Mauriac)

CHAPTER

03 두 글자 주요 한자어

□ 1회독 월 일
□ 2회독 월 일
□ 3회독 월 일
□ 4회독 월 일
□ 5회독 월 일

ㄱ

가공(架 시렁 가, 空 빌 공) 이유나 근거가 없이 꾸며 냄. 또는 사실이 아니고 거짓이나 상상으로 꾸며 냄
예 소설은 작가가 창조한 가공의 인물들을 바탕으로 이야기를 전개해 나간다.

가공(可 옳을 가, 恐 두려워할 공) 두려워하거나 놀랄 만함
예 가공할 만한 위력으로 인류의 평화를 위협하는 핵무기의 확산을 저지하는 일에 중지(衆智)를 모아야 한다.

가교(架 시렁 가, 橋 다리 교) 다리를 놓음. 또는 그런 일. '다리 놓음', '다리 놓기'로 순화. 서로 떨어져 있는 것을 이어 주는 사물이나 사실
예 민간인들의 왕래가 가교가 되어 정식 외교 관계가 수립되었다.

가긍(可 옳을 가, 矜 불쌍히 여길 긍) 불쌍하고 가엾음
예 홀아비 신세가 가긍하다는 생각이 있던 차에 마침 식모 색시가 부지런하고 무던한 것 같아 중매를 섰던 것이다. – 채만식, 「소년은 자란다」

가동(稼 심을 가, 動 움직일 동) 사람이나 기계 등을 움직여 일하게 함
예 올해 들어 공장의 가동률이 100%에 육박하고 있다.

가식(假 거짓 가, 飾 꾸밀 식) 말이나 행동 따위를 거짓으로 꾸밈
예 예의가 지나치면 가식이 될 수 있다.

가칭(假 거짓 가, 稱 일컬을 칭) 어떤 이름을 임시 또는 거짓으로 정하여 부름. 또는 그 이름
예 우리는 이 모임을 가칭 '범민주 국민연합'이라고 하기로 하였습니다.

가혹(苛 가혹할 가, 酷 심할 혹) 매우 모질고 독함
예 노조에 가해지는 정부 측의 가혹한 탄압이 오히려 노조를 더욱 단결하게 했다.

각광(脚 다리 각, 光 빛 광) 사회적 관심이나 흥미. '주목'으로 순화
예 우리 회사의 제품이 해외 시장에서 각광을 받기 시작했다.

각축(角 뿔 각, 逐 쫓을 축) 서로 이기려고 다투며 덤벼듦
예 중국 시장을 둘러싼 각국의 각축은 더욱 치열해질 것 같다.

각하(却 물리칠 각, 下 아래 하) 행정법에서, 국가 기관에 대한 행정상 신청을 배척하는 처분. '물리침'으로 순화. 또는 민사 소송법에서 소(訴)나 상소가 형식적인 요건을 갖추지 못한 경우 부적법한 것으로 하여 내용에 대한 판단 없이 소송을 종료하는 일
예 헌법 재판소는 선출직 공무원 탄핵 심판 청구에 대해 각하 결정을 내렸다.

간과(看 볼 간, 過 지날 과) 대충 보고 지나쳐 넘김
예 이번 사건은 사안의 중대성에 비추어 볼 때 그대로 간과할 수만은 없다.

간극(間 사이 간, 隙 틈 극) 틈. 사물, 사람, 시간 등 서로 간의 관계에서 생기는 간격
예 이론과 현실 사이에는 큰 간극이 있다.

간난(艱 어려울 간, 難 어려울 난) 몹시 힘들고 고생스러움
예 간난의 세월을 겪으면서도 우리는 희망을 포기하지 않았다.

간단(間 사이 간, 斷 끊을 단) 잠시 그치거나 끊어짐
예 승리의 그날까지 우리는 간단없이 주어진 일에 최선을 다할 것이다.

간단(簡 간략할 간, 單 홑 단) 간략하고 단순함
예 사안의 중대함에 비추어 이 문제는 그리 간단한 문제가 아니다.

간섭(干 방패 간, 涉 건널 섭) 직접 관계가 없는 상대방의 일에 참견함
예 외세의 간섭을 뿌리치고 남북이 하나 된 독립 국가를 세우는 것이 백범의 꿈이었다.

간성(干 방패 간, 城 성곽 성) 방패와 성이라는 뜻으로, 나라를 지키는 믿음직한 군대나 인물을 이르는 말
예 국가의 간성

간절(懇 정성 간, 切 끊을 절) 마음속에서 우러나와 바라는 정도가 매우 절실하고 지극함
예 학업을 지속하고자 하는 간절한 바람이 마침내 이뤄졌다.

간주(看 볼 간, 做 지을 주) 상태, 모양, 성질 따위가 그와 같다고 봄. 또는 그렇다고 여김
예 대통령은 이번 전당 대회 결과를 자신의 권위에 대한 도전으로 간주했다.

간특(奸 간사할 간, 慝 사특할 특) 간사하고 악독함
예 이제 조정에 간특한 무리가 차고 들에 유현이 없으니 나날이 기울어 가는 이 국운을 어떻게 한단 말인가. – 현진건, 「무영탑」

간헐(間 사이 간, 歇 쉴 헐) 얼마 동안의 시간 간격을 두고 되풀이하여 일어났다 쉬었다 함
예 간헐적인 발작

갈파(喝 꾸짖을 갈, 破 깨뜨릴 파) 큰 소리로 꾸짖어 기세를 눌러 버림. 정당한 논리로 그릇된 주장을 깨뜨리고 진리를 밝힘
예 베이컨의 이 평범한 비유는 정녕 진정한 학문 정신, 학문 태도를 갈파한 탁월한 것이라고 할 수 있다.

감내(堪 견딜 감, 耐 견딜 내) 어려움을 참고 버티어 이겨 냄. '견딤'으로 순화
예 참된 승리는 고통을 감내하는 것에서 시작된다.

감상(感 느낄 감, 想 생각 상) 마음속에서 일어나는 느낌이나 생각
예 일기에 하루의 감상을 적는 시간은 자신을 되돌아보는 시간이기도 하다.

감상(感 느낄 감, 傷 다칠 상) 하찮은 일에도 쓸쓸하고 슬퍼져서 마음이 상함. 또는 그런 마음
예 설화는 아무 소리 없이 천장만 바라보고 힘없이 누워 가슴이 쓰린 듯한 감상과 비애를 맛보았다. – 나도향, 「환희」

감상(鑑 거울 감, 賞 상줄 상) 주로 예술 작품을 이해하여 즐기고 평가함
예 내 취미는 음악 감상입니다.

감안(勘 헤아릴 감, 案 책상 안) 여러 사정을 참고하여 생각함. '생각', '고려', '참작'으로 순화
예 대인 관계와 업무 능력이 감안된다면 이번 승진에서 그가 빠질 리가 없다.

감정(鑑 거울 감, 定 정할 정) 사물의 특성이나 참과 거짓, 좋고 나쁨을 분별하여 판정함
예 이번 발견된 고미술품에 대한 전문적인 감정을 의뢰했다.

감찰(監 볼 감, 察 살필 찰) 단체의 규율과 구성원의 행동을 감독하여 살핌. 또는 그런 직무
예 감사원은 앞으로 공직자들의 비리를 철저히 감찰할 것이라고 발표했다.

강구(講 익힐 강, 究 연구할 구) 좋은 대책과 방법을 궁리하여 찾아내거나 좋은 대책을 세움
예 민씨의 일파에서는 활민숙의 수상함을 벌써 알았다. 그리고 거기에 대한 대책은 벌써 강구 중이다. – 김동인, 「젊은 그들」

강단(剛 굳셀 강, 斷 끊을 단) 굳세고 꿋꿋하게 버티어 내는 힘
예 그는 윗선의 압력에도 불구하고 강단 있는 모습으로 자신의 소신을 관철시켰다.

강등(降 내릴 강, 等 무리 등) 등급이나 계급 따위가 낮아짐. 또는 등급이나 계급 따위를 낮춤
예 지난번 사고 이후 책임자는 대령에서 소령으로 강등되었다.

강박(強 굳셀 강, 迫 핍박할 박) 남의 뜻을 무리하게 내리누르거나 자기 뜻에 억지로 따르게 함
예 • 그는 채무자에게 돈을 빨리 갚을 것을 강박하였다.
• 한 후보자가 당원들에게 기부금을 내기를 강박하다가 물의를 빚었다.

강인(強 굳셀 강, 靭 질길 인) 억세고 질김
예 실패를 통해 단련된 그는 강인한 정신력의 소유자로 어떤 어려움에도 굴복함이 없었다.

강화(講 익힐 강, 和 화할 화) 싸우던 두 편이 싸움을 그치고 평화로운 상태가 됨
예 명과 일본 사이에 지루하게 끌던 강화 회담이 결렬되자 일본은 재침을 감행했다.

강화(強 굳셀 강, 化 될 화) 세력이나 힘을 더 강하고 튼튼하게 함
예 각 구단의 전력 강화로 실력이 평준화돼 어느 때보다 흥미진진한 시즌이 될 것이다.

개관(槪 대개 개, 觀 볼 관) 전체를 대강 살펴봄. 또는 그런 것
예 이번 전시회는 한국 미술사 전체를 개관하는 데에 그 의의가 있다.

개괄(槪 대개 개, 括 묶을 괄) 중요한 내용이나 줄거리를 대강 추려 냄
예 조선 시대의 교육 제도를 개괄하여 설명하면 다음과 같다.

개량(改 고칠 개, 良 어질 량) 나쁜 점을 보완하여 더 좋게 고침
예 그는 한평생을 농사 방법의 개량에 힘썼다.

개발(開 열 개, 發 필 발) 토지나 천연자원 따위를 유용하게 만듦. 지식이나 재능 따위를 발달하게 함. 산업이나 경제 따위를 발전하게 함
예 무분별한 그린벨트 개발은 후손들에게 죄를 짓는 행위임을 명심해야 한다.

개연(蓋 덮을 개, 然 그럴 연) 확실하게 단정할 수는 없지만 대개 그럴 것이라고 생각되는 상태
예 소설은 개연성 있는 허구이다.

개전(改 고칠 개, 悛 고칠 전) 행실이나 태도의 잘못을 뉘우치고 마음을 바르게 고쳐먹음
예 당신은 개전의 정도 보이지 않으므로 우리 단체에서 영구 제명을 명한다.

개정(改 고칠 개, 正 바를 정) 주로 문서의 내용 따위를 고쳐 바르게 함
예 우리는 이번 회기 내에 언론 악법의 개정에 힘쓸 것이다.

개정(改 고칠 개, 訂 바로잡을 정) 글자나 글의 틀린 곳을 고쳐 바로잡음
예 이번 판은 초판본을 개정 보완한 것이다.

개진(開 열 개, 陳 베풀 진) 주장이나 사실 따위를 밝히기 위하여 의견이나 내용을 드러내어 말하거나 글로 씀
예 의견 개진

개탄(慨 슬퍼할 개, 歎 탄식할 탄) 분하거나 못마땅하게 여겨 한탄함. '탄식'으로 순화
예 십 대들의 탈선을 보고 있노라면 절로 개탄이 나온다.

개혁(改 고칠 개, 革 가죽 혁) 제도나 기구 따위를 새롭게 뜯어고침
예 과감한 경제 정책으로 경제 개혁이 이루어졌다.

객수(客 손님 객, 愁 근심 수) 객지에서 느끼는 쓸쓸함이나 시름
예 이 시인의 초기 작품은 대부분 머나먼 타향에서 느끼는 객수를 노래한 것들이다.

갱생(更 다시 갱, 生 날 생) 거의 죽을 지경에서 다시 살아남. 마음이나 생활 태도를 바로잡아 본디의 옳은 생활로 되돌아가거나 발전된 생활로 나아감
예 그는 불치병에 걸려 갱생 가능성이 거의 없다.

갱신(更 다시 갱, 新 새 신) ① 이미 있던 것을 고쳐 새롭게 함
② 『법률』 법률관계의 존속 기간이 끝났을 때 그 기간을 연장하는 일
③ 『정보·통신』 기존의 내용을 변동된 사실에 따라 변경·추가·삭제하는 일
예 단체 협상 갱신이 무산되었다.

갹출(醵 추렴할 갹, 出 날 출) 같은 목적을 위하여 여러 사람이 돈을 나누어 냄. '나누어 냄', '추렴', '추렴함'으로 순화
예 모인 사람들이 갹출하여 구제 기금을 마련하였다.

건조(建 세울 건, 造 지을 조) 건물이나 배 따위를 설계하여 만듦
예 신기술을 이용한 유조선이 건조되었다.

건조(乾 하늘 건, 燥 마를 조) 말라서 습기가 없음. 물기나 습기를 말려서 없앰. 분위기, 정신, 표현, 환경 따위가 여유나 윤기 없이 딱딱함
예 나일론은 흡습성이 낮으므로 쉽게 건조된다.

검열(檢 검사할 검, 閱 볼 열) ① 어떤 행위나 사업 따위를 살펴 조사하는 일 ② 『군사』 군기, 교육, 작전 준비, 장비 따위의 군사 상태를 살펴보는 일 ③ 『매체』 언론, 출판, 보도, 연극, 영화, 우편물 따위의 내용을 사전에 심사하여 그 발표를 통제하는 일
예 현 정권의 보도 검열은 역사의 준엄한 응징을 받을 것이다.

게재(揭 높이 들 게, 載 실을 재) 글이나 그림 따위를 신문이나 잡지 따위에 실음
예 그의 논문은 유명 학회지에 게재될 예정이다.

격리(隔 막을 격, 離 떠날 리) 다른 것과 통하지 못하도록 사이를 막거나 떼어 놓음
예 신종 플루 확진 환자들에 대한 격리 수용이 필요한 시점이다.

격앙(激 격할 격, 昂 밝을 앙) 기운이나 감정 따위가 격렬히 일어나 높아짐
예 이번 사건에 대한 야당의 격앙된 반응은 그동안 여권의 일방적 공세에 대한 대대적인 반격의 성격이 강했다.

격의(隔 막을 격, 意 뜻 의) 서로 터놓지 않는 속마음
예 그는 소탈한 성격이라 아래 직원들과 격의 없는 술자리를 자주 가졌다.

격정(激 격할 격, 情 뜻 정) 강렬하고 갑작스러워 누르기 어려운 감정
예 시인은 독립을 향한 자신의 소회를 격정적인 어조로 노래했다.

격조(格 격식 격, 調 고를 조) 문예 작품 따위에서 격식과 운치에 어울리는 가락. 사람의 품격과 취향
예 그녀의 격조 높은 말씨와 예절이 우리를 감동시켰다.

격조(隔 막을 격, 阻 험할 조) 멀리 떨어져 있어 서로 통하지 못함. 오랫동안 서로 소식이 막힘
예 만나서 반갑습니다. 오랫동안 격조했습니다.

격차(格 격식 격, 差 다를 차) 가격이나 자격, 품등 따위의 서로 다른 정도
예 격차가 크다.

견지(堅 굳을 견, 持 가질 지) 어떤 견해나 입장 따위를 굳게 지니거나 지킴
예 그는 그 안건에 대해 반대 입장을 견지하고 있다.

결부(結 맺을 결, 付 줄 부) 일정한 사물이나 현상을 서로 연관시킴
예 그는 언제나 이론을 현실과 결부하여 검토한다.

결사(決 결단할 결, 死 죽을 사) 죽기를 각오하고 있는 힘을 다할 것을 결심함
예 우리는 졸속적으로 추진하는 시군 통합에 결사반대한다.

결사(結 맺을 결, 社 모일 사) 여러 사람이 공동의 목적을 이루기 위하여 단체를 조직함. 또는 그렇게 조직된 단체
예 헌법에 규정된 결사의 자유는 민주 시민이 갖는 보편적인 권리이다.

결성(結 맺을 결, 成 이룰 성) 조직이나 단체 따위를 짜서 만듦
예 일제 강점기에는 다양한 항일 운동 조직이 결성되어 독립운동을 벌였다.

결여(缺 이지러질 결, 如 같을 여) 마땅히 있어야 할 것이 빠져서 없거나 모자람
예 이번 결정은 공정성을 결여한 부당한 것이므로 우리는 그 정당성을 인정할 수 없다.

결연(結 맺을 결, 緣 인연 연) 인연을 맺음. 또는 그런 관계
예 많은 결연 단체가 매주 이곳을 방문한다.

결연(決 결단할 결, 然 그럴 연) 마음가짐이나 행동에 있어 태도가 움직일 수 없을 만큼 확고함
예 우리는 그에게서 죽음을 두려워하지 않는 결연한 태도를 엿볼 수 있었다.

결정(結 맺을 결, 晶 밝을 정) 애써 노력하여 보람 있는 결과를 이루는 것을 비유적으로 이르는 말
예 이 작품은 화가의 오랜 노력의 결정이다.

결핍(缺 이지러질 결, 乏 모자랄 핍) 있어야 할 것이 없어지거나 모자람
예 체내에 산소가 결핍되면 생명이 위험해진다.

결함(缺 이지러질 결, 陷 빠질 함) 부족하거나 완전하지 못하여 흠이 되는 부분
예 그는 신체적인 결함을 극복하지 못하고 결국 실패하고 말았다.

경각(頃 잠깐 경, 刻 새길 각) 눈 깜빡할 사이. 또는 아주 짧은 시간
예 그는 자신의 생명이 경각에 달린 상황에서도 주변 사람들에 대한 배려의 마음을 놓지 않았다.

경각(警 경계할 경, 覺 깨달을 각) 잘못을 하지 않도록 정신을 차리고 깨어 있음
예 경제 위기 상황일수록 범죄에 대한 경각심을 놓쳐서는 안 된다.

경개(景 경치 경, 槪 대개 개) 산이나 들, 강과 바다 등 자연이나 지역의 풍경 = 경치
예 그곳은 산천경개가 뛰어나다.

경건(敬 공경할 경, 虔 정성 건) 공경하며 삼가고 엄숙함
예 경건한 자세로 선열들에 대한 묵념을 올리다.

경도(傾 기울 경, 倒 넘어질 도) 기울어 넘어짐. 또는 기울여 넘어뜨림
예 어느 특정한 사관에 경도되면 부작용이 커질 수 있다.

경색(梗 줄기 경, 塞 막힐 색) 소통되지 못하고 막힘
예 여당의 언론 악법 날치기 통과로 정국이 급격히 경색되었다.

경시(輕 가벼울 경, 視 볼 시) 대수롭지 않게 보거나 업신여김
예 이 그림은 자연 경시 풍조에 대한 경고 메시지를 담고 있다.

경주(傾 기울 경, 注 부을 주) 힘이나 정신을 한곳에만 기울임
예 좋은 결과를 거둘 수 있도록 그 일에 최선의 노력이 경주되어야 한다.

경질(更 고칠 경, 迭 번갈아들 질) 어떤 직위에 있는 사람을 다른 사람으로 바꿈
예 대통령은 총리를 경질하고 그 자리에 자신의 최측근 인사를 기용했다.

경청(傾 기울 경, 聽 들을 청) 귀를 기울여 들음
예 상대의 말을 경청하는 것이 토론의 첫걸음이다.

경향(傾 기울 경, 向 향할 향) 현상이나 사상, 행동 따위가 어떤 방향으로 기울어짐
예 평균 혼인 연령이 과거에 비해 높아지는 경향을 보인다.

경화(硬 굳을 경, 化 될 화) 물건이나 몸의 조직 따위가 단단하게 굳어짐. 주장이나 의견, 태도, 사고방식 따위가 강경해짐
예 그들의 관료주의적 경화에 대하여 평소에 품어 오던 생각을 털어놓았다.

계발(啓 열 계, 發 필 발) 슬기나 재능, 사상 따위를 일깨워 줌
예 교사는 학생의 잠재된 창의성이 계발되도록 충분한 기회를 주어야 한다.

계제(階 섬돌 계, 梯 사다리 제) 어떤 일을 할 수 있게 된 형편이나 기회
예 이번 사건은 사안의 중대성에 비추어 이것저것 가릴 계제가 아니다.

고무(鼓 북 고, 舞 춤출 무) 힘을 내도록 격려하여 용기를 북돋움
예 박수로 선수들을 고무하다.

고안(考 생각할 고, 案 책상 안) 연구하여 새로운 안을 생각해 냄
예 이번에 그가 고안한 새로운 농법은 생산량 증대에 획기적인 변화를 가져올 것이다.

고양(高 높을 고, 揚 오를 양) 정신이나 기분 따위를 북돋워서 높임
예 대표 이사는 직원들의 사기 고양을 위해 많은 노력을 기울였다.

고증(考 생각할 고, 證 증거 증) 예전에 있던 사물들의 시대, 가치, 내용 따위를 옛 문헌이나 물건에 기초하여 증거를 세워 이론적으로 밝힘
예 철저히 고증된 자료만 증거로 사용될 수 있다.

고찰(考 생각할 고, 察 살필 찰) 어떤 것을 깊이 생각하고 연구함
예 문화에 대한 고찰 없이 인간의 삶을 이해하는 것은 불가능하다.

고취(鼓 북 고, 吹 불 취) 힘을 내도록 격려하여 용기를 북돋음. 의견이나 사상 따위를 열렬히 주장하여 불어넣음
예 사장은 사원들의 사기 고취를 위하여 노력하였다.

곡절(曲 굽을 곡, 折 꺾을 절) 순조롭지 아니하게 얽힌 이런저런 복잡한 사정이나 까닭. '까닭', '사정'으로 순화
예 일이 이렇게 된 것에는 필시 무슨 곡절이 있을 것이오.

곡직(曲 굽을 곡, 直 곧을 직) 굽음과 곧음이라는 뜻으로, 사리의 옳고 그름을 이르는 말
예 그는 들어오자마자 불문곡직하고 나를 몰아붙였다.

곡필(曲 굽을 곡, 筆 붓 필) 사실을 바른대로 쓰지 아니하고 왜곡하여 씀. 또는 그런 글
예 우리는 보수 언론의 곡필에 맞서 끝까지 투쟁할 것이다.

곡해(曲 굽을 곡, 解 풀 해) 사실을 옳지 아니하게 해석함. 또는 그런 해석
예 그는 내 말을 곡해해 들은 탓인지 나를 보자마자 다짜고짜 따지고 들었다.

골몰(汨 골몰할 골, 沒 빠질 몰) 다른 생각을 할 여유도 없이 한 가지 일에만 파묻힘
예 경찰은 사건의 경위보다 시위 주동자 색출에만 골몰하고 있다.

공복(公 공평할 공, 僕 종 복) 국가나 사회의 심부름꾼이라는 뜻. '공무원'을 달리 이르는 말
예 우리는 국민의 공복으로서 최선을 다해 일할 것을 맹세합니다.

공소(公 공평할 공, 訴 호소할 소) 검사가 법원에 특정 형사 사건의 재판을 청구함. 또는 그런 일
예 시민 단체는 검찰의 공소권 없음 결정에 대해 반발하여 연대 투쟁 방침을 천명했다.

공영(共 함께 공, 榮 영화 영) 함께 번영함
예 안중근 의사의 동양 평화론은 한중일 삼국의 공존과 공영에 그 바탕을 두고 있다.

공영(公 공평할 공, 營 경영할 영) 주로 공적인 기관에서 공공의 이익을 위하여 경영하거나 관리함. 또는 그렇게 하는 사업
예 최근 공영 방송의 위상 약화는 경영진의 권력 눈치 보기와 무관하지 않다.

공황(恐 두려울 공, 慌 어렴풋할 황) 두려움이나 공포로 갑자기 생기는 심리적 불안 상태
예 연이은 주가 폭락으로 주식 시장은 거의 공황 상태에 빠졌다.

과묵(寡 적을 과, 默 잠잠할 묵) 말이 적고 침착함
예 그 아이는 몸집도 좋은 데다가 과묵해서 나이보다 어른스럽게 보였다.

과문(寡 적을 과, 聞 들을 문) 보고 들은 것이 적음
예 내가 과문한 탓으로 선생님께서 내게 말씀하신 참뜻을 이해하지 못했다.

과신(過 지날 과, 信 믿을 신) 지나치게 믿음
예 시장에 대한 과신은 현 정부 경제 정책 실패의 중요한 원인이다.

과오(過 지날 과, 誤 그르칠 오) 부주의나 태만 따위에서 비롯된 잘못이나 허물
예 그는 집권 시의 과오에 대해 진실한 사과를 했다.

과용(過 지날 과, 用 쓸 용) 정도에 지나치게 씀. 또는 그런 비용
예 그 사람은 약을 과용하여 더 큰 병에 걸렸다.

과잉(過 지날 과, 剩 남을 잉) 예정하거나 필요한 수량보다 많아 남음. '지나침', '초과'로 순화
예 과잉 친절은 오히려 부담스러운 법이다.

관망(觀 볼 관, 望 바랄 망) 한발 물러나서 어떤 일이 되어 가는 형편을 바라봄
예 이번 사태에 끼어들지 않고 당분간 관망하기로 결정했다.

관용(慣 익숙할 관, 用 쓸 용) 습관적으로 늘 씀. 또는 그렇게 쓰는 것
예 시험에 대비하기 위해 관용적인 어휘의 정리는 반드시 필요하다.

관용(寬 너그러울 관, 容 얼굴 용) 남의 잘못을 너그럽게 받아들이거나 용서함. 또는 그런 용서
예 철거민들의 생존권을 위한 투쟁에 최소한의 관용도 베풀지 않는 비정함에서 우리는 서민을 외치는 정권 담당자들의 본색을 볼 수 있었다.

관장(管 주관할 관, 掌 손바닥 장) 일을 맡아서 주관함
예 그는 오랫동안 학교의 모든 행사를 관장해 오고 있다.

관조(觀 볼 관, **照** 비칠 조) ① 고요한 마음으로 사물이나 현상을 관찰하거나 비추어 봄
② 「예술」 미(美)를 직접적으로 인식하는 일
③ 「불교」 지혜로 모든 사물의 참모습과 나아가 영원히 변하지 않는 진리를 비추어 봄
예 사안에 대해 차분히 관조하는 자세도 필요할 때가 있다.

관철(貫 꿰뚫을 관, **徹** 뚫을 철) 어려움을 뚫고 나아가 목적을 기어이 이룸
예 우리의 요구 사항을 관철시키기 위해 모든 노력을 다할 것이다.

관할(管 주관할 관, **轄** 다스릴 할) 일정한 권한을 가지고 통제하거나 지배함. 또는 그런 지배가 미치는 범위. '담당'으로 순화
예 관할 경찰서

관행(慣 익숙할 관, **行** 행할 행) 오래전부터 해 오는 대로 함. 또는 관례에 따라서 함
예 오랜 관행을 깨다.

광분(狂 미칠 광, **奔** 달릴 분) 어떤 목적을 이루기 위하여 미친 듯이 날뜀
예 두 후보는 상대편의 단점을 찾는 데에 더 광분하였다.

광음(光 빛 광, **陰** 그늘 음) 햇빛과 그늘. 즉 낮과 밤이라는 뜻으로, 시간이나 세월을 이르는 말
예 선생님을 작별한 뒤의 광음은 어찌 그리 빠르고 선생님이 기다리라신 그때는 어찌 그리 더딘지요? – 한용운, 「흑풍」

광활(廣 넓을 광, **闊** 트일 활) 막힌 데가 없이 트이고 넓음
예 관목 숲이 시야 아득히 펼쳐진 광활한 고원의 풍경은 정말 장관이었다.

괴담(怪 기이할 괴, **談** 말씀 담) 괴상한 이야기
예 이른바 '괴담'은 정보가 자유롭게 공유되지 않을 때 발생한다.

괴리(乖 어그러질 괴, **離** 떠날 리) 서로 어그러져 동떨어짐
예 이상과 현실 사이에 괴리는 항상 존재하기 마련이다.

괴벽(怪 기이할 괴, **癖** 버릇 벽) 괴이한 버릇
예 형은 시험 때만 되면 머리를 감지 않는 괴벽이 있다.

괴이(怪 기이할 괴, **異** 다를 이) 정상적이지 않고 별나며 괴상함
예 노인의 풍모는 괴이하기 짝이 없었으나 또 한편으로 비범함도 엿보였다.

교감(交 사귈 교, **感** 느낄 감) 서로 접촉하여 따라 움직이는 느낌
예 최근 보이는 총리의 언행은 대통령과의 교감 속에 나온 것이라는 추측을 가능하게 했다.

교란(攪 흔들 교, **亂** 어지러울 란) 마음이나 상황 따위를 뒤흔들어서 어지럽고 혼란하게 함. '어지럽힘', '혼란스럽게 만듦'으로 순화
예 적의 후방 교란 작전은 상당한 효과를 거두어 우리 진영이 동요하기 시작했다.

교부(交 사귈 교, **付** 줄 부) ① 내어 줌
② 「법률」 물건을 다른 사람에게 넘기는 일
예 원서 교부는 이달 말부터 시작합니다.

교사(敎 가르칠 교, **唆** 부추길 사) 남을 꾀거나 부추겨서 나쁜 짓을 하게 함
예 검찰은 그를 살인 교사 혐의로 체포했다.

교섭(交 사귈 교, **涉** 건널 섭) 어떤 일을 이루기 위하여 서로 의논하고 절충함
예 파업 직전에 노사 교섭이 타결되었다.

교정(矯 바로잡을 교, **正** 바를 정) ① 틀어지거나 잘못된 것을 바로잡음
② 「법률」 교도소나 소년원 따위에서 재소자의 잘못된 품성이나 행동을 바로잡음
예 갱생을 위한 교정 프로그램

교정(校 학교 교, **訂** 바로잡을 정) 남의 문장 또는 출판물의 잘못된 글자나 글귀 따위를 바르게 고침
예 초고를 교정하여 책을 완성하였다.

구명(救 구원할 구, **命** 목숨 명) 사람의 목숨을 구함
예 구명 운동을 펼치다.

구명(究 연구할 구, **明** 밝을 명) 사물의 본질, 원인 따위를 깊이 연구하여 밝힘
예 그 문제에 관한 답은 아직도 구명되고 있지 않다.

구비(具 갖출 구, **備** 갖출 비) 있어야 할 것을 빠짐없이 다 갖춤
예 서류가 구비된 사람만 나와서 접수하십시오.

구애(拘 잡을 구, **礙** 거리낄 애) 거리끼거나 얽매임
예 자료가 부족해서 논문을 쓰는 데 구애를 받았다.

구원(仇 원수 구, **怨** 원망할 원) 원한이 맺힐 정도로 자기에게 해를 끼친 사람이나 집단
예 그는 선대로부터 우리 집안과 구원이 있는 사이이다.

구원(救 구원할 구, **援** 도울 원) 어려움이나 위험에 빠진 사람을 구하여 줌
예 실의에 빠진 나를 구원한 것은 바로 어머니의 사랑이었다.

구차(苟 진실로 구, **且** 또 차) 말이나 행동이 떳떳하거나 버젓하지 못함
예 구차하게 목숨을 구걸하느니 당당히 나의 길을 가겠다.

구축(驅 몰 구, **逐** 쫓을 축) 어떤 세력 따위를 몰아서 쫓아냄
예 유능하고 실력 있는 교사를 사상이 불온하다는 이유로 학원으로부터 깡그리 구축을 한 자가 누군가. – 채만식, 「돼지」

구축(構 얽을 구, **築** 쌓을 축) 어떤 시설물을 쌓아 올려 만듦. 체제, 체계 따위의 기초를 닦아 세움
예 이번 시즌 국가 대표 팀은 최강의 전력을 구축해 세계 대회에 출전했다.

구현(具 갖출 구, **現** 나타날 현) 어떤 내용이 구체적인 사실로 나타나게 함
예 민주주의가 하나의 정치 제도로서 구현되었다.

구형(求 구할 구, **刑** 형벌 형) 형사 재판에서, 피고인에게 어떤 형벌을 줄 것을 검사가 판사에게 요구하는 일
예 검찰은 이번 사건의 피고인들에게 중형을 구형했다.

구호(救 구원할 구, **護** 도울 호) 재해나 재난 따위로 어려움에 처한 사람을 도와 보호함
예 전국에서 구호의 손길이 몰려왔다.

구휼(救 구원할 구, **恤** 불쌍할 휼) 사회적 또는 국가적 차원에서 재난을 당한 사람이나 빈민에게 금품을 주어 구제함
예 구휼미로 빈민을 구휼하다.

국면(局 판 국, 面 낯 면) 어떤 일이 벌어진 장면이나 형편
예 상호 비방전은 선거 국면에서 흔히 나타나는 현상이다.

국수(國 나라 국, 粹 순수할 수) 한 나라나 민족이 지닌 정신적·물질적인 장점
예 애국과 국수주의는 반드시 구별되어야 한다.

국시(國 나라 국, 是 옳을 시) 국민의 지지도가 높은 국가 이념이나 국가 정책의 기본 방침
예 대한민국의 국시가 반공이냐 평화 통일이냐를 놓고 오랫동안 논쟁이 있어 왔다.

군림(君 임금 군, 臨 임할 림) 어떤 분야에서 절대적인 세력을 가지고 남을 압도함을 비유적으로 이르는 말
예 국민을 속이고 국민 위에 군림하려는 권력자들은 항상 비참한 종말을 맞았다.

군집(群 무리 군, 集 모일 집) 사람이나 건물 따위가 한곳에 모임
예 인간은 사회생활을 한다는 점에서 단순히 군집 생활을 하는 동물과 다르다.

굴지(屈 굽힐 굴, 指 가리킬 지) 무엇을 셀 때, 손가락으로 꼽음. 매우 뛰어나 수많은 가운데서 손꼽힘
예 국내 굴지의 대기업이 연루된 비자금 사건은 사회 전반에 큰 파장을 몰고 왔다.

권고(勸 권할 권, 告 고할 고) 어떤 일을 하도록 권함. 또는 그런 말
예 감사원 감사 결과에 따라 그는 사직을 권고받았다.

궤변(詭 속일 궤, 辯 말 잘할 변) 『철학』 상대편을 이론으로 이기기 위하여 상대편의 사고(思考)를 혼란시키거나 감정을 격앙시켜 거짓을 참인 것처럼 꾸며 대는 논법
예 그의 주장은 구차스러운 변명이요, 약자의 궤변일 뿐이다.

귀감(龜 거북 귀, 鑑 거울 감) 거울로 삼아 본받을 만한 모범
예 그의 살신성인 자세는 오늘처럼 개인주의 풍조가 만연한 지금 많은 귀감이 되고 있다.

귀결(歸 돌아갈 귀, 結 맺을 결) 어떤 결말이나 결과에 이름. 또는 그 결말이나 결과
예 이번 헌재의 판결은 의회주의를 부정한 세력의 오만함을 심판한 당연한 귀결이다.

귀납(歸 돌아갈 귀, 納 들일 납) 개별적인 특수한 사실이나 원리로부터 일반적이고 보편적인 명제 및 법칙을 유도해 내는 일
예 어떤 현상을 관찰하고 거기에서 어떤 원리를 유도해 냈다면 그것이 바로 귀납적인 방법이다.

귀성(歸 돌아갈 귀, 省 살필 성) 부모를 뵙기 위하여 객지에서 고향으로 돌아가거나 돌아옴
예 고속 도로 하행선이 귀성 차량으로 정체되었다.

귀속(歸 돌아갈 귀, 屬 무리 속) 재산이나 영토, 권리 따위가 특정 주체에 붙거나 딸림
예 상속인이 없는 재산은 국가에 귀속하게 된다.

귀화(歸 돌아갈 귀, 化 될 화) 다른 나라의 국적을 얻어 그 나라의 국민이 되는 일
예 이번 시즌은 용병에 버금가는 실력을 지닌 귀화 선수들의 활약이 팀 성적에 큰 영향을 끼칠 것으로 예상된다.

규명(糾 얽힐 규, 明 밝을 명) 어떤 사실을 자세히 따져서 바로 밝힘
예 주민들은 사건의 진상 규명을 촉구하였다.

규제(規 법 규, 制 지을 제) 규칙이나 규정에 의하여 일정한 한도를 정하거나 정한 한도를 넘지 못하게 막음
예 주택 시장에 대한 무분별한 규제 완화는 투기 심리를 자극할 우려가 있다.

규탄(糾 얽힐 규, 彈 탄알 탄) 잘못이나 옳지 못한 일을 잡아내어 따지고 나무람
예 시민들은 광장에 모여 관계 당국이 약속을 어겼음을 규탄하였다.

규합(糾 얽힐 규, 合 합할 합) 어떤 일을 꾸미려고 세력이나 사람을 모음
예 차기 전당 대회를 앞두고 계파마다 세력 규합에 박차를 가하기 시작했다.

극렬(極 다할 극, 烈 세찰 렬) 매우 열렬하거나 맹렬함
예 극렬한 시위를 벌이다.

근간(根 뿌리 근, 幹 줄기 간) 뿌리와 줄기를 아울러 이르는 말. 사물의 바탕이나 중심이 되는 중요한 것
예 3권 분립은 견제와 균형이라는 헌법 정신의 근간을 이루는 장치이다.

근성(根 뿌리 근, 性 성품 성) 태어날 때부터 지니고 있는 근본적인 성질. 뿌리가 깊게 박힌 성질
예 박 씨가 보인 행동이 나에게는 타고난 그의 거지 근성처럼 느껴졌다.

근신(謹 삼갈 근, 愼 삼갈 신) 말이나 행동을 삼가고 조심함
예 그는 이번 사태의 책임을 지고 일체의 활동을 중단하고 근신하기로 했다.

금기(禁 금할 금, 忌 꺼릴 기) 마음에 꺼려서 하지 않거나 피함
예 방문한 지방의 고유한 금기를 깨지 않도록 주의해라.

급부(給 줄 급, 付 줄 부) ① 재물 따위를 대어 줌
② 『법률』 채권의 목적이 되는, 채무자가 하여야 할 행위
예 봉사의 기본 정신은 이웃에 대한 사랑으로, 반대 급부를 염두에 두어서는 안 된다.

급조(急 급할 급, 造 지을 조) 급히 만듦
예 성명서가 임원들의 사전 동의도 없이 급조돼 발표되었다.

급진(急 급할 급, 進 나아갈 진) 서둘러 급히 나아감
예 1970년대에 우리나라 경제는 외형상 급진적으로 발전하였다.

급파(急 급할 급, 派 갈래 파) 급히 파견함
예 사고 원인을 정밀 조사하기 위해 전문가들이 사고 현장에 급파되었다.

긍휼(矜 불쌍히 여길 긍, 恤 불쌍할 휼) 불쌍히 여겨 돌보아 줌
예 불쌍한 이웃을 긍휼히 여기는 마음이 바로 참사랑의 실천이다.

기각(棄 버릴 기, 却 물리칠 각) ① 물품을 내버림
② 『법률』 소송을 수리한 법원이, 소나 상소가 형식적인 요건은 갖추었으나, 그 내용이 실체적으로 이유가 없다고 판단하여 소송을 종료하는 일
예 법원의 기각 결정으로 헌정 사정 초유의 대통령 탄핵에 대한 부당성이 입증되었다.

기간(基 터 기, 幹 줄기 간) 어떤 분야나 부문에서 가장 으뜸이 되거나 중심이 되는 부분
예 어떠한 경우에도 국가 기간산업을 볼모로 불법 행위를 벌이는 것은 엄단할 것이다.

기강(紀 벼리 기, 綱 벼리 강) 규율과 법도를 아울러 이르는 말. '근무 자세', '태도'로 순화
예 신임 장관이 취임 일성으로 공직 사회의 기강 확립을 강조했다.

기교(技 재주 기, 巧 교묘할 교) 기술이나 솜씨가 아주 교묘함. 또는 그런 기술이나 솜씨
예 잔 기교보다는 실력으로 승부하는 것이 떳떳한 길이다.

기도(企 꾀할 기, 圖 그림 도) 어떤 일을 이루려고 꾀함. 또는 그런 계획이나 행동
예 이번 탈레반 정부에 대한 전복 기도는 실패로 돌아갔다.

기만(欺 속일 기, 瞞 속일 만) 남을 속여 넘김
예 그는 정직하여 남을 기만하지 않는다.

기망(欺 속일 기, 罔 그물 망) 남을 속여 넘김
예 더 이상 얕은 꾀로 국민을 기망하는 것을 용납할 수 없다.

기민(機 틀 기, 敏 민첩할 민) 눈치가 빠르고 동작이 날쌤
예 그는 몸을 기민하게 움직였다.

기복(祈 빌 기, 福 복 복) 복을 빎
예 자신과 가족의 평안함을 비는 기복적 성격이 한국 기독교의 주된 특성이다.

기복(起 일어날 기, 伏 엎드릴 복) 지세(地勢)가 높아졌다 낮아졌다 함. 세력이나 기세 따위가 성하였다 쇠하였다 함
예 그는 4라운드 내내 기복 없는 플레이로 우승컵을 거머쥐었다.

기아(飢 주릴 기, 餓 주릴 아) 먹을 것이 없어 배를 곯는 것
예 시민 단체는 기아에 고통받는 북한 주민들을 위해 조건 없는 식량 지원을 할 것을 정부에 촉구했다.

기예(技 재주 기, 藝 재주 예) '기술'과 '예술'을 아울러 이르는 말
예 조선 시대 기녀들은 대개 가무, 풍악 등의 기예를 고루 갖추고 있었다.

기저(基 터 기, 底 밑 저) 어떤 것의 바닥이나 근본이 되는 부분
예 이 작품은 기독교 사상을 그 기저에 깔고 있다.

기제(機 틀 기, 制 절제할 제) 인간의 행동에 영향을 미치는 심리의 작용이나 원리
예 사람은 자기를 어느 집단과 동일시함으로써 자기 자신을 확인하며 만족을 얻는 심리적 기제를 가진다고 한다.

기조(基 터 기, 調 고를 조) ① 사상, 작품, 학설 따위에 일관해서 흐르는 기본적인 경향이나 방향
② 『경제』 시세나 경제 정세의 기본적 동향
③ 『음악』 한 악곡 전체의 중심이 되는 가락
예 국정 기조 전환을 요구하는 국민적 목소리가 점차 높아만 가고 있다.

기치(旗 기 기, 幟 기 치) 예전에, 군대에서 쓰던 깃발. 일정한 목적을 위하여 내세우는 태도나 주장
예 그는 세계 경영이라는 기치 아래 전 세계로 사업 영역을 확장해 나갔다.

기탄(忌 꺼릴 기, 憚 꺼릴 탄) 어렵게 여기어 꺼림
예 부담을 갖지 마시고 회사 발전을 위한 각자의 의견을 기탄없이 말씀해 주시기 바랍니다.

기한(飢 주릴 기, 寒 찰 한) 굶주리고 헐벗어 배고프고 추움
예 그들은 자기 한 사람에게 목숨을 매단 늙은 부모와 아내와 자식들이 기한에 떠는 꼴을 눈앞에 그려 보는 것이었다. – 심훈, 「영원의 미소」

기호(嗜 즐길 기, 好 좋아할 호) 즐기고 좋아함
예 그 회사는 대중의 기호에 맞추어 상품을 개발하였다.

긴절(緊 긴할 긴, 切 끊을 절) 매우 필요하고 절실함
예 경제가 어려운 이 시대에는 절약 정신이 긴절하다.

ㄴ

나타(懶 게으를 나, 惰 게으를 타) 행동, 성격 따위가 느리고 게으름
예 폭포는 나타와 안정을 뒤집어 놓은 듯이 높이도 폭도 없이 떨어진다.

낙인(烙 지질 낙, 印 도장 인) 쇠붙이로 만들어 불에 달구어 찍는 도장. 다시 씻기 어려운 불명예스럽고 욕된 판정이나 평판을 이르는 말
예 그는 이후에도 여러 차례 대선에 출마했지만 경선 불복자라는 낙인은 좀처럼 씻기 어려웠다.

난감(難 어려울 난, 堪 견딜 감) 이렇게 하기도 저렇게 하기도 어려워 처지가 매우 딱함
예 이번 재보선에서 누구를 뽑아야 할지 선택하기가 난감하다.

난관(難 어려울 난, 關 관계할 관) 일을 하여 나가면서 부딪치는 어려운 고비
예 • 난관에 봉착하다.
• 난관을 극복하다.

난립(亂 어지러울 난, 立 설 립) 질서 없이 여기저기서 나섬
예 최근 상조업체의 난립으로 소비자 피해 사례가 속속 나타나자 당국이 실태 조사에 나섰다.

난마(亂 어지러울 난, 麻 삼 마) 어지럽게 얽힌 삼실의 가닥이라는 뜻으로, 갈피를 잡기 어렵게 뒤얽힌 일이나 세태를 비유적으로 이르는 말
예 우리는 난마처럼 얽혀 있던 문제에 대한 해결의 실마리를 드디어 찾았다.

난만(爛 문드러질 난, 漫 흩어질 만) 꽃이 활짝 많이 피어 화려함. 주고받는 의견이 충분히 많음
예 • 새봄을 맞은 공원에 들꽃이 난만하다.
• 난만한 토론 끝의 결론

난무(亂 어려울 난, 舞 춤 무) 엉킨 듯이 어지럽게 추는 춤. 또는 그렇게 춤을 춤. 함부로 나서서 마구 날뜀을 비유적으로 이르는 말
예 흑색선전과 상호 비방이 난무하는 가운데 13일간의 선거 운동 기간이 끝났다.

난항(難 어려울 난, 航 배 항) 폭풍우와 같은 나쁜 조건으로 배나 항공기가 몹시 어렵게 항행함. 여러 가지 장애 때문에 일이 순조롭게 진행되지 않음을 비유적으로 이르는 말
예 철야 협상이 노사 양측의 이견으로 합의점 도출에 난항을 겪고 있다.

날조(捏 꾸밀 날, 造 지을 조) 사실이 아닌 것을 사실인 것처럼 거짓으로 꾸밈
예 날조된 기사를 게재해 명예를 훼손한 언론사에 대해 반론 보도를 요청했다.

남발(濫 넘칠 남, 發 필 발) 법령이나 지폐, 증서 따위를 마구 공포하거나 발행함. '마구 냄'으로 순화. 어떤 말이나 행동 따위를 자꾸 함부로 함
예 게다가 통화의 남발로 가치가 떨어지면서 이자가 다달이 오름세였다.
– 박완서, 「미망」

남용(濫 넘칠 남, 用 쓸 용) 일정한 기준이나 한도를 넘어서 함부로 씀. 권리나 권한 따위를 본래의 목적이나 범위를 벗어나 함부로 행사함
예 • 권력을 남용하다.
• 약물을 남용하다.
• 폭력적인 양상으로 치닫는 경찰의 공권력 남용을 막을 제도적 장치가 필요하다.

납량(納 들일 납, 涼 서늘할 량) 여름철에 더위를 피하여 서늘한 기운을 느낌
예 한여름 밤의 무더위를 날리는 데에는 납량 특집 공포물이 제격이다.

낭설(浪 물결 랑(낭), 說 말씀 설) 터무니없는 헛소문
예 우리는 한갓 시중에 떠도는 낭설을 근거로 작성한 기사에 대한 책임을 반드시 물을 것이다.

내구(耐 견딜 내, 久 오랠 구) 오래 견딤
예 장마철일수록 습기에 잘 견딜 수 있는 내구성 있는 소재가 필수적이다.

내밀(內 안 내, 密 빽빽할 밀) 어떤 일이 겉으로 드러나지 아니함. 또는 그런 일
예 • 내밀히 처리하다.
• 그들은 한 후보에게 내밀히 지지를 약속했다.

내통(內 안 내, 通 통할 통) 외부의 조직이나 사람과 남몰래 관계를 가지고 통함. 몰래 알림
예 대낮에 그런 터무니없는 강도 사건이 벌어졌다면 틀림없이 내통이 있다.

내포(內 안 내, 包 쌀 포) 어떤 성질이나 뜻 따위를 속에 품음
예 이 가능성은 현실 속에 이미 내포되어 있다.

내홍(內 안 내, 訌 어지러울 홍) 집단이나 조직의 내부에서 자기들끼리 일으킨 분쟁
예 최근 여당 내에서 세종시 수정론을 두고 내홍이 벌어지고 있다.

냉담(冷 찰 랭(냉), 淡 맑을 담) 태도나 마음씨가 동정심 없이 차가움. 어떤 대상에 흥미나 관심을 보이지 않음
예 나는 그 녀석을 위한 그런 일들에 냉담한 방관자였다.
– 박완서, 「도시의 흉년」

노골(露 이슬 로(노), 骨 뼈 골) 숨김없이 모두 있는 그대로 드러냄
예 최근 노골화하는 대기업의 골목 상권 장악 시도에 대한 비판 여론이 높다.

노작(勞 일할 로(노), 作 지을 작) 애쓰고 노력해서 이룸. 또는 그런 작품. 힘을 들여 부지런히 일함
예 좋은 글은 치밀한 구상과 여러 차례 퇴고 과정을 거쳐서 이루어지는 노작의 산물이다.

노정(路 길 로(노), 程 한도 정) 목적지까지의 거리. 또는 목적지까지 걸리는 시간. 거쳐 지나가는 길이나 과정
예 험난한 노정

노회(老 늙은이 로(노), 獪 교활할 회) 경험이 많고 교활함
예 어떤 질문에도 막힘없이 맞받아치는 그의 모습에서 노회한 노정객의 모습을 느낄 수 있었다.

논박(論 논할 논, 駁 논박할 박) 어떤 주장이나 의견에 대하여 그 잘못된 점을 조리 있게 공격하여 말함
예 이 무렵 조선 조정에서도 영국의 거문도 점령을 논박하였다.
– 문순태, 「타오르는 강」

논조(論 논할 논, 調 고를 조) 논하는 말이나 글의 투. 논설이나 평론 따위의 경향
예 같은 사안에 대해서도 정파적 이해에 따라 전혀 다른 논조를 보이는 자칭 메이저 신문들은 언론이라기보다 하나의 정치 세력에 가깝다.

농간(弄 희롱할 롱(농), 奸 간사할 간) 남을 속이거나 남의 일을 그르치게 하려는 간사한 꾀
예 무슨 농간이 있지 않고서야 네가 하룻밤 새 그렇게 변심할 리가 있느냐?

농단(壟 밭두둑 롱(농), 斷 끊을 단) 이익이나 권리를 독차지함을 이르는 말
예 대통령의 최측근임을 빙자해 권력을 농단했던 일은 결코 용서받을 수 없다.

농담(濃 짙을 농, 淡 맑을 담) 색깔이나 명암 따위의 짙음과 옅음
예 수채화의 묘미는 물감의 농담을 이용해 대상을 사실적으로 표현하는 데에 있다.

농성(籠 대바구니 롱(농), 城 재 성) 어떤 목적을 이루기 위하여 한자리를 떠나지 않고 시위함
예 쌍용차 점거 농성 사태는 결국 노사 대타협으로 종결되었지만 공권력의 과도한 진압 시도는 문제 해결을 더욱 어렵게 했다.

농후(濃 짙을 농, 厚 두터울 후) 맛, 빛깔, 성분 따위가 매우 짙음. 어떤 경향이나 기색 따위가 뚜렷함
예 이 소설에는 남도 지방의 특색이 농후하게 반영되어 있다.

눌변(訥 말 더듬거릴 눌, 辯 말 잘할 변) 더듬거리는 서툰 말솜씨
예 그는 정치인으로서는 보기 드문 눌변이었으나 특유의 친화력으로 마침내 대통령의 자리에까지 올랐다.

ㄷ

다원(多 많을 다, **元** 으뜸 원) 근원이 많음. 또는 그 근원
예 냉전 체제가 붕괴된 국제 사회는 다원적인 체제가 되었다.

단상(斷 끊을 단, **想** 생각 상) 생각나는 대로의 단편적인 생각
예 그는 가끔씩 적은 단상들을 모아 책으로 냈다.

단속(斷 끊을 단, **續** 이을 속) 끊겼다 이어졌다 함
예 멀리서 세차게 개 짖는 소리가 단속적으로 들려온다. 여우가 우는 소리 같기도 했다. - 안수길, 「북간도」

단속(團 모일 단, **束** 묶을 속) 주의를 기울여 다잡거나 보살핌. 규칙이나 법령, 명령 따위를 지키도록 통제함
예 집 안팎 단속을 끝내고 잠자리에 들었다.

단언(斷 끊을 단, **言** 말씀 언) 주저하지 아니하고 딱 잘라 말함
예 단언하건데 이런 임시방편적인 정책으로 시장을 움직일 수 있다는 것은 큰 오산이다.

단장(斷 끊을 단, **腸** 창자 장) 몹시 슬퍼서 창자가 끊어지는 듯함
예 역사처럼 긴 슬픔이 가야금 줄을 타고 먼 데서 전해 오는 그런 단장의 슬픔이었다. - 이무영, 「농민」

단행(斷 끊을 단, **行** 다닐 행) 결단하여 실행함
예 대통령은 총리를 포함한 5개 부처의 개각을 단행했다.

담론(談 말씀 담, **論** 논할 론) ① 이야기를 주고받으며 논의함
② 『문학』 소설에서, 서사 구조의 내용을 이루는 서술 전체
예 그녀의 저서는 일부 여성 운동가들 사이에서만 있었던 페미니즘 담론을 사회 전반의 논의 주제로 확산시킨 데에 그 의의가 있다.

담합(談 말씀 담, **合** 합할 합) ① 서로 의논하여 합의함
② 『법률』 경쟁 입찰을 할 때에 입찰 참가자가 서로 의논하여 미리 입찰 가격이나 낙찰자 따위를 정하는 일
예 공정위는 휘발유 값을 담합한 정유사에 10억 원의 과징금을 부과했다.

담화(談 말씀 담, **話** 말할 화) 서로 이야기를 주고받음. 한 단체나 공적인 자리에 있는 사람이 어떤 문제에 대한 견해나 태도를 밝히는 말
예 이번 대통령의 특별 담화에 국민들의 눈과 귀가 집중되고 있다.

답보(踏 밟을 답, **步** 걸음 보) 상태가 나아가지 못하고 한자리에 머무르는 일. 제자리걸음
예 몇 년째 답보 상태인 국가 경쟁력을 높이기 위한 획기적인 대책이 필요하다.

답습(踏 밟을 답, **襲** 엄습할 습) 예로부터 해 오던 방식이나 수법을 좇아 그대로 행함
예 과거의 문제점을 그대로 답습하는 한 우리에게 미래는 없다.

대차(貸 빌릴 대, **借** 빌릴 차) ① 꾸어 주거나 꾸어 옴 ≒차대
② 『경영』 부기에서, 계정계좌의 대변과 차변을 아울러 이르는 말
예 은행에서 사업 자금을 대차하다.

대체(代 대신할 대, **替** 바꿀 체) 다른 것으로 대신함. '바꿈'으로 순화
예 이 일은 고도의 기술이 필요하므로 기존의 인력이 전문 인력으로 대체되었다.

도급(都 도읍 도, **給** 줄 급) ① 일정한 기간이나 시간 안에 끝내야 할 일의 양을 도거리로 맡거나 맡김. 또는 그렇게 맡거나 맡긴 일
② 『법률』 당사자 가운데 한쪽이 어떤 일을 완성할 것을 약속하고, 상대편이 그 일의 결과에 대하여 보수를 지급할 것을 약속함으로써 성립하는 계약
예 불법 하도급으로 인한 피해를 막기 위해서라도 당국이 적극적으로 나서야 한다.

도래(到 이를 도, **來** 올 래) 어떤 시기나 기회가 닥쳐옴
예 이번 주에 대출금의 원리금 상환일이 도래한다.

도발(挑 돋울 도, **發** 필 발) 남을 집적거려 일이 일어나게 함
예 그는 상대가 도발적인 발언을 하여 화가 났었다고 자초지종을 털어놓았다.

도산(倒 넘어질 도, **産** 낳을 산) 재산을 모두 잃고 망함
예 중소 제조업체의 연쇄 도산을 막기 위해 당국이 총력 대응에 나섰다.

도서(島 섬 도, **嶼** 섬 서) 크고 작은 온갖 섬
예 서해 도서 지방을 중심으로 태풍의 피해가 컸다.

도야(陶 질그릇 도, **冶** 풀무 야) 도기를 만드는 일과 쇠를 주조하는 일. 또는 그런 일을 하는 사람. 훌륭한 사람이 되도록 몸과 마음을 닦아 기름
예 인격 도야는 옛 선비가 학문을 완성하는 데에 있어 가장 중요한 부분이었다.

도약(跳 뛸 도, **躍** 뛸 약) 몸을 위로 솟구치는 일. 더 높은 단계로 발전하는 것을 비유적으로 이르는 말
예 동계 올림픽 유치는 우리나라가 세계 동계 스포츠의 중심으로 도약하는 데에 있어 반드시 필요한 일이다.

도출(導 인도할 도, **出** 날 출) 판단이나 결론 따위를 이끌어 냄
예 협상이 계속 진행되었지만 결론 도출은 어렵다는 전망이 지배적이었다.

도탄(塗 칠할 도, **炭** 숯 탄) 진구렁에 빠지고 숯불에 탄다는 뜻으로, 몹시 곤궁하여 고통스러운 지경을 이르는 말
예 도탄에 빠진 민생을 살피는 것이 위정자의 가장 중요한 임무이다.

도태(淘 일 도, **汰** 미끄러울 태) 여럿 중에서 불필요하거나 부적당한 것을 줄여 없앰
예 주전 경쟁에서 도태되지 않으려면 자기와의 끊임없는 싸움이 필요하다.

독단(獨 홀로 독, **斷** 끊을 단) 남과 상의하지 않고 혼자서 판단하거나 결정함
예 이번 재보선에서 여당이 참패한 것은 독단적 국정 운영에 대한 국민적 심판이다.

독려(督 살필 독, **勵** 힘쓸 려) 감독하며 격려함
예 홍 감독은 선수들을 잘 독려하여 역전에 성공했다.

독선(獨 홀로 독, **善** 착할 선) 자기 혼자만이 옳다고 믿고 행동하는 일
예 독선적인 리더의 밑에서는 구성원들의 다양한 의견을 현안에 반영하기가 쉽지 않다.

독직(瀆 더럽힐 독, 職 직분 직) 어떤 직책에 있는 사람이 그 직책을 더럽힘
예 세무 공무원의 독직 사건은 사회적으로 큰 물의를 일으켰다.

독촉(督 살필 독, 促 재촉할 촉) 일이나 행동을 빨리하도록 재촉함
예 이들은 저녁도 사 먹지 못한 채 하숙집 주인에게서 나가 달라는 독촉을 받았다. – 황석영, 「어둠의 자식들」

돈독(敦 도타울 돈, 篤 도타울 독) 도탑고 성실함
예 그는 신앙심이 돈독하다.

동결(凍 얼 동, 結 맺을 결) ① 추위나 냉각으로 얼어붙음. 사업, 계획, 활동 따위가 중단됨
②『경제』 자산이나 자금 따위의 사용이나 변동이 금지됨
예 정부는 올해도 공무원 임금을 동결했다.

동경(憧 그리워할 동, 憬 깨달을 경) 어떤 것을 간절히 그리워하여 그것만을 생각함
예 미지의 세계를 동경하다.

동인(動 움직일 동, 因 인할 인) 어떤 사태를 일으키거나 변화시키는 데 작용하는 직접적인 원인
예 컴퓨터의 발달은 산업 사회에서 정보 통신 사회로 이행하는 결정적 동인이 되고 있다.

동조(同 같을 동, 調 고를 조) 남의 주장에 자기의 의견을 일치시키거나 보조를 맞춤
예 젊은 집사 두엇만 이에 동조할 뿐 대개는 난색을 보였다.
– 현기영, 「변방에 우짖는 새」

동태(動 움직일 동, 態 모양 태) 움직이거나 변하는 모습
예 적군의 동태를 미리 살피는 것은 모든 작전의 출발이다.

두각(頭 머리 두, 角 뿔 각) 뛰어난 학식이나 재능을 비유적으로 이르는 말
예 그는 빼어난 연기력으로 신인 때부터 두각을 나타냈다.

두절(杜 막을 두, 絶 끊을 절) 교통이나 통신 따위가 막히거나 끊어짐
예 어젯밤에 내린 폭설로 시내로 가는 모든 길이 두절되었다.

둔화(鈍 무딜 둔, 化 될 화) 느리고 무디어짐
예 경제 성장률이 석유 파동으로 급작스럽게 둔화되었다.

등용(登 오를 등, 庸 떳떳할 용) 인재를 뽑아서 씀
예 학벌이나 배경이 등용의 수단이 되어서는 안 된다.

등재(登 오를 등, 載 실을 재) 일정한 사항을 장부나 대장에 올림. '기록하여 올림'으로 순화. 서적이나 잡지 따위에 실음
예 조선 왕릉이 유네스코 세계 문화유산에 등재되었다.

ㅁ

막역(莫 없을 막, 逆 거스를 역) 허물없이 아주 친함
예 이 친구와 나는 아주 막역한 사이이다.

만류(挽 당길 만, 留 머무를 류) 붙들고 못 하게 말림
예 그는 주변의 만류에도 불구하고 결국 자리에서 물러났다.

만연(蔓 덩굴 만, 延 끌 연) 식물의 줄기가 널리 뻗는다는 뜻으로, 전염병이나 나쁜 현상이 널리 퍼짐을 비유적으로 이르는 말
예 요즘 범죄가 급증하고 있는 것은 향락 풍조의 만연 때문이다.

만용(蠻 오랑캐 만, 勇 날랠 용) 분별없이 함부로 날뛰는 용맹
예 여론을 무시한 최고 권력자의 만용이 정권의 몰락을 가져왔다.

만족(滿 찰 만, 足 발 족) 마음에 흡족함. 모자람이 없이 넉넉함
예 추위만 웬만큼 가릴 수 있다면 그것으로 그는 아주 만족이었다.
– 윤흥길, 「완장」

말살(抹 지울 말, 殺 죽일 살) 있는 사물을 뭉개어 아주 없애 버림
예 일제의 민족 말살 정책에도 불구하고 민족의 정체성을 지키기 위한 노력은 지속되었다.

말소(抹 지울 말, 消 사라질 소) 기록되어 있는 사실 따위를 지워서 아주 없애 버림. '지움', '지워 없앰'으로 순화
예 다른 나라 국적을 얻게 되면 원래 갖고 있던 국적은 말소된다.

망언(妄 망령될 망, 言 말씀 언) 이치나 사리에 맞지 아니하고 망령되게 말함. 또는 그 말
예 독도를 둘러싼 일본 고위 관료들의 망언은 오늘도 끊어질 줄을 몰랐다.

매수(買 살 매, 收 거둘 수) 물건을 사들임. '사기', '사들이기'로 순화. 금품이나 그 밖의 수단으로 남의 마음을 사서 자기편으로 만드는 일
예 경품을 이용한 일부 신문들의 불법 판촉 행위는 독자를 매수하는 것이나 마찬가지이다.

매진(邁 멀리 갈 매, 進 나아갈 진) 어떤 일을 전심전력을 다하여 해 나감
예 선생님은 오로지 후학들을 가르치는 일에만 매진해 왔습니다.

맥락(脈 맥 맥, 絡 헌솜 락) 사물 따위가 서로 이어져 있는 관계나 연관
예 경찰은 최근에 일어난 일련의 사건을 같은 맥락으로 파악하고 있었다.

맹신(盲 소경 맹, 信 믿을 신) 옳고 그름을 가리지 않고 덮어놓고 믿는 일
예 나는 그의 말이라면 모두 옳다고 맹신했다.

맹아(萌 움 맹, 芽 싹 아) 풀이나 나무에 새로 돋아 나오는 싹. 사물의 시초가 되는 것
예 최근까지 근대 의식의 맹아를 조선 후기 실학사상에서 찾으려는 노력이 계속되고 있다.

명도(明 밝을 명, 渡 건널 도) 건물, 토지, 선박 따위를 남에게 주거나 맡김. 또는 그런 일. '내줌', '내어 줌', '넘겨줌', '비워 줌'으로 순화
예 대통령은 자신의 소유 건물의 세입자가 계약과 다른 불법 영업을 했다는 이유로 세입자를 상대로 법원에 명도 소송을 제기했다.

명멸(明 밝을 명, 滅 멸할 멸) 불이 켜졌다 꺼졌다 함. 어떠한 대상이 나타났다 사라졌다 함
예 이 작품은 반만년 역사에 명멸한 인간 군상의 부침과 영욕을 담고 있다.

명복(冥 어두울 명, 福 복 복) 죽은 뒤 저승에서 받는 복
예 삼가 고인의 명복을 빕니다.

모사(模 본뜰 모, 寫 베낄 사) ① 사물을 형체 그대로 그림. 또는 그런 그림. 원본을 베끼어 씀
② 『미술』 어떤 그림의 본을 떠서 똑같이 그림
예 인간은 신의 모사로서 자연을 지배하고 이용할 권리를 가진다.

모호(模 모호할 모, 糊 풀 호) 말이나 태도가 흐리터분하여 분명하지 않음
예 그들은 이 사안에 대해 시종일관 긍정도 부정도 하지 않는 모호한 태도를 보였다.

목도(目 눈 목, 睹 볼 도) 눈으로 직접 봄
예 그는 개방으로 무너지는 농촌 현실을 목도하고 농민 운동에 뛰어들었다.

몰각(沒 빠질 몰, 却 물리칠 각) 아주 없애 버림. 무시해 버림
예 우리를 잊어버린 사회, 인정이 몰각된 사회, 현대에 이르러 휴머니티가 새삼스레 논의되고…. – 박종홍, 「새날의 지성」

몽매(蒙 어릴 몽, 昧 어두울 매) 어리석고 사리에 어두움
예 몽매한 백성들보다 글깨나 읽은 양반들 죄가 한결 무거운 법이야. – 서기원, 「조선 백자 마리아 상」

묘사(描 그릴 묘, 寫 베낄 사) 어떤 대상이나 사물, 현상 따위를 언어로 서술하거나 그림을 그려서 표현함. '그려 냄'으로 순화
예 작가는 탁월한 심리 묘사를 통해 시대의 비극을 가감 없이 전하고 있다.

묘안(妙 묘할 묘, 案 책상 안) 뛰어나게 좋은 생각
예 이렇다 할 신통한 묘안이 떠오르지 않았다.

무구(無 없을 무, 垢 때 구) 때가 묻지 않고 맑고 깨끗함
예 그들에게 나의 무구를 변명하기 싫다.

무산(霧 안개 무, 散 흩을 산) 안개가 걷히듯 흩어져 없어짐. 또는 그렇게 흐지부지 취소됨
예 야당의 격렬한 반대 때문에 언론 관계법 처리가 무산되었다.

무상(無 없을 무, 償 보상 상) 어떤 행위에 대하여 아무런 대가나 보상이 없음
예 시민 단체들이 정부나 지자체가 제공하는 사무실을 무상으로 사용하는 것은 권력을 비판하고 감시하는 본연의 활동을 위축시킬 수 있다.

무성(茂 우거질 무, 盛 성할 성) 풀이나 나무 따위가 자라서 우거져 있음
예 잡초만 무성한 도읍터에서 과거 영화의 흔적은 찾아볼 수 없었다.

무인(拇 엄지손가락 무, 印 도장 인) 도장을 대신하여 손가락에 인주 따위를 묻혀 그 지문을 찍은 것
예 그가 지나칠 정도로 서두는 바람에 두 사람은 엉뚱한 이름 밑에 무인을 찍을 정도였던 것이다. – 신상웅, 「심야의 정담」

묵계(默 잠잠할 묵, 契 맺을 계) 말 없는 가운데 뜻이 서로 맞음. 또는 그렇게 하여 성립된 약속
예 우리 사이에서는 회의 석상에서 있었던 이야기를 외부에 발설하지 않는다는 묵계가 성립되어 있었다.

묵과(默 잠잠할 묵, 過 지날 과) 잘못을 알고도 모르는 체하고 그대로 넘김
예 이번 사태는 민주주의의 근간을 흔드는 선거 부정 사건이었다는 점에서 결코 묵과할 수 없다.

묵비(默 잠잠할 묵, 秘 숨길 비) 비밀로 하여 말하지 않음
예 묵비권은 자신을 변호하기 위해 피의자가 행사할 수 있는 당연한 권리이다.

묵수(墨 먹 묵, 守 지킬 수) 제 의견이나 생각, 또는 옛날 습관 따위를 굳게 지킴
예 새로운 민족 문화의 창조가 단순한 과거의 묵수가 아닌 것과 마찬가지로, 단순한 외래문화의 모방도 아닐 것이다. – 이기백, 「민족 문화의 전통과 계승」

묵인(默 잠잠할 묵, 認 알 인) 모르는 체하고 하려는 대로 내버려 둠으로써 슬며시 인정함. '넘겨 버림', '알고도 넘겨 버림'으로 순화
예 불법 영업을 묵인해 주는 대가로 뇌물을 받다.

문외한(門 문 문, 外 바깥 외, 漢 한나라 한) 어떤 일에 직접 관계가 없는 사람. 어떤 일에 전문적인 지식이 없는 사람
예 문외한 눈에는 똑같은 것 같아도 전문가들 보기엔 천양지차가 있지. – 윤흥길, 「제식 훈련 변천 약사」

문호(文 글월 문, 豪 호걸 호) 뛰어난 문학 작품을 많이 써서 알려진 사람
예 자기 자신을 키워 세계적인 문호가 되었다는 것은 대단한 일이라고 하면서 그런 사람이야말로 위대한 인물이라고 했습니다. – 이병주, 「지리산」

미봉(彌 두루 미, 縫 꿰맬 봉) 일의 빈 구석이나 잘못된 것을 임시변통으로 이리저리 주선하여 꾸며 댐
예 단순한 미봉책으로는 현재의 난국을 헤쳐 나갈 수 없음이 분명하다.

미수(未 아닐 미, 遂 이룰 수) 목적한 바를 시도하였으나 이루지 못함
예 쟁점 법안을 날치기 처리하려는 시도는 야당과 시민 단체의 반발로 미수에 그쳤다.

미진(未 아닐 미, 盡 다할 진) 아직 다하지 못함
예 • 미진한 문제
• 미진한 상태

미혹(迷 미혹할 미, 惑 미혹할 혹) 무엇에 홀려 정신을 차리지 못함. 정신이 헷갈리어 갈팡질팡 헤맴
예 성현이 가르친 바른길을 두고 좌도에 현혹되는 것은 옳지 못하니 더 미혹되지 마라. – 송기숙, 「녹두 장군」

민완(敏 민첩할 민, 腕 팔뚝 완) 재빠른 팔이라는 뜻으로, 일을 재치 있고 빠르게 처리하는 솜씨를 이르는 말
예 군사들의 얼굴에는 살기가 돌았고 행동조차 민완했다. – 유현종, 「들불」

ㅂ

박식(博 넓을 박, 識 알 식) 지식이 넓고 아는 것이 많음
예 그는 그 고장의 향토사에 관해서 모르는 것이 없을 정도로 박식한 사람이다.

박탈(剝 벗길 박, 奪 빼앗을 탈) 남의 재물이나 권리, 자격 따위를 빼앗음
예 그는 이번 판결로 향후 5년간 피선거권이 박탈되었다.

반전(反 돌이킬 반, **轉** 구를 전) 반대 방향으로 구르거나 돎. 위치·방향·순서 따위가 반대로 됨. 일의 형세가 뒤바뀜
예 반전의 반전을 거듭한 끝에 올해 한국 시리즈는 막을 내렸다.

반증(反 돌이킬 반, **證** 증거 증) 어떤 사실이나 주장이 옳지 아니함을 그에 반대되는 근거를 들어 증명함. 또는 그런 증거
예 그 주장은 논리가 워낙 치밀해서 반증하기 어렵다.

반추(反 돌이킬 반, **芻** 꼴 추) 어떤 일을 되풀이하여 음미하거나 생각함
예 지나간 세기를 반추해 보는 것도 새로이 맞는 시대를 위해 반드시 필요한 작업이다.

반향(反 돌이킬 반, **響** 울릴 향) 어떤 사건이나 발표 따위가 세상에 영향을 미치어 일어나는 반응
예 생태 환경 보호를 위한 그의 노력은 사회 전반에 잔잔한 반향을 불러일으켰다.

발군(拔 뽑을 발, **群** 무리 군) 여럿 가운데에서 특별히 뛰어남
예 신인임에도 불구하고 첫 경기에서 팀을 승리로 이끌 정도로 그는 발군의 기량을 과시했다.

발기(發 필 발, **起** 일어날 기) 앞장서서 새로운 일을 꾸며 일으킴
예 작은 시민 단체를 발기하기로 몇 사람이 뜻을 모았다.

발로(發 필 발, **露** 이슬 로) 숨은 것이 겉으로 드러나거나 숨은 것을 겉으로 드러냄. 또는 그런 것
예 그가 상관에게 한 말은 충성심의 발로였을 뿐 다른 뜻은 없었다.

발부(發 필 발, **付** 줄 부) 증명서 따위를 발행하여 줌
예 법원은 그의 수뢰 혐의가 구체적이고, 도주 및 증거 인멸의 우려가 있다며 구속 영장을 발부했다.

발족(發 필 발, **足** 발 족) 어떤 조직체가 새로 만들어져서 일이 시작됨. 또는 그렇게 일을 시작함
예 주최 측은 전직 대통령 기념사업회의 발족으로 그의 업적을 기리는 여러 행사를 기획하고 있다.

발췌(拔 뽑을 발, **萃** 모을 췌) 책, 글 따위에서 필요하거나 중요한 부분을 가려 뽑아냄. 또는 그런 내용
예 발췌 개헌안 통과는 우리 헌정사의 씻을 수 없는 오점으로 남아 있다.

발현(發 필 발, **現** 나타날 현) 속에 있거나 숨은 것이 밖으로 나타나거나 그렇게 나타나게 함
예 그것은 결국 욕망의 발현이라고밖에 할 수 없다.

발호(跋 밟을 발, **扈** 따를 호) 권세나 세력을 제멋대로 부리며 함부로 날뜀
예 외척의 발호는 조선 왕조 몰락의 주된 계기가 되었다.

방관(傍 곁 방, **觀** 볼 관) 어떤 일에 직접 나서서 관여하지 않고 곁에서 보기만 함
예 더 이상 방관자의 입장에 있지 않고 적극적 현실 참여를 통해 민주주의의 이상을 구현할 것이다.

방임(放 놓을 방, **任** 맡길 임) 돌보거나 간섭하지 않고 제멋대로 내버려 둠
예 폭력에 대한 무관심과 방임은 하루속히 고쳐야 한다.

방자(放 놓을 방, **恣** 방자할 자) 어려워하거나 조심스러워하는 태도가 없이 무례하고 건방짐
예 어른 앞에서 방자하게 굴지 마라.

방조(傍 곁 방, **助** 도울 조) 곁에서 도와줌
예 초동 수사에 허점을 노출한 경찰의 태도는 결국 범인의 도피를 방조한 셈이다.

방종(放 놓을 방, **縱** 늘어질 종) 제멋대로 행동하여 거리낌이 없음
예 책임과 의무가 따르지 않는 자유는 자칫 방종에 빠지기 쉽다.

방증(傍 곁 방, **證** 증거 증) 사실을 직접 증명할 수 있는 증거가 되지는 않지만, 주변의 상황을 밝힘으로써 간접적으로 증명에 도움을 주는 증거
예 많은 사람들은 이 같은 세무 조사 연장 조치가 탈세나 불공정 행위를 기필코 찾아내 처벌하려는 정부의 의지를 방증한다고 생각한다.

배가(倍 곱 배, **加** 더할 가) 갑절 또는 몇 배로 늘어남. 또는 그렇게 늘림
예 꽃을 받은 것도 기뻤지만 보낸 사람의 이름을 보고는 기쁨이 배가되었다.

배상(賠 물어줄 배, **償** 갚을 상) 『법률』 남의 권리를 침해한 사람이 그 손해를 물어 주는 일
예 이번 의문사위의 결정으로 유가족들은 국가를 상대로 손해 배상을 청구했다.

배척(排 물리칠 배, **斥** 물리칠 척) 따돌리거나 거부하여 밀어 내침
예 나와 생각이 다르다고 타인을 배척하는 것은 민주주의 기본 원리에 어긋난다.

배치(背 등 배, **馳** 달릴 치) 서로 반대가 되어 어그러지거나 어긋남
예 대통령의 의중과 배치되는 장관의 소신 발언이 어떤 결과를 낳을지 주목된다.

배치(配 짝 배, **置** 둘 치) 사람이나 물자 따위를 일정한 자리에 나누어 둠
예 적절하게 자리를 배치하여 행사 준비에 차질이 없도록 하겠습니다.

법열(法 법 법, **悅** 기쁠 열) 참된 이치를 깨달았을 때 느끼는 황홀한 기쁨
예 고금의 예술품을 얼마쯤 더듬어 보았지만 이 묵묵한 돌부처처럼 나에게 감흥을 주고 법열을 자아낸 것은 드물었다. – 현진건, 「불국사 기행」

벽촌(僻 후미질 벽, **村** 마을 촌) 외따로 떨어져 있는 궁벽한 마을
예 우리는 옷차림만 보고도 그 애의 집이 면인지 읍내인지 벽촌인지를 알아볼 수가 있었다. – 황석영, 「어둠의 자식들」

변절(變 변할 변, **節** 마디 절) 절개나 지조를 지키지 않고 바꿈
예 진보 인사로 알려진 그의 변절은 뜻밖이었다.

변제(辨 분별할 변, **濟** 건널 제) 남에게 진 빚을 갚음
예 대출금의 변제일이 얼마 남지 않았습니다.

병립(竝 나란히 병, **立** 설 립) 나란히 섬. '공존함', '함께 섬'으로 순화
예 이상과 현실은 함께 병립하기 어려운 것이 현실이다.

병존(竝 나란히 병, **存** 있을 존) 두 가지 이상이 함께 존재함
예 우리나라 현실에서 보수와 진보의 병존은 진정 불가능한 것인가에 대한 의문이 들었다.

보루(堡 작은 성 보, **壘** 쌓을 루) ①『군사』 적의 침입을 막기 위하여 돌이나 콘크리트 따위로 튼튼하게 쌓은 구축물
② 지켜야 할 대상을 비유적으로 이르는 말
예 민주주의 최후의 보루는 깨어 있는 시민의 단합된 힘입니다.

보세(保 보호할 보, **稅** 세금 세) 『법률』 관세의 부과가 보류되는 일
예 이번 세일은 보세 상품을 대상으로 일주일간 계속합니다.

복선(伏 엎드릴 복, **線** 선 선) ① 만일의 경우에 대비하여 남모르게 미리 꾸며 놓은 일.
②『문학』 소설이나 희곡 따위에서, 앞으로 일어날 사건에 대하여 미리 독자에게 넌지시 암시하는 서술
예 세종 대왕이 온 국력을 기울여서 육진을 개척하며, 야인 토벌에 주력한 것도 이 고구려 구역의 회복을 도모하는 복선이었다.
– 김동인, 「대수양」

복안(腹 배 복, **案** 책상 안) 겉으로 드러내지 아니하고 마음속으로만 생각함. 또는 그런 생각
예 대표는 이번 입찰 계획에 대한 그의 복안을 상세하게 설명했다.

봉기(蜂 벌 봉, **起** 일어날 기) 벌 떼처럼 떼 지어 세차게 일어남
예 이 격문에 공명한 농민들은 동학당과 함께 봉기하고 말았다.
– 이무영, 「농민」

봉사(奉 받들 봉, **祀** 제사 사) 조상의 제사를 받들어 모심
예 조상에 대한 봉사는 후손으로서 당연한 도리이다.

봉착(逢 만날 봉, **着** 붙을 착) 어떤 처지나 상태에 부닥침
예 미순을 데리고 사는 덴 그다지 불편을 느끼지 않았지만 커다란 문제에 봉착하고야 말았다. – 이병주, 「행복어 사전」

부각(浮 뜰 부, **刻** 새길 각) 어떤 사물을 특징지어 두드러지게 함. 주목받는 사람, 사물, 문제 따위로 나타남
예 그는 세계 선수권 대회 우승 이후 유망주로 부각되었다.

부검(剖 쪼갤 부, **檢** 검사할 검) 해부하여 검사함. 사인(死因) 따위를 밝히기 위하여 사후(死後) 검진을 함. 또는 그런 일
예 국과수 부검 결과 피해자의 사인은 다발성 뇌출혈로 밝혀졌다.

부심(腐 썩을 부, **心** 마음 심) 근심, 걱정으로 마음이 썩음
예 기업들은 항상 인재 확보를 위해서 부심한다.

부양(浮 뜰 부, **揚** 오를 양) 가라앉은 것이 떠오름. 또는 가라앉은 것을 떠오르게 함
예 성급한 경기 부양책이 결국 경제의 단기적인 거품만을 키웠다.

부양(扶 도울 부, **養** 기를 양) 생활 능력이 없는 사람의 생활을 돌봄
예 아파트 청약 시 부양가족이 많은 사람들은 우선순위로 청약 자격을 받는다.

부음(訃 부고 부, **音** 소리 음) 사람이 죽었다는 것을 알리는 말이나 글
예 그는 큰아버지의 부음을 듣고 곧장 고향으로 내려갔다.

부의(賻 부의 부, **儀** 거동 의) 상가(喪家)에 부조로 보내는 돈이나 물품. 또는 그런 일
예 친지들의 부의로 장례를 무사히 치렀다.

부조(扶 도울 부, **助** 도울 조) 잔칫집이나 상가(喪家) 따위에 돈이나 물건을 보내어 도와줌
예 요즘 직장인들은 경조사 부조금으로 지출하는 금액이 만만치 않다.

분규(紛 어지러울 분, **糾** 얽힐 규) 이해나 주장이 뒤얽혀서 말썽이 많고 시끄러움
예 오랫동안 노사 분규와 파업을 반복했으나 올해 노사는 무분규 협상 타결을 선언했다.

분란(紛 어지러울 분, **亂** 어지러울 란) 어수선하고 소란스러움
예 세종시 수정을 둘러싼 여권의 분란이 갈수록 점입가경으로 치닫고 있다.

분루(憤 분할 분, **淚** 눈물 루) 분하여 흘리는 눈물
예 이번 경기에서 우리 팀은 아깝게도 패배의 분루를 삼켜야 했다.

분망(奔 달릴 분, **忙** 바쁠 망) 매우 바쁨
예 모두 눈코 뜰 사이 없이 분망하여 다른 일에는 관심조차 없었다.

분변(分 나눌 분, **辨** 분별할 변) 세상 물정에 대한 바른 생각이나 판단
예 선악을 분변하다.

불민(不 아니 불, **敏** 민첩할 민) 어리석고 둔하여 재빠르지 못함
예 자신의 불민함을 탓하다.

불식(拂 떨칠 불, **拭** 닦을 식) 먼지를 떨고 훔친다는 뜻으로, 의심이나 부조리한 점 따위를 말끔히 떨어 없앰을 이르는 말
예 그는 주변의 우려를 불식시키고 화려하게 재기에 성공했다.

불하(拂 떨칠 불, **下** 아래 하) 국가 또는 공공 단체의 재산을 개인에게 팔아넘기는 일. '매각', '팔아 버림'으로 순화
예 정부는 건설 경기 활성화를 위해 민간 기업에 국유지를 불하하기로 결정했다.

비견(比 견줄 비, **肩** 어깨 견) 앞서거나 뒤서지 않고 어깨를 나란히 한다는 뜻으로, 낫고 못할 것이 없이 정도가 서로 비슷함을 이르는 말
예 그는 톨스토이에 비견할 만한 작가이다.

비근(卑 낮을 비, **近** 가까울 근) 흔히 주위에서 보고 들을 수 있을 만큼 알기 쉽고 실생활에 가까움
예 비근한 예로 수시로 이뤄지는 보도블록 교체와 같은 예산 낭비를 없애는 것이 지자체 재정 건전화의 첫걸음이다.

비등(比 견줄 비, **等** 같을 등) 비교하여 볼 때 서로 비슷함
예 나는 내 동생과 체격이 비등하여 서로 옷을 바꿔 입기도 한다.

비등(沸 끓을 비, **騰** 오를 등) 물이 끓듯 떠들썩하게 일어남
예 이번 외교 실패를 계기로 외교 라인 교체에 대한 여론의 압력이 비등했다.

비명(非 아닐 비, **命** 목숨 명) 제명대로 다 살지 못하고 죽음
예 불치병에 걸린 아내의 죽음은 이미 각오한 바이지만, 세 살 난 복남이마저 비명에 갔다니, 너무 뜻밖의 날벼락이었다.
– 현기영, 「변방에 우짖는 새」

비약(飛 날 비, **躍** 뛸 약) 나는 듯이 높이 뛰어오름. 지위나 수준이 갑자기 빠른 속도로 높아지거나 향상됨. 논리나 사고방식 따위가 그 차례나 단계를 따르지 아니하고 뛰어넘음
예 문제에 대해 결론을 내릴 때에는 비약이 있어서는 안 된다.

비준(批 비평할 비, **准** 승인할 준) 조약을 헌법상의 조약 체결권자가 최종적으로 확인·동의하는 절차. 우리나라에서는 대통령이 국회의 동의를 얻어 행함
예 한미 FTA의 국회 비준을 앞두고 공청회가 열렸다.

비호(庇 덮을 비, **護** 보호할 호) 편들어서 감싸 주고 보호함
예 권력의 비호를 받는 관변 단체의 횡포를 일반 기업에서는 감당할 방법이 없다.

비화(飛 날 비, **火** 불 화) 어떠한 일의 영향이 직접 관계가 없는 다른 데에까지 번짐
예 집안싸움이 엉뚱한 방향으로 비화하였다.

비화(祕 숨길 비, **話** 말할 화) 세상에 드러나지 아니한 이야기
예 정부 측 관계자는 이번 협상의 비화를 공개했다.

빈축(嚬 찡그릴 빈, **蹙** 찡그릴 축) 눈살을 찌푸리고 얼굴을 찡그림. 남을 비난하거나 미워함
예 총리는 연이은 말실수로 의원들의 빈축을 샀다.

빙자(憑 기댈 빙, **藉** 빌릴 자) 남의 힘을 빌려서 의지함. 말막음을 위하여 핑계로 내세움
예 혼인을 빙자해 벌이던 사기 행각도 채 한 달을 넘기지 못했다.

ㅅ

사사(師 스승 사, **事** 일 사) 스승으로 섬김. 또는 스승으로 삼고 가르침을 받음
예 예전에 그는 김 선생님에게서 판소리를 사사했다.

사소(些 적을 사, **少** 적을 소) 보잘것없이 작거나 적음
예 언제나 사소한 일에 집착하기보다는 멀리 보고 행동하는 것이 좋다.

사숙(私 사사로울 사, **淑** 맑을 숙) 직접 가르침을 받지 않았으나 마음속으로 그 사람을 본받아서 도나 학문을 닦음
예 그는 가르침을 받거나 사숙할 만한 스승도 없이 독학해 지금의 학문적 업적을 이루어 냈다.

사유(思 생각 사, **惟** 생각할 유) ① 대상을 두루 생각하는 일
② 『철학』 개념, 구성, 판단, 추리 따위를 행하는 인간의 이성 작용
예 이성적으로 사유할 수 있는 것은 인간만이 가진 특권이다.

사유(事 일 사, **由** 까닭 유) 일의 까닭
예 회사는 이번 계약이 실패한 것에 대한 사유를 명확히 밝혀 문서로 제출하라는 지시를 내렸다.

사유(私 사사로울 사, **有** 있을 유) 개인이 사사로이 소유함. 또는 그런 소유물
예 특권층의 대토지 사유화 현상은 왕조 말기에 흔히 나타나는 현상이다.

사은(謝 사례할 사, **恩** 은혜 은) 받은 은혜에 대하여 감사히 여겨 사례함
예 졸업생들은 스승의 날을 맞아 교수님들을 모시고 사은 행사를 열었다.

사정(司 맡을 사, **正** 바를 정) 그릇된 일을 다스려 바로잡음
예 정략적 목적으로 시작된 이번 정치권 사정은 당사자들의 격렬한 반발에 부딪쳐 용두사미로 끝나고 말았다.

사주(使 부릴 사, **嗾** 부추길 주) 남을 부추겨 좋지 않은 일을 시킴
예 윗선의 사주로 그는 경쟁 회사의 기밀을 빼내려 했으나 결국 실패하고 말았다.

사직(社 모일 사, **稷** 기장 직) 나라 또는 조정을 이르는 말
예 위기에 빠진 종묘와 사직을 위해 분골쇄신(粉骨碎身)하겠나이다.

사행(射 쏠 사, **倖** 요행 행) 요행을 바람
예 국민들의 사행심을 조장하는 복권 사업은 당장 중단해야 한다.

산일(散 흩을 산, **逸** 잃을 일) 흩어져 일부가 빠져 없어짐
예 모아 두었던 자료가 모두 산일했다.

산재(散 흩을 산, **在** 있을 재) 여기저기 흩어져 있음
예 일본 각지에 산재해 있는 약탈 문화재들을 반환하기 위한 노력이 필요한 시점이다.

산적(山 뫼 산, **積** 쌓을 적) 물건이나 일이 산더미같이 쌓임
예 산적한 국정 현안에도 불구하고 정부는 부패 스캔들에 발목이 잡혀 어떤 정책도 추진하지 못하고 있다.

산하(傘 우산 산, **下** 아래 하) 어떤 조직체나 세력의 관할 아래
예 박태영은 문득 공산당의 산하에 있는 모든 단체가 예외 없이 그런 앙상한 조직이 아닐까 하는 짐작을 해 보지 않을 수 없었다.
– 이병주, 「지리산」

삼림(森 나무 빽빽할 삼, **林** 수풀 림) 나무가 많이 우거진 숲
예 인구가 늘고 산업이 발달하면서 삼림과 농경지가 줄어들고 있다.

삼매(三 석 삼, **昧** 어두울 매) 잡념을 떠나서 오직 하나의 대상에만 정신을 집중하는 경지
예 그는 독서삼매에서 헤어날 줄 몰랐다.

상기(想 생각 상, **起** 일어날 기) 지난 일을 돌이켜 생각하여 냄
예 어머니께서는 틈만 나면 장남으로서의 역할을 상기시켜 주시곤 했다.

상비(常 항상 상, **備** 갖출 비) 필요할 때에 쓸 수 있게 늘 갖추어 둠
예 가정에는 구급약을 상비해 두어야 한다.

상설(常 항상 상, **設** 베풀 설) 언제든지 이용할 수 있도록 설치함
예 지역에 대형 상설 할인 매장이 들어서 해당 지역 상인들의 시름이 깊어 가고 있다.

상설(詳 자세할 상, **說** 말씀 설) 자세하게 조목조목 설명함. 또는 그런 설명
예 그는 상부에 사건의 경위를 상설했다.

상임(常 항상 상, **任** 맡길 임) 일정한 일을 늘 계속하여 맡음
예 그는 지역 단체의 상임 고문직 위촉을 수락했다.

상정(上 위 상, 程 단위 정) 토의할 안건을 회의 석상에 내어놓음
예 여당은 야당을 설득하려는 노력을 포기한 채, 의장을 향해 직권 상정의 목소리만 앵무새처럼 되뇌고 있었다.

상투(常 항상 상, 套 버릇 투) 늘 써서 버릇이 되다시피 한 것
예 상투적인 표현을 삼가는 것이 좋은 글을 쓰는 지름길이다.

상환(償 갚을 상, 還 돌아올 환) ① 갚거나 돌려줌
② 「법률」 실질적으로 남이 부담하여야 할 출연(出捐)을 자기가 했을 경우에 그 사람에게 자기의 부담을 보상하게 하는 일
예 대출 상환 압박이 심해져 부도가 현실화되자 그는 극단적인 선택을 할 수밖에 없었다.

색출(索 찾을 색, 出 날 출) 샅샅이 뒤져서 찾아냄
예 위법 행위에 대한 시정 노력 없이 제보자 색출에만 혈안이 되어 있는 것은 본말이 전도된 것이다.

생경(生 날 생, 硬 굳을 경) 세상 물정에 어둡고 완고함. 글의 표현이 세련되지 못하고 어설픔. 익숙하지 않아 어색함
예 전혀 낯선 세계의 풍경이 생경한 느낌으로 다가왔다. – 최인호, 「지구인」

석명(釋 풀 석, 明 밝을 명) 사실을 설명하여 내용을 밝힘
예 그는 이번 사건에 대하여 책임 여부를 석명할 의무가 있다.

석패(惜 아낄 석, 敗 패할 패) 경기나 경쟁에서 약간의 점수 차이로 아깝게 짐
예 대표팀은 연장까지 가는 접전을 펼쳤지만 석패하고 말았다.

선동(煽 부채질할 선, 動 움직일 동) 남을 부추겨 어떤 일이나 행동에 나서도록 함
예 지역감정을 선동하는 행위는 어떠한 경우에도 용납해서는 안 된다.

선린(善 착할 선, 隣 이웃할 린) 이웃하고 있는 지역 또는 나라와 사이좋게 지냄. 또는 그런 이웃
예 총리의 이번 방문이 양국의 선린 우호 관계 증진에 획기적인 전환점이 되었다.

선망(羨 부러워할 선, 望 바랄 망) 부러워하여 바람
예 컴퓨터 프로그래머는 많은 젊은이에게 선망되는 직업이다.

선양(宣 베풀 선, 揚 떨칠 양) 명성이나 권위 따위를 널리 떨치게 함
예 올림픽 금메달로 국위를 선양함은 물론 개인적인 부와 명예까지 거머쥐었다.

선적(船 배 선, 積 쌓을 적) 배에 짐을 실음
예 통관 절차를 마쳐야 화물을 선적할 수 있다.

선정(煽 부채질할 선, 情 뜻 정) 정욕을 자극하여 일으킴
예 그 영화는 폭력적이고 선정적인 장면이 많아 방영되지 못했다.

선험(先 먼저 선, 驗 시험 험) 경험에 앞서 선천적으로 가능한 인식 능력
예 칸트의 철학은 선험적 인식 비판의 방법으로 이성 판단의 문제를 과제로 삼는다.

설욕(雪 눈 설, 辱 욕될 욕) 부끄러움을 씻음
예 우리 팀은 지난번의 역전패를 설욕하고 값진 승리를 거두었다.

섭렵(涉 건널 섭, 獵 수렵할 렵) 물을 건너 찾아다닌다는 뜻으로, 많은 책을 널리 읽거나 여기저기 찾아다니며 경험함을 이르는 말
예 유, 불, 선에 서학까지 두루 섭렵하고 이 땅에 동학이 필요하다는 사명감 때문에 천도를 열었다는 것이다. – 유현종, 「들불」

섭리(攝 당길 섭, 理 다스릴 리) 아프거나 병에 걸린 몸을 잘 조리함. 대신하여 처리하고 다스림. 자연계를 지배하고 있는 원리와 법칙
예 자연의 섭리에 순응하는 것이 인간에게 주어진 운명이다.

섭외(涉 건널 섭, 外 바깥 외) 연락을 취하여 의논함
예 프로그램 성격에 맞는 게스트를 섭외하는 일이 생각보다 쉽지 않다.

세모(歲 해 세, 暮 저물 모) 한 해가 끝날 무렵. 설을 앞둔 섣달그믐께를 이름
예 세모를 맞이하여 많은 젊은이들이 명동 거리를 가득 메웠다.

소강(小 작을 소, 康 편안할 강) 병이 조금 나아진 기색이 있음. 소란이나 분란, 혼란 따위가 그치고 조금 잠잠함
예 맹위를 떨치던 소한 추위도 소강상태에 접어들었다.

소급(遡 거스를 소, 及 미칠 급) 과거에까지 거슬러 올라가서 미치게 함
예 인류의 기원은 200만 년 전으로 소급해 올라간다.

소명(疏 트일 소, 明 밝을 명) ① 까닭이나 이유를 밝혀 설명함
② 「법률」 재판에서, 법관이 당사자가 주장하는 사실이 확실할 것이라고 추측을 하는 상태
예 재판부는 새롭게 제기된 의혹에 대해 소명할 것을 피고인 측에 요구했다.

소명(召 부를 소, 命 목숨 명) ① 임금이 신하를 부르는 명령
② 「기독교」 사람이 하나님의 일을 하도록 하나님의 부르심을 받는 일. '부름'으로 순화
예 그는 하나님의 소명을 받아 성직자가 되었다.

소요(騷 떠들 소, 擾 어지러울 요) 여러 사람이 모여 폭행이나 협박 또는 파괴 행위를 함으로써 공공질서를 문란하게 함
예 부정 선거를 둘러싼 소요 사태가 전국에서 일주일째 지속되고 있다.

소일(消 사라질 소, 日 날 일) 하는 일 없이 세월을 보냄. 어떠한 것에 재미를 붙여 심심하지 아니하게 세월을 보냄
예 그는 요즘 바둑으로 소일하고 있다.

소추(訴 하소연 소, 追 쫓을 추) 형사 사건에 대하여 공소를 제기하는 일
예 헌법 재판소는 대통령 탄핵 소추 결의안을 기각했다.

소치(所 바 소, 致 이를 치) 어떤 까닭으로 생긴 일
예 모든 일이 본인의 부덕의 소치로 이 모든 책임을 통감합니다.

소회(所 바 소, 懷 품을 회) 마음에 품고 있는 회포
예 대통령은 퇴임 기자 회견을 통해 지난 5년간의 소회를 밝혔다.

속개(續 이을 속, 開 열 개) 잠시 중단되었던 회의 따위를 다시 계속하여 엶
예 회의가 속개되자 야당 의원들은 총리에 대한 공세적 질문을 이어 갔다.

속단(速 빠를 속, 斷 끊을 단) 신중을 기하지 아니하고 서둘러 판단함
예 경제가 비록 회복 기미를 보이고 있으나 속단하기에는 아직 이르다는 것이 중론이다.

속박(束 묶을 속, 縛 묶을 박) 어떤 행위나 권리의 행사를 자유로이 하지 못하도록 강압적으로 얽어매거나 제한함
예 봉건적 신분 구조가 붕괴되면서 서얼, 노비도 양반의 속박에서 벗어났다.

쇄신(刷 쓸 쇄, 新 새 신) 그릇된 것이나 묵은 것을 버리고 새롭게 함
예 이번 선거에서 참패한 여당 내에서 청와대와 정부의 인적 쇄신을 요구하는 목소리가 높아지고 있다.

쇠미(衰 쇠할 쇠, 微 작을 미) 쇠잔하고 미약함
예 자분치가 희끗하게 변해 가고 눈꼬리에 잔주름이 생긴 것으로 보아 갑오년 때보다 훨씬 쇠미한 것을 헤아릴 수가 있었다.
– 문순태, 「타오르는 강」

쇠퇴(衰 쇠할 쇠, 退 물러날 퇴) 기세나 상태가 쇠하여 전보다 못하여 감
예 나이가 들면 기억력의 쇠퇴가 오기 마련이다.

수교(修 닦을 수, 交 사귈 교) 나라와 나라 사이에 교제를 맺음
예 양국 수교 10년 만에 교역량이 비약적으로 늘어났다.

수급(需 구할 수, 給 줄 급) 수요와 공급을 아울러 이르는 말
예 우리 회사는 올해 인력 수급에 막대한 차질을 빚고 있다.

수뢰(受 받을 수, 賂 뇌물 뢰) 뇌물을 받음
예 검찰은 수뢰 혐의로 전직 장관을 기소했다.

수리(受 받을 수, 理 다스릴 리) 서류를 받아서 처리함. '받아들임'으로 순화
예 대통령은 총리가 제출한 사표를 즉각 수리하고 후임 인선에 착수했다.

수리(修 닦을 수, 理 다스릴 리) 고장 나거나 허름한 데를 손보아 고침
예 그 집은 오래전에 지어져서 수리할 곳이 많다.

수모(受 받을 수, 侮 업신여길 모) 모욕을 받음. '창피당함'으로 순화
예 화가 머리끝까지 난 순사가 그 자리에서 태임이의 몸수색을 했고 태임이는 온갖 수모를 당하면서 연행됐다. – 박완서, 「미망」

수반(首 머리 수, 班 나눌 반) 반열(班列) 가운데 으뜸가는 자리. 행정부의 가장 높은 자리에 있는 사람. '우두머리'로 순화
예 우리나라는 대통령을 정부의 수반으로 하는, 자유 민주주의 공화국이다.

수수(授 줄 수, 受 받을 수) 물품을 주고받음
예 그는 뇌물 수수 혐의가 추가되어 가중 처벌을 받게 되었다.

수습(修 닦을 수, 習 익힐 습) 학업이나 실무 따위를 배워 익힘
예 그는 수습사원으로 시작해 최고 경영자의 지위에 오른 입지전적인 인물이다.

수습(收 거둘 수, 拾 주울 습) 흩어진 재산이나 물건 등을 거두어 정돈함. 어수선한 사태를 거두어 바로잡음. 어지러운 마음을 가라앉히어 바로잡음
예 정부는 선 수습 후 책임자 문책의 원칙 아래 발빠르게 사고 수습에 들어갔다.

수주(受 받을 수, 注 물댈 주) 주문을 받음. 주로 물건을 생산하는 업자가 제품의 주문을 받는 것을 이르는 말
예 국내 건설업체들의 건설 공사 수주가 활기를 띠고 있다.

수집(收 거둘 수, 集 모을 집) 거두어 모음
예 그는 재활용품을 수집해 생계를 이어 가고 있었다.

수집(蒐 모을 수, 集 모을 집) 취미나 연구를 위하여 여러 가지 물건이나 재료를 찾아 모음. 또는 그 물건이나 재료
예 그는 자료 수집을 위해 항상 도서관에 상주하고 있다.

숙정(肅 엄숙할 숙, 正 바를 정) 부정(不正)을 엄격히 단속하여 바로잡음
예 신임 장관은 취임사에서 군대 내 만연한 부조리를 숙정하는 것을 최우선 과제로 꼽았다.

숙청(肅 엄숙할 숙, 淸 맑을 청) 어지러운 상태를 바로잡음. 정치 단체나 비밀결사의 내부 또는 독재 국가 등에서 정책이나 조직의 일체성을 확보하기 위하여 반대파를 처단하거나 제거함
예 그는 당에서 숙청을 당했다.

순회(巡 돌 순, 廻 돌 회) 여러 곳을 돌아다님. '돌아봄'으로 순화
예 전국을 순회하며 열린 이번 공연의 수익금은 전액 불우 이웃을 위해 쓰기로 했다.

술회(述 지을 술, 懷 품을 회) 마음속에 품고 있는 여러 가지 생각을 말함. 또는 그런 말
예 그의 술회를 통해서 당시의 상황을 짐작할 수 있었다.

슬하(膝 무릎 슬, 下 아래 하) 무릎의 아래라는 뜻으로, 어머니나 조부모의 보살핌 아래. 주로 부모의 보호를 받는 테두리 안을 이름
예 그는 일찍이 아버님을 여의고 편모 슬하에서 자랐다.

습작(習 익힐 습, 作 지을 작) 시, 소설, 그림 따위의 작법이나 기법을 익히기 위하여 연습 삼아 짓거나 그려 봄. 또는 그런 작품
예 고교 시절 그는 시를 습작하면서 시인을 꿈꾸었다.

승계(承 받을 승, 繼 이을 계) ① 선임자의 뒤를 이어받음
② 『법률』 다른 사람의 권리나 의무를 이어받는 일
예 그가 법적으로 무죄 판결을 받았다고는 하나 경영권 승계까지는 아직도 해결해야 할 일이 많이 남아 있다.

시류(時 때 시, 流 흐를 류) 그 시대의 풍조나 경향
예 시류에 영합하기보다는 원칙을 지키는 자세가 중요하다.

시사(示 보일 시, 唆 부추길 사) 어떤 것을 미리 간접적으로 표현해 줌
예 낙관적인 시사를 던져 주다.

시해(弑 죽일 시, 害 해로울 해) 부모나 임금 등을 죽임
예 백성들은 명성 황후의 시해로 울분에 싸여 있었다.

신문(訊 물을 신, 問 물을 문) ① 알고 있는 사실을 캐어물음
② 『법률』 법원이나 기타 국가 기관이 어떤 사건에 관하여 증인, 당사자, 피고인 등에게 말로 물어 조사하는 일
예 검찰이 피의자를 신문하다.

신장(伸 펼 신, 張 베풀 장) 세력이나 권리 따위가 늘어남. 또는 늘어나게 함
예 권농 정책의 적극적인 추진으로 인구와 농지가 증가하면서 국력이 크게 신장되었다.

신축(伸 펼 신, 縮 줄일 축) 늘고 줆. 또는 늘이고 줄임
예 이 고무줄은 신축이 잘된다.

신탁(信 믿을 신, 託 부탁할 탁) ① 믿고 맡김
② 『법률』 일정한 목적에 따라 재산의 관리, 처분을 남에게 맡기는 일
예 이번 장관 후보자 인사 청문회에서도 어김없이 명의 신탁을 이용한 부동산 투기 문제가 쟁점화되었다.

실토(實 열매 실, 吐 토할 토) 거짓 없이 사실대로 다 말함
예 어머니에게 잘못을 실토하고 용서를 구했다.

심문(審 살필 심, 問 물을 문) ① 자세히 따져서 물음
② 『법률』 법원이 당사자나 그 밖에 이해관계가 있는 사람에게 서면이나 구두로 개별적으로 진술할 기회를 주는 일
예 사건 용의자를 심문해 자백을 받아 냈다.

심연(深 깊을 심, 淵 못 연) 깊은 못. 좀처럼 빠져나오기 힘든 구렁을 비유적으로 이르는 말
예 절망의 심연에 빠지다.

심회(心 마음 심, 懷 품을 회) 마음속에 품고 있는 생각이나 느낌
예 심회가 어지럽다.

ㅇ

아류(亞 버금 아, 流 흐를 류) 둘째가는 사람이나 사물. 문학, 예술, 학문에서 독창성 없이 모방하는 일이나 그렇게 한 것. 또는 그런 사람
예 그는 자신의 작품의 창조성을 강조했지만 그것은 피카소 작품의 아류에 불과하다.

아성(牙 어금니 아, 城 성 성) 아주 중요한 근거지를 비유적으로 이르는 말
예 업계 선두 위치의 아성에 도전하는 후발 업체들의 추격이 만만치 않다.

아집(我 나 아, 執 잡을 집) 자기중심의 좁은 생각에 집착하여 다른 사람의 의견이나 입장을 고려하지 아니하고 자기만을 내세우는 것
예 최고 권력자의 아집과 독선이 결국 국정 파탄으로 이어졌다.

악매(惡 악할 악, 罵 꾸짖을 매) 모질게 꾸짖음. 또는 그런 꾸지람
예 악머구리 끓듯 질러 대는 악매가 귀청이 달아날 정도로 쑤시는데……. – 김원일, 「불의 제전」

안일(安 편안할 안, 逸 편안할 일) 편안하고 한가로움. 또는 편안함만을 누리는 태도
예 무사안일과 타성에 젖은 삶을 바꾸지 않고서는 우리에게 미래는 없다.

알력(軋 삐걱거릴 알, 轢 수레에 칠 력) 수레바퀴가 삐걱거린다는 뜻으로, 서로 의견이 맞지 아니하여 사이가 안 좋거나 충돌하는 것을 이르는 말
예 여당 내 양대 계파 간의 알력이 마침내 전면전으로 비화되고 있다.

알선(斡 관리할 알, 旋 돌 선) 남의 일이 잘되도록 주선하는 일
예 직업소개소는 취업을 알선하고 소정의 수수료를 받는 곳이다.

암담(暗 어두울 암, 澹 조용할 담) 희망이 없고 절망적임
예 실직을 하고 나자 하루아침에 생계가 암담하게 되었다.

암묵(暗 어두울 암, 默 잠잠할 묵) 자기 의사를 밖으로 나타내지 아니함
예 그들은 서로 암묵의 의견 일치를 보았다.

암약(暗 어두울 암, 躍 뛸 약) 어둠 속에서 날고 뛴다는 뜻으로, 남들 모르게 맹렬히 행동함을 이르는 말
예 폭력 세력의 암약을 그리다.

애로(隘 좁을 애, 路 길 로) 좁고 험한 길. 어떠한 일을 하는 데 장애가 되는 것
예 사장은 사원들의 애로 사항을 몸소 들으며 적극적인 지원을 약속했다.

야기(惹 이끌 야, 起 일어날 기) 어떠한 사건 따위를 끌어 일으킴
예 당시 민란은 민초들의 경제적 파탄에서 야기된 것이었다.

야박(野 들 야, 薄 엷을 박) 야멸치고 인정이 없음
예 홍 씨의 정이라곤 없는 야박한 시선이 며느리를 똑바로 노려보며 따졌다. – 박완서, 「미망」

야유(揶 희롱할 야, 揄 끌 유) 남을 빈정거려 놀림. 또는 그런 말이나 몸짓
예 행인들 틈에서 누군가가 야유를 던졌다. – 황석영, 「낙타 눈깔」

약진(躍 뛸 약, 進 나아갈 진) 빠르게 발전하거나 진보함
예 전 국민이 한마음으로 단결하여 어려운 시기를 약진의 발판으로 삼았다.

약탈(掠 노략질할 략(약), 奪 빼앗을 탈) 폭력을 써서 남의 것을 억지로 빼앗음
예 권력을 이용한 그들의 부정 축재는 약탈 행위나 다름없었다.

양도(讓 사양할 양, 渡 건널 도) ① 재산이나 물건을 남에게 넘겨줌. 또는 그런 일
② 『법률』 권리나 재산, 법률에서의 지위 따위를 남에게 넘겨줌. 또는 그런 일. '넘겨주기'로 순화
예 이 책의 저작권을 그 출판사에 양도했다.

양상(樣 모양 양, 相 서로 상) 사물이나 현상의 모양이나 상태
예 사태가 새로운 양상으로 전개되다.

양해(諒 믿을 량(양), 解 풀 해) 남의 사정을 잘 헤아려 너그러이 받아들임 ≒이해
예 그녀는 주인의 양해를 얻어 하루 쉬기로 결정하였다.

어눌(語 말씀 어, 訥 말 더듬을 눌) 말을 유창하게 하지 못하고 떠듬떠듬하는 면이 있음
예 말투는 어눌하지만 진솔한 그의 모습에 많은 사람이 감동을 했다.

어용(御 어거할 어, 用 쓸 용) 자신의 이익을 위하여 권력자나 권력 기관에 영합하여 줏대 없이 행동하는 것을 낮잡아 이르는 말
예 그들은 어용 문인들을 내세워 새로운 정치 세력의 당위성을 대대적으로 선전했다.

억류(抑 누를 억, 留 머무를 류) 억지로 머무르게 함. '잡아 둠', '가둠'으로 순화
예 그는 인질로 장기간 억류 생활을 하다가 무사히 본국으로 귀환하였다.

억측(臆 생각할 억, 測 헤아릴 측) 이유와 근거가 없이 짐작함. 또는 그런 짐작
예 그 사건에 대한 터무니없는 억측이 파다하게 퍼졌다.

여망(輿 수레 여, **望** 바랄 망) 많은 사람이 간절히 기대하고 바람. 또는 그 기대나 바람
예 온 국민이 여망해 온 남북 이산가족의 상봉이 드디어 이루어졌다.

역조(逆 거스를 역, **調** 고를 조) 일의 진행이 나쁜 방향으로 되어 가는 상태
예 한일 양국은 무역 역조 문제를 해결하기 위해 정상 회담을 가졌다.

연유(緣 인연 연, **由** 까닭 유) 일의 까닭
예 그는 김 과장이 사표를 내게 된 연유를 잘 알고 있었다.

연착륙(軟 부드러울 연, **着** 붙을 착, **陸** 뭍 륙) ① 『교통』 비행하던 물체가 착륙할 때, 비행체나 탑승한 생명체가 손상되지 아니하도록 속도를 줄여 충격 없이 가볍게 내려앉음
② 『경제』 경기가 과열될 기미가 있을 때에 경제 성장률을 적정한 수준으로 낮추어 불황을 방지하는 일
예 경기의 둔화를 막기 위해 연착륙 방안을 마련하다.

연체(延 끌 연, **滯** 막힐 체) ① 정한 기한에 약속을 지키지 못하고 지체함
② 『법률』 기한 안에 이행하여야 할 채무나 납세 따위를 지체하는 일
예 반납이 연체되고 있는 도서에 대해서는 벌금을 과한다.

열악(劣 못할 렬(열), **惡** 악할 악) 품질이나 능력, 시설 따위가 매우 떨어지고 나쁨
예 아이들은 열악한 교육 환경 속에서도 열심히 공부했다.

염두(念 생각 념(염), **頭** 머리 두) 생각의 시초. 마음의 속
예 그는 오래전부터 염두해 두었던 자신의 생각을 이야기했다.

염세(厭 싫어할 염, **世** 인간 세) 세상을 괴롭고 귀찮은 것으로 여겨 비관함
예 전쟁 이후 예술은 염세적인 경향을 강하게 드러냈다.

엽기(獵 사냥 렵(엽), **奇** 기이할 기) 비정상적이고 괴이한 일이나 사물에 흥미를 느끼고 찾아다님
예 엽기적인 희대의 살인 피의자 검거를 계기로 사형 집행 여론이 높아지고 있다.

영달(榮 영화 영, **達** 이를 달) 지위가 높고 귀하게 됨
예 부귀와 영달을 누리다.

영도(領 거느릴 령(영), **導** 이끌 도) 앞장서서 이끌고 지도함
예 한 국가의 영도자로서 그는 존경받을 만한 인격을 지녔다.

영세(零 떨어질 령(영), **細** 가늘 세) 작고 가늘어 변변하지 못함. 살림이 보잘것없고 몹시 가난함
예 영세 자영업자를 살리는 것이 경기 회복의 첫걸음이다.

영수(領 거느릴 령(영), **袖** 소매 수) 여러 사람 가운데 우두머리
예 청와대는 여야 영수 회담을 통해 쟁점에 대한 일괄 타결을 시도했다.

영악(靈 신령 령, **惡** 악할 악) 이해가 밝으며 약음
예 요즘 아이들은 영악하다.

영어(囹 감옥 영, **圄** 감옥 어) 죄인을 가두어 두는 곳
예 사태 해결을 위해 단식 농성을 벌이던 그는 끝내 영어의 몸이 되었다.

영위(營 경영할 영, **爲** 할 위) 일을 꾸려 나감
예 사람들은 수준 높은 문화생활의 영위를 원하고 있다.

영전(榮 영화 영, **轉** 구를 전) 전보다 더 좋은 자리나 직위로 옮김
예 온갖 무리한 정치적 수사를 한 검사들에게 돌아간 것은 인책이 아니라 영전이었다.

영합(迎 맞을 영, **合** 합할 합) 사사로운 이익을 위하여 아첨하며 좇음
예 시류에 영합하여 자신의 물질적 이익만을 추구하는 행태는 결코 정당화될 수 없다.

예방(禮 예도 례(예), **訪** 찾을 방) 예를 갖추는 의미로 인사차 방문함
예 대통령은 외국 경제 사절단의 예방을 받고 투자 문제에 대해 논의했다.

오도(誤 그릇될 오, **導** 이끌 도) 그릇된 길로 이끎
예 오도된 역사를 바로잡자는 운동이 범국민적으로 확산되고 있다.

오만(傲 거만할 오, **慢** 게으를 만) 태도나 행동이 건방지거나 거만함. 또는 그 태도나 행동
예 독선적이고 오만한 그의 성격은 결국 국민의 신뢰를 잃는 계기가 되었다.

오열(嗚 탄식 소리 오, **咽** 목멜 열) 목메어 욺. 또는 그런 울음
예 그는 친한 벗의 죽음 앞에서 오열했다.

오욕(汚 더러울 오, **辱** 욕될 욕) 명예를 더럽히고 욕되게 함
예 그는 회한과 오욕으로 점철된 파란만장한 생애를 마쳤다.

오지(奧 속 오, **地** 땅 지) 해안이나 도시에서 멀리 떨어진 대륙 내부의 땅
예 오지에서 길을 잃고 헤매었다.

옹호(擁 안을 옹, **護** 보호할 호) 두둔하고 편들어 지킴. 끌어안아 보호함
예 그는 도시 빈민 계층의 권익이 옹호되어야 한다고 주장한다.

와병(臥 누울 와, **病** 병 병) 병으로 자리에 누움. 또는 병을 앓고 있음
예 그는 와병 중인 전직 대통령을 찾아 위로했다.

와전(訛 그릇될 와, **傳** 전할 전) 사실과 다르게 전함
예 내가 한 말이 한 다리 두 다리 건너더니 완전히 와전이 되었구나.

와해(瓦 기와 와, **解** 풀 해) 기와가 깨진다는 뜻으로, 조직이나 계획 따위가 산산이 무너지고 흩어짐을 이르는 말
예 공산 체제의 와해

완곡(婉 순할 완, **曲** 굽을 곡) 말하는 투가, 듣는 사람의 감정이 상하지 않도록 모나지 않고 부드러움
예 그 사람은 미소를 지으면서 우리의 요구를 완곡히 거절하였다.

완급(緩 느릴 완, **急** 급할 급) 느림과 빠름. 일의 급함과 급하지 않음
예 추진력도 중요하지만 사안에 따라 완급을 조절할 수 있는 능력도 지도자에겐 필요하다.

외연(外 바깥 외, **延** 끌 연) 일정한 개념이 적용되는 사물의 전 범위
예 신임 회장은 조직의 외연 확대를 위해 조직 정비 작업에 나설 것임을 천명했다.

외유(外 바깥 외, **遊** 놀 유) 외국에 나가 여행함
예 국감 기간 동안 외유를 다녀온 의원들의 행태가 여론의 질타를 받았다.

요람(要 중요할 요, **覽** 볼 람) 중요한 내용만 뽑아 간추려 놓은 책
예 자세한 내용은 학교 요람을 통해 확인하시기 바랍니다.

요람(搖 흔들 요, 籃 바구니 람) 아기를 태워 흔드는 바구니. 사물의 발생지나 근원지를 비유적으로 이르는 말
예 이 학교는 걸출한 인물들을 배출하는 요람으로 알려져 있다.

용공(容 얼굴 용, 共 함께 공) 공산주의의 주장을 받아들이거나 그 정책에 동조하는 일
예 평생 용공 낙인을 달고 살았던 그였지만 남북 화해에 대한 신념은 변함이 없었다.

용인(容 얼굴 용, 忍 참을 인) 너그러운 마음으로 참고 용서함
예 대통령은 측근들의 권력 남용을 그대로 용인하는 듯한 입장을 취했다.

운영(運 운전할 운, 營 경영할 영) 조직이나 기구, 사업체 따위를 운용하고 경영함. 어떤 대상을 관리하고 운용하여 나감
예 그는 학원을 운영하여 나온 수익금으로 불우 이웃을 도왔다.

운용(運 움직일 운, 用 쓸 용) 무엇을 움직이게 하거나 부리어 씀
예 그는 적은 사업 자금이지만 잘 운용하여 사업을 크게 일으켰다.

운집(雲 구름 운, 集 모일 집) 구름처럼 모인다는 뜻으로, 많은 사람이 모여듦을 이르는 말. '떼지어 모임', '많이 모임'으로 순화
예 수십만의 군중이 시청 앞에 운집해 있었다.

원고(原 근원 원, 告 알릴 고) 법원에 민사 소송을 제기한 사람
예 국가가 명예훼손 소송의 원고가 될 수 있는가에 대한 논란이 갈수록 증폭되고 있다.

원용(援 도울 원, 用 쓸 용) 자기의 주장이나 학설을 세우기 위하여 문헌이나 관례 따위를 끌어다 씀
예 잡가에 나타나는 후렴구는 민요에서 흔히 활용된 것을 그대로 원용한 것이다.

원호(援 도울 원, 護 보호할 호) 돕고 보살펴 줌
예 부인회에서 소년 소녀 가장들에 대한 원호 기금을 마련하기 위하여 바자회를 열고 있다.

원활(圓 둥글 원, 滑 미끄러울 활) 모난 데가 없고 원만함. 거침이 없이 잘되어 나감
예 이번 명절에는 고속 도로 상·하행선 모두 원활한 소통이 이뤄졌다.

위용(威 위엄 위, 容 얼굴 용) 위엄찬 모양이나 모습
예 그의 얼굴에서는 대장부다운 위용이 넘쳐 났다.

위임(委 맡길 위, 任 맡길 임) 어떤 일을 책임 지워 맡김. 또는 그 책임
예 아버지로부터 공장을 관리하도록 위임을 받았다.

위증(僞 거짓 위, 證 증거 증) 거짓으로 증명함. 또는 그런 증거
예 청문회에서 있었던 연이은 위증으로 그는 궁지에 몰렸다.

위탁(委 맡길 위, 託 부탁할 탁) ① 남에게 사물이나 사람의 책임을 맡김
② 『법률』 법률 행위나 사무의 처리를 다른 사람에게 맡겨 부탁하는 일
예 그는 회사를 전문 경영인에게 위탁하고 일선에서 물러났다.

유고(有 있을 유, 故 연고 고) 특별한 사정이나 사고가 있음
예 회장의 유고 시에는 부회장이 업무를 대신합니다.

유구(悠 멀 유, 久 오랠 구) 아득하게 오래됨
예 유구하게 흘러온 반만년의 역사

유루(遺 잃을 유, 漏 샐 루) (주로 '없다'와 함께 쓰여) 빠져나가거나 새어 나감. '빠짐'으로 순화
예 그는 매사에 유루가 없이 기민하다.

유린(蹂 밟을 유, 躪 짓밟을 린) 남의 권리나 인격을 짓밟음
예 민주주의 유린에 대한 국민적 심판이 이번 선거를 통해 내려졌다.

유예(猶 오히려 유, 豫 미리 예) ① 망설여 일을 결행하지 아니함. 일을 결정하는 데 날짜나 시간을 미룸
② 『법률』 소송 행위를 하거나 소송 행위의 효력을 발생시키기 위하여 일정한 기간을 둠. 또는 그 기간
예 유예 처분을 받다.

유용(流 흐를 유, 用 쓸 용) 남의 것이나 다른 곳에 쓰기로 되어 있는 것을 다른 데로 돌려 씀
예 공금을 임의로 유용한 그의 행위는 용납할 수 없는 범죄이다.

유착(癒 병 나을 유, 着 붙을 착) 사물들이 서로 깊은 관계를 가지고 결합하여 있음
예 종교와 권력이 유착 관계를 맺다.

육박(肉 고기 육, 薄 엷을 박) 바싹 가까이 다가붙음
예 상반기 한국 영화의 점유율은 60%에 육박했다.

윤화(輪 바퀴 륜(윤), 禍 재앙 화) 전차, 자동차 따위의 육상(陸上) 교통 기관에 의하여 입는 재해
예 행인이 길을 건너다 윤화를 입어 병원에 실려 갔다.

융성(隆 높일 륭(융), 盛 성할 성) 기운차게 일어나거나 대단히 번성함
예 국민의 뜻을 하나로 모아 국운을 융성하게 하는 일이 우리의 사명이다.

은닉(隱 숨길 은, 匿 숨을 닉) 남의 물건이나 범죄인을 감춤
예 수배자의 은닉을 도와준 사람은 처벌 대상이 된다.

은폐(隱 숨길 은, 蔽 가릴 폐) 덮어 감추거나 가리어 숨김
예 증거 자료에 대한 조직적인 은폐 의혹이 나오는 상황이지만 검찰은 뚜렷한 수사 의지를 보이지 않고 있다.

음덕(蔭 그늘 음, 德 덕 덕) 조상의 덕. 의지할 만한 대상의 보호나 혜택
예 조상의 음덕으로 살다.

의뢰(依 의지할 의, 賴 믿을 뢰) 굳게 믿고 의지함. 남에게 부탁함
예 경찰의 협조 의뢰 공문을 받았지만 아직까지 대응 방침을 정하지 않았다.

의연(毅 굳셀 의, 然 그럴 연) 의지가 굳세어서 끄떡없음
예 그들은 온갖 어려움에도 불구하고 의연함을 잃지 않았다.

의장(意 뜻 의, 匠 장인 장) 시각을 통하여 미감(美感)을 일으키는 것. 물품의 형상, 모양, 색채 또는 이들을 결합한 것으로서, 의장권의 대상이 됨
예 이것은 의장과 그 수법이 정교하여 다른 것과 비교가 되지 않을 만큼 주목을 받았다.

인멸(湮 잠길 인, 滅 멸할 멸) 자취도 없이 모두 없어짐. 또는 그렇게 없앰
예 도주나 증거 인멸의 우려가 없는 현직 단체장에 대한 무리한 구속 수사가 커다란 반발을 불러왔다.

인책(引 당길 인, 責 꾸짖을 책) 잘못한 일의 책임을 스스로 짐
예 시민들은 정부 차원의 사과와 담당 장관의 인책을 요구했다.

일소(一 한 일, 掃 쓸 소) 한꺼번에 싹 제거함
예 그는 집권하자마자 구습(舊習)을 일소할 것을 대내외에 천명했다.

일축(一 한 일, 蹴 찰 축) 제안이나 부탁 따위를 단번에 거절하거나 물리침
예 상대편에서는 우리의 대화 제의를 일축하였다.

일탈(逸 잃을 일, 脫 벗어날 탈) ① 정하여진 영역 또는 본디의 목적이나 길, 사상, 규범, 조직 따위로부터 빠져 벗어남.
②「사회」 사회적인 규범으로부터 벗어나는 일
예 가정 교육의 소홀로 말미암아 청소년들의 일탈이 늘고 있다.

임치(任 맡길 임, 置 둘 치) 남에게 돈이나 물건을 맡겨 둠
예 미리 관리소에 임치하지 않은 소지품은 책임지지 않습니다.

입적(入 들 입, 寂 고요할 적) 스님이 세상을 떠남
예 입적하면서까지 참된 무소유의 정신을 실천한 법정 스님의 가르침은 많은 이들에게 잔잔한 감동을 주었다.

입회(立 설 립(입), 會 모일 회) 어떠한 사실이 발생하거나 존재하는 현장에 함께 참석하여 지켜봄. '참관', '참여'로 순화
예 우리는 부동산 중개인의 입회 아래 땅 주인과 매매 계약을 하였다.

잉여(剩 남을 잉, 餘 남을 여) 쓰고 난 후 남은 것. '나머지'로 순화
예 마르크스는 이른바 '잉여 생산'을 사회 변혁의 주된 요인으로 본다.

ㅈ

자조(自 스스로 자, 嘲 비웃을 조) 자기를 비웃음
예 일본 언론들은 이를 두고 "더 이상 일본에서 배울 것이 없기 때문"이라고 자조 섞인 보도를 쏟아 냈다.

자행(恣 방자할 자, 行 다닐 행) 제멋대로 해 나감. 삼가는 태도가 없이 건방지게 행동함
예 정당 활동이라는 미명 아래 공공연한 선거법 위반 행위가 자행되고 있다.

잔류(殘 남을 잔, 留 머무를 류) 뒤에 처져 남아 있음
예 모든 의원이 탈당을 하는 상황에 그는 잔류를 선언했다.

잔해(殘 남을 잔, 骸 뼈 해) 부서지거나 못 쓰게 되어 남아 있는 물체
예 추락한 비행기의 잔해를 찾는 작업이 며칠째 진행 중에 있다.

잠식(蠶 누에 잠, 食 먹을 식) 누에가 뽕잎을 먹듯이 점차 조금씩 침략하여 먹어 들어감. 타인의 세력 범위나 영역을 조금씩 차지해 나감
예 영세한 중소기업의 사업 영역이 상당 부분이 대기업에게 잠식되었다.

잠정(暫 잠시 잠, 定 정할 정) 임시로 정함
예 회사는 실적을 둘러싼 시장의 혼선을 막기 위해 잠정적인 실적 예상치를 발표했다.

장악(掌 손바닥 장, 握 쥘 악) 손안에 잡아 쥔다는 뜻으로, 무엇을 마음대로 할 수 있게 됨을 이르는 말
예 아군은 고지 장악이 어려워 철수하였다.

재래(在 있을 재, 來 올 래) 예전부터 있어 전하여 내려옴
예 여전히 재래의 생활 방식이 일상생활에 많이 남아 있다.

재론(再 다시 재, 論 논의할 론(논)) 이미 논의한 것을 다시 논의함.
예 이 문제는 재론을 삼가 주십시오.

재청(再 다시 재, 請 청할 청) 이미 한 번 한 것을 다시 청함. 회의할 때에 다른 사람의 동의(動議)에 찬성하여 자기도 그와 같이 청함을 이르는 말.
예 금년 가을부터 어멈을 두자는 어머니의 동의와 아내의 재청에 나도 이의가 없었다. – 최서해, 「갈등」

쟁의(爭 다툴 쟁, 議 의논할 의) ① 서로 자기 의견을 주장하며 다툼
②「법률」 행정 기관 사이에 일어나는 권한 다툼
③「사회」 지주나 소작인 또는 사용자와 근로자 사이에서 일어나는 분쟁
예 지하철 노조는 사측과의 협상이 결렬되자 쟁의 발생 신고를 지방 노동위원회에 냈다.

저감(低 낮을 저, 減 줄일 감) 낮추어 줄임
예 공해 저감 장치를 부착한 차량의 증가로 도시의 공기가 많이 좋아졌다.

저명(著 나타날 저, 名 이름 명) 세상에 이름이 널리 드러나 있음
예 그는 정부 고관에서 시작하여 은행가와 사업주 따위의 저명한 인사들을 선원으로 채용했다. – 홍성원, 「육이오」

저변(底 밑 저, 邊 가 변) 어떤 대상의 아래를 이루는 부분. '밑바닥'으로 순화. 한 분야의 밑바탕을 이루는 부분
예 문인 협회는 문학 인구의 저변을 늘려 나가기 위해 노력할 것을 결의했다.

저의(底 밑 저, 意 뜻 의) 겉으로 드러나지 아니한, 속에 품은 생각
예 그가 왜 갑자기 내게 잘해 주는지 그 저의를 모르겠다.

저촉(抵 거스를 저, 觸 닿을 촉) 서로 부딪치거나 모순됨. 법률이나 규칙 따위에 위반되거나 어긋남
예 이번 사건에 대해 선관위는 바로 선거법 저촉 여부를 검토했다.

적몰(籍 문서 적, 沒 가라앉을 몰) 중죄인(重罪人)의 재산을 몰수하고 가족까지도 처벌하던 일
예 왕은 이번 일과 연루된 이들의 가산을 적몰하고 섬에 유배시켰다.

적시(摘 딸 적, 示 보일 시) 지적하여 보임
예 그는 뉴타운 사업의 부작용이 나타나는 실례(實例)를 적시하여 발표했다.

전가(轉 구를 전, 嫁 떠넘길 가) 잘못이나 책임을 다른 사람에게 넘겨 씌움
예 그는 책임 회피나 전가를 일삼는 사람이었다.

전도(顚 꼭대기 전, 倒 넘어질 도) 차례, 위치, 이치, 가치관 따위가 뒤바뀌어 원래와 달리 거꾸로 됨
예 주객이 전도된 듯한 그의 항변에 모든 사람이 입을 다물지 못했다.

전락(轉 구를 전, 落 떨어질 락) 나쁜 상태나 타락한 상태에 빠짐
예 우리의 농촌은 농사의 터전에서 투기의 대상으로 전락하고 있다.

전말(顚 꼭대기 전, **末** 끝 말**)** 처음부터 끝까지 일이 진행되어 온 결과
예 사건의 전말을 파헤치기 위한 시민 단체의 노력이 마침내 결실을 맺었다.

전매(專 오로지 전, **賣** 팔 매**)** ① 어떤 물건을 독점하여 팖
② 「법률」 국가가 국고 수입을 위하여 어떤 재화의 판매를 독점하는 일
예 과거 정부는 담배와 인삼을 전매 방식으로 사업했다.

전보(轉 구를 전, **補** 기울 보**)** 같은 직급 안에서 다른 관직으로 보(補)하여 임명함
예 법원은 이번 사태의 책임을 물어 책임자를 즉각 전보 조치했다.

전보(塡 메울 전, **補** 기울 보**)** 부족한 것을 메워서 채움
예 위원회는 광범위한 여론 수렴을 바탕으로 문제점이 나타난 부분에 대해 즉각 전보할 예정이다.

전복(顚 꼭대기 전, **覆** 뒤집을 복**)** 차나 배 따위가 뒤집힘. 사회 체제가 무너지거나 정권 따위를 뒤집어엎음
예 정부 전복을 노린 무장 단체의 준동으로 정국이 소용돌이 속으로 빠져들었다.

전용(專 오로지 전, **用** 쓸 용**)** 남과 공동으로 쓰지 아니하고 혼자서만 씀
예 대통령 전용 별장을 국민의 품으로 돌린 것은 권위주의 시대의 유습 청산이라는 점에서 의미가 있다.

전용(轉 구를 전, **用** 쓸 용**)** 예정되어 있는 곳에 쓰지 아니하고 다른 데로 돌려서 씀
예 예산이 본래 책정되었던 항목에서 다른 목적으로 전용되었다.

전제(前 앞 전, **提** 끌 제**)** ① 어떠한 사물이나 현상을 이루기 위하여 먼저 내세우는 것
② 「철학」 추리를 할 때, 결론의 기초가 되는 판단. 삼단논법에서는 대전제, 소전제를 구별한다.
예 합법적인 권력 행사에 있어 필요한 대전제는 바로 국민의 지지와 신뢰를 얻는 것이다.

전제(專 오로지 전, **制** 마를 제**)** 다른 사람의 의사는 존중하지 않고 제 생각대로만 일을 결정함. 국가의 권력을 개인이 장악하고 그 개인의 의사에 따라 모든 일을 처리함
예 흥선 대원군은 전제 왕권을 강화하고 통상 수교를 거부하였다.

전철(前 앞 전, **轍** 수레바퀴 철**)** 이전 사람의 그릇된 일이나 행동의 자취
예 이전 정권이 갔던 실패의 전철을 밟지 않기 위해서는 무엇보다 도덕성 회복이 시급한 과제이다.

전형(銓 저울질할 전, **衡** 저울 형**)** 됨됨이나 재능 따위를 가려 뽑음. 또는 그런 일
예 이번 수시 전형의 특성은 학생 개개인의 사회 활동에 가중치를 부여한다는 것이다.

전형(典 법 전, **型** 거푸집 형**)** 기준이 되는 형. 같은 부류의 특징을 가장 잘 나타내고 있는 본보기
예 하회는 '작은 안동'이라고 해야 할 정도로 안동 문화의 한 전형을 보여준다.

전횡(專 오로지 전, **橫** 가로 횡**)** 권세를 혼자 쥐고 제 마음대로 함. '독선적 행위', '마음대로 함'으로 순화
예 권력을 등에 업고 인사권을 전횡했던 사조직은 끝내 법의 심판을 받았다.

절감(切 끊을 절, **感** 느낄 감**)** 절실히 느낌
예 그는 이번 투병 생활을 통해 가족의 소중함을 절감했다.

절도(節 마디 절, **度** 법도 도**)** 일이나 행동 따위를 정도에 알맞게 하는 규칙적인 한도
예 군인은 행동 하나하나에도 언제나 절도가 있어야 한다.

점거(占 차지할 점, **據** 의거할 거**)** 어떤 장소를 차지하여 자리를 잡음
예 시위대의 철도 및 도로 점거로 그 일대 교통이 마비되었다.

점진(漸 점차 점, **進** 나아갈 진**)** 조금씩 앞으로 나아감
예 급격한 변화보다는 점진적인 변화를 추구하는 것이 많은 국민들의 공감을 얻을 것이다.

점철(點 점 점, **綴** 꿰맬 철**)** 흐트러진 여러 점이 서로 이어짐. 또는 그것들을 서로 이음. '얼룩짐', '이어짐'으로 순화
예 그는 영광과 오욕으로 점철된 85년간의 삶을 마쳤다.

정간(停 머무를 정, **刊** 펄 간**)** 감독관청의 명령으로 신문, 잡지 따위의 정기 간행물의 발간을 일시적으로 중지함
예 신문이 정간되었다는 소식도 놀라웠거니와 그렇다고 수영이가 며칠씩 집에 들어오지 않는 까닭을 알 수가 없었다. – 심훈, 「영원의 미소」

정제(精 자세할 정, **製** 지을 제**)** 정성을 들여 정밀하게 잘 만듦. 물질에 섞인 불순물을 없애 순수하게 만듦
예 원유는 여러 정제 과정을 거쳐 다양한 석유 제품으로 재생산된다.

제휴(提 끌 제, **携** 끌 휴**)** 행동을 함께하기 위하여 서로 붙들어 도와줌
예 우리 회사는 외국 회사와 제휴하여 신제품을 개발하고 있다.

조악(粗 거칠 조, **惡** 악할 악**)** 거칠고 나쁨
예 중국산 제품은 조악한 품질에도 불구하고 가격 경쟁력을 무기로 우리 시장을 빠르게 잠식해 나가고 있다.

조야(粗 거칠 조, **野** 들 야**)** 천하고 상스러움. 물건 따위가 거칠고 막됨
예 그는 조야하고 천박한 언행으로 어디서나 환영받지 못한다.

조예(造 지을 조, **詣** 이를 예**)** 학문이나 예술, 기술 따위의 분야에 대한 지식이나 경험이 깊은 경지에 이른 정도
예 그는 서양화에도 조예가 깊어 주요 전시회에 빠지지 않고 참석한다.

조우(遭 만날 조, **遇** 만날 우**)** 우연히 서로 만남
예 사병들은 전선을 이탈한 채 곳곳에서 어둠을 통해 적이라고 믿어지는 정체불명의 집단들과 조우했다. – 홍성원, 「육이오」

조작(造 지을 조, **作** 지을 작**)** 어떤 일을 사실인 듯이 꾸며 만듦. 진짜를 본떠서 가짜를 만듦. 또는 그렇게 만든 물건
예 과거 정보기관이 자행한 용공 조작 사건에 대한 진상 규명 작업이 좌초될 위기에 처했다.

조작(操 잡을 조, 作 지을 작) 기계 따위를 일정한 방식에 따라 다루어 움직임. 작업 따위를 잘 처리하여 행함
㉠ 처음 대하는 기계였지만 그는 능숙한 솜씨로 그것을 조작해 나갔다.

조치(措 둘 조, 置 둘 치) 벌어지는 사태를 잘 살펴서 필요한 대책을 세워 행함. 또는 그 대책
㉠ 정부의 이번 대북 조치를 두고 신중하지 못한 감정적 대응이었다는 비판이 대두되었다.

졸속(拙 졸할 졸, 速 빠를 속) 어설프고 빠름. 또는 그런 태도
㉠ 대형 국책 사업 졸속 추진에 대한 시민 사회의 분노가 커져만 갔다.

종속(從 따를 종, 屬 무리 속) 자주성이 없이 주가 되는 것에 딸려 붙음
㉠ 남북 관계가 얼어붙어 갈수록 북한의 대중국 종속은 심화되어 갔다.

종용(慫 권할 종, 慂 권할 용) 잘 설득하고 달래어 권함
㉠ 그는 윗선으로부터 사직을 종용받았지만 끝까지 결백을 주장하며 버텼다.

종횡(縱 늘어질 종, 橫 가로 횡) 세로와 가로를 아울러 이르는 말. (주로 '종횡으로' 꼴로 쓰여) 거침없이 마구 오가거나 이리저리 다님
㉠ 결국 이번 전쟁은 남과 북, 있는 자와 없는 자, 양반과 상인 등 모든 계층의 사람들을 종횡으로 교류시키고 있다. – 홍성원, 「육이오」

좌경(左 왼 좌, 傾 기울 경) 왼쪽으로 기울어짐. 공산주의나 사회주의 따위의 좌익 사상으로 기울어짐. 또는 그런 경향
㉠ 정부는 또 철지난 색깔론을 들먹이며 좌경 세력 색출을 공언하고 나섰다.

좌천(左 왼 좌, 遷 옮길 천) 낮은 관직이나 지위로 떨어지거나 외직으로 전근됨을 이르는 말
㉠ 이번 인사에서 그는 비록 좌천되었지만 새로 맡은 업무가 갖는 중요성으로 볼 때 이것을 오히려 전화위복의 기회로 삼을 수도 있을 것이다.

좌초(坐 앉을 좌, 礁 암초 초) 배가 암초에 얹힘. 곤경에 빠짐을 비유적으로 이르는 말
㉠ 그의 분권화 정책은 비록 좌초될 위기에 놓여 있지만 국토 균형 발전이라는 그의 큰 이상마저 폄훼되어서는 안 된다.

주구(走 달릴 주, 狗 개 구) 다른 이의 앞잡이 노릇을 하는 사람
㉠ 일제 시대 총독부의 주구 노릇을 하던 악질 친일파를 단죄하지 않고는 민족정기를 바로 세울 수 없다.

주선(周 두루 주, 旋 돌 선) 일이 잘되도록 여러 가지 방법으로 힘씀
㉠ 사원들이 사장님을 만나기 위해서는 비서에게 주선을 요청해야만 했다.

주창(主 주인 주, 唱 부를 창) 주의나 사상을 앞장서서 주장함. 노래나 시 따위를 앞장서서 부름
㉠ 그가 주창한 사상은 당시에는 너무나 진보적이어서 많은 비판을 받았다.

준거(準 법 준, 據 의거할 거) 사물의 정도나 성격 따위를 알기 위한 근거나 기준
㉠ 사람은 각자의 행위에 있어 준거를 삼을 만한 원칙을 세우는 것이 중요하다.

준걸(俊 준걸 준, 傑 뛰어날 걸) 재주와 슬기가 매우 뛰어남. 또는 그런 사람
㉠ 범상치 않은 그의 외모에서 한눈에 그가 준걸임을 알아볼 수 있었다.

준동(蠢 꿈틀거릴 준, 動 움직일 동) 벌레 따위가 꿈적거린다는 뜻으로, 불순한 세력이나 보잘것없는 무리가 법석을 부림을 이르는 말
㉠ 후방 지역 내에 준동하는 공비를 완전 소탕하기 위해 충남, 전라, 경남 일부 지역에 계엄령을 선포했다. – 이병주, 「지리산」

준수(遵 좇을 준, 守 지킬 수) 전례나 규칙, 명령 따위를 그대로 좇아서 지킴
㉠ 국민은 헌법을 준수해야 할 의무를 지닌다.

준수(俊 준걸 준, 秀 빼어날 수) 재주나 슬기, 풍채가 빼어남
㉠ 그는 준수하게 생겼다.

준용(遵 좇을 준, 用 쓸 용) 그대로 좇아서 씀
㉠ 선진국의 교육 제도가 우리나라의 교육 제도에 많이 준용되고 있다.

중상(中 가운데 중, 傷 아플 상) 근거 없는 말로 남을 헐뜯어 명예나 지위를 손상함
㉠ 근거 없는 유언비어를 바탕으로 상대를 비방, 중상하는 행위는 당장 중단해야 한다.

지양(止 그칠 지, 揚 오를 양) 더 높은 단계로 오르기 위하여 어떠한 것을 하지 아니함. '피함', '하지 않음'으로 순화
㉠ 정부는 부유층 중심의 감세 정책을 지양하고 서민 생활 안정을 위한 정책 개발에 우선순위를 둘 예정이다.

지연(地 땅 지, 緣 인연 연) 출신 지역에 따라 연결된 인연
㉠ 혈연, 지연 등 우리 체육계 내의 고질적인 병폐를 무시하고 능력에 따라 선수를 선발했던 감독의 조치는 많은 박수를 받았다.

진부(陳 늘어놓을 진, 腐 썩을 부) 사상, 표현, 행동 따위가 낡아서 새롭지 못함
㉠ 다소 진부해 보이는 소재였지만 감독의 탁월한 연출력과 배우들의 호연 덕에 관객들의 많은 호응을 받았다.

진위(眞 참 진, 僞 거짓 위) 참과 거짓 또는 진짜와 가짜를 통틀어 이르는 말
㉠ 새로 발굴되었다는 유물의 진위에 대하여 학계에서 논란이 일고 있다.

진작(振 떨칠 진, 作 지을 작) 떨쳐 일어남. 또는 떨쳐 일으킴
㉠ 대표 팀의 사기 진작을 위한 방안을 놓고 협회는 고심하고 있다.

질고(疾 병 질, 苦 괴로울 고) 병으로 인한 괴로움
㉠ 오랫동안 질고에 시달려 온 그는 바짝 야위어 있었다.

질곡(桎 족쇄 질, 梏 쇠고랑 곡) 몹시 속박하여 자유를 가질 수 없는 고통의 상태를 비유적으로 이르는 말
㉠ 전쟁 전체를 놓고 보면 미안한 일이지만 수많은 사람들을 고통의 질곡으로부터 구할 수 있었다. – 이원규, 「훈장과 굴레」

질박(質 바탕 질, 朴 순박할 박) 꾸민 데가 없이 수수함
㉠ 백자의 질박한 미감에 우리 모두는 감탄했다.

질타(叱 꾸짖을 질, 咤 꾸짖을 타) 큰 소리로 꾸짖음. '꾸지람', '크게 꾸짖음'으로 순화
㉠ 국감 기간 동안 보인 의원들의 구태는 여론의 호된 질타를 받았다.

집산(集 모일 집, 散 흩어질 산) 모여들었다 흩어졌다 함
예 이곳 포구는 전국의 물품이 집산하는 가장 중요한 거점이다.

징벌(懲 혼날 징, 罰 죄 벌) 옳지 아니한 일을 하거나 죄를 지은 데 대하여 벌을 줌. 또는 그 벌
예 부동산 과다 보유에 대한 정당한 과세가 부유층에 대한 징벌적 조세라는 허황된 논리로 포장되고 있다.

징조(徵 부를 징, 兆 조짐 조) 어떤 일이 생길 기미
예 쪽빛으로 변한 바다 빛깔은 이제 가을이 멀지 않았다는 징조이다.

징후(徵 부를 징, 候 기후 후) 겉으로 나타나는 낌새
예 교전에도 불구하고 북한군의 움직임에서 이상 징후는 발견하지 못했다.

ㅊ

착복(着 붙을 착, 服 옷 복) 남의 금품을 부당하게 자기 것으로 함
예 장애인 지원금을 착복한 공무원들의 비리는 결코 용납할 수 없다.

착오(錯 섞일 착, 誤 그릇될 오) 착각을 하여 잘못함. 또는 그런 잘못
예 후보자는 소득 신고 누락을 실무자의 착오 탓으로 돌렸다.

참괴(慙 부끄러울 참, 愧 부끄러울 괴) 매우 부끄러워함
예 스스로 깊이 참괴하는 모습이 보기에 애처로웠다.

참소(譖 모함할 참, 訴 하소연 소) 남을 헐뜯어서 죄가 있는 것처럼 꾸며 윗사람에게 고하여 바침
예 그는 정적들의 참소로 원지에 유배되었다.

참작(參 참여할 참, 酌 따를 작) 이리저리 비추어 보아서 알맞게 고려함
예 모든 의혹을 부인하는 그의 행태는 정상 참작의 여지마저 없어 보였다.

창궐(猖 미쳐 날뛸 창, 獗 날뛸 궐) 못된 세력이나 전염병 따위가 세차게 일어나 걷잡을 수 없이 퍼짐
예 각지에서 창궐하는 도적과 전염병으로 백성들의 삶은 피폐해져 갔다.

채산(採 캘 채, 算 셈할 산) 수입과 지출을 맞추어 계산함
예 한국 고전 총서 기획은 채산에는 맞지 않는 일이다.

채용(採 캘 채, 用 쓸 용) 사람을 골라서 씀. 어떤 의견, 방안 등을 고르거나 받아들여서 씀.
예 어차피 한번 채용이 된 뒤에는 누가 뭐래도 동요치 않을 배짱들이다.
– 이제하, 「기차, 기선, 바다, 하늘」

책정(策 꾀 책, 定 정할 정) 계획이나 방책을 세워 결정함. '정함'으로 순화
예 위험 수당이 너무나 비현실적으로 책정되어 있다는 지적이 많다.

처참(悽 슬퍼할 처, 慘 참혹할 참) 몸서리칠 정도로 슬프고 끔찍함
예 그는 역적으로 몰려서 처참하게 죽었다.

척도(尺 자 척, 度 법도 도) 자로 재는 길이의 표준. 평가하거나 측정할 때 의거할 기준
예 국가 지도자의 도덕성은 국격을 좌우하는 기본 척도이다.

천도(遷 옮길 천, 都 도읍 도) 도읍을 옮김
예 국가 균형 발전이라는 정책 과제에 대한 논의가 때 아닌 천도 논쟁으로 비화되었다.

천명(闡 열 천, 明 밝을 명) 진리나 사실, 입장 따위를 드러내어 밝힘
예 그는 어떠한 경우에도 권위주의 세력과의 연대는 없을 것임을 대내외에 천명했다.

천착(穿 뚫을 천, 鑿 뚫을 착) 어떤 원인이나 내용 따위를 따지고 파고들어 알려고 하거나 연구함
예 그는 김구 선생의 사상에 깊이 천착했다.

첩경(捷 빠를 첩, 徑 지름길 경) 멀리 돌지 않고 가깝게 질러 통하는 길. 가장 쉽고 빠른 방법을 비유적으로 이르는 말
예 서민층에 대한 지원을 강화하는 것이 선진국으로 가는 첩경이다.

청산(淸 맑을 청, 算 셀 산) ① 서로 간에 채무·채권 관계를 셈하여 깨끗이 해결함. 과거의 부정적 요소를 깨끗이 씻어 버림. 회사.
② 『경제』 조합 따위의 법인이 파산이나 해산에 의하여 활동을 정지하고 재산 관계를 정리하는 일
예 • 부채를 청산하고 새로운 출발의 기반을 다지는 것이 가장 시급하다.
• 이번 친일 인명사전의 편찬이 일제 잔재 청산의 첫걸음이 되어야 할 것이다.
• 채권단의 승인이 떨어지는 즉시 회사는 청산 절차에 들어갈 것이다.

청탁(淸 맑을 청, 濁 흐릴 탁) 맑음과 흐림을 아울러 이르는 말. 옳고 그름 또는 착함과 악함을 비유적으로 이르는 말
예 • 신록에 관한 한 나에게는 청탁이 없다.
• 그는 돈이 되는 일이라면 청탁을 불문하고 맡아서 한다.

청탁(請 청할 청, 託 부탁할 탁) 청하여 남에게 부탁함
예 정권이 바뀌어도 인사 청탁의 관행은 쉽게 근절되지 않았다.

체류(滯 막힐 체, 留 머무를 류) 객지에 가서 머물러 있음
예 기자는 일본에서 4일간 체류한 뒤 미국으로 향할 예정이다.

촌음(寸 마디 촌, 陰 그늘 음) 매우 짧은 동안의 시간
예 그는 촌음의 시간도 아껴 학업에 전념했다.

추궁(追 쫓을 추, 窮 다할 궁) 잘못한 일에 대하여 엄하게 따져서 밝힘
예 의원들의 매서운 추궁에 장관은 결국 잘못을 시인하고 말았다.

추심(推 밀 추, 尋 찾을 심) ① 찾아내어 가지거나 받아 냄
② 『경제』 은행이 수취인의 위탁을 받고 어음, 수표, 배당금 따위의 대금을 받아 내는 일
예 그는 새롭게 채권 추심 업무를 맡았지만 경제 위기 상황 속에서 별다른 성과를 내지 못하고 있다.

추정(推 밀 추, 定 정할 정) 미루어 생각하여 판정함
예 그 과학자는 자신의 추정을 뒷받침하는 몇 가지 가설을 제시했다.

추징(追 쫓을 추, 徵 부를 징) 부족한 것을 뒤에 추가하여 징수함
예 국세청은 탈루 세금 120억 원을 추징했다.

추행(醜 추할 추, **行** 행할 행**)** 더럽고 지저분한 행동
예 그녀가 어떤 지면 있는 러시아 장교에게 강제로 그녀의 집에서 심한 추행을 당했다는 것이었다. – 홍성원, 「육이오」

추호(秋 가을 추, **毫** 털 호**)** 매우 적거나 조금인 것을 비유적으로 이르는 말
예 청문회에서 증언함에 있어 추호의 거짓도 있어서는 안 된다.

축조(築 쌓을 축, **造** 지을 조**)** 쌓아서 만듦
예 이 산성의 축조 시기가 밝혀지면 비문의 조작 여부도 드러날 것이다.

출고(出 날 출, **庫** 창고 고**)** 창고에서 물품을 꺼냄
예 이달 출고량이 사상 최대치를 기록하는 등 막걸리 열풍이 거세다.

출두(出 날 출, **頭** 머리 두**)** 어떤 곳에 몸소 나감
예 언론사주는 법원의 거듭된 출두 요구에도 나가지 않고 버텼다.

출몰(出 날 출, **沒** 가라앉을 몰**)** 어떤 현상이나 대상이 나타났다 사라졌다 함
예 야생 동물의 잇단 도심 출몰로 시민들이 불안해하고 있다.

출범(出 날 출, **帆** 돛 범**)** 단체가 새로 조직되어 일을 시작함을 비유적으로 이르는 말
예 새 정부는 출범 이래로 수차례에 걸쳐 상당한 사면 조치를 해 왔다.

출하(出 날 출, **荷** 짐 하**)** 짐이나 상품 따위를 내어보냄. 생산자가 생산품을 시장으로 내어보냄. '실어 내기'로 순화
예 출하가 늦어져 배가 돌아가지 못했다.

충만(充 찰 충, **滿** 찰 만**)** 한껏 차서 가득함. '가득 참'으로 순화
예 현재 분위기는 함성과 분노와 뜨거운 열기로 충만해 있다.

충일(充 찰 충, **溢** 넘칠 일**)** 가득 차서 넘침
예 그의 삶은 문학에 대한 정열로 충일해 있다.

취향(趣 뜻 취, **向** 향할 향**)** 하고 깊은 마음이 생기는 방향. 또는 그런 경향
예 이번에는 음식을 각자의 취향에 따라 선택하기로 결정했다.

치부(致 이를 치, **富** 부자 부**)** 재물을 모아 부자가 됨
예 그는 과거 권력을 이용해 불법적으로 치부한 재산의 대부분을 해외로 빼돌렸지만 그의 죽음으로 이것을 규명하는 일은 사실상 어려워졌다.

치부(恥 부끄러울 치, **部** 부분 부**)** 남에게 드러내고 싶지 아니한 부끄러운 부분
예 그는 자신의 치부까지 솔직히 말할 만큼 나를 신뢰했다.

치정(癡 어리석을 치, **情** 정 정**)** 남녀 간의 사랑으로 생기는 온갖 어지러운 정
예 사건 현장에서 없어진 물건 등이 없는 것으로 보아 경찰은 치정이나 원한 등에 의한 범행으로 추정하고 있다.

칩거(蟄 숨을 칩, **居** 살 거**)** 나가서 활동하지 아니하고 집 안에만 틀어박혀 있음
예 오랜 칩거 생활 탓인지 그는 건강이 좋지 않아 보였다.

ㅌ

타개(打 칠 타, **開** 열 개**)** 매우 어렵거나 막힌 일을 잘 처리하여 해결의 길을 엶
예 경제 불황 타개를 위한 각종 대안이 제시되고 있다.

타결(妥 온당할 타, **結** 맺을 결**)** 의견이나 대립된 양편에서 서로 양보하여 일을 마무름
예 노사는 쟁점 현안에 대해 밤샘 협상 끝에 일괄 타결을 이루었다.

타계(他 다를 타, **界** 지경 계**)** 다른 세계. 인간계를 떠나서 다른 세계로 간다는 뜻으로, 사람의 죽음 특히 귀인(貴人)의 죽음을 이르는 말
예 정정하시던 선생님의 갑작스러운 타계로 우리들은 큰 충격을 받았다.

타당(妥 온당할 타, **當** 마땅할 당**)** 일의 이치로 보아 옳음
예 그의 주장은 그럴듯하지만 현재 상황에서는 타당하지 않다.

타도(打 칠 타, **倒** 넘어질 도**)** 어떤 대상이나 세력을 쳐서 거꾸러뜨림
예 독재 정권을 타도하고 민주 정부를 수립하려는 운동이 전국에서 벌어지고 있다.

타산(打 칠 타, **算** 셀 산**)** 자신에게 도움이 되는지를 따져 헤아림
예 매사를 타산적으로 생각하다.

타성(惰 게으를 타, **性** 성품 성**)** 오래되어 굳어진 좋지 않은 버릇. 또는 오랫동안 변화나 새로움을 꾀하지 않아 나태하게 굳어진 습성
예 그동안의 생활 속에만 안주하려는 타성적 태도는 결코 바람직하지 않다.

타파(打 칠 타, **破** 깰 파**)** 부정적인 규정, 관습, 제도 따위를 깨뜨려 버림
예 입으론 계급의 타파를 부르짖으며 속으론 계급에 사로잡혀 있어. – 이병주, 「지리산」

탁견(卓 높을 탁, **見** 볼 견**)** 두드러진 의견이나 견해
예 한반도 평화 체제 구축에 대한 그의 견해는 민족의 미래를 위한 고심 끝에 내놓은 탁견이었다.

탐닉(耽 즐길 탐, **溺** 빠질 닉**)** 어떤 일을 몹시 즐겨서 거기에 빠짐
예 젊은 시절 마약에 탐닉했던 일이 두고두고 그의 삶에 짐이 되었다.

탐독(耽 즐길 탐, **讀** 읽을 독**)** 어떤 글이나 책 따위를 열중하여 읽음. 어떤 글이나 책 따위를 유달리 즐겨 읽음
예 그는 정치와 역사에 관한 책을 탐독하고 있다.

탐색(探 찾을 탐, **索** 찾을 색**)** 드러나지 않은 사물이나 현상 따위를 찾아내거나 밝히기 위하여 살피어 찾음
예 한국 고대 문화에 대한 진지한 탐색이 이뤄졌다.

탕진(蕩 쓸어버릴 탕, **盡** 다할 진**)** 재물 따위를 다 써서 없앰. 시간·힘·정열 따위를 헛되이 다 써 버림
예 그는 투전으로 가산을 탕진한 끝에 주정뱅이가 되었다.

통감(痛 아플 통, **感** 느낄 감**)** 마음에 사무치게 느낌
예 그는 이번 사태에 대해 책임을 통감한다는 성명을 내고 사임했다.

통고(通 통할 통, **告** 알릴 고**)** 서면(書面)이나 말로 소식을 전하여 알림
예 법원으로부터 내일 출두하라는 통고를 받았다.

통념(通 통할 통, **念** 생각 념) 일반적으로 널리 통하는 개념
예 사회적 통념을 깨다.

통렬(痛 아플 통, **烈** 세찰 렬) 몹시 날카롭고 매서움
예 그는 정권의 부도덕함을 통렬하게 비판하는 칼럼으로 명성을 얻었다.

통설(通 통할 통, **說** 말씀 설) 세상에 널리 알려지거나 일반적으로 인정되고 있는 설
예 이 사건이 농민 운동의 발발을 제공했다는 것이 지금까지의 통설이다.

통속(通 통할 통, **俗** 풍속 속) 세상에 널리 통하는 일반적인 풍속. 비전문적이고 대체로 저속하며 일반 대중에게 쉽게 통할 수 있는 일
예 그의 작품은 흔한 통속 소설이었지만 섬세한 필체로 대중의 환영을 받았다.

통용(通 통할 통, **用** 쓸 용) 일반적으로 두루 씀. 서로 넘나들어 두루 씀
예 새로운 화폐는 기대와 달리 널리 통용되지 못했다.

통찰(洞 꿰뚫을 통, **察** 살필 찰) 예리한 관찰력으로 사물을 꿰뚫어 봄
예 밝은 이성에 의한 깊은 통찰과 굳센 의지에 의한 조용한 인내를 그는 무엇보다도 강조한다. – 안병욱, 「사색인의 향연」

퇴락(頹 무너질 퇴, **落** 떨어질 락) 낡아서 무너지고 떨어짐
예 오래 손질하지 않고 버려둔 집은 퇴락의 빛이 역력하였다.
– 오정희, 「미명」

퇴조(退 물러날 퇴, **潮** 조수 조) 기운, 세력 따위가 줄어듦
예 하나의 유행이 퇴조를 보이면 다시 새로운 유행이 나타난다.

투기(妬 시샘할 투, **忌** 꺼릴 기) 부부 사이나 사랑하는 이성 사이에서 상대되는 이성이 다른 이성을 좋아할 경우에 지나치게 시기함
예 봉건 사회에서 여성의 투기는 사회적으로 금기의 대상이었다.

투기(投 던질 투, **機** 틀 기) ① 기회를 틈타 큰 이익을 보려고 함. 또는 그 일 ② 『경제』 시세 변동을 예상하여 차익을 얻기 위하여 하는 매매 거래
예 이번 정부의 조치로 투기를 제어할 수 있는 모든 정책적 수단은 무력화되었다.

투영(投 던질 투, **影** 그림자 영) 물체의 그림자를 어떤 물체 위에 비추는 일. 또는 그 비친 그림자. 어떤 일을 다른 일에 반영하여 나타냄을 비유적으로 이르는 말
예 그는 타인의 고통에 불행했던 자신을 투영하면서 위안을 얻는다.

투철(透 통할 투, **徹** 통할 철) 속속들이 뚜렷하고 철저함. 사리에 밝고 정확함
예 투철한 사명감을 바탕으로 그는 조직을 효과적으로 장악해 갔다.

ㅍ

파국(破 깰 파, **局** 판 국) 일이나 사태가 잘못되어 결판이 남. 또는 그 판국
예 사태의 파국을 막기 위해 노사 양측이 마지막 협상에 나섰다.

파기(破 깰 파, **棄** 버릴 기) 깨뜨리거나 찢어서 내버림. 계약 · 조약 · 약속 따위를 깨뜨려 버림
예 사장은 협상 파기를 선언하였다.

파란(波 물결 파, **瀾** 물결 란) 잔물결과 큰 물결. 순탄하지 아니하고 어수선하게 계속되는 여러 가지 어려움이나 시련. 문장의 기복이나 변화. 또는 두드러지게 뛰어난 부분
예 여야의 격돌로 이번 정기 국회는 또 한바탕 파란이 예상된다.

파랑(波 물결 파, **浪** 물결 랑) 잔물결과 큰 물결
예 이 해안은 파랑의 침식으로 생긴 멋진 절벽과 바위들로 장관을 이루고 있다.

파문(破 깰 파, **門** 문 문) 사제의 의리를 끊고 문하에서 내쫓음
예 그는 교단에서 파문당한 이후에도 자신의 종교적 신념을 버리지 않았다.

파문(波 물결 파, **紋** 무늬 문) 어떤 일이 다른 데에 미치는 영향
예 김 사장의 갑작스러운 사퇴는 회사에 큰 파문을 일으켰다.

파종(播 씨뿌릴 파, **種** 씨앗 종) 곡식이나 채소 따위를 키우기 위하여 논밭에 씨를 뿌림
예 오랜 가뭄으로 파종이 늦어져 농가의 피해가 예상된다.

파행(跛 절룩거릴 파, **行** 다닐 행) 일이나 계획 따위가 순조롭지 못하고 이상하게 진행됨을 비유적으로 이르는 말
예 경기가 갑작스러운 물가 인상과 심한 인플레이션으로 파행을 보이고 있다.

판권(版 널조각 판, **權** 권세 권) 책의 출판에 관한 권리를 일상적으로 이르는 말
예 이번 판결로 판권을 둘러싼 논쟁은 일단락되었다.

판례(判 판단할 판, **例** 법식 례) 법원에서 동일하거나 비슷한 소송 사건에 대하여 행한 재판의 선례(先例)
예 기존 판례를 뒤집는 연이은 판결에 법원 내에서도 다양한 반응이 나오고 있다.

패권(覇 으뜸 패, **權** 권세 권) 어떤 분야에서 우두머리나 으뜸의 자리를 차지하여 누리는 공인된 권리와 힘. 국제 정치에서, 어떤 국가가 경제력이나 무력으로 다른 나라를 압박하여 자기의 세력을 넓히려는 권력
예 • 우리 학교는 전국 대회 패권을 노렸으나 실패하고 말았다.
• 부시 정권의 일방적 패권주의의 결말은 바로 정권 교체였다.

패륜(悖 어그러질 패, **倫** 인륜 륜) 인간으로서 마땅히 하여야 할 도리에 어그러짐. 또는 그런 현상
예 희대의 패륜 범죄를 저지른 피고인에게 무기 징역이 구형되었다.

팽배(澎 물결 팽, **湃** 물결 배) 큰 물결이 맞부딪쳐 솟구침. 어떤 기세나 사조 따위가 매우 거세게 일어남
예 지금처럼 정부에 대한 불신이 팽배한 상황에서는 어떤 정책으로도 국민의 마음을 사로잡기가 어렵다.

편견(偏 치우칠 편, **見** 볼 견) 공정하지 못하고 한쪽으로 치우친 생각
예 다문화 가정에 대한 편견을 깨는 것이 이 문제를 해결하는 가장 빠른 길이다.

편달(鞭 채찍 편, **撻** 매질할 달) 채찍으로 때림. 경계하고 격려함
예 신임 내각이 제대로 일할 수 있도록 많은 지도 편달 부탁드립니다.

편대(編 엮을 편, 隊 무리 대) 비행기 따위가 짝을 지어 대형을 갖추는 일
예 빠른 가드와 장신 센터 둘로 이뤄진 삼각 편대는 쉴 새 없이 상대 진영을 파고들었다.

편력(遍 두루 편, 歷 지낼 력) 여러 가지 경험을 함
예 그의 독서 편력은 휴가지에서도 쉼 없이 계속되었다.

편린(片 조각 편, 鱗 비늘 린) 사물의 극히 작은 한 부분
예 기억의 편린을 좇다 보면 거기에는 항상 내가 놓치고 있던 부분이 있었다.

편벽(偏 치우칠 편, 僻 치우칠 벽) 생각 따위가 한쪽으로 치우쳐 있음. 또는 정상에서 벗어날 정도로 지나침. 중심에서 떨어져 구석짐
예 편벽되지 않고 균형 잡힌 사고로 세상을 보는 것이 무엇보다 중요하다.

편승(便 편할 편, 乘 탈 승) 남이 타고 가는 차편을 얻어 탐. '붙어 탐', '얻어 탐'으로 순화. 세태나 남의 세력을 이용하여 자신의 이익을 거둠을 비유적으로 이르는 말
예 그는 시류에 편승하여 자신의 소신을 저버렸다는 비난을 면치 못했다.

폐기(廢 폐할 폐, 棄 버릴 기) 못 쓰게 된 것을 버림. 조약·법령·약속 따위를 무효로 함
예 개인 정보가 들어 있는 문서들은 신속하게 폐기하는 것이 옳다.

폐단(弊 해질 폐, 端 바를 단) 어떤 일이나 행동에서 나타나는 옳지 못한 경향이나 해로운 현상
예 그는 지연, 학연 등의 폐단을 극복하고 자신의 전술에 맞는 선수를 선발했다.

포착(捕 사로잡을 포, 捉 잡을 착) 꼭 붙잡음. 요점이나 요령을 얻음. 어떤 기회나 정세를 알아차림
예 순간적인 기회를 포착하는 능력이야말로 최고 경영자의 중요한 덕목 중에 하나이다.

포탈(逋 달아날 포, 脫 벗을 탈) 도망하여 피함. 과세를 피하여 면함
예 세 명의 언론사주가 조세 포탈 혐의로 사법 처리되었다.

표상(表 겉 표, 象 모양 상) 본을 받을 만한 대상. '본보기'로 순화
예 신체의 장애에 굴하지 않고 성공한 그는 장애인들의 표상이 되었다.

표절(剽 표독할 표, 竊 훔칠 절) 시나 글, 노래 따위를 지을 때에 남의 작품의 일부를 몰래 따다 씀
예 공직에 오른 교수들의 논문 표절 논란을 보며 학계에 만연한 도덕적 해이를 엿볼 수 있었다.

풍문(風 바람 풍, 聞 들을 문) 바람처럼 떠도는 소문
예 풍문은 꼬리에 꼬리를 물고 인근 사방에 전파되었다. – 이병주, 「지리산」

풍미(風 바람 풍, 靡 쓰러질 미) 바람에 초목이 쓰러진다는 뜻으로, 어떤 사회적 현상이나 분위기 따위가 널리 사회에 퍼짐을 이르는 말
예 그는 한 시대를 풍미한 낭만주의자였다.

풍자(諷 욀 풍, 刺 찌를 자) 남의 결점을 다른 것에 빗대어 비웃으면서 폭로하고 공격함
예 풍자와 해학으로 우리 조상들의 애환을 솔직하게 그려 낸 것이 이번 마당놀이의 성공 요인이다.

피력(披 나눌 피, 瀝 스밀 력) 생각하는 것을 털어놓고 말함
예 이 책에는 그의 평소 생각이 자세하게 피력되어 있다.

피폐(疲 피곤할 피, 弊 해질 폐) 지치고 쇠약하여짐. '황폐'로 순화
예 이 작품은 산업화와 도시화의 그늘에서 피폐와 몰락을 거듭하고 있는 농촌의 현실을 사실적으로 묘사하고 있다는 평가를 받고 있다.

필경(畢 마칠 필, 竟 마침내 경) 끝장에 가서는
예 정부 정책만 일방적으로 밀어붙이는 일이 반복된다면 필경 국민적인 저항에 직면할 것이다.

필두(筆 붓 필, 頭 머리 두) (주로 '…을 필두로'의 구성으로 쓰여) 나열하여 적거나 말할 때의 맨 처음에 오는 사람이나 단체
예 전라남도 선수들을 필두로 하여 각 도의 선수들이 차례로 입장하기 시작했다.

필적(匹 짝 필, 敵 원수 적) 능력이나 세력이 엇비슷하여 서로 맞섬
예 우리 팀은 선두 팀에 필적할 만한 전력을 갖추고 있지만 아직 경험이 부족하여 항상 중요한 경기에서 패하곤 했다.

핍박(逼 닥칠 핍, 迫 닥칠 박) 형세가 절박함. 바싹 죄어서 몹시 괴롭게 굶
예 그는 재정적인 핍박보다도 정신적인 핍박을 더 참아 내기가 힘들었다.

ㅎ

하중(荷 짐 하, 重 무거울 중) 어떤 물체 따위의 무게. '짐 무게'로 순화
예 트럭의 하중에 짓눌린 바퀴는 힘없이 내려 앉았다.

학살(虐 사나울 학, 殺 죽일 살) 가혹하게 마구 죽임
예 전쟁 중에 많은 양민들이 학살을 당했다.

한증(汗 땀 한, 蒸 찔 증) 높은 열 속에서 땀을 냄. 물리 요법의 하나로, 높은 온도로 몸을 덥게 하여 땀을 내어서 병을 다스리는 일
예 의사는 그의 지병에 대해 지속적인 한증 처방을 내렸다.

한파(寒 찰 한, 波 물결 파) 겨울철에 기온이 갑자기 내려가는 현상
예 기상청은 올 들어 처음으로 전국에 한파 주의보를 내렸다.

할거(割 나눌 할, 據 의거할 거) 땅을 나누어 차지하고 굳게 지킴
예 군웅이 할거하던 춘추 전국 시대는 중국 역사상 가장 역동적인 시대였다.

함구(緘 봉할 함, 口 입 구) 입을 다문다는 뜻으로, 말하지 아니함을 이르는 말
예 그는 최근 사태에 대한 사회적 논란을 의식한 듯 기자들의 질문에 일절 함구했다.

함몰(陷 빠질 함, 沒 가라앉을 몰) 물속이나 땅속에 빠짐. 아래로 내려 앉음
예 그는 교통사고로 광대뼈 함몰이라는 중상을 입었다.

함양(涵 젖을 함, 養 기를 양) 능력이나 품성을 길러 쌓거나 갖춤
예 독서는 학생들의 지식과 정서 함양에 크게 이바지한다.

함축(含 머금을 함, 蓄 쌓을 축) 겉으로 드러내지 아니하고 속에 간직함. 말이나 글이 많은 뜻을 담고 있음
예 그는 그 문제에 대해서 묘한 함축만을 남긴 채 결코 단언하지 않았다.

합방(合 합할 합, 邦 나라 방) 둘 이상의 나라가 하나로 합쳐짐
예 경술년의 한일 합방 조약은 근본적으로 무효이다.

항간(巷 거리 항, 間 사이 간) 일반 사람들 사이
예 항간에 떠도는 풍문에 현혹될 이유는 분명히 없다.

항쟁(抗 막을 항, 爭 다툴 쟁) 맞서 싸움. '다툼'으로 순화
예 부도덕한 정치군인들의 독재 정치에 맞서 국민들이 끊임없이 항쟁했기에 오늘날의 민주주의가 존재할 수 있었다.

해결(解 풀 해, 決 결정할 결) 제기된 문제를 해명하거나 얽힌 일을 잘 처리함.
예 친구 간에 생긴 문제의 해결은 당사자가 직접 해야 한다.

해박(該 갖출 해, 博 넓을 박) 여러 방면으로 학식이 넓음
예 이번 사태에 대한 그의 정확한 지적을 보며 그가 국제 정세에 대해 해박한 식견을 갖고 있음을 알 수 있었다.

해제(解 풀 해, 除 덜 제) ① 설치하였거나 장비한 것 따위를 풀어 없앰. 묶인 것이나 행동에 제약을 가하는 법령 따위를 풀어 자유롭게 함.
②『법률』 유효하게 성립한 계약의 효력을 당사자의 일방적인 의사 표시에 의하여 소급(遡及)으로 해소함
예 • 이번 전쟁에서 패한 군인들은 모두 무장 해제를 당하였다.
• 무분별하게 그린벨트를 해제하여 산림을 훼손하는 일은 후손에게 죄를 짓는 일이다.
• 이번에 벌어진 큰 사건으로 경찰청장은 직위가 해제되었다.

해제(解 풀 해, 題 제목 제) 책의 저자·내용·체재·출판 연월일 따위에 대해 대략적으로 설명함. 또는 그런 설명
예 영인본에 해제를 다는 작업이 한 달 동안 계속되었다.

해지(解 풀 해, 止 그칠 지) 계약 당사자 한쪽의 의사 표시에 의하여 계약에 기초한 법률관계를 말소하는 것
예 소비자 단체는 보험사의 일방적인 계약 해지 관행에 제동을 걸기 위해 소송에 나섰다.

해학(諧 화할 해, 謔 희롱할 학) 익살스럽고도 품위가 있는 말이나 행동
예 가면극과 인형극을 보면 당시 민중들의 해학적 생활 양상을 대충 짐작할 수 있다.

해후(邂 만날 해, 逅 만날 후) 오랫동안 헤어졌다가 뜻밖에 다시 만남
예 오랜만의 해후였지만 그들은 그 만남이 장차 어떤 결과를 가져올지 예상하지 못했다.

향배(向 향할 향, 背 등 배) 좇는 것과 등지는 것이라는 뜻으로, 어떤 일이 되어 가는 추세나 어떤 일에 대한 사람들의 태도를 이르는 말
예 이번 선거는 차기 대선의 향배를 가를 중요한 분수령이 될 것이다.

허구(虛 빌 허, 構 얽을 구) 사실에 없는 일을 사실처럼 꾸며 만듦
예 그 증언은 허구로 밝혀졌다.

험준(險 험할 험, 峻 높을 준) 지세가 험하며 높고 가파름
예 백두산에서 한반도 남단까지 험준한 산줄기로 이어진 백두대간은 우리 국토의 상징이다.

현란(眩 아찔할 현, 亂 어지러울 란) 정신을 차리기 어려울 정도로 어수선함
예 그가 보여 준 현란한 개인기는 관중들을 사로잡기에 충분했다.

현실(現 나타날 현, 實 열매 실) 현재 실제로 존재하는 사실이나 상태
예 오래전부터 가졌던 꿈이 현실로 다가오고 있다.

현안(懸 매달 현, 案 책상 안) 이전부터 논의하여 오면서도 아직 해결되지 않은 채 남아 있는 문제나 의안
예 솟값 파동이 사회의 주요 현안으로 떠올랐다.

현저(顯 나타낼 현, 著 드러날 저) 뚜렷이 드러나 있음
예 그토록 소란하던 적군의 움직임도 오늘 저녁부터 현저하게 뜸해졌다.
– 홍성원, 「육이오」

혐오(嫌 싫어할 혐, 惡 미워할 오) 싫어하고 미워함
예 이른바 혐오 시설의 이전을 두고 지역민들 간의 갈등이 깊어지고 있다.

협잡(挾 낄 협, 雜 섞일 잡) 옳지 아니한 방법으로 남을 속임
예 • 그는 유권자를 돈으로 매수하는 협잡꾼에 불과한 정치인이었다.
• 협잡을 부리다.

형극(荊 곤장 형, 棘 가시 극) 나무의 온갖 가시. '고난'을 비유적으로 이르는 말
예 되돌아보면 그의 삶은 형극의 연속이었지만, 그것이 없었다면 그도 존재하지 않았을 것이다.

형통(亨 형통할 형, 通 통할 통) 모든 일이 뜻과 같이 잘되어 감
예 임진년 새해에는 만사가 형통하시기를 바랍니다.

혜안(慧 슬기로울 혜, 眼 눈 안) 사물을 꿰뚫어 보는 안목과 식견
예 아마도 형은 앞날을 내다볼 줄 아는 혜안을 갖고 있었던 것 같다.

호구(糊 풀칠할 호, 口 입 구) 입에 풀칠을 한다는 뜻으로, 겨우 끼니를 이어 감을 이르는 말
예 그 월급으로는 우리 다섯 식구 호구도 어렵다.

호도(糊 풀칠할 호, 塗 칠할 도) 풀을 바른다는 뜻으로, 명확하게 결말을 내지 않고 일시적으로 감추거나 흐지부지 덮어 버림을 비유적으로 이르는 말
예 사태의 본질을 호도하려는 일부 언론의 시도를 우리는 좌시하지 않을 것이다.

호환(互 서로 호, 換 바꿀 환) 서로 교환함
예 이 기기는 다른 회사 제품과 호환될 수 있도록 설계되었다.

혼돈(混 섞을 혼, 沌 어두울 돈) 마구 뒤섞여 있어 갈피를 잡을 수 없음. 또는 그런 상태
예 외래문화의 무분별한 수입은 가치관의 혼돈을 초래하였다.

혼동(混 섞을 혼, 同 같을 동) 구별하지 못하고 뒤섞어서 생각함. 서로 뒤섞이어 하나가 됨
예 잠이 다 깨지 않았는지 그는 현실과 꿈 사이에서 혼동을 일으켰다.

혼미(昏 어두울 혼, 迷 미혹할 미) 의식이 흐림. 또는 그런 상태. 하는 짓이나 됨됨이가 어리석고 미련하며 사리에 어두움. 정세가 분명하지 아니하고 불안정함. 또는 그런 상태
예 반정부 소요 사태로 정국이 혼미한 가운데 대통령의 선택에 국민의 이목이 집중됐다.

화두(話 말할 화, 頭 머리 두) 이야기의 첫머리. 관심을 두어 중요하게 생각하거나 이야기할 만한 것
예 그가 던진 국가 균형 발전이라는 화두는 시의적절한 것이었다.

확충(擴 늘릴 확, 充 가득할 충) 늘리고 넓혀 충실하게 함
예 교육 시설의 확충으로 대학의 교육 여건을 개선해야 한다.

환기(喚 부를 환, 起 일어날 기) 주의나 여론, 생각 따위를 불러일으킴
예 당국은 새 정책에 대한 여론의 환기를 위해 대대적인 홍보 행사를 마련했다.

활보(闊 트일 활, 步 걸음 보) 큰 걸음으로 힘차고 당당하게 걸음. 또는 그런 걸음. 힘차고 당당하게 행동하거나 제멋대로 마구 행동함. 또는 그런 행동
예 대낮에 험악하게 생긴 청년들이 거리에서 활보하게 된 것은 경찰뿐만 아니라 시민들의 이기심에도 책임이 있다.

황량(荒 거칠 황, 凉 서늘할 량) 황폐하여 거칠고 쓸쓸함
예 과거 도읍지의 황량함에서 지난 시절의 영화는 찾아볼 수 없었다.

회동(會 모일 회, 同 같을 동) 일정한 목적으로 여러 사람이 한데 모임
예 이번 남북 당국자 간 비밀 회동이 경색된 남북 관계의 돌파구가 될지 주목된다.

회자(膾 날고기 회, 炙 고기 구울 자) 회와 구운 고기라는 뜻으로, 칭찬을 받으며 사람들의 입에 자주 오르내림을 이르는 말
예 그의 전설적인 무용담은 오늘날에도 인구에 널리 회자되고 있다.

회한(悔 후회 회, 恨 한 한) 뉘우치고 한탄함
예 그는 회한에 잠긴 듯 잠시 눈을 감았다 이야기를 이어 갔다.

획책(劃 그을 획, 策 꾀 책) 어떤 일을 꾸미거나 꾀함. 또는 그런 꾀
예 선거를 위해 지역 분열을 획책하는 것은 결코 용납할 수 없다.

횡행(橫 가로 횡, 行 다닐 행) 아무 거리낌 없이 제멋대로 행동함
예 정치권의 화두가 된 복지 논쟁에서 거짓 선동이 횡행하는 것은 반드시 막아야 한다.

효시(嚆 울릴 효, 矢 화살 시) 어떤 사물이나 현상이 시작되어 나온 맨 처음을 비유적으로 이르는 말
예 홍길동전은 한글 소설의 효시이다.

훈제(燻 연기 낄 훈, 製 지을 제) 소금에 절인 고기를 연기에 그을려 말림
예 음식을 훈제해 저장하면 오랜 시간 보관이 가능하다.

훼손(毁 헐 훼, 損 덜 손) 체면이나 명예를 손상함
예 병역 기피를 위해 신체 일부를 훼손하는 사례가 늘고 있다.

흉금(胸 가슴 흉, 襟 옷깃 금) 마음속 깊이 품은 생각
예 흉금을 터놓고 장시간 이야기를 한 후 그들은 다시 의기투합했다.

흔연(欣 기쁠 흔, 然 그럴 연) 기쁘거나 반가워 기분이 좋음
예 반가운 소식을 접하니 기쁘고 흔연하기 짝이 없다.

희대(稀 드물 희, 代 대신할 대) 세상에 드묾
예 그들이 전국을 돌며 벌인 희대의 사기극이 결국 6개월 만에 끝났다.

희사(喜 기쁠 희, 捨 버릴 사) 어떤 목적을 위하여 기꺼이 돈이나 물건을 내놓음
예 한 독지가의 희사로 고아원이 운영되어 왔다.

04 주의해야 할 한자와 한자어

- [ ] 1회독 월 일
- [ ] 2회독 월 일
- [ ] 3회독 월 일
- [ ] 4회독 월 일
- [ ] 5회독 월 일

1 두 가지 이상의 음과 뜻을 가진 한자(이음이의어)
2 모양이 비슷한 한자
3 뜻이 반대되는 한자(상대자, 반의어, 상대어)

단권화 MEMO

01 두 가지 이상의 음과 뜻을 가진 한자(이음이의어)

한자	뜻과 음	용례	한자	뜻과 음	용례	한자	뜻과 음	용례
降	내리다 (강)	昇降(승강)	糖	사탕 (당)	糖分(당분)	殺	죽이다 (살)	殺生(살생)
	항복할 (항)	降伏(항복)		사탕 (탕)	雪糖(설탕)		감하다 (쇄)	相殺(상쇄)
更	다시 (갱)	更新(갱신)	度	법도 (도)	制度(제도)	狀	형상 (상)	狀態(상태)
	고칠 (경)	變更(변경)		헤아릴 (탁)	忖度(촌탁)		문서 (장)	賞狀(상장)
乾	하늘 (건)	乾坤(건곤)	讀	읽다 (독)	讀書(독서)	塞	막을 (색)	閉塞(폐색)
	마를 (간)	乾物(간물)		구절 (두)	吏讀(이두)		변방 (새)	要塞(요새)
車	수레 (거)	車馬(거마)	洞	마을 (동)	洞里(동리)	索	찾을 (색)	思索(사색)
	수레 (차)	電車(전차)		꿰뚫다 (통)	洞察(통찰)		쓸쓸할 (삭)	索莫(삭막)
見	보다 (견)	見聞(견문)	樂	풍류 (악)	音樂(음악)	誓	서약 (서)	宣誓(선서)
	나타나다 (현)	謁見(알현)		즐겁다 (락/낙)	樂園(낙원)		맹세 (세)	盟誓(맹세)
告	알리다 (고)	報告(보고)		좋아할 (요)	樂山(요산)	說	말하다 (설)	說得(설득)
	뵙고 청하다 (곡)	出必告(출필곡)	木	나무 (목)	草木(초목)		달래다 (세)	遊說(유세)
龜	거북 (귀)	龜趺(귀부)		모과 (모)	木瓜(모과)	省	살피다 (성)	反省(반성)
	땅 이름 (구)	龜浦(구포)	反	돌이킬 (반)	反擊(반격)		덜다 (생)	省略(생략)
	터질 (균)	龜裂(균열)		뒤치다 (번)	反畓(번답)	屬	붙을 (속)	附屬(부속)
金	쇠 (금)	金屬(금속)	便	편하다 (편)	便利(편리)		부탁할 (촉)	屬望(촉망)
	성 (김)	金氏(김씨)		똥오줌 (변)	便器(변기)	率	비례 (률)	比率(비율)
內	안 (내)	室內(실내)	復	다시 (부)	復活(부활)		거느릴 (솔)	統率(통솔)
	궁궐 (나)	內人(나인)		돌이키다 (복)	回復(회복)	衰	쇠할 (쇠)	衰退(쇠퇴)
奈	어찌 (내)	奈何(내하)	否	아니다 (부)	否定(부정)		상복 (최)	衰服(최복)
	어찌 (나)	奈落(나락)		막히다 (비)	否運(비운)	數	셈하다 (수)	數學(수학)
茶	차 (다)	茶菓(다과)	不	아니다 (부)	不正(부정)		자주 (삭)	數數(삭삭)
	차 (차)	茶禮(차례)		아니다 (불)	不信(불신)		촘촘할 (촉)	數罟(촉고)
丹	붉다 (단)	丹楓(단풍)	北	북녘 (북)	南北(남북)	宿	자다 (숙)	宿食(숙식)
	꽃이름 (란)	牡丹(모란)		패할 (배)	敗北(패배)		별 (수)	星宿(성수)

한자	뜻과 음	용례	한자	뜻과 음	용례	한자	뜻과 음	용례
單	홑 (단)	簡單(간단)	寺	절 (사)	寺院(사원)	識	알다 (식)	識見(식견)
	오랑캐이름(선)	單于氏(선우씨)		내관 (시)	司僕寺(사복시)		기록할 (지)	標識(표지)
辰	별 (진)	壬辰(임진)	著	지을 (저)	著述(저술)	跛	절뚝일 (파)	跛行(파행)
	태어날 (신)	生辰(생신)		나타날 (저)	顯著(현저)		기울 (피)	跛立(피립)
沈	잠길 (침)	沈沒(침몰)	切	끊을 (절)	切斷(절단)	暴	사납다 (포)	暴惡(포악)
	성씨 (심)	沈氏(심씨)		모두 (체)	一切(일체)		드러날 (폭)	暴露(폭로)
什	열사람 (십)	什長(십장)	祭	제사 (제)	祭祀(제사)	合	합하다 (합)	合算(합산)
	세간 (집)	什器(집기)		관명 (채)	祭酒(채주)		홉 (홉)	五合(오홉)
惡	나쁘다 (악)	善惡(선악)	差	어긋날 (차)	差異(차이)	行	가다 (행)	行方(행방)
	미워할 (오)	憎惡(증오)		차별 (치)	參差(참치)		항렬 (항)	行列(항렬)
若	같을 (약)	若干(약간)	拓	열 (척)	開拓(개척)	畫	긋다 (획)	畫數(획수)
	땅이름 (야)	般若(반야)		박을 (탁)	拓本(탁본)		그림 (화)	畫家(화가)
易	바꾸다 (역)	交易(교역)	帖	문서 (첩)	手帖(수첩)			
	쉽다 (이)	容易(용이)		체지 (체)	帖文(체문)			
咽	목구멍 (인)	咽喉(인후)	推	밀 (추)	推進(추진)			
	목멜 (열)	嗚咽(오열)		밀 (퇴)	推敲(퇴고)			
炙	고기 구울 (자)	膾炙(회자)		짐작할 (추)	推理(추리)			
	고기 구울 (적)	散炙(산적)	則	법칙 (칙)	法則(법칙)			
刺	찌를 (자)	刺客(자객)		곧 (즉)	然則(연즉)			
	찌를 (척)	刺殺(척살)	宅	집 (택)	住宅(주택)			
	수라 (라)	水刺(수라)		집 (댁)	媤宅(시댁)			

02 모양이 비슷한 한자

한자	뜻과 음	용례	한자	뜻과 음	용례	한자	뜻과 음	용례
佳	아름답다 (가)	佳作(가작)	季	사철, 철 (계)	季節(계절)	己	몸 (기)	利己(이기)
往	가다 (왕)	往來(왕래)	秀	빼어나다 (수)	秀才(수재)	已	이미 (이)	已往(이왕)
住	살다 (주)	住宅(주택)	委	맡기다 (위)	委任(위임)	巳	뱀 (사)	巳足(사족)
北	북녘 (북)	南北(남북)	氷	얼음 (빙)	氷水(빙수)	老	늙다 (노)	老少(노소)
比	견주다 (비)	比較(비교)	水	물 (수)	水流(수류)	考	생각하다 (고)	考察(고찰)
此	이 (차)	此時(차시)	永	길다 (영)	永遠(영원)	孝	효도 (효)	孝誠(효성)
書	책 (서)	新書(신서)	人	사람 (인)	善人(선인)	島	섬 (도)	落島(낙도)

단권화 MEMO

단권화 MEMO

한자	뜻과 음	용례	한자	뜻과 음	용례	한자	뜻과 음	용례
晝	낮 (주)	晝夜(주야)	入	들다 (입)	出入(출입)	烏	까마귀 (오)	烏鵲(오작)
畫	그림 (화)	畫家(화가)	八	여덟 (팔)	八萬(팔만)	鳥	새 (조)	鳥獸(조수)
間	사이 (간)	時間(시간)	犬	개 (견)	犬馬(견마)	夫	지아비 (부)	夫婦(부부)
聞	듣다 (문)	見聞(견문)	大	크다 (대)	大小(대소)	失	잃다 (실)	得失(득실)
問	묻다 (문)	問題(문제)	太	크다 (태)	太古(태고)	矢	화살 (시)	弓矢(궁시)
開	열다 (개)	開拓(개척)	丈	어른 (장)	丈夫(장부)	天	하늘 (천)	天地(천지)
假	거짓 (가)	假名(가명)	刀	칼 (도)	短刀(단도)	獨	홀로 (독)	獨立(독립)
暇	겨를 (가)	閑暇(한가)	又	또 (우)	又復(우부)	燭	촛불 (촉)	華燭(화촉)
瑕	허물 (하)	瑕疵(하자)	叉	갈래 (차)	交叉(교차)	濁	흐리다 (탁)	淸濁(청탁)
干	방패 (간)	干涉(간섭)	冒	무릅쓰다 (모)	冒險(모험)	徒	무리 (도)	學徒(학도)
千	일천 (천)	三千(삼천)	胃	밥통 (위)	胃腸(위장)	徙	옮기다 (사)	移徙(이사)
于	어조사 (우)	于先(우선)	胄	투구 (주)	甲胄(갑주)	從	좇다 (종)	從業(종업)
各	각각 (각)	各種(각종)	看	보다 (간)	看過(간과)	甲	갑옷 (갑)	甲兵(갑병)
名	이름 (명)	地名(지명)	着	입다 (착)	着服(착복)	申	말하다 (신)	申告(신고)
客	손님 (객)	客室(객실)	巨	크다 (거)	巨大(거대)	今	이제 (금)	今日(금일)
容	얼굴 (용)	容色(용색)	臣	신하 (신)	忠臣(충신)	令	명령 (령)	命令(명령)
惜	애석하다 (석)	惜別(석별)	刻	새길 (각)	刻印(각인)	兩	둘 (량)	兩面(양면)
借	빌리다 (차)	借用(차용)	劾	캐물을 (핵)	彈劾(탄핵)	雨	비 (우)	雨衣(우의)
旅	나그네 (려)	旅行(여행)	末	끝 (말)	本末(본말)	眠	잠자다 (면)	不眠(불면)
族	겨레 (족)	民族(민족)	未	아니다 (미)	未來(미래)	眼	눈 (안)	眼目(안목)
明	밝다 (명)	明暗(명암)	反	돌이키다 (반)	反省(반성)	輪	바퀴 (륜)	四輪(사륜)
朋	벗 (붕)	朋友(붕우)	友	벗 (우)	友情(우정)	輸	나를 (수)	輸送(수송)
戊	천간 (무)	戊戌(무술)	待	기다리다 (대)	期待(기대)	設	베풀다 (설)	設備(설비)
戌	지지 (술)	戌時(술시)	侍	모시다 (시)	侍女(시녀)	說	말씀 (설)	說明(설명)
雪	눈 (설)	降雪(강설)	深	깊다 (심)	深山(심산)	亦	또한 (역)	亦是(역시)
雲	구름 (운)	雲海(운해)	探	찾다 (탐)	探究(탐구)	赤	붉다 (적)	赤色(적색)
可	옳을 (가)	可決(가결)	玉	구슬 (옥)	玉石(옥석)	日	날, 해 (일)	日出(일출)
司	맡을 (사)	司法(사법)	王	임금 (왕)	王位(왕위)	曰	가로다 (왈)	子曰(자왈)
材	재목 (재)	木材(목재)	情	뜻 (정)	母情(모정)	閉	닫다 (폐)	開閉(개폐)
村	마을 (촌)	漁村(어촌)	淸	맑다 (청)	淸風(청풍)	閑	한가하다 (한)	閑人(한인)

한자	뜻과 음	용례	한자	뜻과 음	용례	한자	뜻과 음	용례
苦	쓰다 (고)	苦痛(고통)	官	벼슬 (관)	官職(관직)	丘	언덕 (구)	丘陵(구릉)
若	만약, 같다 (약)	若干(약간)	宮	궁궐 (궁)	宮女(궁녀)	兵	군사 (병)	兵馬(병마)
勸	권하다 (권)	勸學(권학)	奴	종 (노)	奴婢(노비)	飯	밥 (반)	飯床(반상)
歡	기쁘다 (환)	歡呼(환호)	如	같다 (여)	如意(여의)	飮	마시다 (음)	飮料(음료)
復	회복하다 (복)	復歸(복귀)	思	생각 (사)	思想(사상)	帥	장수 (수)	將帥(장수)
複	겹옷 (복)	複雜(복잡)	恩	은혜 (은)	恩功(은공)	師	스승 (사)	恩師(은사)
買	살 (매)	購買(구매)	弟	아우 (제)	兄弟(형제)	刑	형벌 (형)	刑罰(형벌)
賣	팔 (매)	競賣(경매)	第	차례 (제)	第一(제일)	形	모양 (형)	形象(형상)
背	등 (배)	違背(위배)	熱	더울 (열)	熱帶(열대)	恨	한할 (한)	怨恨(원한)
肯	긍정할 (긍)	肯定(긍정)	熟	익을 (숙)	早熟(조숙)	限	한계 (한)	限界(한계)
史	역사 (사)	歷史(역사)	存	있을 (존)	實存(실존)			
吏	벼슬아치 (리)	淸白吏(청백리)	在	있을 (재)	實在(실재)			

03 뜻이 반대되는 한자(상대자, 반의어, 상대어)

한자	훈(뜻)		한자	훈(뜻)	한자	훈(뜻)		한자	훈(뜻)
加(가)	더하다	↔	減(감)	덜다	古(고)	예, 옛	↔	今(금)	이제
開(개)	열다	↔	閉(폐)	닫다	曲(곡)	굽다	↔	直(직)	곧다
輕(경)	가볍다	↔	重(중)	무겁다	君(군)	임금	↔	臣(신)	신하
緊(긴)	긴요하다	↔	疎(소)	성기다	起(기)	일어나다	↔	伏(복)	엎드리다
公(공)	공변되다	↔	私(사)	사사롭다	男(남)	남자	↔	女(녀)	여자
南(남)	남녘	↔	北(북)	북녘	冷(냉)	차다	↔	暖(난)	따뜻하다
內(내)	안	↔	外(외)	바깥	多(다)	많다	↔	少(소)	적다
老(노)	늙다	↔	少(소)	젊다	大(대)	크다	↔	小(소)	작다
單(단)	홑	↔	複(복)	겹	賣(매)	팔다	↔	買(매)	사다
去(거)	가다	↔	來(래)	오다	問(문)	묻다	↔	答(답)	답하다
明(명)	밝다	↔	暗(암)	어둡다	夫(부)	지아비	↔	婦(부)	지어미
本(본)	근본, 근원	↔	末(말)	끝	善(선)	착하다	↔	惡(악)	악하다
師(사)	스승	↔	弟(제)	제자	成(성)	이루다	↔	敗(패)	패하다
先(선)	먼저	↔	後(후)	뒤	是(시)	옳다	↔	非(비)	그르다
強(강)	굳세다	↔	弱(약)	약하다	始(시)	시작하다	↔	終(종)	끝나다
往(왕)	가다	↔	來(래)	오다	遠(원)	멀다	↔	近(근)	가깝다

단권화 MEMO

단권화 MEMO

한자	훈(뜻)		한자	훈(뜻)
陰(음)	그늘	↔	陽(양)	볕
利(이)	이롭다	↔	害(해)	해롭다
姊(자)	손윗누이	↔	妹(매)	손아랫누이
諾(낙)	승낙하다	↔	拒(거)	물리치다
朝(조)	아침	↔	夕(석)	저녁
晝(주)	낮	↔	夜(야)	밤
春(춘)	봄	↔	秋(추)	가을
好(호)	좋아하다	↔	惡(오)	싫어하다
京(경)	서울	↔	鄕(향)	시골
濃(농)	짙다	↔	淡(담)	묽다
鈍(둔)	둔하다	↔	敏(민)	민첩하다
忙(망)	바쁘다	↔	閑(한)	한가하다
美(미)	아름답다	↔	醜(추)	추하다
喜(희)	기쁘다	↔	悲(비)	슬프다
生(생)	나다	↔	滅(멸)	멸망하다
送(송)	보내다	↔	迎(영)	맞이하다
新(신)	새롭다, 새	↔	舊(구)	오래다, 옛
逆(역)	거스르다	↔	順(순)	좇다, 순하다
優(우)	뛰어나다	↔	劣(렬)	못나다
儉(검)	검소하다	↔	奢(사)	사치하다
難(난)	어렵다	↔	易(이)	쉽다
瞭(료)	밝다	↔	曖(애)	희미하다
貧(빈)	가난하다	↔	富(부)	넉넉하다
盛(성)	성하다	↔	衰(쇠)	쇠하다
首(수)	머리	↔	尾(미)	꼬리
深(심)	깊다	↔	淺(천)	얕다
嚴(엄)	엄하다	↔	慈(자)	인자하다
燥(조)	마르다	↔	濕(습)	젖다

한자	훈(뜻)		한자	훈(뜻)
同(동)	같다	↔	異(이)	다르다
因(인)	원인	↔	果(과)	결과
自(자)	자기	↔	他(타)	남
物(물)	물건	↔	精(정)	정신
主(주)	주인	↔	客(객)	손님
淸(청)	맑다	↔	濁(탁)	흐리다
寒(한)	춥다	↔	暑(서)	덥다
黑(흑)	검다	↔	白(백)	희다
勤(근)	부지런하다	↔	怠(태)	게으르다
貸(대)	빌려주다	↔	借(차)	빌리다
冷(랭)	차다	↔	炎(염)	뜨겁다
孟(맹)	맏이	↔	季(계)	끝, 막내
否(부)	아니다	↔	肯(긍)	수긍하다
常(상)	일상, 보통	↔	特(특)	특별하다
授(수)	주다	↔	受(수)	받다
愛(애)	사랑	↔	憎(증)	미워하다
浮(부)	뜰	↔	沈(침)	잠기다
雌(자)	암컷	↔	雄(웅)	수컷
貴(귀)	귀하다	↔	賤(천)	천하다
斷(단)	끊다	↔	繼(계)	잇다
晩(만)	늦다	↔	早(조)	일찍
賞(상)	상주다	↔	罰(벌)	벌주다, 벌
損(손)	잃다	↔	益(익)	더하다
昇(승)	오르다	↔	降(강)	내리다
仰(앙)	우러르다	↔	俯(부)	구부리다
建(건)	세우다	↔	壞(괴)	무너지다
崇(숭)	높이다	↔	凌(릉)	업신여기다

CHAPTER

05 주요 사자성어

☐ 1회독 월 일
☐ 2회독 월 일
☐ 3회독 월 일
☐ 4회독 월 일
☐ 5회독 월 일

ㄱ

가가대소(呵呵大笑) 소리를 내어 크게 웃음

가가호호(家家戶戶) 한 집 한 집

가담항설(街談巷說) 거리나 항간에 떠도는 소문. '뜬소문'으로 순화
유 가담항어(街談巷語)

가렴주구(苛斂誅求) 세금을 가혹하게 거두어들이고, 무리하게 재물을 빼앗음

가롱성진(假弄成眞) 장난삼아 한 것이 진심으로 한 것같이 됨
유 농가성진(弄假成眞)

가인박명(佳人薄命) 미인은 불행하거나 병약하여 요절하는 일이 많음

가정맹어호(苛政猛於虎) 가혹한 정치는 호랑이보다 무섭다는 뜻으로, 혹독한 정치의 폐단이 큼을 이르는 말

각고면려(刻苦勉勵) 어떤 일에 고생을 무릅쓰고 몸과 마음을 다하여, 무척 애를 쓰면서 부지런히 노력함

각골난망(刻骨難忘) 남에게 입은 은혜가 뼈에 새길 만큼 커서 잊히지 아니함

각골명심(刻骨銘心) 어떤 일을 뼈에 새길 정도로 마음속 깊이 새겨 두고 잊지 아니함

각골지통(刻骨之痛) 뼈에 사무칠 만큼 원통함. 또는 그런 일

각골통한(刻骨痛恨) 뼈에 사무칠 만큼 원통하고 한스러움. 또는 그런 일
유 각골지통(刻骨之痛)

각자무치(角者無齒) 뿔이 있는 짐승은 이가 없다는 뜻으로, 한 사람이 여러 가지 재주나 복을 다 가질 수 없다는 말

각주구검(刻舟求劍) 융통성 없이 현실에 맞지 않는 낡은 생각을 고집하는 어리석음을 이르는 말. 초나라 사람이 배에서 칼을 물속에 떨어뜨리고 그 위치를 뱃전에 표시하였다가 나중에 배가 움직인 것을 생각하지 않고 칼을 찾았다는 데서 유래한다. 『여씨춘추』의 「찰금편(察今篇)」에 나오는 말
유 각선구검(刻船求劍)

간난신고(艱難辛苦) 몹시 힘들고 어려우며 고생스러움

간뇌도지(肝腦塗地) 참혹한 죽임을 당하여 간장(肝臟)과 뇌수(腦髓)가 땅에 널려 있다는 뜻으로, 나라를 위하여 목숨을 돌보지 않고 애를 씀을 이르는 말

간담상조(肝膽相照) 서로 속마음을 털어놓고 친하게 사귐

간두지세(竿頭之勢) 대막대기 끝에 선 형세라는 뜻으로, 매우 위태로운 형세를 이르는 말

간성지재(干城之材) 나라를 지키는 믿음직한 인재

간어제초(間於齊楚) 약자가 강자들 틈에 끼어서 괴로움을 겪음을 이르는 말. 중국의 주나라 말엽 등나라가 제나라와 초나라 사이에 끼어서 괴로움을 겪었다는 데서 유래함

간운보월(看雲步月) 구름을 바라보거나 달빛 아래 거닌다는 뜻으로, 객지에서 집을 생각함을 이르는 말

감개무량(感慨無量) 마음속에서 느끼는 감동이나 느낌이 끝이 없음. 또는 그 감동이나 느낌

감언이설(甘言利說) 귀가 솔깃하도록 남의 비위를 맞추거나 이로운 조건을 내세워 꾀는 말

감지덕지(感之德之) 분에 넘치는 듯싶어 매우 고맙게 여기는 모양

감탄고토(甘呑苦吐) 달면 삼키고 쓰면 뱉는다는 뜻으로, 자신의 비위에 따라서 사리의 옳고 그름을 판단함을 이르는 말

갑남을녀(甲男乙女) 갑이란 남자와 을이란 여자라는 뜻으로, 평범한 사람들을 이르는 말
유 필부필부(匹夫匹婦), 장삼이사(張三李四), 초동급부(樵童汲婦)

갑론을박(甲論乙駁) 여러 사람이 서로 자신의 주장을 내세우며 상대편의 주장을 반박함

강구연월(康衢煙月) 번화한 큰 길거리에서 달빛이 연기에 은은하게 비치는 모습을 나타내는 말로, 태평한 세상의 평화로운 풍경을 이르는 말

강유겸전(剛柔兼全) 굳세고 부드러운 성품을 아울러 가짐

강호연파(江湖煙波) 강이나 호수 위에 안개처럼 보얗게 이는 기운. 또는 그 수면의 잔물결

개과천선(改過遷善) 지난날의 잘못이나 허물을 고쳐 올바르고 착하게 됨

개관사정(蓋棺事定) 시체를 관에 넣고 뚜껑을 덮은 후에야 일을 결정할 수 있다는 뜻으로, 사람이 죽은 후에야 비로소 그 사람에 대한 평가가 제대로 됨을 이르는 말

개세지재(蓋世之才) 세상을 뒤덮을 만큼 뛰어난 재주. 또는 그 재주를 가진 사람

객반위주(客反爲主) 손이 도리어 주인 노릇을 한다는 뜻으로, 부차적인 것을 주된 것보다 오히려 더 중요하게 여김을 이르는 말
유 주객전도(主客顚倒)

거두절미(去頭截尾) 어떤 일의 요점만 간단히 말함

거안제미(擧案齊眉) 밥상을 눈썹과 가지런하도록 공손히 들어 남편 앞에 가지고 간다는 뜻으로, 남편을 깍듯이 공경함을 이르는 말

거자일소(去者日疎) 죽은 사람에 대한 생각은 날이 갈수록 잊게 된다는 뜻으로, 서로 멀리 떨어져 있으면 점점 사이가 멀어짐을 이르는 말

건곤일척(乾坤一擲) 주사위를 던져 승패를 건다는 뜻으로, 운명을 걸고 단판걸이로 승부를 겨룸을 이르는 말

격물치지(格物致知) 실제 사물의 이치를 연구하여 지식을 완전하게 함. 『대학』에 나오는 말

격세지감(隔世之感) 오래지 않은 동안에 몰라보게 변하여 아주 다른 세상이 된 것 같은 느낌

격화소양(隔靴搔癢) 신을 신고 발바닥을 긁는다는 뜻으로, 성에 차지 않거나 철저하지 못한 안타까움을 이르는 말

견강부회(牽强附會) 이치에 맞지 않는 말을 억지로 끌어 붙여 자기에게 유리하게 함

견리망의(見利忘義) 눈앞의 이익을 보면 의리를 잊음

견리사의(見利思義) 눈앞의 이익을 보면 의리를 먼저 생각함

견마지로(犬馬之勞) 개나 말 정도의 하찮은 힘이라는 뜻으로, 윗사람에게 충성을 다하는 자신의 노력을 낮추어 이르는 말

견마지성(犬馬之誠) 개나 말의 정성이라는 뜻으로, 자신의 정성을 낮추어 이르는 말

견마지치(犬馬之齒) 개나 말처럼 보람 없이 헛되게 먹은 나이라는 뜻으로, 남에게 자기의 나이를 낮추어 이르는 말

견문발검(見蚊拔劍) 모기를 보고 칼을 뺀다는 뜻으로, 사소한 일에 크게 성내어 덤빔을 이르는 말

견물생심(見物生心) 어떠한 실물을 보게 되면 그것을 가지고 싶은 욕심이 생김

견여금석(堅如金石) 서로 맺은 언약이나 맹세가 금석과 같이 단단함을 이르는 말

견원지간(犬猿之間) 개와 원숭이의 사이라는 뜻으로, 사이가 매우 나쁜 두 관계를 비유적으로 이르는 말

견인불발(堅忍不拔) 굳게 참고 견디어 마음이 흔들리지 않음

견토지쟁(犬兎之爭) 개와 토끼의 다툼이라는 뜻으로, 두 사람의 싸움에 제삼자가 이익을 봄을 이르는 말
유 어부지리(漁父之利)

결자해지(結者解之) 맺은 사람이 풀어야 한다는 뜻으로, 자기가 저지른 일은 자기가 해결하여야 함을 이르는 말

결초보은(結草報恩) 죽은 뒤에라도 은혜를 잊지 않고 갚음을 이르는 말. 중국 춘추 시대에, 진나라의 위과(魏顆)가 아버지가 세상을 떠난 후에 서모를 개가시켜 순사(殉死)하지 않게 하였더니, 그 뒤 싸움터에서 그 서모 아버지의 혼이 적군의 앞길에 풀을 묶어 적을 넘어뜨려 위과가 공을 세울 수 있도록 하였다는 고사에서 유래함
유 결초(結草)

겸양지덕(謙讓之德) 겸손한 태도로 남에게 양보하거나 사양하는 아름다운 마음씨나 행동

겸인지용(兼人之勇) 혼자서 능히 몇 사람을 당해 낼 만한 용기

경거망동(輕擧妄動) 경솔하여 생각 없이 망령되게 행동함. 또는 그런 행동

경국지색(傾國之色) 임금이 혹하여 나라가 기울어져도 모를 정도의 미인이라는 뜻으로, 뛰어나게 아름다운 미인을 이르는 말

경당문노(耕當問奴) 농사일은 의당 머슴에게 물어보아야 한다는 뜻으로, 모르는 일은 잘 아는 사람에게 상의하여야 함을 이르는 말

경세제민(經世濟民) 세상을 다스리고 백성을 구제함

경이원지(敬而遠之) 공경하되 가까이하지는 않음

경중미인(鏡中美人) 거울에 비친 미인이라는 뜻으로, 실속 없는 일을 비유적으로 이르는 말. 경우가 바르고 얌전하다고 하여 서울·경기 지역 사람의 성격을 비유적으로 이르는 말

경천근민(敬天勤民) 하늘을 공경하고 백성을 위하여 부지런히 일함

경천동지(驚天動地) 하늘을 놀라게 하고 땅을 뒤흔든다는 뜻으로, 세상을 몹시 놀라게 함을 비유적으로 이르는 말

경천애인(敬天愛人) 하늘을 숭배하고 인간을 사랑함

경천위지(經天緯地) 온 천하를 조직적으로 잘 계획하여 다스림

계계승승(繼繼承承) 자자손손이 대를 이어 감

계구우후(鷄口牛後) 닭의 주둥이와 소의 꼬리라는 뜻으로, 큰 단체의 꼴찌보다는 작은 단체의 우두머리가 되는 것이 오히려 나음을 이르는 말. 『전국책(戰國策)』의 「한책(韓策)」과 『사기』의 「소진전(蘇秦傳)」에 나오는 말

계란유골(鷄卵有骨) 달걀에도 뼈가 있다는 뜻으로, 운수가 나쁜 사람은 모처럼 좋은 기회를 만나도 역시 일이 잘 안됨을 이르는 말

계명구도(鷄鳴狗盜) 비굴하게 남을 속이는 하찮은 재주 또는 그런 재주를 가진 사람을 이르는 말. 중국 제나라의 맹상군이 진(秦)나라 소왕(昭王)에게 죽게 되었을 때, 식객(食客) 가운데 개를 가장하여 남의 물건을 잘 훔치는 사람과 닭의 울음소리를 잘 흉내 내는 사람의 도움으로 위기에서 빠져나왔다는 데서 유래함

고굉지신(股肱之臣) 다리와 팔같이 중요한 신하라는 뜻으로, 임금이 가장 신임하는 신하를 이르는 말

고군분투(孤軍奮鬪) 따로 떨어져 도움을 받지 못하게 된 군사가 많은 수의 적군과 용감하게 잘 싸움

고대광실(高臺廣室) 매우 크고 좋은 집

고량진미(膏粱珍味) 기름진 고기와 좋은 곡식으로 만든 맛있는 음식

고립무원(孤立無援) 고립되어 구원을 받을 데가 없음

고립무의(孤立無依) 고립되어 의지할 데가 없음

고복격양(鼓腹擊壤) 태평한 세월을 즐김을 이르는 말. 중국 요 임금 때 한 노인이 배를 두드리고 땅을 치면서 요 임금의 덕을 찬양하고 태평성대를 즐겼다는 데서 유래함

고분지탄(鼓盆之嘆) 아내의 죽음을 한탄함을 비유적으로 이르는 말

고성낙일(孤城落日) 외딴 성과 서산에 지는 해라는 뜻으로, 세력이 다하고 남의 도움이 없는 매우 외로운 처지를 이르는 말

고식지계(姑息之計) 우선 당장 편한 것만을 택하는 꾀나 방법. 한때의 안정을 얻기 위하여 임시로 둘러맞추어 처리하거나 이리저리 주선하여 꾸며 내는 계책을 이름

고육지책(苦肉之策) 자기 몸을 상해 가면서까지 꾸며 내는 계책이라는 뜻으로, 어려운 상태를 벗어나기 위해 어쩔 수 없이 꾸며 내는 계책을 이르는 말

고장난명(孤掌難鳴) 외손뼉만으로는 소리가 울리지 아니한다는 뜻으로, 혼자의 힘만으로 어떤 일을 이루기 어려움을 이르는 말

고진감래(苦盡甘來) 쓴 것이 다하면 단 것이 온다는 뜻으로, 고생 끝에 즐거움이 옴을 이르는 말

곡학아세(曲學阿世) 바른 길에서 벗어난 학문으로 세상 사람에게 아첨함

골몰무가(汨沒無暇) 어떤 일에 오로지 파묻혀 조금도 틈이 없음

골육상쟁(骨肉相爭) 가까운 혈족끼리 서로 싸움

공경대부(公卿大夫) 삼공과 구경, 대부를 아울러 이르는 말

공도동망(共倒同亡) 함께 넘어지고 같이 망함

공명정대(公明正大) 하는 일이나 태도가 사사로움이나 그릇됨이 없이 아주 정당하고 떳떳함

공중누각(空中樓閣) 공중에 떠 있는 누각이라는 뜻으로, 아무런 근거나 토대가 없는 사물이나 생각을 비유적으로 이르는 말

공평무사(公平無私) 공평하여 사사로움이 없음

과대망상(誇大妄想) 사실보다 과장하여 터무니없는 헛된 생각을 하는 증상

과유불급(過猶不及) 정도를 지나침은 미치지 못함과 같다는 뜻으로, 중용(中庸)이 중요함을 이르는 말. 『논어』의 「선진편(先進篇)」에 나오는 말

과전이하(瓜田李下) 오이밭에서 신을 고쳐 신지 말고 자두나무 밑에서 갓을 고쳐 쓰지 말라는 뜻으로, 의심받기 쉬운 행동은 피하는 것이 좋음을 이르는 말

관포지교(管鮑之交) 관중과 포숙의 사귐이란 뜻으로, 우정이 아주 돈독한 친구 관계를 이르는 말

괄목상대(刮目相對) 눈을 비비고 상대편을 본다는 뜻으로, 남의 학식이나 재주가 놀랄 만큼 부쩍 늚을 이르는 말

광명정대(光明正大) 말이나 행실이 떳떳하고 정당함

광일지구(曠日持久) 헛되이 세월을 보내며 날짜만 끎

교각살우(矯角殺牛) 소의 뿔을 바로잡으려다가 소를 죽인다는 뜻으로, 잘못된 점을 고치려다가 그 방법이나 정도가 지나쳐 오히려 일을 그르침을 이르는 말

교언영색(巧言令色) 아첨하는 말과 알랑거리는 태도

교왕과직(矯枉過直) 굽은 것을 바로잡으려다가 정도에 지나치게 곧게 한다는 뜻으로, 잘못된 것을 바로잡으려다가 너무 지나쳐서 오히려 나쁘게 됨을 이르는 말

교외별전(敎外別傳) 선종에서, 부처의 가르침을 말이나 글에 의하지 않고 바로 마음에서 마음으로 전하여 진리를 깨닫게 하는 법

교우이신(交友以信) 세속 오계의 하나. 벗을 사귐에 믿음으로써 함을 이름

교주고슬(膠柱鼓瑟) 아교풀로 비파나 거문고의 기러기발을 붙여 놓으면 음조를 바꿀 수 없다는 뜻으로, 고지식하여 조금도 융통성이 없음을 이르는 말. 『사기』의 「인상여전(藺相如傳)」에 나오는 말

구곡간장(九曲肝腸) 굽이굽이 서린 창자라는 뜻으로, 깊은 마음속 또는 시름이 쌓인 마음속을 비유적으로 이르는 말

구국간성(救國干城) 나라를 구하는 방패와 성

구미속초(狗尾續貂) 담비 꼬리가 모자라 개의 꼬리로 잇는다는 뜻으로, 벼슬을 함부로 줌을 비유적으로 이르는 말

구밀복검(口蜜腹劍) 입에는 꿀이 있고 배 속에는 칼이 있다는 뜻으로, 말로는 친한 듯하나 속으로는 해칠 생각이 있음을 이르는 말

구사일생(九死一生) 아홉 번 죽을 뻔하다 한 번 살아난다는 뜻으로, 죽을 고비를 여러 차례 넘기고 겨우 살아남을 이르는 말

구상유취(口尙乳臭) 입에서 아직 젖내가 난다는 뜻으로, 말이나 행동이 유치함을 이르는 말

구수회의(鳩首會議) 비둘기들이 모여 머리를 맞대듯이 여럿이 한자리에 모여 앉아 머리를 맞대고 의논함. 또는 그런 회의

구십춘광(九十春光) 석 달 동안의 화창한 봄 날씨

구우일모(九牛一毛) 아홉 마리의 소 가운데 박힌 하나의 털이란 뜻으로, 매우 많은 것 가운데 극히 적은 수를 이르는 말

구이지학(口耳之學) 들은 것을 자기 생각 없이 그대로 남에게 전하는 것이 고작인 학문

구절양장(九折羊腸) 아홉 번 꼬부라진 양의 창자라는 뜻으로, 꼬불꼬불하며 험한 산길을 이르는 말

국태민안(國泰民安) 나라가 태평하고 백성이 편안함

군계일학(群鷄一鶴) 닭의 무리 가운데에서 한 마리의 학이란 뜻으로, 많은 사람 가운데서 뛰어난 인물을 이르는 말. 『진서(晉書)』의 「혜소전(嵇紹傳)」에 나오는 말

군신유의(君臣有義) 오륜(五倫)의 하나. 임금과 신하 사이의 도리는 의리에 있음을 이름

군웅할거(群雄割據) 여러 영웅이 각기 한 지방씩 차지하고 위세를 부림

군위신강(君爲臣綱) 삼강(三綱)의 하나. 신하는 임금을 섬기는 것이 근본임을 이름

군자삼락(君子三樂) 군자의 세 가지 즐거움. 부모가 모두 살아 계시고 형제가 무고한 것, 하늘과 사람에게 부끄러워할 것이 없는 것, 천하의 뛰어난 영재를 얻어 교육하는 것을 이름

궁서설묘(窮鼠齧猫) 궁지에 몰린 쥐가 고양이를 문다는 뜻으로, 궁지에 몰리면 약자라도 강자에게 필사적으로 반항함을 이르는 말

궁여지책(窮餘之策) 매우 궁한 나머지 생각다 못하여 짜낸 계책
㊌ 궁여일책(窮餘一策)

권모술수(權謀術數) 목적 달성을 위하여 수단과 방법을 가리지 아니하는 온갖 모략이나 술책

권불십년(權不十年) 권세는 십 년을 가지 못한다는 뜻으로, 아무리 높은 권세라도 오래가지 못함을 이르는 말

권선징악(勸善懲惡) 착한 일을 권장하고 악한 일을 징계함

권토중래(捲土重來) 땅을 말아 일으킬 것 같은 기세로 다시 온다는 뜻으로, 한 번 실패하였으나 힘을 회복하여 다시 쳐들어옴을 이르는 말. 중국 당나라 두목의 「오강정시(烏江亭詩)」에 나오는 말로, 항우가 유방과의 결전에서 패하여 오강(烏江) 근처에서 자결한 것을 탄식한 말에서 유래함

귀곡천계(貴鵠賤鷄) 고니를 귀하게 여기고 닭을 천하게 여긴다는 뜻으로, 드문 것은 귀하게, 흔한 것은 천하게 여김을 이르는 말

귤화위지(橘化爲枳) 회남의 귤을 회북에 옮겨 심으면 탱자가 된다는 뜻으로, 환경에 따라 사람이나 사물의 성질이 변함을 이르는 말

극기복례(克己復禮) 자기의 욕심을 누르고 예의범절을 따름

극악무도(極惡無道) 더할 나위 없이 악하고 도리에 완전히 어긋나 있음

근묵자흑(近墨者黑) 먹을 가까이하는 사람은 검어진다는 뜻으로, 나쁜 사람과 가까이 지내면 나쁜 버릇에 물들기 쉬움을 비유적으로 이르는 말

금과옥조(金科玉條) 금이나 옥처럼 귀중히 여겨 꼭 지켜야 할 법칙이나 규정

금란지교(金蘭之交) 친구 사이의 매우 두터운 정을 이르는 말
㊌ 금란지계(金蘭之契)

금상첨화(錦上添花) 비단 위에 꽃을 더한다는 뜻으로, 좋은 일 위에 또 좋은 일이 더하여짐을 비유적으로 이르는 말. 왕안석의 글에서 유래함

금석맹약(金石盟約) 쇠나 돌처럼 굳고 변함없는 약속

금석지감(今昔之感) 지금과 옛날의 차이가 너무 심하여 생기는 느낌

금석지교(金石之交) 쇠나 돌처럼 굳고 변함없는 사귐

금성탕지(金城湯池) 쇠로 만든 성과, 그 둘레에 파 놓은 뜨거운 물로 가득 찬 못이라는 뜻으로, 방어 시설이 잘되어 있는 성을 이르는 말. 『한서』의 「괴통전(蒯通傳)」에 나오는 말

금수강산(錦繡江山) 비단에 수를 놓은 것처럼 아름다운 산천이라는 뜻으로, 우리나라의 산천을 비유적으로 이르는 말

금슬지락(琴瑟之樂) 부부간의 사랑

금시초문(今始初聞) 바로 지금 처음으로 들음

금의야행(錦衣夜行) 비단옷을 입고 밤에 다닌다는 뜻으로, 아무 보람이 없는 행동을 비유적으로 이르는 말

금의옥식(錦衣玉食) 비단옷과 옥같이 흰 쌀밥이라는 뜻으로, 호화롭고 사치스러운 의식(衣食)을 말함

금의환향(錦衣還鄕) 비단옷을 입고 고향으로 돌아온다는 뜻으로, 출세를 하여 고향에 돌아옴을 비유적으로 이르는 말

금지옥엽(金枝玉葉) 금으로 된 가지와 옥으로 된 잎사귀라는 뜻으로, 임금의 자손이나 집안, 혹은 귀여운 자손을 비유적으로 이르는 말

기고만장(氣高萬丈) 펄펄 뛸 만큼 대단히 성이 남

기사회생(起死回生) 사경에서 헤어나 되살아남. 곧, 중병으로 죽을 뻔하다가 도로 회복되어 살아남

기상천외(奇想天外) 착상이나 생각 따위가 쉽게 짐작할 수 없을 정도로 기발하고 엉뚱함

기승전결(起承轉結) 한시에서, 시구를 구성하는 방법. 기는 시를 시작하는 부분, 승은 그것을 이어받아 전개하는 부분, 전은 시의를 한 번 돌리어 전환하는 부분, 결은 전체 시의(詩意)를 끝맺는 부분임

기암괴석(奇巖怪石) 기이한 바위와 괴이한 돌

기인지우(杞人之憂) 기(杞)나라 사람이 하늘이 무너져 내려앉지 않을까 걱정했다는 고사에서 온 말로, 장래 일에 대한 쓸데없는 걱정을 말함

기지사경(幾至死境) 거의 죽을 지경에 이름

기진맥진(氣盡脈盡) 기운이 다하여 맥이 다 빠져 스스로 가누지 못할 지경이 됨

기호지세(騎虎之勢) 범을 타고 달리는 듯한 기세. 곧, 중도에서 그만둘 수 없는 형세를 말함

길흉화복(吉凶禍福) 좋은 일과 나쁜 일, 불행한 일과 행복한 일

ㄴ

낙락장송(落落長松) 가지가 축축 길게 늘어지고 키가 큰 소나무를 이르는 말

낙목한천(落木寒天) 낙엽 진 나무와 차가운 하늘. 곧, 추운 겨울철을 말함

낙화유수(落花流水) 떨어지는 꽃과 흐르는 물이라는 뜻으로, 가는 봄의 경치를 이르는 말

난공불락(難攻不落) 공격하기가 어려워 쉽사리 함락되지 아니함

난신적자(亂臣賊子) 나라를 어지럽게 하는 불충한 무리

난형난제(難兄難弟) 누구를 형이라 하고 누구를 아우라 하기 어렵다는 뜻으로, 두 사물이 비슷하여 낫고 못함을 정하기 어려움을 이르는 말

남가일몽(南柯一夢) 꿈과 같이 헛된 한때의 부귀영화를 이르는 말. 중국 당나라의 순우분(淳于棼)이 술에 취하여 홰나무의 남쪽으로 뻗은 가지 밑에서 잠이 들었는데 괴안국(槐安國)의 부마가 되어 남가군(南柯郡)을 다스리며 20년 동안 영화를 누리는 꿈을 꾸었다는 데서 유래함
유 괴몽(槐夢), 남가지몽(南柯之夢)

남부여대(男負女戴) 남자는 지고 여자는 인다는 뜻으로, 가난한 사람들이 살 곳을 찾아 이리저리 떠돌아다님을 비유적으로 이르는 말

낭중지추(囊中之錐) 주머니 속의 송곳이라는 뜻으로, 재능이 뛰어난 사람은 숨어 있어도 저절로 사람들에게 알려짐을 이르는 말

내우외환(內憂外患) 나라 안팎의 여러 가지 어려움

내유외강(內柔外剛) 겉으로 보기에는 강하게 보이나 속은 부드러움
반 내강외유(內剛外柔)

노기충천(怒氣衝天) 성이 하늘을 찌를 듯이 머리끝까지 치받쳐 있음

노류장화(路柳墻花) 아무나 쉽게 꺾을 수 있는 길가의 버들과 담 밑의 꽃이라는 뜻으로, 창녀나 기생을 비유적으로 이르는 말

노심초사(勞心焦思) 몹시 마음을 쓰며 애를 태움

녹양방초(綠楊芳草) 푸른 버드나무와 향기로운 풀

녹음방초(綠陰芳草) 푸르게 우거진 나무와 향기로운 풀이라는 뜻으로, 여름철의 자연 경관을 이르는 말

녹의홍상(綠衣紅裳) 연두저고리에 다홍치마. 곱게 차려입은 젊은 여자의 옷차림을 이르는 말

논공행상(論功行賞) 공적의 크고 작음 따위를 논의하여 그에 알맞은 상을 줌

농가성진(弄假成眞) 장난삼아 한 것이 진심으로 한 것같이 됨

뇌성벽력(雷聲霹靂) 천둥소리와 벼락을 아울러 이르는 말

누란지세(累卵之勢) 층층이 쌓아 놓은 알의 형세라는 뜻으로, 몹시 위태로운 형세를 비유적으로 이르는 말

능소능대(能小能大) 모든 일에 두루 능함

ㄷ

다기망양(多岐亡羊) 갈림길이 많아 잃어버린 양을 찾지 못한다는 뜻으로, 두루 섭렵하기만 하고 전공하는 바가 없어 끝내 성취하지 못함을 이르는 말. 『열자(列子)』의 「설부(說符)」에 나오는 말

다다익선(多多益善) 많으면 많을수록 더욱 좋음

다재다능(多才多能) 재주와 능력이 여러 가지로 많음

단금지교(斷金之交) 쇠라도 자를 만큼 강한 교분이라는 뜻으로, 매우 두터운 우정을 이르는 말

단도직입(單刀直入) 혼자서 칼 한 자루를 들고 적진으로 곧장 쳐들어간다는 뜻으로, 여러 말을 늘어놓지 아니하고 바로 요점이나 본문제를 중심적으로 말함을 이르는 말

단사표음(簞食瓢飮) 대나무로 만든 밥그릇에 담은 밥과 표주박에 든 물이라는 뜻으로, 청빈하고 소박한 생활을 이르는 말

단순호치(丹脣皓齒) 붉은 입술과 하얀 치아라는 뜻으로, 아름다운 여자를 이르는 말

당구풍월(堂狗風月) 서당에서 기르는 개가 풍월을 읊는다는 뜻으로, 그 분야에 대하여 경험과 지식이 전혀 없는 사람이라도 오래 있으면 얼마간의 경험과 지식을 가짐을 이르는 말

당랑거철(螳螂拒轍) 제 역량을 생각하지 않고, 강한 상대나 되지 않을 일에 덤벼드는 무모한 행동거지를 비유적으로 이르는 말. 중국 제나라 장공(莊公)이 사냥을 나가는데 사마귀가 앞발을 들고 수레바퀴를 멈추려 했다는 데서 유래함. 『장자』의 「인간세편(人間世篇)」에 나오는 말
유 당랑당거철(螳螂當車轍), 당랑지부(螳螂之斧)

대경실색(大驚失色) 몹시 놀라 얼굴빛이 하얗게 질림

대기만성(大器晩成) 큰 그릇을 만드는 데는 시간이 오래 걸린다는 뜻으로, 크게 될 사람은 늦게 이루어짐을 이르는 말

대동소이(大同小異) 큰 차이 없이 거의 같음

대성통곡(大聲痛哭) 큰 목소리로 몹시 슬프게 곡을 함

대우탄금(對牛彈琴) 소를 마주 대하고 거문고를 탄다는 뜻으로, 어리석은 사람에게는 깊은 이치를 말해 주어도 알아듣지 못하므로 아무 소용이 없음을 이르는 말

대의명분(大義名分) 사람으로서 마땅히 지키고 행하여야 할 도리나 본분. 어떤 일을 꾀하는 데 내세우는 합당한 구실이나 이유

대자대비(大慈大悲) 넓고 커서 끝이 없는 부처와 보살의 자비. 특히 관세음보살이 중생을 사랑하고 불쌍히 여기는 마음을 이름

도로무익(徒勞無益) 헛되이 애만 쓰고 아무런 이로움이 없음

도불습유(道不拾遺) 길에 떨어진 물건을 주워 가지지 않는다는 뜻으로, 형벌이 준엄하여 백성이 법을 범하지 아니하거나 민심이 순후함을 비유하여 이르는 말. 『한비자』에 나오는 말

도청도설(道聽塗說) 길에서 듣고 길에서 말한다는 뜻으로, 길거리에 퍼져 돌아다니는 뜬소문을 이르는 말. 『논어』에 나오는 말

도탄지고(塗炭之苦) 진구렁에 빠지고 숯불에 타는 괴로움을 이르는 말. 『서경』의 「중훼지고편(仲虺之誥篇)」에 나오는 말

독불장군(獨不將軍) 혼자서는 장군이 될 수 없다는 뜻으로, 남과 의논하고 협조하여야 함을 이르는 말. 혹은 다른 사람에게 따돌림을 받는 외로운 사람

독서삼도(讀書三到) 독서를 하는 세 가지 방법. 입으로 다른 말을 아니하고 책을 읽는 구도(口到), 눈으로 다른 것을 보지 않고 책만 잘 보는 안도(眼到), 마음속에 깊이 새기는 심도(心到)를 이름

독서삼매(讀書三昧) 다른 생각은 전혀 아니 하고 오직 책 읽기에만 골몰하는 경지

독수공방(獨守空房) 혼자서 지내는 것. 아내가 남편 없이 혼자 지내는 것

독야청청(獨也靑靑) 남들이 모두 절개를 꺾는 상황 속에서도 홀로 절개를 굳세게 지키고 있음을 비유적으로 이르는 말

동가홍상(同價紅裳) 같은 값이면 다홍치마라는 뜻으로, 같은 값이면 좋은 물건을 가짐을 이르는 말

동고동락(同苦同樂) 괴로움도 즐거움도 함께함

동공이곡(同工異曲) 재주나 솜씨는 같지만 표현된 내용이나 맛이 다름을 이르는 말. 한유(韓愈)의 「진학해(進學解)」에 나오는 말

동량지재(棟梁之材) 기둥과 들보로 쓸 만한 재목이라는 뜻으로, 한 집안이나 한 나라를 떠받치는 중대한 일을 맡을 만한 인재를 이르는 말

동문서답(東問西答) 물음과는 전혀 상관없는 엉뚱한 대답

동병상련(同病相憐) 같은 병을 앓는 사람끼리 서로 가엾게 여긴다는 뜻으로, 어려운 처지에 있는 사람끼리 서로 가엾게 여김을 이르는 말. 『오월춘추』의 「합려내전(闔閭內傳)」에 나오는 말

동분서주(東奔西走) 동쪽으로 뛰고 서쪽으로 뛴다는 뜻으로, 사방으로 이리저리 몹시 바쁘게 돌아다님을 이르는 말

동상이몽(同牀異夢) 같은 자리에 자면서 다른 꿈을 꾼다는 뜻으로, 겉으로는 같이 행동하면서도 속으로는 각각 딴생각을 하고 있음을 이르는 말
㊌ 동상각몽(同牀各夢)

동족방뇨(凍足放尿) 언 발에 오줌 누기라는 뜻으로, 잠시 동안만 효력이 있을 뿐 효력이 바로 사라짐을 비유적으로 이르는 말

동호지필(董狐之筆) 사실을 숨기지 아니하고 그대로 씀을 이르는 말. 춘추 시대 진(晉)나라의 사관(史官)이었던 동호(董狐)가 위세를 두려워하지 않고 사실을 사실대로 직필(直筆)하였다는 데서 유래함

두문불출(杜門不出) 집에만 있고 바깥출입을 아니함

득롱망촉(得隴望蜀) 농(隴)을 얻고서 촉(蜀)까지 취하고자 한다는 뜻으로, 만족할 줄을 모르고 계속 욕심을 부리는 경우를 비유적으로 이르는 말. 후한(後漢)의 광무제가 농(隴) 지방을 평정한 후에 다시 촉(蜀) 지방까지 원하였다는 데에서 유래함
㊌ 망촉(望蜀), 평롱망촉(平隴望蜀)

득실상반(得失相半) 이익과 손해가 서로 엇비슷함

등고자비(登高自卑) 높은 곳에 올라가려면 낮은 곳에서부터 오른다는 뜻으로, 일을 하는 데는 반드시 차례를 밟아야 함을 이르는 말. 지위가 높아질수록 자신을 낮춘다는 말

등하불명(燈下不明) 등잔 밑이 어둡다는 뜻으로, 가까이에 있는 물건이나 사람을 잘 찾지 못함을 이르는 말

등화가친(燈火可親) 등불을 가까이할 만하다는 뜻으로, 서늘한 가을밤은 등불을 가까이 하여 글 읽기에 좋음을 이르는 말

ㅁ

마각노출(馬脚露出) 말의 다리가 겉으로 드러난다는 뜻으로, 숨기던 일이나 본성이 드러남을 이르는 말

마이동풍(馬耳東風) 동풍이 말의 귀를 스쳐 간다는 뜻으로, 남의 말을 귀담아듣지 아니하고 지나쳐 흘려버림을 이르는 말

마중지봉(麻中之蓬) 삼밭 속의 쑥이라는 뜻으로, 곧은 삼밭 속에서 자란 쑥은 곧게 자라게 되는 것처럼 선한 사람과 사귀면 그 감화를 받아 자연히 선해짐을 비유적으로 이르는 말

막무가내(莫無可奈) 달리 어찌할 수 없음
㊌ 무가내하(無可奈何)

막상막하(莫上莫下) 더 낫고 더 못함의 차이가 거의 없음

막역지우(莫逆之友) 서로 거스름이 없는 친구라는 뜻으로, 허물이 없이 아주 친한 친구를 이르는 말

만경창파(萬頃蒼波) 만 이랑의 푸른 물결이라는 뜻으로, 한없이 넓고 넓은 바다를 이르는 말

만고불멸(萬古不滅) 아주 오랜 세월 동안 없어지지 아니함

만고불변(萬古不變) 아주 오랜 세월 동안 변하지 아니함

만고상청(萬古常靑) 아주 오랜 세월 동안 변함없이 언제나 푸름

만고풍상(萬古風霜) 아주 오랜 세월 동안 겪어 온 많은 고생

만단정회(萬端情懷) 온갖 정과 회포

만사휴의(萬事休矣) 모든 것이 헛수고로 돌아감을 이르는 말

만수무강(萬壽無疆) 아무런 탈 없이 아주 오래 삶

만시지탄(晩時之歎) 시기에 늦어 기회를 놓쳤음을 안타까워하는 탄식

만신창이(滿身瘡痍) 온몸이 상처투성이가 됨

만학천봉(萬壑千峰) 첩첩이 겹쳐진 깊고 큰 골짜기와 수많은 산봉우리

만화방창(萬化方暢) 따뜻한 봄날에 온갖 생물이 나서 자라 흐드러짐

만휘군상(萬彙群象) 우주에 있는 온갖 사물과 현상
유 삼라만상(森羅萬象)

망극지은(罔極之恩) 끝없이 베풀어 주는 혜택이나 고마움

망년지교(忘年之交) 나이에 거리끼지 않고 허물없이 사귄 벗

망매해갈(望梅解渴) 매실은 시기 때문에 보기만 하여도 침이 돌아 목마름이 해소된다는 뜻으로, 매실의 맛이 아주 신 것을 이르는 말

망양보뢰(亡羊補牢) 양을 잃고 우리를 고친다는 뜻으로, 이미 어떤 일을 실패한 뒤에 뉘우쳐도 아무 소용이 없음을 이르는 말. 원래는 양을 잃은 뒤에 우리를 고쳐도 늦지 않다는 뜻으로, 어떤 일을 실패해도 빨리 뉘우치고 수습하면 늦지 않는다는 말로 쓰였으나 현재는 주로 이와 같이 쓰이고 있음

망양지탄(亡羊之歎) 갈림길이 매우 많아 잃어버린 양을 찾을 길이 없음을 탄식한다는 뜻으로, 학문의 길이 여러 갈래여서 한 갈래의 진리도 얻기 어려움을 이르는 말

망연자실(茫然自失) 멍하니 정신을 잃음

망운지정(望雲之情) 자식이 객지에서 고향에 계신 어버이를 생각하는 마음

망자존대(妄自尊大) 앞뒤 아무런 생각도 없이 함부로 잘난 체함

망지소조(罔知所措) 너무 당황하거나 급하여 어찌할 줄을 모르고 갈팡질팡함

매점매석(買占賣惜) 물건값이 오를 것을 예상하여 한꺼번에 샀다가 팔기를 꺼려 쌓아 둠

맥수지탄(麥秀之嘆) 고국의 멸망을 한탄함을 이르는 말. 기자(箕子)가 은(殷)나라가 망한 뒤에도 보리만은 잘 자라는 것을 보고 한탄하였다는 데서 유래함

면목가증(面目可憎) 얼굴 생김생김이 남에게 미움을 살 만한 데가 있음

면벽구년(面壁九年) 달마가 중국 쑹산산(嵩山山)의 소림사에서 9년 동안 벽을 보고 좌선하여 도를 깨달은 일을 이르는 말

면종복배(面從腹背) 겉으로는 복종하는 체하면서 내심으로는 배반함

멸사봉공(滅私奉公) 사욕을 버리고 공익을 위하여 힘씀

명경지수(明鏡止水) 맑은 거울과 조용한 물. 잡념과 가식과 헛된 욕심 없이 맑고 깨끗한 마음

명실상부(名實相符) 이름과 실상이 서로 꼭 맞음

명약관화(明若觀火) 불을 보듯 분명하고 뻔함

명재경각(命在頃刻) 거의 죽게 되어 곧 숨이 끊어질 지경에 이름

목불식정(目不識丁) 아주 간단한 글자인 '丁' 자를 보고도 그것이 '고무래'인 줄을 알지 못한다는 뜻으로, 아주 까막눈임을 이르는 말
유 일자무식(一字無識)

목불인견(目不忍見) 눈앞에 벌어진 상황 따위를 눈 뜨고는 차마 볼 수 없음

무릉도원(武陵桃源) 도연명의 「도화원기」에 나오는 말로, '이상향', '별천지'를 비유적으로 이르는 말. 중국 진(晉)나라 때 호남(湖南) 무릉의 한 어부가 배를 저어 복숭아꽃이 아름답게 핀 수원지로 올라가 굴속에서 진(秦)나라의 난리를 피하여 온 사람들을 만났는데, 그들은 하도 살기 좋아 그동안 바깥세상이 변한 것과 세월이 많이 지난 줄도 몰랐다고 한 데서 유래함
유 도원(桃源), 도원향(桃源鄕)

무불통지(無不通知) 무슨 일이든지 환히 통하여 모르는 것이 없음

무소부지(無所不知) 모르는 것이 없음

무소불위(無所不爲) 하지 못하는 것이 없음

무위도식(無爲徒食) 하는 일 없이 놀고먹음

무장공자(無腸公子) 창자가 없는 것. 곧 '게'를 가리킴. 주로 기개나 담력이 없는 사람을 놀림조로 이르는 말

무장무애(無障無礙) 아무런 거리낌이 없음

묵묵부답(默默不答) 잠자코 아무 대답도 하지 않음

문경지교(刎頸之交) 서로를 위해서라면 목이 잘린다 해도 후회하지 않을 정도의 사이라는 뜻으로, 생사를 같이할 수 있는 아주 가까운 사이. 또는 그런 친구를 이르는 말. 중국 전국 시대의 인상여(藺相如)와 염파(廉頗)의 고사에서 유래함
유 문경지우(刎頸之友)

문방사우(文房四友) 종이, 붓, 먹, 벼루의 네 가지 문방구

문일지십(聞一知十) 하나를 듣고 열 가지를 미루어 안다는 뜻으로, 지극히 총명함을 이르는 말. 『논어』의 「공야장편(公冶長篇)」에 나오는 말

문전걸식(門前乞食) 이 집 저 집 돌아다니며 빌어먹음

문전성시(門前成市) 찾아오는 사람이 많아 집 문 앞이 시장을 이루다시피 함을 이르는 말. 『한서』의 「정숭전(鄭崇傳)」에 나오는 말

물실호기(勿失好機) 좋은 기회를 놓치지 아니함

물아일체(物我一體) 외물(外物)과 자아, 객관과 주관, 또는 물질계와 정신계가 어울려 하나가 됨

물외한인(物外閒人) 세상사에 관계하지 않고 한가롭게 지내는 사람

미사여구(美辭麗句) 아름다운 말로 듣기 좋게 꾸민 글귀

미생지신(尾生之信) 우직하여 융통성이 없이 약속만을 굳게 지킴을 비유적으로 이르는 말. 중국 춘추 시대에 미생(尾生)이라는 자가 다리 밑에서 만나자고 한 여자와의 약속을 지키기 위하여 홍수에도 피하지 않고 기다리다가 마침내 익사하였다는 고사에서 유래함. 『사기』의 「소진전(蘇秦傳)」에 나오는 말

미풍양속(美風良俗) 아름답고 좋은 풍속이나 기풍

ㅂ

박람강기(博覽强記) 여러 가지의 책을 널리 많이 읽고 기억을 잘함

박이부정(博而不精) 널리 알지만 정밀하지는 못함

박장대소(拍掌大笑) 손뼉을 치며 크게 웃음

박학다식(博學多識) 학식이 넓고 아는 것이 많음

반계곡경(盤溪曲徑) 서려 있는 계곡과 구불구불한 길이라는 뜻으로, 일을 순서대로 정당하게 하지 아니하고 그릇된 수단을 써서 억지로 함을 이르는 말

반목질시(反目嫉視) 서로 미워하고 질투하는 눈으로 봄

반생반사(半生半死) 거의 죽게 되어 죽을지 살지 모를 지경에 이름

반신반의(半信半疑) 얼마쯤 믿으면서도 한편으로는 의심함

반의지희(斑衣之戲) 늙어서 효도함을 이르는 말. 중국 초나라의 노래자가 일흔 살에 늙은 부모님을 위로하려고 색동저고리를 입고 어린이처럼 기어 다녀 보였다는 데서 유래함

반포지효(反哺之孝) 까마귀 새끼가 자라서 늙은 어미에게 먹이를 물어다 주는 효(孝)라는 뜻으로, 자식이 자란 후에 어버이의 은혜를 갚는 효성을 이르는 말

발본색원(拔本塞源) 근본을 뽑고 근원을 막는다는 뜻으로, 폐단이 되는 원천을 아주 뽑아서 없애 버림

방약무인(傍若無人) 곁에 사람이 없는 것처럼 아무 거리낌 없이 함부로 말하고 행동하는 태도가 있음

방휼지쟁(蚌鷸之爭) 도요새가 조개와 다투다가 다 같이 어부에게 잡히고 말았다는 뜻으로, 대립하는 두 세력이 다투다가 결국은 구경하는 다른 사람에게 득을 주는 싸움을 비유적으로 이르는 말

배수지진(背水之陣) 어떤 일을 성취하기 위하여 더 이상 물러설 수 없음을 비유적으로 이르는 말
㊤ 배수진(背水陣)

배은망덕(背恩忘德) 남에게 입은 은덕을 저버리고 배신하는 태도가 있음

백골난망(白骨難忘) 죽어서 백골이 되어도 잊을 수 없다는 뜻으로, 남에게 큰 은덕을 입었을 때 고마움의 뜻으로 이르는 말

백년가약(百年佳約) 젊은 남녀가 부부가 되어 평생을 같이 지낼 것을 굳게 다짐하는 아름다운 언약

백년대계(百年大計) 먼 앞날까지 미리 내다보고 세우는 크고 중요한 계획

백년지객(百年之客) 한평생을 두고 늘 어려운 손님으로 맞이한다는 뜻으로, '사위'를 이르는 말

백년하청(百年河淸) 중국의 황허강(黃河江)이 늘 흐려 맑을 때가 없다는 뜻으로, 아무리 오랜 시일이 지나도 어떤 일이 이루어지기 어려움을 이르는 말

백년해로(百年偕老) 부부가 되어 한평생을 사이좋게 지내고 즐겁게 함께 늙음

백면서생(白面書生) 한갓 글만 읽고 세상일에는 전혀 경험이 없는 사람

백발백중(百發百中) 총이나 활 따위를 쏠 때마다 겨눈 곳에 다 맞음. 백 번 쏘아 백 번 맞힌다는 뜻에서 나온 말이다.

백아절현(伯牙絕絃) 자기를 알아주는 참다운 벗의 죽음을 슬퍼함. 중국 춘추 시대에 백아(伯牙)는 거문고를 매우 잘 탔고 그의 벗 종자기(鍾子期)는 그 거문고 소리를 잘 들었는데, 종자기가 죽어 그 거문고 소리를 들을 사람이 없게 되자 백아가 절망하여 거문고 줄을 끊어 버리고 다시는 거문고를 타지 않았다는 데서 유래함

백의종군(白衣從軍) 벼슬 없이 군대를 따라 싸움터로 감

백이숙제(伯夷叔齊) 백이와 숙제를 아울러 이르는 말

백전노장(百戰老將) 수많은 싸움을 치른 노련한 장수. 온갖 어려운 일을 많이 겪은 노련한 사람

백전백승(百戰百勝) 싸울 때마다 다 이김

백절불굴(百折不屈) 어떠한 난관에도 결코 굽히지 않음
㊤ 백절불요(百折不撓)

백중지세(伯仲之勢) 서로 우열을 가리기 힘든 형세. 위나라 문제(文帝)의 『전론(典論)』에서 나온 말이다.

백척간두(百尺竿頭) 백 자나 되는 높은 장대 위에 올라섰다는 뜻으로, 몹시 어렵고 위태로운 지경을 이르는 말

백척난간(百尺欄干) 아주 높은 곳에 위치한 난간을 이르는 말

백팔번뇌(百八煩惱) 사람이 지닌 108가지의 번뇌. 6근(根)에 각기 고(苦), 낙(樂), 불고불락(不苦不樂)이 있어 18가지가 되고, 이에 탐(貪)과 무탐(無貪)이 있어 36가지가 되며, 이것을 다시 과거, 현재, 미래로 각각 풀면 108가지가 됨. 일반적으로 사람의 마음속에 있는 엄청난 번뇌를 이름

번문욕례(繁文縟禮) 번거롭고 까다로운 규칙과 예절

부귀영화(富貴榮華) 재산이 많고 지위가 높으며 귀하게 되어서 세상에 드러나 온갖 영광을 누림

부귀재천(富貴在天) 부귀를 누리는 일은 하늘의 뜻에 달려 있어 사람의 힘으로는 어찌할 수 없음을 이르는 말

부부유별(夫婦有別) 오륜(五倫)의 하나. 남편과 아내 사이의 도리는 서로 침범하지 않음에 있음을 이름

부생모육(父生母育) 부모가 낳고 기름

부위부강(夫爲婦綱) 삼강(三綱)의 하나. 아내는 남편을 섬기는 것이 근본임을 이름

부위자강(父爲子綱) 삼강(三綱)의 하나. 아들은 아버지를 섬기는 것이 근본임을 이름

부자유친(父子有親) 오륜(五倫)의 하나. 아버지와 아들 사이의 도리는 친애에 있음을 이름

부전자전(父傳子傳) 아들의 성격이나 생활 습관 따위가 아버지로부터 대물림된 것처럼 같거나 비슷함

부지기수(不知其數) 헤아릴 수가 없을 만큼 많음. 또는 그렇게 많은 수효

부창부수(夫唱婦隨) 남편이 주장하고 아내가 이에 잘 따름. 또는 부부 사이의 그런 도리

부화뇌동(附和雷同) 줏대 없이 남의 의견에 따라 움직임

북창삼우(北窓三友) 거문고, 술, 시(詩)를 아울러 이르는 말

분골쇄신(粉骨碎身) 뼈를 가루로 만들고 몸을 부순다는 뜻으로, 정성으로 노력함을 이르는 말. 또는 그렇게 하여 뼈가 가루가 되고 몸이 부서짐

분기충천(憤氣衝天) 분한 마음이 하늘을 찌를 듯 격렬하게 북받쳐 오름
㊌ 분기등천(憤氣騰天)

분서갱유(焚書坑儒) 중국 진(秦)나라의 시황제가 학자들의 정치적 비판을 막기 위하여 민간의 책 가운데 의약(醫藥), 복서(卜筮), 농업에 관한 것만을 제외하고 모든 서적을 불태우고 수많은 유생을 구덩이에 묻어 죽인 일

불가사의(不可思議) 사람의 생각으로는 미루어 헤아릴 수 없이 이상하고 야릇함

불고염치(不顧廉恥) 염치를 돌아보지 아니함

불구대천(不俱戴天) 하늘을 함께 이지 못한다는 뜻으로, 이 세상에서 같이 살 수 없을 만큼 큰 원한을 가짐을 비유적으로 이르는 말
㊌ 불공대천(不共戴天)

불립문자(不立文字) 불도의 깨달음은 마음에서 마음으로 전하는 것이므로 말이나 글에 의지하지 않는다는 말

불면불휴(不眠不休) 자지도 않고 쉬지도 않는다는 뜻으로, 조금도 쉬지 않고 힘써 일함을 이르는 말

불문가지(不問可知) 묻지 아니하여도 알 수 있음

불문곡직(不問曲直) 옳고 그름을 따지지 아니함

불요불굴(不撓不屈) 한번 먹은 마음이 흔들리거나 굽힘이 없음

불원천리(不遠千里) 천 리 길도 멀다고 여기지 않음

불철주야(不撤晝夜) 어떤 일에 몰두하여 조금도 쉴 사이 없이 밤낮을 가리지 아니함

불치하문(不恥下問) 손아랫사람이나 지위나 학식이 자기만 못한 사람에게 모르는 것을 묻는 일을 부끄러워하지 아니함

불학무식(不學無識) 배우지 못하여 아는 것이 없음

붕우유신(朋友有信) 오륜(五倫)의 하나. 벗과 벗 사이의 도리는 믿음에 있음을 이름

붕정만리(鵬程萬里) 산을 넘고 내를 건너 아주 멂

비몽사몽(非夢似夢) 완전히 잠이 들지도 잠에서 깨어나지도 않은 어렴풋한 상태

비분강개(悲憤慷慨) 슬프고 분하여 의분이 북받침

비승비속(非僧非俗) 승려도 아니고 속인도 아니라는 뜻으로, 이것도 저것도 아닌 어중간함을 이르는 말

비육지탄(髀肉之嘆) 재능을 발휘할 때를 얻지 못하여 헛되이 세월만 보내는 것을 한탄함을 이르는 말. 『삼국지』의 「촉지(蜀志)」에서 중국 촉나라 유비가 오랫동안 말을 타고 전쟁터에 나가지 못하여 넓적다리만 살찜을 한탄한 데서 유래함

비일비재(非一非再) 같은 현상이나 일이 한두 번이나 한둘이 아니고 많음

ㅅ

사고무친(四顧無親) 의지할 만한 사람이 아무도 없음

사면초가(四面楚歌) 아무에게도 도움을 받지 못하는, 외롭고 곤란한 지경에 빠진 형편을 이르는 말. 초나라 항우가 사면을 둘러싼 한나라 군사 쪽에서 들려오는 초나라의 노랫소리를 듣고 초나라 군사가 이미 항복한 줄 알고 놀랐다는 데서 유래함. 『사기』의 「항우본기(項羽本紀)」에 나오는 말이다.
㊌ 초가(楚歌)

사반공배(事半功倍) 들인 노력은 적고 얻은 성과는 큼

사불범정(邪不犯正) 바르지 못하고 요사스러운 것이 바른 것을 건드리지 못함. 곧 정의가 반드시 이김을 이르는 말이다.

사불여의(事不如意) 일이 뜻대로 되지 아니함

사상누각(沙上樓閣) 모래 위에 세운 누각이라는 뜻으로, 기초가 튼튼하지 못하여 오래 견디지 못할 일이나 물건을 이르는 말

사서삼경(四書三經) 사서와 삼경을 아울러 이르는 말. 곧 『논어』, 『맹자』, 『중용』, 『대학』의 네 경전과 『시경』, 『서경』, 『주역』의 세 경서를 이른다.

사친이효(事親以孝) 세속 오계의 하나. 어버이를 섬기기를 효도로써 함을 이름

사통오달(四通五達) 도로나 교통망, 통신망 따위가 이리저리 사방으로 통함
㊌ 사통팔달(四通八達)

사필귀정(事必歸正) 모든 일은 반드시 바른길로 돌아감

산궁수진(山窮水盡) 산이 막히고 물줄기가 끊어져 더 갈 길이 없다는 뜻으로, 막다른 경우에 이름을 이르는 말

산전수전(山戰水戰) 산에서도 싸우고 물에서도 싸웠다는 뜻으로, 세상의 온갖 고생과 어려움을 다 겪었음을 이르는 말

산해진미(山海珍味) 산과 바다에서 나는 온갖 진귀한 물건으로 차린, 맛이 좋은 음식

살신성인(殺身成仁) 자기의 몸을 희생하여 인(仁)을 이룸. 『논어』의 「위령공편(衛靈公篇)」에 나오는 말이다.

삼강오륜(三綱五倫) 유교의 도덕에서 기본이 되는 세 가지의 강령과 지켜야 할 다섯 가지의 도리. 군위신강, 부위자강, 부위부강과 부자유친, 군신유의, 부부유별, 장유유서, 붕우유신을 통틀어 이름

삼고초려(三顧草廬) 인재를 맞아들이기 위하여 참을성 있게 노력함. 중국 삼국 시대에, 촉한의 유비가 난양(南陽)에 은거하고 있던 제갈량의 초옥으로 세 번이나 찾아갔다는 데서 유래함

삼순구식(三旬九食) 삼십 일 동안 아홉 끼니밖에 먹지 못한다는 뜻으로, 몹시 가난함을 이르는 말

삼인성호(三人成虎) 세 사람이 짜면 거리에 범이 나왔다는 거짓말도 꾸밀 수 있다는 뜻으로, 근거 없는 말이라도 여러 사람이 말하면 곧이듣게 됨을 이르는 말

삼일유가(三日遊街) 과거에 급제한 사람이 사흘 동안 시험관과 선배 급제자와 친척을 방문하던 일

삼종지도(三從之道) 예전에, 여자가 따라야 할 세 가지 도리를 이르던 말. 어려서는 아버지를, 결혼해서는 남편을, 남편이 죽은 후에는 자식을 따라야 했음. 『예기』의 「의례(儀禮)」 '상복전'에 나오는 말

삼척동자(三尺童子) 키가 석 자 정도밖에 되지 않는 어린아이. 철없는 어린아이를 이름. 무식한 사람을 비유하는 말로도 쓰임

상궁지조(傷弓之鳥) 한 번 화살에 맞은 새는 구부러진 나무만 보아도 놀란다는 뜻으로, 한 번 혼이 난 일로 늘 의심과 두려운 마음을 품는 것을 이르는 말

상전벽해(桑田碧海) 뽕나무밭이 변하여 푸른 바다가 된다는 뜻으로, 세상일의 변천이 심함을 비유적으로 이르는 말

상통하달(上通下達) 위로 통하고 아래로 전달된다는 뜻으로, 아랫사람의 뜻이 윗사람에게 잘 통하고 윗사람의 뜻이 아랫사람에게 잘 전해짐을 이르는 말

새옹득실(塞翁得失) 한때의 이익이 장차 손해가 될 수도 있고 한때의 화(禍)가 장차 복을 불러올 수도 있음을 이르는 말

새옹지마(塞翁之馬) 인생의 길흉화복은 변화가 많아서 예측하기가 어렵다는 말. 옛날에 새옹이 기르던 말이 오랑캐 땅으로 달아나서 노인이 낙심하였는데, 그 후에 달아났던 말이 준마를 한 필 끌고 와서 그 덕분에 훌륭한 말을 얻게 되었으나 아들이 그 준마를 타다가 떨어져서 다리가 부러졌으므로 노인이 다시 낙심하였는데, 그로 인하여 아들이 전쟁에 끌려 나가지 아니하고 죽음을 면할 수 있었다는 이야기에서 유래함. 중국 『회남자』의 '인간훈(人間訓)'에 나오는 말
㊌ 새옹마(塞翁馬)

생자필멸(生者必滅) 생명이 있는 것은 반드시 죽음. 존재의 무상(無常)을 이르는 말

서동부언(胥動浮言) 거짓말을 퍼뜨려 인심을 소란하게 함

선견지명(先見之明) 어떤 일이 일어나기 전에 미리 앞을 내다보고 아는 지혜

선공후사(先公後私) 공적인 일을 먼저 하고 사사로운 일은 뒤로 미룸

선남선녀(善男善女) 성품이 착한 남자와 여자란 뜻으로, 착하고 어진 사람들을 이르는 말

선우후락(先憂後樂) 세상의 근심할 일은 남보다 먼저 근심하고 즐거워할 일은 남보다 나중에 즐거워한다는 뜻으로, 지사(志士)나 어진 사람의 마음씨를 이르는 말. 『범중엄(范仲淹)』의 「악양루기(岳陽樓記)」에 나오는 말

설부화용(雪膚花容) 눈처럼 흰 살갗과 꽃처럼 고운 얼굴이라는 뜻으로, 미인의 용모를 이르는 말

설상가상(雪上加霜) 눈 위에 서리가 덮인다는 뜻으로, 난처한 일이나 불행한 일이 잇따라 일어남을 이르는 말
㊌ 설상가설(雪上加雪)

설왕설래(說往說來) 서로 변론을 주고받으며 옥신각신함. 또는 말이 오고 감

섬섬옥수(纖纖玉手) 가냘프고 고운 여자의 손을 이르는 말

성자필쇠(盛者必衰) 융성하는 것은 결국 쇠퇴해짐

세속오계(世俗五戒) 신라 화랑(花郞)의 다섯 가지 계율. 진평왕 때에 원광(圓光)이 정한 것으로, 사군이충·사친이효·교우이신·임전무퇴·살생유택을 이름

세한삼우(歲寒三友) 추운 겨울철의 세 벗이라는 뜻으로, 추위에 잘 견디는 소나무·대나무·매화나무를 통틀어 이르는 말. 흔히 한 폭의 그림에 그려서 '송죽매'라고 함

소인묵객(騷人墨客) 시문(詩文)과 서화(書畫)를 일삼는 사람

소탐대실(小貪大失) 작은 것을 탐하다가 큰 것을 잃음

속수무책(束手無策) 손을 묶은 것처럼 어찌할 도리가 없어 꼼짝 못 함

송구영신(送舊迎新) 묵은해를 보내고 새해를 맞음

수간모옥(數間茅屋) 몇 칸 안 되는 작은 초가

수구초심(首丘初心) 여우가 죽을 때에 머리를 자기가 살던 굴 쪽으로 둔다는 뜻으로, 고향을 그리워하는 마음을 이르는 말

수복강녕(壽福康寧) 오래 살고 복을 누리며 건강하고 평안함

수불석권(手不釋卷) 손에서 책을 놓지 아니하고 늘 글을 읽음

수서양단(首鼠兩端) 구멍에서 머리를 내밀고 나갈까 말까 망설이는 쥐라는 뜻으로, 머뭇거리며 진퇴나 거취를 정하지 못하는 상태를 이르는 말

수수방관(袖手傍觀) 팔짱을 끼고 보고만 있다는 뜻으로, 간섭하거나 거들지 아니하고 그대로 버려둠을 이르는 말. 내버려 둠

수신제가(修身齊家) 몸과 마음을 닦아 수양하고 집안을 다스림

수어지교(水魚之交) 물이 없으면 살 수 없는 물고기와 물의 관계라는 뜻으로, 아주 친밀하여 떨어질 수 없는 사이를 비유적으로 이르는 말

수주대토(守株待兎) 한 가지 일에만 얽매여 발전을 모르는 어리석은 사람을 비유적으로 이르는 말. 중국 송나라의 한 농부가 우연히 나무 그루터기에 토끼가 부딪쳐 죽은 것을 잡은 후, 또 그와 같이 토끼를 잡을까 하여 일도 하지 않고 그루터기만 지키고 있었다는 데서 유래함. 『한비자』의 「오두편(五蠹篇)」에 나오는 말

수즉다욕(壽則多辱) 오래 살수록 그만큼 욕됨이 많음을 이르는 말. 『장자』의 「천지편(天地篇)」에 나오는 말

숙맥불변(菽麥不辨) 콩인지 보리인지를 구별하지 못한다는 뜻으로, 사리 분별을 못 하고 세상 물정을 잘 모름을 이르는 말

숙호충비(宿虎衝鼻) 자는 호랑이의 코를 찌른다는 뜻으로, 가만히 있는 사람을 공연히 건드려서 화를 입거나 일을 불리하게 만듦을 이르는 말

순망치한(脣亡齒寒) 입술이 없으면 이가 시리다는 뜻으로, 서로 이해관계가 밀접한 사이에 어느 한쪽이 망하면 다른 한쪽도 그 영향을 받아 온전하기 어려움을 이르는 말

순치지세(脣齒之勢) 입술과 이처럼 서로 의지하고 돕는 형세를 비유적으로 이르는 말

승승장구(乘勝長驅) 싸움에서 이긴 형세를 타고 계속 몰아침

시시비비(是是非非) 옳고 그름을 따지며 다툼

시종여일(始終如一) 처음부터 끝까지 변함없이 한결같음

시종일관(始終一貫) 일 따위를 처음부터 끝까지 한결같이 함
㊒ 수미일관(首尾一貫)

식자우환(識字憂患) 학식이 있는 것이 오히려 근심을 사게 됨

신상필벌(信賞必罰) 공이 있는 자에게는 반드시 상을 주고, 죄가 있는 사람에게는 반드시 벌을 준다는 뜻으로, 상과 벌을 공정하고 엄중하게 하는 일을 이르는 말

신언서판(身言書判) 중국 당나라 때에 관리를 선출하던 네 가지 표준. 즉 체모(體貌)의 풍위(豐偉), 언사(言辭)의 변정(辯正), 해법(楷法)의 준미(遵美), 문리(文理)의 우장(優長)을 이름

신체발부(身體髮膚) 몸과 머리털과 피부라는 뜻으로, 몸 전체를 이르는 말

신출귀몰(神出鬼沒) 귀신같이 나타났다가 사라진다는 뜻으로, 그 움직임을 쉽게 알 수 없을 만큼 자유자재로 나타나고 사라짐을 비유적으로 이르는 말

신토불이(身土不二) 몸과 땅은 둘이 아니고 하나라는 뜻으로, 자기가 사는 땅에서 산출한 농산물이라야 체질에 잘 맞음을 이르는 말

실사구시(實事求是) 사실에 토대를 두어 진리를 탐구하는 일. 공리공론을 떠나서 정확한 고증을 바탕으로 하는 과학적·객관적 학문 태도를 이른 것으로, 중국 청나라 고증학의 학문 태도에서 볼 수 있음. 조선 시대 실학파의 학문에 큰 영향을 주었음

심사숙고(深思熟考) 깊이 잘 생각함
㊒ 심사숙려(深思熟慮)

심산유곡(深山幽谷) 깊은 산속의 으슥한 골짜기

심심상인(心心相印) 말없이 마음과 마음으로 뜻을 전함

십벌지목(十伐之木) 열 번 찍어 베는 나무라는 뜻으로, 열 번 찍어 안 넘어가는 나무가 없음을 이르는 말

십시일반(十匙一飯) 밥 열 술이 한 그릇이 된다는 뜻으로, 여러 사람이 조금씩 힘을 합하면 한 사람을 돕기 쉬움을 이르는 말

십중팔구(十中八九) 열 가운데 여덟이나 아홉 정도로 거의 대부분이거나 거의 틀림없음

ㅇ

아비규환(阿鼻叫喚) 여러 사람이 비참한 지경에 빠져 울부짖는 참상을 비유적으로 이르는 말

아유구용(阿諛苟容) 남에게 아첨하여 구차스럽게 굶. 또는 그런 행동

아전인수(我田引水) 자기 논에 물 대기라는 뜻으로, 자기에게만 이롭게 되도록 생각하거나 행동함을 이르는 말

악전고투(惡戰苦鬪) 매우 어려운 조건을 무릅쓰고 힘을 다하여 고생스럽게 싸움

안고수비(眼高手卑) 눈은 높으나 솜씨는 서투르다는 뜻으로, 이상만 높고 실천이 따르지 못함을 이르는 말

안분지족(安分知足) 편안한 마음으로 제 분수를 지키며 만족할 줄을 앎

안빈낙도(安貧樂道) 가난한 생활을 하면서도 편안한 마음으로 도를 즐겨 지킴

안하무인(眼下無人) 눈 아래에 사람이 없다는 뜻으로, 방자하고 교만하여 다른 사람을 업신여김을 이르는 말

암중모색(暗中摸索) 물건 따위를 어둠 속에서 더듬어 찾음

암향부동(暗香浮動) 그윽한 향기가 은은히 떠돎

애걸복걸(哀乞伏乞) 소원 따위를 들어 달라고 애처롭게 사정하며 간절히 빎

애매모호(曖昧模糊) 말이나 태도 따위가 희미하고 흐려 분명하지 아니함

애이불비(哀而不悲) 슬프지만 겉으로는 슬픔을 나타내지 아니함

애지중지(愛之重之) 매우 사랑하고 소중히 여기는 모양

약육강식(弱肉强食) 약한 자가 강한 자에게 먹힌다는 뜻으로, 강한 자가 약한 자를 희생시켜서 번영하거나, 약한 자가 강한 자에게 끝내는 멸망됨을 이르는 말

양두구육(羊頭狗肉) 양의 머리를 걸어 놓고 개고기를 판다는 뜻으로, 겉보기만 그럴듯하게 보이고 속은 변변하지 아니함을 이르는 말

양상군자(梁上君子) 들보 위의 군자라는 뜻으로, 도둑을 완곡하게 이르는 말. 『후한서』의 「진식전(陳寔傳)」에 나오는 말

양약고구(良藥苦口) 좋은 약은 입에 쓰다는 뜻으로, 충언(忠言)은 귀에 거슬리나 자신에게 이로움을 이르는 말. 『공자가어』의 「육본편(六本篇)」과 『설원(說苑)』의 「정간편(正諫篇)」에 나오는 말

양자택일(兩者擇一) 둘 중에서 하나를 고름

양호유환(養虎遺患) 범을 길러서 화근을 남긴다는 뜻으로, 화근이 될 것을 길러서 후환을 당하게 됨을 이르는 말

어동육서(魚東肉西) 제사상을 차릴 때에 생선 반찬은 동쪽에 놓고 고기반찬은 서쪽에 놓는 일

어두육미(魚頭肉尾) 물고기는 머리 쪽이 맛이 있고, 짐승 고기는 꼬리 쪽이 맛이 있다는 말

어두일미(魚頭一味) 물고기는 머리 쪽이 그중 맛이 있다는 말

어로불변(魚魯不辨) 어(魚) 자와 노(魯) 자를 구별하지 못한다는 뜻으로, 아주 무식함을 비유적으로 이르는 말

어부지리(漁父之利) 두 사람이 이해관계로 서로 싸우는 사이에 엉뚱한 사람이 애쓰지 않고 가로챈 이익을 이르는 말. 도요새가 무명조개의 속살을 먹으려고 부리를 조가비 안에 넣는 순간 무명조개가 껍데기를 꼭 다물고 부리를 안 놔주자, 서로 다투는 틈을 타서 어부가 둘 다 잡아 이익을 얻었다는 데서 유래함
㊌ 어리(漁利), 어인지공(漁人之功)

어불성설(語不成說) 말이 조금도 사리에 맞지 아니함

억조창생(億兆蒼生) 수많은 백성
㊌ 억만지중(億萬之衆)

언감생심(焉敢生心) 어찌 감히 그런 마음을 품을 수 있겠냐는 뜻으로, 전혀 그런 마음이 없었음을 이르는 말

언어도단(言語道斷) 말할 길이 끊어졌다는 뜻으로, 어이가 없어서 말하려 해도 말할 수 없음을 이르는 말

언중유골(言中有骨) 말 속에 뼈가 있다는 뜻으로, 예사로운 말 속에 단단한 속뜻이 들어 있음을 이르는 말

언즉시야(言則是也) 말인즉 옳음

엄처시하(嚴妻侍下) 엄한 아내를 모시는 그 아래라는 뜻으로, 아내에게 쥐여사는 남편의 처지를 놀림조로 이르는 말

여리박빙(如履薄氷) 살얼음을 밟는 것과 같다는 뜻으로, 아슬아슬하고 위험한 일을 비유적으로 이르는 말

여민동락(與民同樂) 임금이 백성과 함께 즐김

여필종부(女必從夫) 아내는 반드시 남편을 따라야 한다는 말

역지사지(易地思之) 처지를 바꾸어서 생각하여 봄

연모지정(戀慕之情) 이성을 사랑하여 간절히 그리워하는 마음

연목구어(緣木求魚) 나무에 올라가서 물고기를 구한다는 뜻으로, 도저히 불가능한 일을 굳이 하려 함을 비유적으로 이르는 말

연부역강(年富力强) 나이가 젊고 기력이 왕성함

연전연승(連戰連勝) 싸울 때마다 연달아 이김

연하고질(煙霞痼疾) 자연의 아름다운 경치를 몹시 사랑하고 즐기는 성벽(性癖)

연하일휘(煙霞日輝) 안개와 노을과 빛나는 햇살이라는 뜻으로, 아름다운 자연 경치를 비유적으로 이르는 말

염량세태(炎涼世態) 세력이 있을 때는 아첨하여 따르고 세력이 없어지면 푸대접하는 세상인심을 비유적으로 이르는 말

염화미소(拈華微笑) 말로 통하지 아니하고 마음에서 마음으로 전하는 일. 석가모니가 영산회(靈山會)에서 연꽃 한 송이를 대중에게 보이자 마하가섭만이 그 뜻을 깨닫고 미소 지으므로 그에게 불교의 진리를 주었다고 하는 데서 유래함
㊌ 염화시중(拈華示衆)

오곡백과(五穀百果) 온갖 곡식과 과실

오리무중(五里霧中) 오 리나 되는 짙은 안개 속에 있다는 뜻으로, 무슨 일에 대하여 방향이나 갈피를 잡을 수 없음을 이르는 말. 『후한서』의 「장해전(張楷傳)」에 나오는 말

오만무례(傲慢無禮) 태도나 행동이 건방지거나 거만하여 예의(禮義)를 지키지 아니하는 데가 있음

오매불망(寤寐不忘) 자나 깨나 잊지 못함

오비삼척(吾鼻三尺) 내 코가 석 자라는 뜻으로, 자기 사정이 급하여 남을 돌볼 겨를이 없음을 이르는 말

오비이락(烏飛梨落) 까마귀 날자 배 떨어진다는 뜻으로, 아무 관계도 없이 한 일이 공교롭게도 때가 같아 억울하게 의심을 받거나 난처한 위치에 서게 됨을 이르는 말

오비토주(烏飛兎走) '오(烏)'는 해, '토(兎)'는 달을 뜻하는 데서, 세월이 빨리 흘러감을 이르는 말

오상고절(傲霜孤節) 서릿발이 심한 속에서도 굴하지 아니하고 외로이 지키는 절개라는 뜻으로, '국화'(菊花)를 이르는 말

오월동주(吳越同舟) 서로 적의를 품은 사람들이 한자리에 있게 된 경우나 서로 협력하여야 하는 상황을 비유적으로 이르는 말. 중국 춘추 전국 시대에, 서로 적대시하는 오나라 사람과 월나라 사람이 같은 배를 탔으나 풍랑을 만나서 서로 단합하여야 했다는 데에서 유래함. 출전은 『손자(孫子)』의 「구지편(九地篇)」

오합지졸(烏合之卒) 까마귀가 모인 것처럼 질서가 없이 모인 병졸이라는 뜻으로, 임시로 모여들어서 규율이 없고 무질서한 병졸 또는 군중을 이르는 말

옥골선풍(玉骨仙風) 살빛이 희고 고결하여 신선과 같은 풍채

옥석구분(玉石俱焚) 옥이나 돌이 모두 다 불에 탄다는 뜻으로, 옳은 사람이나 그른 사람이 구별 없이 모두 재앙을 받음을 이르는 말

옥석혼효(玉石混淆) 옥과 돌이 한데 섞여 있다는 뜻으로, 좋은 것과 나쁜 것이 한데 섞여 있음을 이르는 말

온고지신(溫故知新) 옛것을 익히고 그것을 미루어서 새것을 앎. 『논어』의 「위정편(爲政篇)」에 나오는 공자의 말

와각지쟁(蝸角之爭) 달팽이의 더듬이 위에서 싸운다는 뜻으로, 하찮은 일로 벌이는 싸움을 비유적으로 이르는 말. 『장자』의 「칙양편(則陽篇)」에 나오는 말

㊎ 와각저(蝸角觝)

와신상담(臥薪嘗膽) 불편한 섶에 몸을 눕히고 쓸개를 맛본다는 뜻으로, 원수를 갚거나 마음먹은 일을 이루기 위하여 온갖 어려움과 괴로움을 참고 견딤을 비유적으로 이르는 말. 『사기』의 「월세가(越世家)」와 『십팔사략』 등에 나오는 이야기로, 중국 춘추 시대 오나라의 왕 부차(夫差)가 아버지의 원수를 갚기 위하여 장작더미 위에서 잠을 자며 월나라의 왕 구천(句踐)에게 복수할 것을 맹세하였고, 그에게 패배한 월나라의 왕 구천이 쓸개를 핥으면서 복수를 다짐한 데서 유래함

왈가왈부(曰可曰否) 어떤 일에 대하여 옳거니 옳지 아니하거니 하고 말함

㊎ 왈가불가(曰可不可)

외유내강(外柔内剛) 겉으로는 부드럽고 순하게 보이나 속은 곧고 굳셈

요산요수(樂山樂水) 산수(山水)의 자연을 즐기고 좋아함

요조숙녀(窈窕淑女) 말과 행동이 품위가 있으며 얌전하고 정숙한 여자

요지부동(搖之不動) 흔들어도 꼼짝하지 아니함

용두사미(龍頭蛇尾) 용의 머리와 뱀의 꼬리라는 뜻으로, 처음은 왕성하나 끝이 부진한 현상을 이르는 말

용반호거(龍蟠虎踞) 용이 서리고 범이 웅크린 듯한 웅장한 산세를 비유적으로 이르는 말

용사비등(龍蛇飛騰) 용이 살아 움직이는 것같이 아주 활기 있는 필력을 비유적으로 이르는 말

용의주도(用意周到) 꼼꼼히 마음을 써서 일에 빈틈이 없음

용전여수(用錢如水) 돈을 물처럼 흔하게 씀

용호상박(龍虎相搏) 용과 범이 서로 싸운다는 뜻으로, 강자끼리 서로 싸움을 이르는 말

㊎ 양웅상쟁(兩雄相爭)

우공이산(愚公移山) 우공이 산을 옮긴다는 뜻으로, 어떤 일이든 끊임없이 노력하면 반드시 이루어짐을 이르는 말. 우공(愚公)이라는 노인이 집을 가로막은 산을 옮기려고 대대로 산의 흙을 파서 나르겠다고 하여 이에 감동한 하느님이 산을 옮겨 주었다는 데서 유래함. 『열자(列子)』의 「탕문편(湯問篇)」에 나오는 말

우부우부(愚夫愚婦) 어리석은 남자와 어리석은 여자를 아울러 이르는 말

우순풍조(雨順風調) 비가 때맞추어 알맞게 내리고 바람이 고르게 분다는 뜻으로, 농사에 알맞게 기후가 순조로움을 이르는 말

우여곡절(迂餘曲折) 뒤얽혀 복잡하여진 사정

우왕좌왕(右往左往) 이리저리 왔다 갔다 하며 일이나 나아가는 방향을 종잡지 못함

우유부단(優柔不斷) 어물어물 망설이기만 하고 결단성이 없음

우이독경(牛耳讀經) 쇠귀에 경 읽기라는 뜻으로, 아무리 가르치고 일러 주어도 알아듣지 못함을 이르는 말

우화등선(羽化登仙) 사람의 몸에 날개가 돋아 하늘로 올라가 신선이 됨. 『진서(晉書)』의 「허매편(許邁篇)」에 나오는 말

우후죽순(雨後竹筍) 비가 온 뒤에 여기저기 솟는 죽순이라는 뜻으로, 어떤 일이 한때에 많이 생겨남을 비유적으로 이르는 말

욱일승천(旭日昇天) 아침 해가 하늘에 떠오름. 또는 그런 기세

운상기품(雲上氣稟) 세속됨을 벗어난 고상한 기질과 성품

원교근공(遠交近攻) 먼 나라와 친교를 맺고 가까운 나라를 공격함. 중국 전국 시대의 외교 정책으로, 『사기』의 「범저채택전(范雎蔡澤傳)」에 나오는 말

원화소복(遠禍召福) 화를 물리치고 복을 불러들임

월하빙인(月下氷人) 월하노인(月下老人)과 빙상인(氷上人)이라는 뜻으로, 중매를 하는 사람을 이르는 말

위기일발(危機一髮) 여유가 조금도 없이 몹시 절박한 순간

위편삼절(韋編三絕) 공자가 주역을 즐겨 읽어 책의 가죽끈이 세 번이나 끊어졌다는 뜻으로, 책을 열심히 읽음을 이르는 말. 『사기』의 「공자세가(孔子世家)」에서 유래함

유구무언(有口無言) 입은 있어도 말은 없다는 뜻으로, 변명할 말이 없거나 변명을 못함을 이르는 말

유만부동(類萬不同) 비슷한 것이 많으나 서로 같지는 아니함

유명무실(有名無實) 이름만 그럴듯하고 실속은 없음

유방백세(流芳百世) 꽃다운 이름이 후세에 길이 전함

유비무환(有備無患) 미리 준비가 되어 있으면 걱정할 것이 없음. 『서경』의 「열명편」에 나오는 말

유상무상(有象無象) 우주에 존재하는 모든 물체

유시무종(有始無終) 처음은 있되 끝이 없다는 뜻으로, 시작한 일의 마무리를 하지 아니함을 이르는 말

유시유종(有始有終) 처음도 있고 끝도 있다는 뜻으로, 시작한 일을 끝까지 마무리함을 이르는 말

유아독존(唯我獨尊) 세상에서 자기 혼자 잘났다고 뽐내는 태도

유언비어(流言蜚語) 아무 근거 없이 널리 퍼진 소문

유유상종(類類相從) 같은 무리끼리 서로 사귐

유유자적(悠悠自適) 속세를 떠나 아무 속박 없이 조용하고 편안하게 삶

유종지미(有終之美) 한번 시작한 일을 끝까지 잘하여 끝맺음이 좋음

은감불원(殷鑑不遠) 거울삼아 경계하여야 할 전례(前例)는 가까이 있다는 뜻으로, 다른 사람의 실패를 자신의 거울로 삼으라는 말. 『시경』의 「탕편(蕩篇)」에 나오는 말

은인자중(隱忍自重) 마음속에 감추어 참고 견디면서 몸가짐을 신중하게 행동함

을축갑자(乙丑甲子) 육십갑자에서 갑자 다음에 을축이 오게 되어 있는데 을축이 먼저 왔다는 뜻으로, 무슨 일이 제대로 되지 아니하고 순서가 뒤바뀜을 이르는 말

음담패설(淫談悖說) 음탕하고 덕의에 벗어나는 상스러운 이야기

음덕양보(陰德陽報) 남이 모르게 덕행을 쌓은 사람은 뒤에 그 보답을 받게 됨을 이르는 말

음풍농월(吟風弄月) 맑은 바람과 밝은 달을 대상으로 시를 짓고 흥취를 자아내어 즐겁게 놂

읍참마속(泣斬馬謖) 큰 목적을 위하여 자기가 아끼는 사람을 버림을 이르는 말. 『삼국지』의 「마속전(馬謖傳)」에 나오는 말로, 중국 촉나라 제갈량이 군령을 어기어 가정(街亭) 싸움에서 패한 마속을 눈물을 머금고 참형에 처하였다는 데서 유래함

의기소침(意氣銷沈) 기운이 없어지고 풀이 죽음

의기양양(意氣揚揚) 뜻한 바를 이루어 만족한 마음이 얼굴에 나타난 모양

의기충천(意氣衝天) 의지와 기개가 하늘을 찌를 듯함

의미심장(意味深長) 뜻이 매우 깊음

이구동성(異口同聲) 입은 다르나 목소리는 같다는 뜻으로, 여러 사람의 말이 한결같음을 이르는 말

이실직고(以實直告) 사실 그대로 고함

이심전심(以心傳心) 마음과 마음으로 서로 뜻이 통함. 『전등록』에 나오는 말로, 원래는 불교의 법통을 계승할 때에 쓰였음

이열치열(以熱治熱) 열은 열로써 다스림. 곧 열이 날 때에 땀을 낸다든지, 더위를 뜨거운 차를 마셔서 이긴다든지, 힘은 힘으로 물리친다는 따위를 이를 때에 흔히 쓰는 말

이용후생(利用厚生) 기구를 편리하게 쓰고 먹을 것과 입을 것을 넉넉하게 하여, 국민의 생활을 나아지게 함

이이제이(以夷制夷) 오랑캐를 이용하여 오랑캐를 제어함. 한 세력을 이용하여 다른 세력을 제어하는 것
유 이이공이(以夷攻夷)

이전투구(泥田鬪狗) 진흙탕에서 싸우는 개라는 뜻으로, 강인한 성격의 함경도 사람을 이르는 말

이합집산(離合集散) 헤어졌다가 만나고 모였다가 흩어짐

인과응보(因果應報) 전생에 지은 선악에 따라 현재의 행과 불행이 있고, 현세에서의 선악의 결과에 따라 내세에서 행과 불행이 있는 일

인면수심(人面獸心) 사람의 얼굴을 하고 있으나 마음은 짐승과 같다는 뜻으로, 마음이나 행동이 몹시 흉악함을 이르는 말

인명재천(人命在天) 사람의 목숨은 하늘에 달려 있다는 뜻으로, 목숨의 길고 짧음은 사람의 힘으로 어쩔 수 없음을 이르는 말

인비목석(人非木石) 사람은 목석이 아니라는 뜻으로, 사람은 누구나 감정과 분별력을 가지고 있음을 이르는 말

인사불성(人事不省) 제 몸에 벌어지는 일을 모를 만큼 정신을 잃은 상태

인인성사(因人成事) 어떤 일을 자기 혼자의 힘으로 이루지 못하고 남의 힘을 얻어 이룸

인자무적(仁者無敵) 어진 사람은 남에게 덕을 베풂으로써 모든 사람의 사랑을 받기에 모든 사람이 사랑하므로 세상에 적이 없음

인지상정(人之常情) 사람이면 누구나 가지는 보통의 마음

일거양득(一擧兩得) 한 가지 일을 하여 두 가지 이익을 얻음
유 일석이조(一石二鳥)

일거일동(一擧一動) 하나하나의 동작이나 움직임

일기당천(一騎當千) 한 사람의 기병이 천 사람을 당한다는 뜻으로, 싸우는 능력이 아주 뛰어남을 이르는 말

일도양단(一刀兩斷) 칼로 무엇을 대번에 쳐서 두 도막을 냄

일망무제(一望無際) 한눈에 바라볼 수 없을 정도로 아득하게 멀고 넓어서 끝이 없음

일망타진(一網打盡) 한 번 그물을 쳐서 고기를 다 잡는다는 뜻으로, 어떤 무리를 한꺼번에 모조리 다 잡음을 이르는 말. 『송사(宋史)』의 「범순인전(范純仁傳)」에 나오는 말

일맥상통(一脈相通) 사고방식, 상태, 성질 따위가 서로 통하거나 비슷해짐

일명경인(一鳴驚人) 한번 시작하면 사람을 놀랠 정도의 대사업을 이룩함을 이르는 말. 중국 춘추 전국 시대의 제나라 순우곤(淳于髡)이 새를 통하여 위왕(威王)을 간한 데서 유래함

일목요연(一目瞭然) 한 번 보고 대번에 알 수 있을 만큼 분명하고 뚜렷함

일벌백계(一罰百戒) 한 사람을 벌주어 백 사람을 경계한다는 뜻으로, 다른 사람들에게 경각심을 불러일으키기 위하여 본보기로 한 사람에게 엄한 처벌을 하는 일을 이르는 말

일사불란(一絲不亂) 한 오리 실도 엉키지 아니함이란 뜻으로, 질서가 정연하여 조금도 흐트러지지 아니함을 이르는 말

일사천리(一瀉千里) 강물이 빨리 흘러 천 리를 간다는 뜻으로, 어떤 일이 거침없이 빨리 진행됨을 이르는 말

일석이조(一石二鳥) 돌 한 개를 던져 새 두 마리를 잡는다는 뜻으로, 동시에 두 가지 이득을 봄을 이르는 말
유 일거양득(一擧兩得)

일어탁수(一魚濁水) 한 마리의 물고기가 물을 흐린다는 뜻으로, 한 사람의 잘못으로 여러 사람이 피해를 입게 됨을 이르는 말

일언반구(一言半句) 한 마디 말과 반 구절이라는 뜻으로, 아주 짧은 말을 이르는 말
유 일언반사(一言半辭)

일언지하(一言之下) 한 마디로 잘라 말함. 또는 두말할 나위 없음

일엽편주(一葉片舟) 한 척의 조그마한 배

일일삼추(一日三秋) 하루가 삼 년 같다는 뜻으로, 몹시 애태우며 기다림을 이르는 말

일자무식(一字無識) 글자를 한 자도 모를 정도로 무식함
유 목불식정(目不識丁)

일자천금(一字千金) 글자 하나의 값이 천금의 가치가 있다는 뜻으로, 글씨나 문장이 아주 훌륭함을 이르는 말. 중국 진(秦)나라 여불위가 『여씨춘추』를 지어 센양(咸陽)의 성문에 놓아두고, 내용 가운데 한 글자라도 첨삭(添削)하는 사람이 있다면 천금을 주겠다고 한 데서 유래함

일장춘몽(一場春夢) 한바탕의 봄꿈이라는 뜻으로, 헛된 영화나 덧없는 일을 비유적으로 이르는 말

일진광풍(一陣狂風) 한바탕 몰아치는 사나운 바람

일진월보(日進月步) 나날이 다달이 계속하여 진보·발전함

일진일퇴(一進一退) 한 번 앞으로 나아갔다 한 번 뒤로 물러섰다 함

일촉즉발(一觸卽發) 한 번 건드리기만 해도 폭발할 것같이 몹시 위급한 상태

일촌광음(一寸光陰) 매우 짧은 동안의 시간

일취월장(日就月將) 나날이 다달이 자라거나 발전함

일파만파(一波萬波) 하나의 물결이 연쇄적으로 많은 물결을 일으킨다는 뜻으로, 한 사건이 그 사건에 그치지 아니하고 잇따라 많은 사건으로 번짐을 이르는 말

일패도지(一敗塗地) 싸움에 한 번 패하여 간과 뇌가 땅바닥에 으깨어진다는 뜻으로, 여지없이 패하여 다시 일어날 수 없게 되는 지경에 이름을 이르는 말. 한 고조 유방의 말로서 『사기』의 「고조본기(高祖本紀)」에 나오는 말

일편단심(一片丹心) 한 조각의 붉은 마음이라는 뜻으로, 진심에서 우러나오는 변치 아니하는 마음을 이르는 말

일필휘지(一筆揮之) 글씨를 단숨에 죽 내리 씀

일확천금(一攫千金) 단번에 천금을 움켜쥔다는 뜻으로, 힘들이지 아니하고 단번에 많은 재물을 얻음을 이르는 말

일희일비(一喜一悲) 한편으로는 기뻐하고 한편으로는 슬퍼함. 또는 기쁨과 슬픔이 번갈아 일어남

임갈굴정(臨渴掘井) 목이 말라야 우물을 판다는 뜻으로, 평소에 준비 없이 있다가 일을 당하여 허둥지둥 서두름을 이르는 말

임기응변(臨機應變) 그때그때 처한 사태에 맞추어 즉각 그 자리에서 결정하거나 처리함

임시변통(臨時變通) 갑자기 터진 일을 우선 간단하게 둘러맞추어 처리함
유 임시방편(臨時方便)

입추지지(立錐之地) 송곳 하나 세울 만한 땅이란 뜻으로, 매우 좁아 조금의 여유도 없음을 이르는 말

ㅈ

자가당착(自家撞着) 같은 사람의 말이나 행동이 앞뒤가 서로 맞지 아니하고 모순됨

자강불식(自强不息) 스스로 힘써 몸과 마음을 가다듬어 쉬지 아니함

자격지심(自激之心) 자기가 한 일에 대하여 스스로 미흡하게 여기는 마음

자고현량(刺股懸梁) 태만함을 극복하고 열심히 공부함을 이르는 말. 중국 전국 시대의 소진(蘇秦)은 졸음이 오면 송곳으로 허벅다리를 찌르고, 초나라의 손경(孫敬)은 머리카락을 새끼로 묶어 대들보에 매달아 졸음을 쫓았다는 데서 유래함
㊉ 자고(刺股)

자수성가(自手成家) 물려받은 재산이 없이 자기 혼자의 힘으로 집안을 일으키고 재산을 모음

자승자박(自繩自縛) 자기의 줄로 자기 몸을 옭아 묶는다는 뜻으로, 자기가 한 말과 행동에 자기 자신이 옭혀 곤란하게 됨을 비유적으로 이르는 말

자업자득(自業自得) 자기가 저지른 일의 결과를 자기가 받음

자중지란(自中之亂) 같은 편끼리 하는 싸움

자초지종(自初至終) 처음부터 끝까지의 과정

자포자기(自暴自棄) 절망에 빠져 자신을 스스로 포기하고 돌아보지 아니함

자화자찬(自畵自讚) 자기가 그린 그림을 스스로 칭찬한다는 뜻으로, 자기가 한 일을 스스로 자랑함을 이르는 말

작심삼일(作心三日) 단단히 먹은 마음이 사흘을 가지 못한다는 뜻으로, 결심이 굳지 못함을 이르는 말

장삼이사(張三李四) 장씨(張氏)의 셋째 아들과 이씨(李氏)의 넷째 아들이라는 뜻으로, 이름이나 신분이 특별하지 아니한 평범한 사람들을 이르는 말

재승덕박(才勝德薄) 재주는 뛰어나지만 덕이 적음

재자가인(才子佳人) 재주 있는 남자와 아름다운 여자를 아울러 이르는 말

적반하장(賊反荷杖) 도둑이 도리어 매를 든다는 뜻으로, 잘못한 사람이 아무 잘못도 없는 사람을 나무람을 이르는 말

적수공권(赤手空拳) 맨손과 맨주먹이라는 뜻으로, 아무것도 가진 것이 없음을 이르는 말

적재적소(適材適所) 알맞은 인재를 알맞은 자리에 씀. 또는 그런 자리

적진성산(積塵成山) 작거나 적은 것도 쌓이면 크게 되거나 많아짐

전광석화(電光石火) 번갯불이나 부싯돌의 불이 번쩍거리는 것과 같이 매우 짧은 시간이나 매우 재빠른 움직임 따위를 비유적으로 이르는 말

전대미문(前代未聞) 이제까지 들어 본 적이 없음

전도양양(前途洋洋) 앞날이 희망차고 전망이 밝음

전도요원(前途遙遠) 가야 할 길이 아득히 멂

전도유망(前途有望) 앞으로 잘될 희망이 있음

전무후무(前無後無) 이전에도 없었고 앞으로도 없음

전인미답(前人未踏) 이제까지 그 누구도 가 보지 못함

전전긍긍(戰戰兢兢) 몹시 두려워서 벌벌 떨며 조심함. 『시경』의 「소민편(小旻篇)」에서 유래함

전전반측(輾轉反側) 누워서 몸을 이리저리 뒤척이며 잠을 이루지 못함

전화위복(轉禍爲福) 재앙과 근심, 걱정이 바뀌어 오히려 복이 됨

절차탁마(切磋琢磨) 옥이나 돌 따위를 갈고 닦아서 빛을 낸다는 뜻으로, 부지런히 학문과 덕행을 닦음을 이르는 말. 『시경』의 「기오편(淇澳篇)」과 『논어』의 「학이편(學而篇)」에 나오는 말

절치부심(切齒腐心) 몹시 분하여 이를 갈며 속을 썩임

점입가경(漸入佳境) 들어갈수록 점점 재미가 있음

정문일침(頂門一鍼) 정수리에 침을 놓는다는 뜻으로, 따끔한 충고나 교훈을 이르는 말

제행무상(諸行無常) 우주의 모든 사물은 늘 돌고 변하여 한 모양으로 머물러 있지 아니함

조강지처(糟糠之妻) 지게미와 쌀겨로 끼니를 이을 때의 아내라는 뜻으로, 몹시 가난하고 천할 때에 고생을 함께 겪어 온 아내를 이르는 말. 『후한서』의 「송홍전(宋弘傳)」에 나오는 말

조령모개(朝令暮改) 아침에 명령을 내렸다가 저녁에 다시 고친다는 뜻으로, 법령을 자꾸 고쳐서 갈피를 잡기가 어려움을 이르는 말. 『사기』의 「평준서(平準書)」에 나오는 말

조문석사(朝聞夕死) 아침에 참된 이치를 들어 깨달으면 저녁에 죽어도 한이 될 것이 없다는 말. 『논어』의 「이인편(里仁篇)」에 나오는 말

조반석죽(朝飯夕粥) 아침에는 밥을 먹고, 저녁에는 죽을 먹는다는 뜻으로, 몹시 가난한 살림을 이르는 말

조변석개(朝變夕改) 아침저녁으로 뜯어고친다는 뜻으로, 계획이나 결정 따위를 일관성이 없이 자주 고침을 이르는 말

조삼모사(朝三暮四) 간사한 꾀로 남을 속여 희롱함을 이르는 말. 중국 송나라의 저공(狙公)의 고사로, 먹이를 아침에 세 개, 저녁에 네 개씩 주겠다는 말에는 원숭이들이 적다고 화를 내더니 아침에 네 개, 저녁에 세 개씩 주겠다는 말에는 좋아하였다는 데서 유래함
㊉ 조삼(朝三)

조율이시(棗栗梨柿) 제사에 흔히 쓰는 대추, 밤, 배, 감 따위의 과실

조족지혈(鳥足之血) 새 발의 피라는 뜻으로, 매우 적은 분량을 비유적으로 이르는 말

종횡무진(縱橫無盡) 자유자재로 행동하여 거침이 없는 상태

좌고우면(左顧右眄) 이쪽저쪽을 돌아본다는 뜻으로, 앞뒤를 재고 망설임을 이르는 말

좌불안석(坐不安席) 앉아도 자리가 편안하지 않다는 뜻으로, 마음이 불안하거나 걱정스러워서 한군데에 가만히 앉아 있지 못하고 안절부절못하는 모양을 이르는 말

좌정관천(坐井觀天) 우물 속에 앉아서 하늘을 본다는 뜻으로, 사람의 견문(見聞)이 매우 좁음을 이르는 말

좌지우지(左之右之) 이리저리 제 마음대로 휘두르거나 다룸

좌충우돌(左衝右突) 이리저리 마구 찌르고 부딪침
유 동충서돌(東衝西突)

주객일체(主客一體) 주체와 객체가 하나가 됨

주객전도(主客顚倒) 주인과 손의 위치가 서로 뒤바뀐다는 뜻으로, 사물의 경중·선후·완급 따위가 서로 뒤바뀜을 이르는 말

주경야독(晝耕夜讀) 낮에는 농사짓고, 밤에는 글을 읽는다는 뜻으로, 어려운 여건 속에서도 꿋꿋이 공부함을 이르는 말

주마가편(走馬加鞭) 달리는 말에 채찍질한다는 뜻으로, 잘하는 사람을 더욱 장려함을 이르는 말

주마간산(走馬看山) 말을 타고 달리며 산천을 구경한다는 뜻으로, 자세히 살피지 아니하고 대충대충 보고 지나감을 이르는 말

주지육림(酒池肉林) 술로 연못을 이루고 고기로 숲을 이룬다는 뜻으로, 호사스러운 술잔치를 이르는 말. 중국 은나라 주왕이 못을 파 술을 채우고 숲의 나뭇가지에 고기를 걸어 잔치를 즐겼던 일에서 유래함

죽마고우(竹馬故友) 대말을 타고 놀던 벗이라는 뜻으로, 어릴 때부터 같이 놀며 자란 벗

죽장망혜(竹杖芒鞋) 대지팡이와 짚신이란 뜻으로, 먼 길을 떠날 때의 아주 간편한 차림새를 이르는 말

중과부적(衆寡不敵) 적은 수효로 많은 수효를 대적하지 못함

중구난방(衆口難防) 뭇사람의 말을 막기가 어렵다는 뜻으로, 막기 어려울 정도로 여럿이 마구 지껄임을 이르는 말

중구삭금(衆口鑠金) 뭇사람의 말은 쇠도 녹인다는 뜻으로, 여론의 힘이 큼을 이르는 말

지기지우(知己之友) 자기의 속마음을 참되게 알아주는 친구

지동지서(之東之西) 동쪽으로도 가고 서쪽으로도 간다는 뜻으로, 뚜렷한 목적 없이 이리저리 갈팡질팡함을 이르는 말

지란지교(芝蘭之交) 지초(芝草)와 난초(蘭草)의 교제라는 뜻으로, 벗 사이의 맑고도 고귀한 사귐을 이르는 말

지록위마(指鹿爲馬) 윗사람을 농락하여 권세를 마음대로 함을 이르는 말. 중국 진(秦)나라의 조고(趙高)가 자신의 권세를 시험하여 보고자 황제 호해(胡亥)에게 사슴을 가리키며 말이라고 한 데서 유래함

지리멸렬(支離滅裂) 이리저리 흩어지고 찢기어 갈피를 잡을 수 없음

지지부진(遲遲不進) 매우 더디어서 일 따위가 잘 진척되지 아니함

지호지간(指呼之間) 손짓하여 부를 만큼 가까운 거리

진수성찬(珍羞盛饌) 푸짐하게 잘 차린 맛있는 음식

진퇴양난(進退兩難) 이러지도 저러지도 못하는 어려운 처지
유 진퇴유곡(進退維谷)

진충보국(盡忠報國) 충성을 다하여서 나라의 은혜를 갚음

ㅊ

차일피일(此日彼日) 이날 저 날 하고 자꾸 기한을 미루는 모양

창해일속(滄海一粟) 넓고 큰 바닷속의 좁쌀 한 알이라는 뜻으로, 아주 많거나 넓은 것 가운데 있는 매우 하찮고 작은 것을 이르는 말. 중국 북송의 문인 소식의 「전적벽부(前赤壁賦)」에 나오는 말

천고마비(天高馬肥) 하늘이 높고 말이 살찐다는 뜻으로, 하늘이 맑아 높푸르게 보이고 온갖 곡식이 익는 가을철을 이르는 말

천고만난(千苦萬難) 천 가지의 괴로움과 만 가지의 어려움이라는 뜻으로, 온갖 고난을 이르는 말

천려일득(千慮一得) 천 번을 생각하여 하나를 얻는다는 뜻으로, 어리석은 사람이라도 많은 생각을 하면 그 과정에서 한 가지쯤은 좋은 것이 나올 수 있음을 이르는 말
반 천려일실(千慮一失)

천려일실(千慮一失) 천 번 생각에 한 번 실수라는 뜻으로, 슬기로운 사람이라도 여러 가지 생각 가운데에는 잘못되는 것이 있을 수 있음을 이르는 말

천방지축(天方地軸) 못난 사람이 종작없이 덤벙이는 일

천생배필(天生配匹) 하늘에서 미리 정하여 준 배필이라는 뜻으로, 나무랄 데 없이 신통히 꼭 알맞은 한 쌍의 부부를 이르는 말
유 천정배필(天定配匹), 천생연분(天生緣分)

천신만고(千辛萬苦) 천 가지 매운 것과 만 가지 쓴 것이라는 뜻으로, 온갖 어려운 고비를 다 겪으며 심하게 고생함을 이르는 말

천애지각(天涯地角) 하늘의 끝이 닿은 곳과 땅의 한 귀퉁이라는 뜻으로, 서로 멀리 떨어져 있음을 이르는 말

천양지차(天壤之差) 하늘과 땅 사이와 같이 엄청난 차이

천우신조(天佑神助) 하늘이 돕고 신령이 도움. 또는 그런 일

천은망극(天恩罔極) 임금의 은혜가 한없이 두터움

천읍지애(天泣地哀) 하늘이 울고 땅이 슬퍼한다는 뜻으로, 온 세상이 다 슬퍼함을 이르는 말

천의무봉(天衣無縫) 천사의 옷은 꿰맨 흔적이 없다는 뜻으로, 일부러 꾸민 데 없이 자연스럽고 아름다우면서 완전함을 이르는 말. 『태평광기』의 곽한(郭翰)의 이야기에 나오는 말로, 주로 시가(詩歌)나 문장에 대하여 이르는 말

천인공노(天人共怒) 하늘과 사람이 함께 노한다는 뜻으로, 누구나 분노할 만큼 증오스럽거나 도저히 용납할 수 없음을 이르는 말

천자만홍(千紫萬紅) 울긋불긋한 여러 가지 꽃의 빛깔. 또는 그런 빛깔의 꽃

천재일우(千載一遇) 천 년 동안 단 한 번 만난다는 뜻으로, 좀처럼 만나기 어려운 좋은 기회를 이르는 말

천재지변(天災地變) 지진, 홍수, 태풍 따위의 자연 현상으로 인한 재앙

천정부지(天井不知) 천장을 알지 못한다는 뜻으로, 물가 따위가 한없이 오르기만 함을 비유적으로 이르는 말

천지신명(天地神明) 천지의 조화를 주재하는 온갖 신령

천진난만(天眞爛漫) 말이나 행동에 아무런 꾸밈이 없이 그대로 나타날 만큼 순진하고 천진함

천진무구(天眞無垢) 조금도 때 묻음이 없이 아주 순진함

천차만별(千差萬別) 여러 가지 사물이 모두 차이가 있고 구별이 있음

천촌만락(千村萬落) 수많은 촌락

천편일률(千篇一律) 여러 시문의 격조(格調)가 모두 비슷하여 개별적 특성이 없음

천하무적(天下無敵) 세상에 겨룰 만한 적수가 없음

천하태평(天下泰平) 온 세상이 태평함. 걱정이나 근심이 없이 아주 평안함

천학비재(淺學菲才) 학문이 얕고 재주가 변변치 않다는 뜻으로, 자기 학식을 겸손하게 이르는 말

철두철미(徹頭徹尾) 처음부터 끝까지 철저하게

철천지수(徹天之讐) 하늘에 사무치도록 한이 맺히게 한 원수

철천지원(徹天之寃) 하늘에 사무치는 크나큰 원한
㊌ 철천지한(徹天之恨)

첩첩산중(疊疊山中) 여러 산이 겹치고 겹친 산속

청렴결백(淸廉潔白) 마음이 맑고 깨끗하며 탐욕이 없음

청산유수(靑山流水) 푸른 산에 흐르는 맑은 물이라는 뜻으로, 막힘없이 썩 잘하는 말을 비유적으로 이르는 말

청운지지(靑雲之志) 높은 지위에 오르고자 하는 욕망

청이불문(聽而不聞) 듣고도 못 들은 체함
㊌ 청약불문(聽若不聞)

청천백일(靑天白日) 하늘이 맑게 갠 대낮

청천벽력(靑天霹靂) 맑게 갠 하늘에서 치는 날벼락이라는 뜻으로, 뜻밖에 일어난 큰 변고나 사건을 비유적으로 이르는 말

청출어람(靑出於藍) 쪽에서 뽑아낸 푸른 물감이 쪽보다 더 푸르다는 뜻으로, 제자나 후배가 스승이나 선배보다 나음을 비유적으로 이르는 말. 『순자(荀子)』의 「권학편(勸學篇)」에 나오는 말

청풍명월(淸風明月) 맑은 바람과 밝은 달

초동급부(樵童汲婦) 땔나무를 하는 아이와 물을 긷는 아낙네라는 뜻으로, 평범한 사람을 이르는 말

초로인생(草露人生) 풀잎에 맺힌 이슬과 같은 인생이라는 뜻으로, 허무하고 덧없는 인생을 비유적으로 이르는 말

초미지급(焦眉之急) 눈썹에 불이 붙었다는 뜻으로, 매우 급함을 이르는 말

초지일관(初志一貫) 처음에 세운 뜻을 끝까지 밀고 나감

촌철살인(寸鐵殺人) 한 치의 쇠붙이로도 사람을 죽일 수 있다는 뜻으로, 간단한 말로도 남을 감동하게 하거나 남의 약점을 찌를 수 있음을 이르는 말

추풍낙엽(秋風落葉) 가을바람에 떨어지는 나뭇잎

춘와추선(春蛙秋蟬) 봄의 개구리와 가을의 매미라는 뜻으로, 쓸모없는 언론을 비유적으로 이르는 말

춘치자명(春雉自鳴) 봄철의 꿩이 스스로 운다는 뜻으로, 제 허물을 제 스스로 드러냄으로써 남이 알게 된다는 말

출가외인(出嫁外人) 시집간 딸은 친정 사람이 아니고 남이나 마찬가지라는 뜻으로 이르는 말

출몰무쌍(出沒無雙) 나타났다 없어졌다 하는 것이 비길 데 없을 만큼 심함

출장입상(出將入相) 나가서는 장수가 되고 들어와서는 재상이 된다는 뜻으로, 문무를 다 갖추어 장상(將相)의 벼슬을 모두 지냄을 이르는 말

충언역이(忠言逆耳) 충직한 말은 귀에 거슬림. 『사기』의 「회남왕전(淮南王傳)」에 나오는 말

취사선택(取捨選擇) 여럿 가운데서 쓸 것은 쓰고 버릴 것은 버림

취생몽사(醉生夢死) 술에 취하여 자는 동안에 꾸는 꿈 속에 살고 죽는다는 뜻으로, 한평생을 아무 하는 일 없이 흐리멍덩하게 살아감을 비유적으로 이르는 말

치인설몽(痴人說夢) 어리석은 사람이 꿈 이야기를 한다는 뜻으로, 허황된 말을 지껄임을 이르는 말

치지도외(置之度外) 마음에 두지 아니함

칠거지악(七去之惡) 예전에, 아내를 내쫓을 수 있는 이유가 되었던 일곱 가지 허물. 시부모에게 불손함, 자식이 없음, 행실이 음탕함, 투기함, 몹쓸 병을 지님, 말이 지나치게 많음, 도둑질을 함 따위

칠보지재(七步之才) 일곱 걸음을 걸을 동안에 시를 지을 만한 재주라는 뜻으로, 아주 뛰어난 글재주를 이르는 말

칠전팔기(七顚八起) 일곱 번 넘어지고 여덟 번 일어난다는 뜻으로, 여러 번 실패하여도 굴하지 아니하고 꾸준히 노력함을 이르는 말

칠전팔도(七顚八倒) 일곱 번 구르고 여덟 번 거꾸러진다는 뜻으로, 수없이 실패를 거듭하거나 매우 심하게 고생함을 이르는 말

칠종칠금(七縱七擒) 마음대로 잡았다 놓아주었다 함을 이르는 말. 중국 촉나라의 제갈량이 맹획(孟獲)을 일곱 번이나 사로잡았다가 일곱 번 놓아주었다는 데서 유래함

침소봉대(針小棒大) 작은 일을 크게 불리어 떠벌림

ㅋ

쾌도난마(快刀亂麻) 잘 드는 칼로 마구 헝클어진 삼 가닥을 자른다는 뜻으로, 어지럽게 뒤얽힌 사물을 강력한 힘으로 명쾌하게 처리함을 이르는 말

ㅌ

타산지석(他山之石) 다른 산의 나쁜 돌이라도 자신의 산의 옥돌을 가는 데에 쓸 수 있다는 뜻으로, 본이 되지 않은 남의 말이나 행동도 자신의 지식과 인격을 수양하는 데에 도움이 될 수 있음을 비유적으로 이르는 말. 『시경』의 「소아(小雅)」에 나오는 말

탁상공론(卓上空論) 현실성이 없는 허황한 이론이나 논의

탐관오리(貪官汚吏) 백성의 재물을 탐내어 빼앗는, 행실이 깨끗하지 못한 관리

태산북두(泰山北斗) 태산(泰山)과 북두칠성을 아울러 이르는 말

토사구팽(兎死狗烹) 토끼가 죽으면 토끼를 잡던 사냥개도 필요 없게 되어 주인에게 삶아 먹히게 된다는 뜻으로, 필요할 때는 쓰고 필요 없을 때는 야박하게 버리는 경우를 이르는 말

토포악발(吐哺握髮) 민심을 수람하고 정무를 보살피기에 잠시도 편안함이 없음을 이르는 말. 중국의 주공이 식사 때나 목욕할 때 내객이 있으면 먹던 것을 뱉고, 감고 있던 머리를 거머쥐고 영접하였다는 데서 유래함

ㅍ

파란만장(波瀾萬丈) 사람의 생활이나 일의 진행이 여러 가지 곡절과 시련이 많고 변화가 심함
㊒ 파란곡절(波瀾曲折)

파사현정(破邪顯正) 사견(邪見)과 사도(邪道)를 깨고 정법(正法)을 드러냄

파안대소(破顔大笑) 매우 즐거운 표정으로 활짝 웃음

파죽지세(破竹之勢) 대를 쪼개는 기세라는 뜻으로, 적을 거침없이 물리치고 쳐들어가는 기세를 이르는 말. 『진서(晉書)』의 「두예전(杜預傳)」에서 나온 말

팔방미인(八方美人) 어느 모로 보나 아름다운 사람

패가망신(敗家亡身) 집안의 재산을 다 써 없애고 몸을 망침

팽두이숙(烹頭耳熟) 머리를 삶으면 귀까지 익는다는 뜻으로, 한 가지 일이 잘되면 다른 일도 저절로 이루어짐을 비유적으로 이르는 말

평사낙안(平沙落雁) 모래펄에 날아와 앉은 기러기. 아름다운 여인의 맵시 따위를 비유적으로 이르는 말

폐포파립(弊袍破笠) 해어진 옷과 부서진 갓이란 뜻으로, 초라한 차림새를 비유적으로 이르는 말

포복절도(抱腹絶倒) 배를 그러안고 넘어질 정도로 몹시 웃음

포식난의(飽食暖衣) 배부르게 먹고 따뜻하게 입는다는 뜻으로, 의식(衣食)이 넉넉하게 지냄을 이르는 말

포호빙하(暴虎馮河) 맨손으로 범을 때려잡고 걸어서 황허강(黃河江)을 건넌다는 뜻으로, 용기는 있으나 무모함을 이르는 말. 『논어』의 「술이편(述而篇)」에 나온 말

표리부동(表裏不同) 겉으로 드러나는 언행과 속으로 가지는 생각이 다름

풍마우세(風磨雨洗) 바람에 갈리고 비에 씻김

풍수지탄(風樹之嘆) 효도를 다하지 못한 채 어버이를 여읜 자식의 슬픔을 이르는 말

풍월주인(風月主人) 맑은 바람과 밝은 달 따위의 아름다운 자연을 즐기는 사람

풍전등화(風前燈火) 바람 앞의 등불이라는 뜻으로, 사물이 매우 위태로운 처지에 놓여 있음을 비유적으로 이르는 말

풍찬노숙(風餐露宿) 바람을 먹고 이슬에 잠잔다는 뜻으로, 객지에서 많은 고생을 겪음을 이르는 말

피골상접(皮骨相接) 살가죽과 뼈가 맞붙을 정도로 몹시 마름

피차일반(彼此一般) 두 편이 서로 같음

필부지용(匹夫之勇) 깊은 생각 없이 혈기만 믿고 함부로 부리는 소인의 용기. 『맹자』의 「양혜왕(梁惠王) 하편」에 나오는 말

필부필부(匹夫匹婦) 평범한 남녀

필유곡절(必有曲折) 반드시 무슨 까닭이 있음

ㅎ

하석상대(下石上臺) 아랫돌 빼서 윗돌 괴고 윗돌 빼서 아랫돌 괸다는 뜻으로, 임시변통으로 이리저리 둘러맞춤을 이르는 말

학수고대(鶴首苦待) 학의 목처럼 목을 길게 빼고 간절히 기다림

한단지몽(邯鄲之夢) 인생과 영화의 덧없음을 이르는 말. 서기 731년에 노생(盧生)이 한단이란 곳에서 여옹(呂翁)의 베개를 빌려 잠을 잤는데, 꿈속에서 80년 동안 부귀영화를 다 누렸으나 깨어 보니 메조로 밥을 짓는 동안이었다는 데에서 유래함. 심기제(沈旣濟)의 『침중기(枕中記)』에서 나온 말
㊒ 노생지몽(老生之夢)

한단지보(邯鄲之步) 함부로 자기 본분을 버리고 남의 행위를 따라 하면 두 가지 모두 잃는다는 것을 이르는 말. 어떤 사람이 한단이란 도시에 가서 그곳의 걸음걸이를 배우려다 미처 배우지 못하고, 본래의 걸음걸이도 잊어버려 기어서 돌아왔다는 데에서 유래함. 장자(莊子)의 『추수(秋水)』에서 나온 말

한우충동(汗牛充棟) 짐으로 실으면 소가 땀을 흘리고, 쌓으면 들보에까지 찬다는 뜻으로, 가지고 있는 책이 매우 많음을 이르는 말

함구무언(緘口無言) 입을 다물고 아무 말도 하지 아니함

함포고복(含哺鼓腹) 잔뜩 먹고 배를 두드린다는 뜻으로, 먹을 것이 풍족하여 즐겁게 지냄을 이르는 말

해로동혈(偕老同穴) 살아서는 같이 늙고 죽어서는 한 무덤에 묻힌다는 뜻으로, 생사를 같이하자는 부부의 굳은 맹세를 이르는 말. 『시경』에 나오는 말

행운유수(行雲流水) 떠가는 구름과 흐르는 물을 아울러 이르는 말

허심탄회(虛心坦懷) 품은 생각을 터놓고 말할 만큼 아무 거리낌이 없고 솔직함

허장성세(虛張聲勢) 실속은 없으면서 큰소리치거나 허세를 부림

현모양처(賢母良妻) 어진 어머니이면서 착한 아내

현상호의(玄裳縞衣) 검은 치마와 흰 저고리라는 뜻으로, '두루미'를 비유적으로 이르는 말

현하지변(懸河之辯) 물이 거침없이 흐르듯 잘하는 말

혈혈단신(孑孑單身) 의지할 곳이 없는 외로운 홀몸

혈혈무의(孑孑無依) 홀몸으로 의지할 데 없이 외로움

형설지공(螢雪之功) 반딧불·눈과 함께 하는 노력이라는 뜻으로, 고생을 하면서 부지런하고 꾸준하게 공부하는 자세를 이르는 말. 중국 『진서(晉書)』의 「차윤전(車胤傳)」, 「손강전(孫康傳)」에 나오는 말로, 진나라 차윤(車胤)이 반딧불을 모아 그 불빛으로 글을 읽고, 손강(孫康)이 가난하여 겨울밤에는 눈빛에 비추어 글을 읽었다는 고사에서 유래함

호가호위(狐假虎威) 남의 권세를 빌려 위세를 부림. 『전국책』의 「초책(楚策)」에 나오는 말로 여우가 호랑이의 위세를 빌려 호기를 부린다는 데에서 유래함

호구지책(糊口之策) 가난한 살림에서 그저 겨우 먹고살아 가는 방책

호사다마(好事多魔) 좋은 일에는 흔히 방해되는 일이 많음. 또는 그런 일이 많이 생김

호사유피(虎死留皮) 호랑이는 죽어서 가죽을 남긴다는 뜻으로, 사람은 죽어서 명예를 남겨야 함을 이르는 말

호시탐탐(虎視眈眈) 범이 눈을 부릅뜨고 먹이를 노려본다는 뜻으로, 남의 것을 빼앗기 위하여 형세를 살피며 가만히 기회를 엿봄. 또는 그런 모양. 『주역』의 「이괘편(頤卦篇)」에 나오는 말

호언장담(豪言壯談) 호기롭고 자신 있게 말함. 또는 그 말

호연지기(浩然之氣) 하늘과 땅 사이에 가득 찬 넓고 큰 원기. 『맹자』의 상편에 나오는 말

호의호식(好衣好食) 좋은 옷을 입고 좋은 음식을 먹음

호접지몽(胡蝶之夢) 장자가 꿈에 호랑나비가 되어 훨훨 날아다니다가 깨서는, 자기가 꿈에 호랑나비가 되었던 것인지 호랑나비가 꿈에 장자가 되었는지 모르겠다고 한 이야기에서 나온 말

호천망극(昊天罔極) 어버이의 은혜가 넓고 큰 하늘과 같이 다함이 없음을 이르는 말. 주로 부모의 제사에서 축문(祝文)에 쓰는 말임

호형호제(呼兄呼弟) 서로 형이니 아우니 하고 부른다는 뜻으로, 매우 가까운 친구로 지냄을 이르는 말

혹세무민(惑世誣民) 세상을 어지럽히고 백성을 미혹하게 하여 속임

혼비백산(魂飛魄散) 혼백이 어지러이 흩어진다는 뜻으로, 몹시 놀라 넋을 잃음을 이르는 말

혼연일체(渾然一體) 생각, 행동, 의지 따위가 완전히 하나가 됨

혼연일치(渾然一致) 의견이나 주장 따위가 완전히 하나로 일치함

혼정신성(昏定晨省) 밤에는 부모의 잠자리를 보아 드리고 이른 아침에는 부모의 밤새 안부를 묻는다는 뜻으로, 부모를 잘 섬기고 효성을 다함을 이르는 말

홀현홀몰(忽顯忽沒) 문득 나타났다 문득 없어짐

홍동백서(紅東白西) 제사상을 차릴 때에 붉은 과실은 동쪽에 흰 과실은 서쪽에 놓는 일

홍로점설(紅爐點雪) 빨갛게 달아오른 화로 위에 한 송이의 눈을 뿌리면 순식간에 녹아 없어지는 데에서, 도를 깨달아 의혹이 일시에 없어짐을 비유적으로 이르는 말

홍익인간(弘益人間) 널리 인간을 이롭게 함. 단군의 건국 이념으로서 우리나라 정치, 교육, 문화의 최고 이념. 『삼국유사』의 고조선 건국 신화에 나오는 말

화룡점정(畵龍點睛) 무슨 일을 하는 데에 가장 중요한 부분을 완성함을 비유적으로 이르는 말. 용을 그리고 난 후에 마지막으로 눈동자를 그려 넣었더니 그 용이 실제 용이 되어 홀연히 구름을 타고 하늘로 날아 올라갔다는 고사에서 유래함

화사첨족(畵蛇添足) 뱀을 다 그리고 나서 있지도 아니한 발을 덧붙여 그려 넣는다는 뜻으로, 쓸데없는 군짓을 하여 도리어 잘못되게 함을 이르는 말

화서지몽(華胥之夢) 낮잠 또는 좋은 꿈을 이르는 말. 『열자』의 「황제편(黃帝篇)」에 나오는 말로, 고대 중국의 황제가 낮잠을 자다 꿈을 꾸었는데 화서라는 나라에 가서 그 나라의 어진 정치를 보고 깨어나 깊이 깨달았다는 데서 유래함

화용월태(花容月態) 아름다운 여인의 얼굴과 맵시를 이르는 말

화조월석(花朝月夕) 꽃 피는 아침과 달 밝은 밤이라는 뜻으로, 경치가 좋은 시절을 이르는 말

화중지병(畵中之餠) 그림의 떡

화풍난양(和風暖陽) 솔솔 부는 화창한 바람과 따스한 햇볕이라는 뜻으로, 따뜻한 봄 날씨를 이르는 말

환골탈태(換骨奪胎) 뼈대를 바꾸어 끼고 태를 바꾸어 쓴다는 뜻으로, 고인의 시문의 형식을 바꾸어서 그 짜임새와 수법이 먼저 것보다 잘되게 함을 이르는 말. 중국 남송의 승려 혜홍(惠洪)의 「냉재야화」에 나오는 말이다.

환과고독(鰥寡孤獨) 늙어서 아내 없는 사람, 늙어서 남편 없는 사람, 어려서 어버이 없는 사람, 늙어서 자식 없는 사람을 아울러 이르는 말

환호작약(歡呼雀躍) 크게 소리를 지르고 뛰며 기뻐함

황공무지(惶恐無地) 위엄이나 지위 따위에 눌리어 두려워서 몸 둘 데가 없음

황당무계(荒唐無稽) 말이나 행동 따위가 참되지 않고 터무니없음

회빈작주(回賓作主) 손님으로 온 사람이 도리어 주인 행세를 한다는 뜻으로, 어떤 일에 대하여 주장하는 사람을 제쳐 놓고 자기 마음대로 처리함을 이르는 말

회자정리(會者定離) 만난 자는 반드시 헤어짐. 모든 것이 무상함을 나타내는 말

횡설수설(橫說竪說) 조리가 없이 말을 이러쿵저러쿵 지껄임

후생가외(後生可畏) 젊은 후학들을 두려워할 만하다는 뜻으로, 후진들이 선배들보다 젊고 기력이 좋아, 학문을 닦음에 따라 큰 인물이 될 수 있으므로 가히 두렵다는 말. 『논어』의 「자한편(子罕篇)」에 나오는 말

후안무치(厚顔無恥) 뻔뻔스러워 부끄러움이 없음

후회막급(後悔莫及) 이미 잘못된 뒤에 아무리 후회하여도 다시 어찌할 수가 없음

㊒ 회지막급(悔之莫及)

흥진비래(興盡悲來) 즐거운 일이 다하면 슬픈 일이 닥쳐온다는 뜻으로, 세상일은 순환되는 것임을 이르는 말

희로애락(喜怒哀樂) 기쁨과 노여움과 슬픔과 즐거움을 아울러 이르는 말

희색만면(喜色滿面) 기쁜 빛이 얼굴에 가득함

희희낙락(喜喜樂樂) 매우 기뻐하고 즐거워함

한자와 한자어

교수님 코멘트▶ 이 영역에서는 주로 두 글자 한자어, 사자성어와 관련한 문제가 많이 출제된다. 주요 낱글자를 먼저 외우고 두 글자 한자어 위주로 정리해야 한다. 또한 사자성어에 대비하기 위해서는 여러 번 반복 회독하여 사자성어와 그 뜻을 눈에 익숙하게 만들어야 한다.

01

2016 지방직 9급

단어의 밑줄 친 부분의 음이 다른 것은?

① 否認　　② 否定
③ 否決　　④ 否運

02

2022 국가직 9급

한자 표기가 옳지 않은 것은?

① 오늘 협상에서 만족(滿足)할 만한 성과를 거두었다.
② 김 위원의 주장을 듣고 그 의견에 동의하여 재청(再請)했다.
③ 우리 지자체의 해묵은 문제를 해결(解結)할 방안이 생각났다.
④ 다수가 그 의견에 동의하지 않았기에 재론(再論)이 필요하다.

03

2021 지방직 7급

밑줄 친 부분의 한자 표기가 잘못된 것은?

① 이 경기의 승리는 노력의 결과(結果)이다.
② 사상 초유(初有)의 사태 앞에서 한없이 나약했다.
③ 그는 수많은 곡절(曲絕)을 겪은 후 대통령이 되었다.
④ 그 모임은 새로운 변화의 서막(序幕)을 올린 사건이다.

04

2020 국가직 9급

㉠~㉣의 한자 표기로 옳은 것은?

> 과학사를 들춰 보면 기존의 학문 체계에 ㉠ 도전했다가 낭패를 본 인물들의 이야기를 자주 만날 수 있다. 대표적인 인물이 천동설을 부정하고 지동설을 주장한 갈릴레이이다. 천동설을 ㉡ 지지하던 당시의 권력층은 그들의 막강한 힘을 이용하여 갈릴레이를 신의 권위에 도전하는 이단자로 욕하고 목숨까지 위협했다. 갈릴레이가 영원한 ㉢ 침묵을 ㉣ 맹세하지 않고 계속 지동설을 주장했더라면 그는 단두대의 이슬로 사라졌을지도 모른다.

① ㉠ 逃戰　　② ㉡ 持地
③ ㉢ 浸默　　④ ㉣ 盟誓

05
2020 지방직(= 서울시) 9급

밑줄 친 단어와 바꿔 쓸 수 있는 한자어로 가장 적절한 것은?

① 그는 가수가 되려는 꿈을 버리고 직장을 구했다.
→ 遺棄하고

② 휴가철인 7 ~ 8월에 버려지는 반려견들이 가장 많다.
→ 根絕되는

③ 그는 집 앞에 몰래 쓰레기를 버리고 간 사람을 찾고 있다.
→ 投棄하고

④ 취직하려면 그녀는 우선 지각하는 습관을 버려야 할 것이다.
→ 抛棄해야

06
2019 국가직 7급

㉠~㉣의 한자 표기로 옳은 것은?

> 기호를 기표와 기의의 결합으로 보는 것은 언어학의 ㉠ 공리이다. 그리고 그 결합이 ㉡ 자의적이라는 점 또한 널리 알려진 ㉢ 상식이다. 그러나 음성 상징어로 총칭되는 의성어와 의태어는 여기에서 예외로 간주되곤 한다. 즉 의성어와 의태어는 기표와 기의 사이의 ㉣ 연관성을 보여 주는 사례이다.

① ㉠ 共理
② ㉡ 自意的
③ ㉢ 常識
④ ㉣ 緣關性

정답&해설

01 ④ 한자어

④ '否'는 '아니다'의 의미일 때는 '부'로, '막히다'의 의미일 때는 '비'로 읽는다. '否運(막힐 비, 운전할 운)'은 '막혀서 어려운 처지에 이른 운수'라는 뜻을 가진 한자어이므로 '否'를 '비'로 읽어야 한다. 나머지는 모두 '아니다'의 의미이므로 '부'로 읽는다.

| 오답해설 | ① 부인(否認)
② 부정(否定)
③ 부결(否決)

02 ③ 한자어

③ '제기된 문제를 해명하거나 얽힌 일을 잘 처리함'이라는 뜻의 '해결(解決)'은 '풀 해, 결정할 결'로 표기해야 한다.
• 結: 맺을 결

| 오답해설 | ① 만족(滿足: 찰 만, 발 족): 마음에 흡족함. 모자람이 없이 넉넉함
② 재청(再請: 다시 재, 청할 청): 이미 한 번 한 것을 다시 청함. 회의할 때에 다른 사람의 동의(動議)에 찬성하여 자기도 그와 같이 청함을 이르는 말
④ 재론(再論: 다시 재, 논의할 론): 이미 논의한 것을 다시 논의함

03 ③ 한자어

③ 맥락상 '순조롭지 아니하게 얽힌 이런저런 복잡한 사정이나 까닭'을 의미하는 '곡절(曲折: 굽을 곡, 꺾을 절)'을 써야 한다. '끊을 절(絕)'을 쓰지 않는다.

| 오답해설 | ① 결과(結果: 맺을 결, 실과 과): 어떤 원인으로 결말이 생김. 또는 그런 결말의 상태
② 초유(初有: 처음 초, 있을 유): 처음으로 있음
④ 서막(序幕: 차례 서, 막 막): 일의 시작이나 발단

04 ④ 한자어

④ '일정한 약속이나 목표를 꼭 실천하겠다고 다짐함.'을 의미하는 단어는 '盟誓(맹세할 맹, 맹세할 세)'이다.

| 오답해설 | ① 挑戰(돋울 도, 싸울 전): 정면으로 맞서 싸움을 겲
② 支持(지탱할 지, 가질 지): 어떤 사람이나 단체 따위의 주의·정책·의견 따위에 찬동하여 이를 위하여 힘을 씀
③ 沈黙(잠길 침, 잠잠할 묵): 아무 말도 없이 잠잠히 있음. 또는 그런 상태

05 ③ 한자어

③ '쓰레기를 버리다.'는 '쓰레기를 투기하다.'로 바꿀 수 있다. 이때 '투기'는 '내던져 버림.'의 의미인 '投棄(던질 투, 버릴 기)'를 쓴다.

| 오답해설 | ① '꿈을 버리다.'의 의미로는 '抛棄(포기)하다'가 적절하다. '遺棄(남길 유, 버릴 기)'는 '내다 버림.'의 의미이다.
② '반려견들이 버려지다.'의 의미로는 '遺棄(유기)하다'가 적절하다. '다시 살아날 수 없도록 아주 뿌리째 없애 버림.'의 의미인 '根絕(뿌리 근, 끊을 절)'은 맞지 않다.
④ '습관을 버리다.'의 의미로는 '根絕(근절)하다'가 적절하다. '하려던 일을 도중에 그만두어 버림.'의 의미인 '抛棄(던질 포, 버릴 기)'는 맞지 않다.

06 ③ 한자어

③ 상식(常識: 항상 상, 알 식): 사람들이 보통 알고 있거나 알아야 하는 지식

| 오답해설 | ① 공리[公理: 공평할 공, 다스릴 리(이)]: 일반 사람과 사회에서 두루 통하는 진리나 도리
② 자의적(恣意的: 방자할 자, 뜻 의, 과녁 적): 일정한 질서를 무시하고 제멋대로 하는 것
④ 연관성[聯關性: 연이을 연(련), 관계할 관, 성품 성]: 사물이나 현상이 일정한 관계를 맺는 특성이나 성질

| 정답 | 01 ④ 02 ③ 03 ③ 04 ④ 05 ③ 06 ③

07

2016 국가직 9급

㉠~㉣의 밑줄 친 어휘의 한자가 옳지 않은 것은?

- 그는 적의 ㉠ 사주를 받아 내부 기밀을 염탐했다.
- 남의 일에 지나친 ㉡ 간섭을 하지 않기 바랍니다.
- 그 선박은 ㉢ 결함을 지닌 채로 출항을 강행하였다.
- 비리 ㉣ 척결이 그가 내세운 가장 중요한 목표였다.

① ㉠ – 使嗾　② ㉡ – 間涉
③ ㉢ – 缺陷　④ ㉣ – 剔抉

08

2015 서울시 9급

다음에서 설명하는 훈민정음 제자 원리에 해당하는 것은?

ㄱ, ㄷ, ㅂ, ㅅ, ㅈ, ㅎ 등을 가로로 나란히 써서 ㄲ, ㄸ, ㅃ, ㅆ, ㅉ, ㆅ을 만드는 것인데, 필요한 경우에는 ㅺ, ㅼ, ㅽ, ㅳ, ㅶ, ㅷ, ㅴ, ㅵ 등도 만들어 썼다.

① 象形　② 加畫
③ 竝書　④ 連書

09

2017 서울시 9급

다음 밑줄 친 단어의 한자로 적합한 것은?

토의는 최적의 해결 방안을 선택하기 위한 공동의 사고 과정이다. 이 과정이 효율적으로 진행되기 위해서는 공동체가 해결해야 할 문제와 문제의 원인을 인식하고 가능한 대안들을 도출해야 한다. 그리고 대안의 선택에 필요한 판단 준거를 토대로 대안을 분석해 최적의 대안을 선택해야 한다.

① 토의 – 討義　② 사고 – 思考
③ 선택 – 先擇　④ 준거 – 準擧

10

2021 국가직 9급

한자 표기가 옳은 것은?

① 그분은 냉혹한 현실(現室)을 잘 견뎌 냈다.
② 첫 손님을 야박(野薄)하게 대해서는 안 된다.
③ 그에게서 타고난 승부 근성(謹性)이 느껴진다.
④ 그는 평소 희망했던 기관에 채용(債用)되었다.

11

2015 지방직 9급

㉠~㉢에 들어갈 단어로 가장 적절한 것은?

- 리포트 자료를 종류별로 (㉠)해 두어라.
- 재활용할 쓰레기를 제대로 (㉡)해야 한다.
- 그는 언제나 옳고 그른 일을 정확하게 (㉢)할 줄 안다.

	㉠	㉡	㉢
①	分類	分離	區分
②	分類	區分	分離
③	分離	區分	分類
④	分離	分類	區分

12

2022 국가직 9급

사자성어의 쓰임이 적절하지 않은 것은?

① 그는 구곡간장(九曲肝腸)이 끊어지는 듯한 슬픔에 빠졌다.
② 학문의 정도를 걷지 않고 곡학아세(曲學阿世)하는 이가 있다.
③ 이유 없이 친절한 사람은 구밀복검(口蜜腹劍)일 수 있으니 조심해야 한다.
④ 신중한 태도로 문제의 본질에 접근하는 당랑거철(螳螂拒轍)의 자세가 필요하다.

13

2020 지방직(= 서울시) 9급

다음에 서술된 A사의 상황을 가장 적절하게 표현한 한자 성어는?

> 최근 출시된 A사의 신제품이 뜨거운 호응을 얻고 있다. 이번 신제품의 성공으로 A사는 B사에게 내주었던 업계 1위 자리를 탈환했다.

① 兎死狗烹　② 捲土重來
③ 手不釋卷　④ 我田引水

정답&해설

07 ② 한자어

② '간섭'은 '참견'이란 의미를 가진 말로, 이때 '간'의 한자는 '間(사이 간)'이 아니라 '干(방패 간)'을 쓴다.

08 ③ 한자어

③ 훈민정음의 제자 원리 중 하나인 '병서(竝書)'에 대한 설명이다.
| 오답해설 | ① 象形(상형): 자음과 모음의 기본자에 적용된 원리
② 加畫(가화): 자음의 기본자에 획을 더하는 원리(가획의 원리와 같은 뜻)
④ 連書(연서): 순경음 등을 만드는 데 사용된 원리

09 ② 한자어

② 사고(思考: 생각 사, 상고할 고): 생각하고 궁리함
| 오답해설 | ① 토의(討議: 칠 토, 의논할 의): 어떤 문제에 대하여 검토하고 협의함
③ 선택(選擇: 가릴 선, 가릴 택): 여럿 가운데서 필요한 것을 골라 뽑음
④ 준거(準據: 준할 준, 의지할 거): 사물의 정도나 성격 따위를 알기 위한 근거나 기준

10 ② 한자어

② 야박(野薄): 들 야, 얇을 박
| 오답해설 | ① 현실(現實): 나타날 현, 열매 실
③ 근성(根性): 뿌리 근, 성품 성
④ 채용(採用): 캘 채, 쓸 용

11 ① 한자어

① ㉠ 자료를 종류별로 나누는 것은 '분류(分類)'가 적절하고, ㉡ 재활용은 다른 쓰레기들과 나누어 떨어지게 하는 것이므로 '분리(分離)'가 적절하다. 또한 ㉢ 옳고 그름을 나누는 것에는 기준에 따라 나눈다는 '구분(區分)'이 적절하다.

12 ④ 사자성어

④ '당랑거철(螳螂拒轍)'은 제 역량을 생각하지 않고, 강한 상대나 되지 않을 일에 덤벼드는 무모한 행동거지를 비유적으로 이르는 말이므로 '신중한 태도로'라는 맥락과 맞는 않는 표현이다.
| 오답해설 | ① 구곡간장(九曲肝腸): 굽이굽이 서린 창자라는 뜻으로, 깊은 마음속 또는 시름이 쌓인 마음속을 비유적으로 이르는 말
② 곡학아세(曲學阿世): 바른길에서 벗어난 학문으로 세상 사람에게 아첨함.
③ 구밀복검(口蜜腹劍): 입에는 꿀이 있고 배 속에는 칼이 있다는 뜻으로, 말로는 친한 듯하나 속으로는 해칠 생각이 있음을 이르는 말

13 ② 사자성어

② 捲土重來(권토중래): 땅을 말아 일으킬 것 같은 기세로 다시 온다는 뜻으로, 한 번 실패하였으나 힘을 회복하여 다시 쳐들어옴을 이르는 말
| 오답해설 | ① 兎死狗烹(토사구팽): 필요할 때는 쓰고 필요 없을 때는 야박하게 버리는 경우를 이르는 말
③ 手不釋卷(수불석권): 손에서 책을 놓지 아니하고 늘 글을 읽음을 이르는 말
④ 我田引水(아전인수): 자기에게만 이롭게 되도록 생각하거나 행동함을 이르는 말

| 정답 | 07 ② 08 ③ 09 ② 10 ② 11 ① 12 ④ 13 ②

14

2013 서울시 9급

다음 한자 성어의 풀이로 적절하지 않은 것은?

① 左顧右眄: 앞뒤를 재고 망설임
② 不問曲直: 옳고 그름을 따지지 아니함
③ 靑出於藍: 제자가 스승보다 뛰어남
④ 支離滅裂: 흩어지고 찢기어 갈피를 잡을 수 없음
⑤ 千慮一失: 잘못된 생각이 손해로 이어짐

15

2013 서울시 7급

다음 중 한자 성어의 풀이가 잘못된 것은?

① 自强不息 – 스스로 힘써 해 나가면서 쉬지 않음
② 昏定晨省 – 밤새 고민하여 새벽에 깨달음을 얻음
③ 指鹿爲馬 – 사람을 기만하고 우롱함
④ 金蘭之契 – 쇠같이 단단하고 난초같이 향기로운 우정
⑤ 登高自卑 – 모든 일에는 순서가 있음

16

2015 국가직 9급

다음 글에서 경계하고자 하는 태도와 유사한 것은?

> 비판적 사고는 지엽적이고 시시콜콜한 문제를 트집 잡아 물고 늘어지는 것이 아니라 문제의 핵심을 중요한 대상으로 삼는다. 비판적 사고는 제기된 주장에 어떤 오류나 잘못이 있는가를 찾아내기 위해 지엽적인 사항을 확대하여 문제로 삼는 태도나 사고방식과는 거리가 멀다.

① 격물치지(格物致知)　② 본말전도(本末顚倒)
③ 유명무실(有名無實)　④ 돈오점수(頓悟漸修)

17

2019 국가직 9급

화자의 상황을 적절하게 표현한 한자 성어는?

> 미인이 잠에서 깨어 새 단장을 하는데
> 향기로운 비단, 보배 띠에 원앙이 수놓였네
> 겹발을 비스듬히 걷으니 비취새가 보이는데
> 게으르게 은 아쟁을 안고 봉황곡을 연주하네
> 금 재갈, 꾸민 안장은 어디로 떠났는가?
> 다정한 앵무새는 창가에서 지저귀네
> 풀섶에 놀던 나비는 뜰 밖으로 사라지고
> 꽃잎에 가리운 거미줄은 난간 너머에서 춤추네
> 뉘 집의 연못가에서 풍악 소리 울리는가?
> 달빛은 금 술잔에 담긴 좋은 술을 비추네
> 시름겨운 이는 외로운 밤에 잠 못 이루는데
> 새벽에 일어나니 비단 수건에 눈물이 흥건하네
>
> – 허난설헌, 「사시사(四時詞)」에서 –

① 琴瑟之樂　② 輾轉不寐
③ 錦衣夜行　④ 麥秀之嘆

18

2019 지방직 9급

다음 (   ) 속에 들어갈 말로 가장 적절한 것은?

> 방랑시인 김삿갓의 시는 해학과 풍자로 가득 차 있는데, 무슨 시든 단숨에 써 내리는 一筆揮之인데다 가히 (   )의 상태라서 일부러 꾸미지 않았는데도 자연스럽고 아름답다.

① 花朝月夕　　② 韋編三絕
③ 天衣無縫　　④ 莫無可奈

정답&해설

14 ⑤ 사자성어

⑤ 千慮一失(천려일실): '천 번 생각에 한 번 실수'라는 뜻으로, 슬기로운 사람이라도 여러 가지 생각 가운데에는 잘못되는 것이 있을 수 있음을 이르는 말

| 오답해설 | ① 左顧右眄(좌고우면): '이쪽저쪽을 돌아본다'라는 뜻으로, 앞뒤를 재고 망설임을 이르는 말

② 不問曲直(불문곡직): 옳고 그름을 따지지 아니함

③ 靑出於藍(청출어람): 쪽에서 뽑아낸 푸른 물감이 쪽보다 더 푸르다는 뜻으로, 제자나 후배가 스승이나 선배보다 나음을 비유적으로 이르는 말

④ 支離滅裂(지리멸렬): 이리저리 흩어지고 찢기어 갈피를 잡을 수 없음

15 ② 사자성어

② 昏定晨省(혼정신성): 밤에는 부모의 잠자리를 보아 드리고 이른 아침에는 부모의 밤새 안부를 묻는다는 뜻으로, 부모를 잘 섬기고 효성을 다함을 이르는 말

| 오답해설 | ① 自強不息(자강불식): 스스로 힘써 몸과 마음을 가다듬어 쉬지 아니함

③ 指鹿爲馬(지록위마): 윗사람을 농락하여 권세를 마음대로 함을 이르는 말

④ 金蘭之契(금란지계): 친구 사이의 매우 두터운 정을 이르는 말

⑤ 登高自卑(등고자비): 높은 곳에 오르려면 낮은 곳에서부터 오른다는 뜻으로, 일을 순서대로 하여야 함을 이르는 말. 지위가 높아질수록 자신을 낮춤을 이르는 말

16 ② 사자성어

② 비판적 사고는 지엽적인 것이 아니라 핵심을 대상으로 한다고 했으므로, 근원과 말단이 전도됨을 나타내는 '본말전도(本末顚倒)'를 경계하는 것으로 볼 수 있다.

| 오답해설 | ① 격물치지(格物致知): 실제 사물의 이치를 연구하여 지식을 완전하게 함

③ 유명무실(有名無實): 이름만 그럴듯하고 실속은 없음

④ 돈오점수(頓悟漸修): 문득 깨달음에 이르는 경지에 이르기까지는 반드시 점진적 수행 단계가 따름

17 ② 사자성어

② 화자의 상황을 보면 미인이 잠을 깨었고 아직 밝은 달이 뜬 봄날의 밤이라는 것을 알 수 있다. 그리고 '시름겨운 이는 외로운 밤에 잠 못 이룬다'고 하며 잠 못 이루는 화자가 느끼는 봄밤의 외로움의 정서를 표현해 주고 있다. 따라서 이러한 화자의 상황과 가장 가까운 사자성어는 '輾轉不寐(전전불매)'이다.

- 輾轉不寐(전전불매): 누워서 몸을 이리저리 뒤척이며 잠을 이루지 못함

| 오답해설 | ① 琴瑟之樂(금슬지락): '거문고와 비파(琵琶)의 조화로운 소리'라는 뜻으로, 부부(夫婦) 사이의 다정(多情)하고 화목(和睦)한 즐거움을 뜻한다.

③ 錦衣夜行(금의야행): 비단옷(緋緞-)을 입고 밤길을 간다는 뜻으로, '아무 보람없는 행동(行動)을 비유하여 이르는 말'의 의미 또는 '입신(立身) 출세(出世)하여 고향(故鄕)으로 돌아가지 않음'을 이르는 말이다.

④ 麥秀之嘆(맥수지탄): '고국의 멸망(滅亡)을 탄식(歎息)함'을 의미한다.

18 ③ 사자성어

③ '일부러 꾸미지 않았는데도 자연스럽고 아름답다'라는 표현에서, '천사의 옷은 꿰맨 흔적이 없다는 뜻으로, 일부러 꾸민 데 없이 자연스럽고 아름다우면서 완전함을 이르는 말'을 뜻하는 '天衣無縫(천의무봉)'이 빈칸에 들어갈 말로 가장 적절함을 알 수 있다.

| 오답해설 | ① 花朝月夕(화조월석): 꽃 피는 아침과 달 밝은 밤이라는 뜻으로, 경치가 좋은 시절을 이르는 말

② 韋編三絕(위편삼절): 공자가 주역을 즐겨 읽어 책의 가죽끈이 세 번이나 끊어졌다는 뜻으로, 책을 열심히 읽음을 이르는 말

④ 莫無可奈(막무가내): 달리 어찌할 수 없음

| 정답 | 14 ⑤　15 ②　16 ②　17 ②　18 ③

끝이 좋아야 시작이 빛난다.

– 마리아노 리베라(Mariano Rivera)

2023 에듀윌 7·9급공무원 기본서 국어: 어휘와 관용표현

발 행 일 2022년 6월 23일 초판 | 2023년 1월 19일 2쇄
편 저 자 배영표
펴 낸 이 김재환
펴 낸 곳 (주)에듀윌
등록번호 제25100-2002-000052호
주 소 08378 서울특별시 구로구 디지털로34길 55
코오롱싸이언스밸리 2차 3층

www.eduwill.net
대표전화 1600-6700

여러분의 작은 소리
에듀윌은 크게 듣겠습니다.

본 교재에 대한 여러분의 목소리를 들려주세요.
공부하시면서 어려웠던 점, 궁금한 점,
칭찬하고 싶은 점, 개선할 점, 어떤 것이라도 좋습니다.

에듀윌은 여러분께서 나누어 주신 의견을
통해 끊임없이 발전하고 있습니다.

에듀윌 도서몰 book.eduwill.net

- 부가학습자료 및 정오표: 에듀윌 도서몰 → 도서자료실
- 교재 문의: 에듀윌 도서몰 → 문의하기 → 교재(내용, 출간) / 주문 및 배송